Niets dan de waarheid

Bezoek onze internetsite www.awbruna.nl
voor informatie over al onze boeken en dvd's.

David Baldacci

Niets dan de waarheid

A.W. Bruna Uitgevers B.V., Utrecht

Oorspronkelijke titel
The Whole Truth
© 2008 by Columbus Rose, Ltd.
Published by arrangement with Lennart Sane Agency AB.
Vertaling
Rogier van Kappel
Omslagbeeld
© Sherman Hines/Alamy
Omslagontwerp
Studio Jan de Boer
© 2008 A.W. Bruna Uitgevers B.V., Utrecht

ISBN 978 90 229 9427 6
NUR 332

Dit boek is gedrukt op papier dat het keurmerk van de Forest Stewardship Council (FSC) mag dragen. Bij dit papier is het zeker dat de productie niet tot bosvernietiging heeft geleid. Een flink deel van de grondstof is afkomstig uit bossen en plantages die worden beheerd volgens de regels van FSC. Van het andere deel van de grondstof is vastgesteld dat hiervoor geen houtkap in de laatste resten waardevol bos heeft plaatsgevonden. Daarom mag dit papier het FSC Mixed Sources label dragen. Voor dit boek is het FSC-gecertificeerde Munkenprint gebruikt. Dit papier is 100% chloor- en zwavelvrij gebleekt en wordt geleverd door Arctic Paper Munkedals AB, Zweden.

Voor Zoe en Lake

'Waarom tijd verdoen met het ontdekken
van de waarheid als je zelf zo eenvoudig
een nieuwe waarheid kunt scheppen?'

De hierboven geciteerde persoon is op eigen verzoek
anoniem gebleven omdat hij niet bevoegd was om de
waarheid te spreken als hij geciteerd kon worden.

Proloog

'Dick, ik heb een oorlog nodig.'
'Nou, zoals altijd bent u hier dan aan het juiste adres, meneer Creel.'
'Het moet niet zomaar een oorlogje zijn.'
'Van u verwacht ik nooit zomaar iets.'
'Je moet het goed zien te verkopen, Dick. Ze moeten er echt in geloven.'
'Ik kan ze álles wijsmaken.'

·1·

Om exact 0.00 uur UT, oftewel middernacht universele tijd, verscheen het beeld van de gemartelde man op de populairste websites ter wereld.

De eerste zes woorden die hij sprak, zou iedereen die ze ooit te horen had gekregen zich altijd blijven herinneren.

'Ik ben dood. Ik ben vermoord.'

Hij sprak Russisch, maar met een druk op een toets kon je zijn tragische relaas onder aan het scherm laten omzetten in vrijwel elke taal die je maar wilde. De geheime politie van de Russische Federatie had zijn gezin en hem net zo lang in elkaar geslagen totdat ze een reeks 'bekentenissen' hadden afgelegd. Hij was erin geslaagd om te ontsnappen en deze ruwe en slecht verzorgde video-opname te laten maken.

Degene die de camera vasthield, was doodsbang geweest, of dronken, of allebei tegelijk, want om de paar seconden begonnen de korrelige filmbeelden te trillen en te schudden.

Als deze video openbaar werd gemaakt, zei de man, dan wilde dat zeggen dat hij opnieuw gevangen was genomen door een stel gewetenloze kerels in overheidsdienst, en dat hij nu dood was.

Zijn misdrijf? Alleen maar dat hij vrij had willen zijn.

'Er zijn tienduizenden net als ik,' verklaarde hij tegenover de hele wereld. 'Hun botten drukken zwaar op de bevroren toendra van Siberië en liggen diep in het water van het Balkasjmeer in Kazachstan. Het bewijs daarvoor zult u binnenkort te zien krijgen. Er zijn anderen die de strijd na mijn dood zullen voortzetten.'

Hij waarschuwde dat de wereld jarenlang al haar aandacht op Osama bin Laden en zijn kameraden had gericht, maar dat het oude kwaad, dat over een vernietigende kracht beschikte die een miljoen keer groter was dan die van alle islamistische terroristen samen, inmiddels weer helemaal terug was, en dodelijker dan ooit tevoren.

'Het wordt tijd dat de wereld de waarheid te weten komt,' riep hij tegen de camera, en toen brak hij in tranen uit.

'Mijn naam is Konstantin... Mijn naam wás Konstantin,' verbeterde hij zichzelf. 'Voor mij en mijn gezin is het te laat. Wij zijn nu allemaal dood. Mijn vrouw, mijn drie kinderen... dood. Vergeet ons niet! Vergeet niet waarom ik gestorven ben. Zorg dat mijn vrouw en kinderen hun leven niet voor niets hebben gegeven.'

Terwijl de stem wegstierf, ging het gezicht van de man langzaam over in een paddenstoelvormige wolk die het scherm hel deed oplichten, en onder in beeld verscheen een dreigende waarschuwing: *Eerst het Russische volk, daarna de rest van de wereld. Kunnen we wachten tot het zover is?*

Technisch gezien was het maar een armzalig filmpje, en de special effects waren beroerd, maar dat kon niemand wat schelen. Om de rest van de wereld een kans op overleven te geven, hadden Konstantin en zijn arme vrouw en kinderen het zwaarste offer gebracht dat een mens maar kon brengen.

De eerste die de video te zien kreeg, was een computerprogrammeur in Houston, en hij was helemaal van de kaart. Hij mailde het bestand naar twintig vrienden met wie hij regelmatig bestanden uitwisselde. De volgende die de beelden onder ogen kreeg, een paar seconden later maar, woonde in Frankrijk en leed aan slapeloosheid. In tranen stuurde ze het filmpje door aan vijftig vrienden en vriendinnen. De derde die de video te zien kreeg, kwam uit Zuid-Afrika en was zo razend over datgene waarvan hij zojuist getuige was geweest, dat hij de BBC belde en de link daarna doorstuurde aan achthonderd van zijn beste 'vrienden' op het web. Een tienermeisje in Noorwegen zat vol afgrijzen naar de video te kijken en stuurde die toen door aan iedereen die ze maar kende. De volgende duizend mensen die de beelden onder ogen kregen, woonden in negentien verschillende landen en deelden de beelden elk met gemiddeld dertig vrienden, die ze op hun beurt weer aan tientallen anderen doorstuurden. Wat was begonnen als een digitale regendruppel in de oceaan van internet, zwol al snel met explosieve kracht aan tot een tsunami van pixels en bytes die hele continenten kon verzwelgen.

Als een snel om zich heen grijpende pandemie leidde de video overal ter wereld tot grote opschudding. Van blog tot blog, van chatroom tot chatroom, van e-mailbericht tot e-mailbericht ging het verhaal als een lopend vuurtje rond, en elke keer dat het opnieuw werd verteld, werd het groter en belangrijker, totdat het leek alsof de hele wereld elk ogenblik kon worden overspoeld door een uitzinnige horde bloeddorstige Russen.

Binnen drie dagen na Konstantins trieste uitspraken ging zijn verhaal overal rond. Het duurde niet lang voordat de helft van de wereldbevolking, onder wie een groot aantal mensen die echt niet zouden weten wie de huidige paus was, of de huidige president van de Verenigde Staten, alles wist over de dode Rus.

Vanuit de e-mailcircuits, de blogs en de chatrooms werd het verhaal opgepikt door allerlei sensatiebladen. Vervolgens werden *The New York Times*, de *Wall Street Journal* en andere kwaliteitskranten van over de hele wereld meegezogen in de maalstroom, al was het maar omdat iedereen het er inmiddels over had. Van daaruit sloeg het nieuws over naar het mondiale televisiecircuit. Op alle zenders, van het Duitse Sat Eins tot de BBC, van ABC News en CNN tot de Chinese staatstelevisie, was te horen dat dit weleens een voorteken zou kunnen zijn van een nieuw tijdperk van wereldwijde dreiging. Op die manier schoot het verhaal stevig wortel in het collectieve bewustzijn en het collectieve geweten van de hele wereld. Het werd zo belangrijk dat niets anders meer ter zake leek te doen.

De kreet 'Denk aan Konstantin!' lag op de lippen van mensen op alle zeven continenten.

De Russische overheid ontkende alles even nadrukkelijk. De Russische president Gorshkov verscheen zelfs op de internationale televisie om te verklaren dat alles van A tot Z gelogen was en kwam met door hemzelf als 'volkomen overtuigend' gekwalificeerd bewijsmateriaal waaruit zou moeten blijken dat Konstantin nooit had bestaan. Slechts weinigen hechtten daar geloof aan. Gorshkov was een oud KGB'er en de Russische overheid was tot in de hoogste regionen gevuld met fascistische schurken. Dat hadden journalisten van over de hele wereld al jarenlang gemeld aan iedereen die het maar horen wilde, maar tot nu toe had niemand zich daar werkelijk druk om gemaakt, want als puntje bij paaltje kwam, had niemand daar ooit last van gehad. Nu was er echter een dode Konstantin en een paddenstoelwolk op het internet, die iedereen die het maar horen wilde, duidelijk maakte dat het plotseling heel erg belangrijk was.

Er waren ongetwijfeld voldoende sceptici die ernstige twijfels hadden over wie en wat Konstantin en zijn video nou eigenlijk vertegenwoordigden, en die nu alles in het werk zouden stellen om de achtergrond van de veronderstelde dode na te trekken en te controleren wat er van zijn verhaal klopte. Maar vele anderen hadden genoeg gezien en gehoord om volkomen zeker van hun zaak te zijn. En noch Rusland, noch de rest van de wereld zou ooit te weten komen dat Konstantin in werkelijkheid een beginnende acteur uit Letland was, en dat zijn 'wonden' en zijn 'uitgemergelde' uiterlijk het gevolg waren van handige make-up en professionele belichting. Nadat hij deze scène had opgenomen, had hij zich gewassen, alle elementen van zijn vermomming verwijderd en daarna een deel van de vijftigduizend dollar die hij met deze klus had opgestreken, besteed aan een smakelijke lunch in – van alle plekken die hij had kunnen kiezen – de Russian Tearoom in 57th Street in New York. Omdat hij ook Spaans sprak, en over een donker uiterlijk en een gespierd lijf beschikte, was het zijn grootste ambitie om een belangrijke rol te bemachtigen in een soap voor latino's.

Maar na zijn optreden zou de wereld nooit meer hetzelfde zijn.

•2•

Nicolas Creel dronk rustig zijn Bombay Sapphire met tonic op en trok zijn jasje aan. Hij ging een ommetje maken. Of nou ja, een ommetje maken was wat normale mensen deden. Miljardairs die de scepter zwaaiden over grote bedrijven, bevonden zich als ze zich verplaatsten altijd hoog boven het gewone volk. Tijdens de korte helikoptervlucht over de Hudson naar New Jersey zat hij naar de wolkenkrabbers onder zich te kijken, en zo drong het weer eens tot hem door hoe ver hij het geschopt had. Creel was geboren in het westen van Texas, een gebied zo eindeloos vlak en uitgestrekt, en zo volkomen dor en verlaten, dat ervan werd gezegd dat een groot deel van de mensen die hier hun huis hadden staan, daar alleen maar woonden omdat ze niet wisten hoe ze er weg moesten komen of zelfs niet in de gaten hadden dat een mens ook ergens anders kon leven.

Creel had precies een jaar van zijn leven in de *Lone Star-state* doorgebracht voordat hij in het kielzog van zijn vader, die sergeant in het leger was, naar de Filippijnen was verhuisd. Van daaruit waren in hoog tempo zeven andere landen gevolgd, totdat Creels vader in Korea werd gestationeerd en daar vrijwel onmiddellijk om het leven kwam bij iets wat door het leger in bedekte termen was omschreven als zo'n uiterst betreurenswaardige logistieke misser die zo nu en dan nou eenmaal onvermijdelijk was. Zijn moeder was hertrouwd en jaren later was Creel gaan studeren en had hij zijn ingenieursdiploma gehaald. Vervolgens had hij genoeg geld bij elkaar weten te sprokkelen om bedrijfskunde te gaan studeren, maar na een maand of zes had hij ervoor gekozen om te leren hoe het er in de echte wereld aan toeging.

De enige waardevolle les die zijn militaire vader hem had geleerd, was dat het Pentagon meer wapens kocht dan wie dan ook en daar steevast veel te veel voor betaalde. En wat nog mooier was: als je meer geld nodig had, hoefde je de ambtenaren van Defensie daar alleen maar om te vragen en dan kreeg je het. Het was per slot van rekening hun eigen geld niet en niets viel makkelijker weg te geven dan geld van iemand anders, vooral ook omdat Amerika over het grootste spaarvarken ter wereld beschikte. Het leek een verdomd goeie branche om werkzaam in te zijn, want zoals Creel al snel te weten kwam, was het inderdaad mogelijk om de Amerikaanse strijdkrachten twaalfduizend dollar voor een toilet en negenduizend dollar voor een hamer in rekening te brengen. En als je die handeltjes maar wist te bedelven onder een hele berg wettelijke trucjes en parlementaire enquêtes, kwam je daar nog ongestraft mee weg ook.

Creel was enkele tientallen jaren bezig geweest met het opbouwen van een bedrijf dat inmiddels het grootste defensieconglomeraat ter wereld vormde. Volgens het zakenblad *Forbes* was hij met zijn meer dan twintig miljard dollar de op dertien na rijkste man ter wereld.

Zijn inmiddels overleden moeder was geboren in Griekenland en hij had niet alleen haar Zuid-Europese schoonheid geërfd, maar ook haar vurige temperament en al even vurige ambities. Nadat Creels vader tijdens die betreurenswaardige logistieke misser in Korea het leven had gelaten, was ze hertrouwd met een man die zich heel wat hoger op de sociaaleconomische ladder bevond en die zich al snel van de jonge Creel had weten te ontdoen door hem naar een hele reeks kostscholen te sturen, en niet eens bijzonder goede ook. De andere jongens daar, stuk voor stuk rijkeluiszoontjes, kregen alles op een presenteerblaadje aangereikt en het was de buitenstaander Creel die al hun gesar te verduren kreeg en die elke cent twee keer moest omdraaien. Die ervaringen hadden hem eelt op zijn ziel bezorgd.

Dat hij zijn bedrijf naar de Griekse oorlogsgod had vernoemd, was een eerbetoon aan zijn moeder, die hij meer dan wie ook had liefgehad. En Creel was trots op de producten van zijn bedrijf. De naam die in grote drukletters op zijn honderdtwintig meter lange motorjacht geschilderd stond, was *Shiloh*, naar de bloederigste eendaagse veldslag van de Amerikaanse Burgeroorlog.

Hoewel hij op Amerikaans grondgebied geboren was, had Creel zich nooit Amerikaan gevoeld. De Ares Corporation was gevestigd in de Verenigde Staten, maar Creel was een wereldburger en had zijn Amerikaanse staatsburgerschap al lang geleden opgegeven. Dat kwam hem bij zijn zaken goed van pas, want geen enkel land beschikte over een monopolie op oorlogsvoering. Creel kon echter zo vaak en zo lang in de Verenigde Staten verblijven als hij maar wilde, want hij beschikte over een heel leger van advocaten en accountants die elke maas in het stotterende linguïstische drijfzand van de Amerikaanse belastingwet snel wisten te vinden.

Creel had al lang geleden geleerd dat hij om zijn bedrijf te beschermen, zijn rijkdom met anderen moest delen. Bij elke belangrijke opdracht voor de levering van wapensystemen lette hij er zorgvuldig op dat de productie werd verspreid over alle vijftig Amerikaanse staten, en in zijn overdadige en peperdure publiciteitscampagnes werd daar altijd heel veel aandacht aan besteed.

'Honderdduizend leveranciers verspreid over heel Amerika zorgen voor uw veiligheid,' galmde de rechtstreeks uit Hollywood afkomstige commentator met een zware, sonore stem die je hart sneller deed kloppen en je huid liet tintelen van opwinding. Het klonk enorm vaderlandslievend. In werkelijkheid was er maar één reden voor al die spreiding. Als de een of andere bureaucraat iets op de prijs probeerde af te dingen, zouden alle 535 leden van het Amerikaanse Congres als één man oprijzen en die onfortuinlijke ambtenaar ter plekke dood laten neervallen omdat hij over de euvele moed had beschikt om banen bij hun achterban weg te willen kapen. Diezelfde strategie had Creel in een stuk of tien andere landen met al even veel succes weten toe te passen. De Amerikanen hadden niet het alleenrecht op oorlog, en al evenmin op politici die heel wat meer aandacht besteedden aan hun eigen besognes dan aan het algemeen belang.

Door Ares gefabriceerde straaljagers scheerden over alle belangrijke sportwedstrijden ter wereld, waaronder de wereldkampioenschappen honkbal, basketbal en voetbal. Hoe kon je nou geen kippenvel krijgen als een strakke formatie 'oorlogsbodems uit het tijdperk van de ruimtevaart' die meer dan honderdvijftig miljoen dollar per stuk hadden gekost, brullend over je heen schoten, terwijl je maar al te goed besefte dat één zo'n ding over een vuurkracht beschikte die meer dan voldoende was om iedereen in het stadion – mannen, vrouwen en kinderen – in één klap van de aardbodem weg te vagen. In al zijn angstaanjagende grootsheid was het bijna poëtisch.

Het mondiale marketing- en lobbybudget van de Ares Corporation bedroeg drie miljard dollar per jaar. Dat reusachtige bedrag zorgde ervoor dat elk groot land ter wereld dat harde valuta aan defensie te besteden had, telkens weer te horen kreeg: *Wij zijn sterk. Wij staan achter u. Wij zorgen voor úw veiligheid. Wij zorgen ervoor dat ú vrij blijft. Wij zijn het enige wat ú beschermt tegen anderen.* En de beelden die daarbij geleverd werden, waren al even overtuigend: barbecues en optochten, kinderen die met vlaggen zwaaiden en salueerden terwijl tanks voorbijreden, straaljagers door de lucht scheerden en grimmige soldaten met gezichten vol zwarte vegen zich langzaam over vijandelijk terrein bewogen. Daar ging je hart sneller van kloppen en Creel had gemerkt dat geen land ter wereld tegen zo'n inspirerende boodschap bestand was. Nou vooruit, Frankrijk misschien, maar dat was het dan ook wel.

Die commercials waren zo in elkaar gezet dat het net leek of de machtige Ares Corporation al die wapens weggaf uit een soort vurige vaderlandsliefde, terwijl het bedrijf in werkelijkheid niet alleen geregeld te kampen had met budgetoverschrijdingen, maar ook eeuwig en altijd achterlag op schema. De commercials waren erop gericht allerlei ministeries van Defensie zover te krijgen dat ze dure oorlogsspeeltjes aankochten die nooit werden gebruikt, en geen aandacht besteedden aan veel minder prijzige waar, zoals fatsoenlijke kogelvrije vesten en nachtzichtbrillen. Van die dingen dus die infanteristen onder gevechtsomstandigheden echt nodig hadden om in leven te blijven. Tientallen jaren lang had al die publiciteit prima gewerkt.

Maar geleidelijk aan veranderde er iets. Het leek alsof de mensen al die oorlog een beetje zat werden. Het aantal bezoekers van de enorme handelsbeurzen die Ares elk jaar weer organiseerde, was nu al vijf jaar achter elkaar gedaald. Het marketingbudget van de Ares Corporation was inmiddels groter dan de nettowinst. Daaruit viel maar één conclusie te trekken: de mensen wilden Creels spullen niet kopen.

En dus zat hij nu in een fraai ingerichte kamer in een gebouw dat eigendom was van zijn bedrijf. De forsgebouwde man tegenover hem was gekleed in een spijkerbroek en een paar zware militaire schoenen, en zag eruit als een grizzly-beer zonder vacht. Zijn gezicht was verweerd en diepgebruind, en in een van zijn wangen zat een litteken dat afkomstig was van een kogelwond, of anders van de moeder van alle pokken. Zijn schouders waren dik en zijn immens grote handen maakten op de een of andere manier een dreigende indruk.

Creel gaf de man zijn hand. 'Het is begonnen,' zei Creel.

'Ik heb kameraad Konstantin gezien.' De man kon een grijns niet onderdruk-ken toen hij dat zei. 'Ze zouden hem een Oscar moeten geven.'

'*Sixty minutes* heeft er dit weekend een item over. Net als alle andere actualitei-tenrubrieken en opiniebladen. Die halvegare Gorshkov maakt het ons gemak-kelijk.'

'Hoe zit het met het incident?'

'Jij bent het incident,' merkte Creel op.

'Het heeft ook weleens gewerkt zonder gewelddadige actie.'

'Ik ben niet geïnteresseerd in oorlogen die ophouden na honderd dagen, of die uitdraaien op een zwaar uit de hand gelopen vechtpartij tussen twee straatben-des. Daarvan kunnen we hier niet eens de elektriciteitsrekening betalen, Cae-sar.'

'Geef me het plan en ik voer het voor u uit, meneer Creel. Zoals altijd.'

'Zorg nou maar dat je klaarstaat om te vertrekken.'

'Het is uw geld,' zei Caesar.

'Reken maar.'

Toen hij terugvloog naar het Ares Building tuurde Creel naar de tempels van beton, glas en staal onder hem. *Je bent niet meer in het westen van Texas, Nick.*

Maar dit ging natuurlijk niet alleen om geld. Of om het redden van zijn bedrijf. Geld had Creel genoeg, en los van wat hij nou wel of niet deed, de Ares Corpo-ration zou zich wel weten te redden. Nee, waar het nu werkelijk om ging, was zorgen dat de wereld weer op een behoorlijke manier in balans kwam. Alles was inmiddels lang genoeg uit evenwicht geweest. Creel was het spuugzat om werk-loos te moeten toezien hoe de zwakken en de woestelingen de sterken en gecivi-liseerden de wet voorschreven. Die waanzin had inmiddels lang genoeg geduurd. Hij ging alles rechtzetten. Sommige mensen zouden misschien bewe-ren dat hij voor God speelde en in zekere zin was dat ook zo. Maar zelfs een goedwillende god maakte gebruik van geweld en vernietiging om de mensen duidelijk te maken wat hij wilde. En Creel was van plan om dat voorbeeld nauwgezet na te volgen.

Aanvankelijk zou er pijn geleden worden. Aanvankelijk zouden er veel smarte-lijke verliezen worden geleden.

Zo ging dat nou eenmaal altijd. Zelfs zijn eigen vader was slachtoffer geworden van de inspanningen die vereist waren om het internationale machtsevenwicht in stand te houden, dus Creel begreep maar al te goed hoe zwaar de noodzake-lijke offers zouden zijn. Maar uiteindelijk zou het allemaal de moeite waard blijken.

Hij liet zich achterover zakken in zijn stoel.

De schepper van Konstantin wist iets, maar niet veel.

Caesar wist iets, maar niet veel.

Alleen Nicolas Creel wist alles.

Zo ging dat nou eenmaal bij goden.

•3•

'Waar staat de A voor?' vroeg de man in vloeiend Engels met een Nederlandse tongval.

Shaw keek naar de beambte tegenover hem, bij de paspoortcontrole op Schiphol, vijftien kilometer ten zuidwesten van Amsterdam. Schiphol is een van de drukste luchthavens ter wereld en ligt vijf meter onder de zeespiegel, met miljarden en miljarden tonnen woest tekeergaand zeewater vlakbij. Shaw had het altijd een bijzonder gewaagd kunststukje gevonden om hier een luchthaven aan te leggen. Maar tweederde van het hele land lag onder de zeespiegel, en ze moesten al die vliegtuigen natuurlijk toch ergens kwijt.

'Pardon?' zei Shaw, al wist hij heel goed waar de man het over had. De man wees met zijn vinger naar de fotopagina in Shaws paspoort.

'Daar. Uw voornaam is niet meer dan de voorletter A. Maar waar staat die voor?'

Terwijl de Nederlander toekeek, tuurde Shaw in zijn paspoort.

Hij bevond zich hier in het land met de langste mensen ter wereld en hoewel de beambte een standaarduniform droeg, had hij een lengte van maar liefst een meter vijfentachtig, wat echter niet meer dan tweeënhalve centimeter langer was dan de gemiddelde Nederlandse man. Maar zelfs met die lengte was hij nog steeds meer dan zeven centimeter korter dan de indrukwekkend lange en stevige Shaw.

'Die staat helemaal nergens voor,' antwoordde hij. 'Mijn moeder heeft me nooit een voornaam gegeven, en dus heb ik mezelf maar vernoemd naar wat ik ben. *A Shaw*. "Een Shaw". Want zo heet ik echt, of liever gezegd: Shaw was de achternaam van mijn moeder.'

'En uw vader had er geen bezwaar tegen dat zijn zoon zijn naam niet droeg?'

'Je hebt geen vader nodig om een kind te baren. Alleen maar om het te verwekken.'

'En in het ziekenhuis hebben ze u ook geen naam gegeven?'

'Worden alle kinderen dan in het ziekenhuis geboren?' zei Shaw met een glimlach.

De Nederlander verstrakte even, maar daarna werd zijn toon minder vijandig.

'Dus het is Shaw. Een Ierse naam, zoals George Bernard?'

De Nederlanders waren geweldig goed ontwikkelde mensen, dat had Shaw al vaker gemerkt. Goed opgeleid en nieuwsgierig, en verzot op discussies. Hij had nog nooit eerder meegemaakt dat iemand hem vroeg of hij verwant was aan George Bernard Shaw.

'Dat had gekund, maar nee, ik ben van Schotse afkomst. Ik stam uit de Schotse

Hooglanden. Of liever gezegd, daar kwamen mijn voorouders vandaan,' voegde hij daar haastig aan toe, want hij reisde nu op een Amerikaans paspoort, een van de twaalf verschillende waarover hij beschikte. 'Ik ben geboren in Connecticutt. Misschien bent u daar ooit weleens geweest?'

'Nee,' zei de man. En gretig voegde hij daaraan toe: 'Maar ik zou graag eens in Amerika gaan kijken.'

Shaw had die verlangende blik wel vaker gezien. 'Nou, de straten zijn er niet geplaveid met goud en de vrouwen zijn niet allemaal filmsterren, maar er valt een hoop te doen en daar hebben we ook flink wat ruimte voor.'

'Misschien komt het er nog eens van,' zei de paspoortman wat weemoedig, en toen ging hij weer verder met zijn werk. 'Hebt u nog iets aan te geven?'

'Ik heb niets aan te geven.'

'Hé, spreekt u Nederlands?' zei de man verbaasd.

'Wie niet?'

De man lachte en stempelde Shaws paspoort af met een ouderwetse inktstempel in plaats van met een van de hoogtechnologische stempels die tegenwoordig in sommige landen in gebruik waren. Shaw had gehoord dat met die dingen een digitaal zendertje in het papier werd aangebracht waarmee je gangen konden worden nagegaan. Hij had altijd al liever inkt gehad dan zendertjes waarmee je gangen konden worden nagegaan.

'Enjoy your visit,' zei Shaws nieuwe Nederlandse vriend terwijl hij hem zijn paspoort teruggaf.

'Dat ben ik wel van plan,' antwoordde Shaw terwijl hij naar de trein liep die hem in ongeveer twintig minuten naar het Centraal Station in Amsterdam zou brengen.

Daarna zou het alleen nog maar opwindender worden. Maar eerst moest hij een rol spelen. Want hij had publiek.

Zelfs op dit moment werd hij al in de gaten gehouden.

•4•

Bij het Centraal Station nam Shaw een taxi die hem naar het uiterst luxueuze Amstel Hotel bracht. Het beschikte over negenenzeventig prachtige kamers, waarvan een groot deel uitkeek op de Amstel. Maar Shaw was hier niet gekomen voor het uitzicht.

De daaropvolgende drie dagen hield hij zich echter keurig aan zijn rol als toerist, en er waren maar weinig steden ter wereld die daar beter geschikt voor waren dan Amsterdam, een stad met 730.000 inwoners van wie maar de helft van Nederlandse afkomst. Hij nam een rondvaartboot en zat enthousiast foto's te maken van een stad met meer grachten dan Venetië en bijna dertienduizend bruggen op een oppervlakte van nauwelijks tweehonderd vierkante kilometer, waarvan een kwart uit water bestond.

Shaw werd vooral aangetrokken door de woonboten. Het waren er bijna drieduizend en ze lagen overal langs de grachten. Ze spraken hem zo aan omdat ze er zo geworteld uitzagen. Al dreven ze dan op het water, deze boten werden nooit verplaatst. In veel gevallen gingen ze over van de ene generatie op de andere, al werden ze natuurlijk ook vaak gewoon verkocht. Hoe zou het voelen, dacht hij, om je zo verbonden te voelen met één plek?

Een tijdje later trok hij een korte broek en een paar joggingschoenen aan en ging een eindje rennen in het ruime Oosterpark, niet ver van zijn hotel. In heel letterlijke zin was Shaw zijn hele leven aan het rennen, aan het wegrennen wel te verstaan. Nou, als alles volgens plan verliep, zou dat nu snel voorbij zijn. Of het lukte, óf hij zou dood zijn. Maar dat risico nam hij graag. In zekere zin was hij toch al dood.

Terwijl hij koffie zat te drinken in de Bulldog, de bekendste coffeeshop van Amsterdam, keek Shaw toe hoe de mensen hier hun dagelijkse leven leidden. Tegelijkertijd hield hij de mannen in de gaten die hém zo overduidelijk in de gaten hielden. Het was eigenlijk nogal een zielige vertoning. Hier zat hij dan naar mensen te kijken die bezig waren om hem te schaduwen, maar die geen flauw idee hadden hoe dat moest.

De volgende dag ging hij lunchen in een van zijn favoriete restaurantjes, dat werd gedreven door een wat oudere Italiaan. Zijn vrouw zat de hele dag aan tafel de krant te lezen, terwijl het mannetje optrad als gerant, ober, kok, chefkok, hulpkelner, bordenwasser en caissière. Er waren maar vier barkrukken en vijf tafeltjes, het domein van de vrouw des huizes niet meegerekend, en als je er wilde eten moest je in de deuropening blijven staan en je door het mannetje

19

onderzoekend laten opnemen. Als hij knikte, kreeg je toestemming om te komen zitten en iets te eten; als hij je de rug toekeerde, ging je maar ergens anders naartoe.

Het mannetje had Shaw nog nooit de rug toegekeerd. Misschien kwam het door zijn indrukwekkende postuur of zijn strakke blauwe ogen, die je als ze je eenmaal aankeken in een soort houdgreep leken te nemen, maar waarschijnlijk kwam het toch vooral omdat de eigenaar en hij ooit hadden samengewerkt, al had die samenwerking niets met eten en drinken te maken gehad.

Die avond trok Shaw een pak aan en ging naar een operavoorstelling in het Muziektheater. Na de voorstelling had hij makkelijk terug kunnen wandelen naar zijn hotel, maar in plaats daarvan besloot hij de andere kant op te lopen. Vanavond ging hij doen waarvoor hij gekomen was. Hij was nu geen toerist meer.

Toen hij de Wallen naderde, zag hij wat gescharrel in een smal en donker steegje. In de schaduw stond een ruw uitziende man met zijn gulp open en zijn hand in de broek van het jongetje naast hem.

Binnen een seconde was Shaw van richting veranderd. Hij sloop het steegje in en gaf de man een harde klap op zijn achterhoofd. Het was een zorgvuldig afgemeten klap, erop berekend om de man te verdoven zonder hem dood op de straatstenen achter te laten, al kwam Shaw zwaar in de verleiding om dit gevaarlijke roofdier alsnog af te maken. Terwijl de man bewusteloos in elkaar zakte, propte Shaw het jongetje honderd euro in de hand en stuurde hem daarna weg met een harde duw en een stevige waarschuwing in het Nederlands. Terwijl het jongetje er in paniek vandoor ging, wist Shaw dat het kind vanavond in ieder geval niet van de honger zou creperen of vermoord zou worden.

Toen Shaw zijn wandeling voortzette, merkte hij op dat de vroegere aandelenbeurs zich vlak achter de hoerenbuurt bevond. Dat vond hij nogal merkwaardig, totdat hij er even over nadacht en zich realiseerde dat contant geld en prostitutie altijd samen waren gegaan. Hij vroeg zich af of sommige dames misschien ook genoegen zouden nemen met een aandeeltje in plaats van een paar eurobiljetten.

Nog ironischer dan de nabijheid van de aandelenbeurs was dat de oudste kerk van de stad aan alle kanten werd omgeven door peeskamertjes. De Oude Kerk was gebouwd in 1306 als een eenvoudige houten kapel, en in de daaropvolgende eeuwen gestaag uitgebreid. Een grappenmaker had zelfs een stel koperen borsten in het trottoir aangebracht. Shaw was een paar keer in de Oude Kerk geweest en wat hem daar was opgevallen, waren de houtsneden in de zitbankjes van het koor, waarop mannen waren afgebeeld die zaten te poepen. Hij kon er alleen maar uit opmaken dat de heilige mis in die tijd pas écht lang had geduurd.

Heiligen en zondaars, God en hoeren, peinsde Shaw terwijl hij zijn blik over deze omgeving vol zonde liet gaan. De Nederlanders noemden dit gebied de Wallen. Het viel te verwachten dat alles wat achter de wallen gebeurde vertrouwelijk bleef. Vanavond rekende hij daarop.

De hoerenbuurt was niet heel uitgestrekt, en besloeg niet veel meer dan een deel van twee grachten, maar in die paar huizenblokken gebeurde wel een heleboel. De mooiste prostituees hier werkten 's nachts. Veel van hen waren oogverblindend mooie vrouwen uit Oost-Europa, die onder valse voorwendsels het land binnen waren gesmokkeld en die daarna 'in het leven' waren terechtgekomen, zoals het zo fijngevoelig werd omschreven. Ironisch genoeg waren de nachthoeren er voornamelijk voor de show. Want wie had er nou zin om onder de ogen van duizenden toeschouwers zo'n deuropening naar de wellust binnen te stappen? 's Ochtends en 's middags was het hier een stuk rustiger op straat, en dan gingen de serieuze klanten op bezoek bij de heel wat minder aantrekkelijke maar wel zeer efficiënte dames van de eerste en de tweede dagploeg.

De peeskamertjes waren moeilijk over het hoofd te zien, want ze waren allemaal afgezet met rode neonbuizen. De kamers zelf waren voorzien van zo'n oogverblindend fel wit licht dat de schaarse kleding van de meisjes oplichtte als een zomerzon. Shaw liep langs het ene raam na het andere, en achter al die ramen stonden vrouwen. Soms dansten ze een beetje of namen ze erotische poses aan. Eigenlijk kwamen de meeste mensen hier alleen maar om zich te vergapen, niet om ontucht te plegen, al ging er in al die peeskamertjes bij elkaar toch nog wel zo'n vijfhonderd miljoen euro per jaar om.

Met gebogen hoofd liep Shaw langs de ramen. Zijn voeten leidden hem naar een bepaalde bestemming. Hij was er nu bijna.

·5·

De vrouw achter het raam was jong en mooi, met ravenzwarte lokken die over haar naakte schouders vielen. Ze droeg niet meer dan een witte string, een paar hoge hakken en een goedkope halsketting die tussen haar grote borsten bungelde. Haar tepels waren bedekt met plastic zonnebloemetjes. Een interessante keuze, vond Shaw.

Terwijl hij zich een weg baande door de menigte hield hij voortdurend oogcontact met haar. De vrouw kwam in de deuropening staan en daar liet hij merken dat hij inderdaad belangstelling had. Zelfs op haar hoge hakken was ze dertig centimeter korter dan hij. Achter het raam had ze groter geleken. In etalages leken dingen vaak groter. En mooier. Als je met je aankoop thuiskwam, leek die vaak lang niet zo bijzonder meer.

Ze deed de deur achter hen dicht en trok toen de rode gordijnen voor het raam… het enige waaraan de mensen op straat konden zien dat deze kamer, en de bijbehorende dame, nu bezet waren.

Het was maar een klein hokje, met een wastafel, een toilet en – dat sprak vanzelf – een bed. Naast de wastafel bevond zich een drukknop. Die gebruikten de hoeren in noodgevallen. Binnen de kortste keren kwam er dan politie om de klant die in zijn lust te ver was gegaan bij hen weg te sleuren. Dit was een van de drukst gesurveilleerde delen van de stad – als het om belastinginkomsten ging, waren ze hier werkelijk tot alles bereid. Shaw zag een tweede deur in de achtermuur en wendde toen zijn ogen af. Vanuit de kamer hiernaast waren de geluiden van een andere tevreden klant luid en duidelijk te horen. Peeskamertjes werden meestal van elkaar gescheiden door niet meer dan een goedkoop halfsteens muurtje, en soms door niet meer dan een gordijn. Het was duidelijk dat ze in deze bedrijfstak niet veel ruimte nodig hadden om hun werk te doen, en ook niet veel luxe.

'Je ziet er goed uit,' zei ze in het Nederlands. 'En groot ook.' Ze keek naar hem op. 'Ben je overal zo groot?' voegde ze daar wat bezorgd aan toe. 'Want ík ben niet zo groot, hoor.'

'*Spreekt u Engels?*' vroeg Shaw in het Nederlands.

Ze knikte. 'Ik spreek Engels. Dertig euro voor twintig minuten. Maar als je een uur wilt, doe ik het voor vijfenzeventig. Omdat jij het bent,' voegde ze er nuchter en zakelijk aan toe. Ze overhandigde hem een in het Nederlands opgesteld lijstje dat onder aan de pagina nog eens werd herhaald in tien verschillende talen, waaronder Engels, Frans, Japans, Chinees en Arabisch.

De titel luidde: 'Dingen die ik wél en dingen die ik niet doe.'

Shaw gaf haar het velletje papier terug. 'Is je vriendje hier?' vroeg hij. 'Ik heb er lang op gewacht om hem te kunnen ontmoeten.' Snel keek hij even naar de tweede deur.

Ineens bekeek ze hem duidelijk met heel andere ogen. 'Ja, hij is er.'

Ze draaide zich om en liep voor hem uit naar de deur in de achterwand. Haar blote billen waren stevig, maar begonnen toch zachtjes te wiebelen toen ze met een overdreven heupwiegend modellenloopje voor hem uit liep. Hij wist niet of ze dat puur uit gewoonte deed, of omdat die naaldhakken te hoog voor haar waren.

De vrouw deed de deur open en gebaarde dat Shaw naar binnen kon gaan. Ze liet hem achter tegenover de oude man die daar aan een tafeltje zat met een eenvoudige maaltijd: een stuk kaas, een stuk schelvis, een homp brood en een fles wijn.

Het gezicht van de man bestond uit een enorme verzameling rimpels, zijn witte baard was rafelig en zijn buikje zacht en rond. Zijn ogen keken de wereld in van onder lange plukken sneeuwwit haar die nodig wat bijgeknipt moesten worden. De man keek hem strak aan.

Toen gebaarde hij naar de tafel. 'Honger? Dorst?'

Hij wees op de tweede stoel, maar Shaw besloot niet te gaan zitten. Als hij een poging had gedaan om dat wel doen, had de man hem misschien neergeschoten, want hij hield een pistool in zijn linkerhand en dat was recht op Shaw gericht. Bovendien waren Shaws instructies heel duidelijk geweest. Niet gaan zitten. Niets eten en drinken. Niet als hij hier levend uit wilde komen.

Shaw had inmiddels het hele kamertje al afgespeurd. De enige ingang was de deuropening waardoor hij zojuist was binnengekomen. Hij ging zo staan dat hij zowel de deur als de man in de gaten kon houden. En het pistool natuurlijk.

Hij schudde zijn hoofd en zei: 'Dank u wel, maar ik heb al gegeten in De Groene Lanteerne.' Dat was een goedkoop restaurant met Nederlands volksvoedsel, dat werd opgediend in een vertrek dat driehonderd jaar oud was en daar ook duidelijk de sporen van droeg.

Toen die sullige wachtwoorden eenmaal waren uitgewisseld stond het mannetje op, haalde een velletje papier uit zijn zak en gaf het aan Shaw.

Nadat Shaw het adres en de andere informatie die erop stond had gelezen, verscheurde hij het, liet de snippers in de tegen de muur geplaatste toiletpot dwarrelen en spoelde door. Alsof dat een teken was, zette de oude man een verfomfaaid hoedje op, trok een veelvuldig verstelde jas aan en liep de kamer uit.

Shaw kon nog niet weg. Seksuele ontmoetingen duurden over het algemeen toch wat langer dan twee minuten, zelfs bij tieners die het voor het eerst deden. En je wist maar nooit wie er stond te kijken. Nou, eigenlijk wist hij dat wel.

Verschillende mensen zelfs. Hij stapte de voorkamer weer binnen, waar de dame nu als een luie poes languit op bed lag. Het gordijn was nog dicht, de meter liep nog.

'Wil je nu wél neuken?' vroeg de vrouw op licht verveelde toon terwijl ze de string over haar benen trok. 'Het is al betaald,' voegde ze eraan toe alsof hij wat aanmoediging nodig had. 'Een heel uur. En voor dertig euro erbij doe ik ook dingen die op de zwarte lijst staan.'

'Nee, dank u,' zei hij met een beleefde glimlach. Hij zei het in het Nederlands. Als je nee zei tegen een dame als het om seks ging, kon je haar maar beter in haar eigen taal toespreken.

'Waarom niet? Is er iets niet goed?' vroeg ze, en ze was duidelijk beledigd.

'Ik ben getrouwd,' zei hij eenvoudigweg.

'Dat geldt voor de meeste mannen die me hier komen opzoeken.'

'Als jij het zegt, neem ik dat zonder meer aan.'

'Waar is je trouwring dan?' vroeg ze.

'Als ik werk, heb ik die niet om.'

'Weet je zeker dat je me niet moet?' De toon waarop dat eruit kwam, was al even overtuigend als de blik vol ongeloof op haar gezicht.

Hij hield zijn geamuseerde verbazing goed verborgen. Ze zat waarschijnlijk nog maar kort in het leven, want haar ijdelheid was nog grotendeels intact. Wat meer ervaren hoeren zouden ongetwijfeld heel blij zijn om betaald te worden zonder iemand over zich heen te hoeven laten gaan.

'Absoluut zeker.'

Ze trok haar string weer omhoog. 'Jammer.'

'Ja, jammer,' zei hij. Als alles volgens plan verliep, zou hij binnen twee dagen in Dublin zijn, met de enige vrouw van wie hij ooit werkelijk gehouden had. En dat was ook de reden waarom hij hier weg moest. Nú.

Maar hij moest toegeven dat het lang niet zeker was dat alles volgens plan zou verlopen. In zijn beroep was morgen gewoon de zoveelste dag die je laatste kon blijken te zijn.

Er was altijd wel een of andere verdomde Tunesiër, Marokkaan of Egyptenaar bij betrokken. Altijd. Dat mompelde Shaw binnensmonds. Bij die types hoefde je maar één foutje te maken en ze rukten je ballen eraf en lieten je die zelf opeten. En als ze al de moeite namen om je te vertellen waarom dan wel, kreeg je te horen dat Allah had gezegd dat het zo moest. Tot ziens in het paradijs, ongelovige. Dan mag je me een hele eeuwigheid dienen, smerig varken dat je bent. Hij kende die toespraken inmiddels uit zijn hoofd.

Shaw klemde zijn rechterhand stevig om het handvat van de zware koffer, bracht zijn linkerarm een eindje omhoog en liet zich fouilleren door een pezige Tunesiër met rode ogen, ontblote tanden en een grimmige uitdrukking op zijn gezicht.

Behalve Shaw stonden er nog zes andere mannen in het kleine kamertje. Het was een typische bovenverdieping in een hoog grachtenhuis aan een kleine gracht. Het huisje was zo smal als de ingang van een ondergronds slangennest, en in plaats van een trapleuning hing er een touw met een paar knopen langs de vrijwel verticale trap. Waarschijnlijk was dat bedoeld om het iemand die naar boven wilde klauteren wat gemakkelijker te maken. In een Amsterdams grachtenhuis kon je al buiten adem raken als je van de begane grond naar de eerste verdieping liep.

De reden daarvoor was historisch, had Shaw ooit te horen gekregen. Eeuwen geleden waren deze grachtenpanden eigendom geweest van reders en handelaren, die daar ook hun handelswaar hadden liggen, en bij de bouw waren dan ook veel scheepstimmerlieden betrokken geweest. Die waren er vanzelfsprekend van uitgegaan dat wat geschikt was voor een schip, ook geschikt was voor een huis, en dus hadden ze trappen gemaakt die bijna recht omhoog gingen, zoals dat aan boord van schepen vanwege het ruimtegebrek de vaste gewoonte was. Dat was ook de reden waarom de meeste van dergelijke huizen over een hijsbalk beschikten. Oorspronkelijk waren die hijsbalken bedoeld geweest om handelswaar omhoog en omlaag te hijsen, en tegenwoordig werden ze gebruikt voor meubels, want er was geen enkele manier om een bank van zelfs maar heel bescheiden afmetingen door het trappenhuis omhoog te krijgen.

De vorige avond was Shaw de hoerenbuurt uit gelopen en terug in zijn hotel had hij tegen de man achter de balie gezegd dat hij vertrok. De hotelbediende werkte ongetwijfeld voor degenen die zijn gangen lieten nagaan, en zou die informatie onmiddellijk doorgeven. Zodra Shaw het Amstel Hotel verliet, zou hij opnieuw geschaduwd worden.

Omdat hij geen behoefte had aan gezelschap liet hij zijn koffer en kleren achter op zijn kamer en verliet hij het hotel via de kelder. Dat was de reden waarom hij in het grote Amstel Hotel was gaan logeren, dat over vele verschillende uitgangen beschikte. Hij moest weg kunnen komen zonder gezien te worden.

Aan de hand van de aanwijzingen die hij van de oude man in het peeskamertjes had gekregen, reed hij met een huurwagen naar een bestemming buiten de stad, waar het land weids en groen was, en het dichtstbijzijnde water minstens een meter of drie van hem verwijderd, zodat hij in ieder geval niet elk ogenblik zonder erop verdacht te zijn een gracht in kon stappen. Daar had hij een paar telefoongesprekken gevoerd en de avond erna had hij de koffer in ontvangst genomen die de Tunesiër hem nu zo koortsachtig probeerde af te pakken.

Plotseling rukte de veel grotere Shaw de koffer los, zodat de kleinere man voorover viel en met zijn hoofd tegen de grond sloeg. Terwijl het bloed uit zijn neus stroomde, krabbelde de Tunesiër overeind. Hij hield een mes in zijn hand.

Shaw keek om naar de leider van de bende, een Iraniër die op een stoel zat – meer een troontje, dacht Shaw – en die hem nu met een onverstoorbaar gezicht opnam.

'Als u wilt dat ik u de handel laat zien, zorg dan dat die hyena van u zich koest houdt.'

De slanke Pers, die gekleed ging in een ruimvallend wit overhemd met lange mouwen en een keurig gestreken pantalon, maakte een handgebaar en het mes van de Tunesiër was onmiddellijk verdwenen. Maar de razernij op zijn gezicht bleef.

'Gisteravond ben je erin geslaagd mijn manschappen af te schudden,' zei hij tegen Shaw. Hij had een Brits accent.

'Ik hou niet van gezelschap.'

Shaw zette de koffer op de tafel en voerde twee verschillende digitale codes in. Toen hij vervolgens ook nog zijn duim door een scanner had gehaald, sprongen de titaniumsloten open. Shaw keek aandachtig hoe de man uit Teheran reageerde op het cadeautje dat in die koffer op de loer lag. De uitdrukking op het gezicht van de Iraniër liet niets te raden over: voor deze islamiet uit het Midden-Oosten was het hier in Holland nu al pakjesavond.

'Officieel is dit een RDE, een Radiologische Diffusie-Eenheid, oftewel een kofferkernbom of een zogenaamde vuile bom.' Hij zei dat allemaal in het Farsi, zodat de Iraniër even zijn wenkbrauwen optrok.

De mannen kwamen om de tafel heen staan. Voorzichtig voelde de Iraniër aan het apparaat, met al zijn draadjes, zijn metalen frame, roestvrijstalen buizen en vele verschillende LED-schermpjes. 'Hoe vuil?' vroeg hij.

'Dit ding kan voldoende straling produceren om een Amerikaanse stad van gemiddelde afmetingen van de kaart te vegen. Zoiets als Omaha. Bent u weleens in Omaha geweest?'

'Hoeveel mensen?'

'Enkele honderdduizenden.'

De zes moslims keken elkaar opgewonden aan toen ze hoorden hoe vernietigend dit apparaat wel niet was. 'Dit kleine dingetje kan honderdduizenden mensen doden?' zei de Iraniër. 'Weet u dat zeker?'

'Nee. Dat is het aantal inwoners van een gemiddelde Amerikaanse stad. Dit is geen bom die voor een harde knal en een grote paddenstoelwolk zorgt. Als jullie daar behoefte aan hebben, zijn de bouwtekeningen voor zo'n ding zonder veel moeite op internet te vinden. Dan moet je echter nog wel aan verrijkt uranium en andere noodzakelijke bestanddelen zien te komen. Dit schatje hier zorgt voor twintigduizend doden bij detonatie, en op termijn krijgen nog eens honderdduizend mensen stralingsziekte. Maar het mooiste is dat zo'n stad de komende tienduizend jaar volstrekt onbewoonbaar blijft. Dus als je ergens een aanslag wilt plegen, zou ik daar maar geen onroerend goed kopen.'

Nadat hij de bom nog een laatste vriendelijk klopje had gegeven, keerde de Iraniër zich naar hem toe. 'De prijs?'

Shaw rechtte zijn rug, zodat hij hoog boven de anderen uit torende. 'Dezelfde als in de prospectus die we hebben gestuurd.'

'Ik ging ervan uit dat dat jullie openingsbod was. Nu wil ik onderhandelen.'

'Daar bent u dan ten onrechte van uitgegaan. Dit is een vaste prijs. Als u die niet wilt betalen, zijn er genoeg mensen die dat wél willen.'

De Iraniër deed een stap naar voren en zijn manschappen volgden zijn voorbeeld. 'U zult wél onderhandelen.'

Shaw tikte op de inhoud van het koffertje. 'Dit is een kernbom, geen set vleesmessen of een leuke diamant voor het vrouwtje. En ik heb vanavond geen speciale "twee voor de prijs van één"-aanbieding.'

'En waarom zouden we het jou niet gewoon afpakken? Voor niets…'

De Tunesiër kon kennelijk gedachten lezen, want hij had zijn mes alweer getrokken en er lag een felle blik in zijn ogen, die ongetwijfeld veroorzaakt werd door het vooruitzicht dat hij het lemmet dadelijk tot aan het heft in Shaws dikke nek zou kunnen steken.

'…terwijl we je gewoon vermoorden,' maakte de Iraniër zijn opsomming af, wat nergens voor nodig was, want Shaw had allang begrepen waar hij naartoe wilde.

Shaw wees naar de zijkant van de vuile bom, waar de sleuf van een dvd-speler te zien viel. 'Dit is de drive waarmee de bijbehorende software moet worden ingevoerd. Die software bevat de automatische detonatiecodes, plus nog wat programmaatjes die ervoor zorgen dat het boem doet en daarna lekker gaat sissen van de straling. Als je het zonder de software probeert te gebruiken, word je zelf levend gebraden, maar verder gebeurt er niets.'

'En waar is die software dan?'

'Niet hier in de buurt, in elk geval.'

Met zijn vlakke hand gaf de Iraniër een harde klap op de koffer. 'Dus hier heb ik helemaal niets aan!'

'Zoals ook duidelijk in de prospectus stond,' begon Shaw vermoeid. 'U krijgt de hardware bij een aanbetaling van vijftig procent, en de software zodra de andere helft op de opgegeven rekening is gestort.'

'En ik moet jou maar gewoon vertrouwen?' zei de Iraniër, met een nare ondertoon in zijn stem.

'Net zoals wij u maar moeten vertrouwen. We doen dit al een hele tijd en we hebben nog nooit een teleurgestelde klant gehad. Dat weet u, want anders zou u hier niet zijn.'

De Iraniër aarzelde.

Schiet op, smerige worm dat je bent. Een klein beetje gezichtsverlies tegenover die zware jongens van je, en dan krijg je het gouden ei. Je weet dat je het wilt hebben. Bedenk eens hoeveel Amerikanen je met dat ding naar de andere wereld kunt helpen, dacht Shaw.

'Eerst moet ik even bellen.'

'Ik dacht dat u beslissingsbevoegdheid had?' zei Shaw op geërgerde toon.

De Iraniër keek nerveus naar zijn manschappen en op zijn fijnbesneden gezicht stond nu duidelijk schaamte te lezen. 'Even bellen,' zei hij snel en hij viste zijn telefoon uit zijn zak.

Shaw hield zijn hand op. 'Wacht even! Ik wil niet dat Interpol plotseling dit feestje van ons komt verstoren. Dat past niet in mijn vakantieplannen.'

'Ik blijf niet lang genoeg aan de lijn om traceerbaar te zijn.'

'U hebt te veel Dirty Harry-films gezien. In onze branche is dat een ongezonde gewoonte.'

'Waar heb je het over?' snauwde de Iraniër.

'Ik weet dat jullie eigenlijk nog in de negende eeuw na Christus leven, maar als je niet in de dodencel wilt belanden, moeten jullie toch echt wat beter thuis zien te raken in de eenentwintigste eeuw. Om traceerbaar te zijn, hoef je tegenwoordig echt niet twee dagen lang aan één stuk in een telefoon met een draaischijf te kletsen. Ze hebben precies drie seconden nodig om met een satelliet je digitale vingerafdruk op te sporen, een driehoeksmeting te doen, de GSM-zenders te identificeren, je positie tot op drie meter nauwkeurig te bepalen en een arrestatieteam in te zetten.' Dat was grotendeels flauwekul, maar het klonk goed. 'God nog aan toe, waarom denken jullie dat Bin Laden in een grot woont en zijn bevelen noteert op toiletpapier?'

De Iraniër wierp een snelle blik op zijn mobieltje, alsof het hem zojuist gebeten had.

Terwijl hij goed op de bloeddorstige Tunesiër lette, stak Shaw langzaam zijn hand in zijn zak, haalde zijn eigen mobieltje tevoorschijn en wierp het de terroristenleider toe.

'Deze is voorzien van een hypermoderne scrambler en een apparaatje dat het signaal zo diffuus maakt dat het niet te traceren valt. Bovendien is het ding in staat om een reeks fotonenflitsen te versleutelen, zodat die zelfs met een kwantumcomputer niet te kraken valt. Dat laatste is trouwens gewoon een extraatje, voor het geval iemand er inmiddels al in geslaagd mocht zijn een kwantumcomputer te bouwen. Dus bel maar raak, beste vriend. Ik trakteer op beltegoed.'

Terwijl de man belde, ging hij met zijn gezicht naar de muur staan, zodat Shaw hem niet kon horen en al evenmin door middel van liplezen kon achterhalen wat hij zei.

Shaw richtte zijn aandacht op de Tunesiër. In een taal waarvan hij zeker was dat geen van de anderen die sprak, zei hij: 'Jij vindt het leuk om kleine jongetjes te neuken, hè?'

De Tunesiër, die niet in staat was een dialect uit een kleine provincie in het zuiden van China te verstaan, keek hem niet-begrijpend aan. Shaw had een jaar van zijn leven in dat land doorgebracht, en nadat hij twee keer bijna om het leven was gekomen, was hij er dankzij de hulp van een kleine keuterboer met een antiek, walmend Fordje in geslaagd om het land uit te vluchten. Daarom had hij besloten dat het wel handig zou zijn om de taal te leren, zelfs al was hij niet van plan om ooit nog naar China terug te keren. Hij wist per slot van rekening maar nooit of hij daar niet ooit nog eens toe gedwongen zou worden.

De Iraniër gaf Shaw zijn telefoon terug, die het ding dichtklapte en in zijn zak stopte.

'Het is goed,' zei hij.

'Dat doet me genoegen,' zei Shaw terwijl zijn vuist de neus van de Tunesiër platsloeg. In dezelfde beweging haalde hij uit met de zware koffer en slaagde erin om twee anderen er hard mee tegen hun hoofd te raken. Als ze niet al dood waren toen ze de grond raakten, dan scheelde het toch maar weinig.

Een ogenblik later werd de deur ingetrapt en stormden een stuk of zes in kogelvrije vesten gehulde gedaanten de ruimte binnen. Ze zwaaiden allemaal met een groot machinepistool en brulden dat iedereen die niet snel een nieuw oog midden in zijn voorhoofd wilde hebben, zijn wapens moest neerleggen en zijn handen omhoog moest steken.

Toen deed de Iraniër iets onverwachts. Met zijn handen voor zijn gezicht dook hij door het raam en zeilde het huis uit.

Shaw holde naar het raam en keek naar buiten. Hij was ervan overtuigd dat hij het bebloede lijk van de man ver onder zich op straat zou zien liggen.

'Shit!' De man had zo'n vaart gehad dat hij in de gracht was beland.

Shaw keek snel om naar twee mannen met kogelvrije vesten die hem verbijsterd stonden aan te gapen. 'Laat iemand even een tetanusinjectie voor me regelen. Het is al een hele tijd geleden dat ik er een gehad heb.'

Hij wierp zijn telefoon naar een van de mannen, griste het mes van de Tunesiër van de vloer en vloekte binnensmonds. Een ogenblik bleef hij op de vensterbank staan, liet even tot zich doordringen wat voor iets krankzinnigs hij nu weer ging doen, en dook de frisse en heldere Hollandse lucht in.

•7•

Als er buiten de voormalige Sovjet-Unie of misschien Venetië, ook maar één stuk water is waar een mens niet in wil duiken, dan is het wel een Amsterdamse gracht. De grachten zijn over de hele wereld vermaard, maar niet vanwege hun helderheid, schoonheid of gezonde stroming.

Hoewel hij soepel onder de oppervlakte verdween, had Shaw het water toch zo hard geraakt dat al zijn pezen en botten onder de klap leken te bezwijken. Hij zwom omhoog en toen zijn hoofd boven water kwam, keek hij om zich heen of hij de Iraniër ergens kon zien. Maar de man viel nergens te bekennen!

Kennelijk was het een snelle zwemmer. Dat zou je niet verwachten van iemand uit zo'n droog land. Shaw was ook een goede zwemmer en toen hij zijn prooi eindelijk zag, schoot hij met krachtige slagen het smalle water door en toen de man de gracht uitklom, wist hij hem bijna bij zijn voet te grijpen. De Iraniër trapte naar achteren en raakte Shaw met de hak van zijn schoen hard op zijn kaak, wat zijn stemming er bepaald niet beter op maakte.

Shaw en de Iraniër stonden nu recht tegenover elkaar bij de Magere Brug, die met zijn vrolijke verlichting een merkwaardig contrast vormde met de twee woedende mannen die op het punt stonden elkaar aan te vliegen.

'Je hebt me verraden!' schreeuwde de Iraniër.

'Daar kom je wel overheen.'

De Iraniër nam een gevechtshouding aan die duidelijk bestemd was voor gevorderden. 'Ik ben opgeleid bij de moedjahedien. In Irak en Afghanistan heb ik jarenlang gestreden tegen de ongelovige duivels. Ik kijk ernaar uit om jou met mijn blote handen af te maken. In de dood zul je me moeten dienen, stuk vuil dat je bent.'

Voordat de man hem kon aanvallen, trok Shaw zijn werpmes, haalde uit en liet het schieten. Het mes trof de ander in zijn voet, sneed dwars door huid en botten en bleef uiteindelijk met zijn punt in het hout van de brug steken.

De Iraniër schreeuwde het uit van de pijn en terwijl hij probeerde zijn voet los te rukken, riep hij Shaw de smerigste verwensingen toe.

Shaw maakte van de situatie gebruik door hem bewusteloos te slaan, zodat de Iraniër even later met zijn voet nog steeds aan de brug genageld als een opgeprikte vlinder op de planken lag.

'Je lult te veel,' zei Shaw tegen de bewusteloze man.

Een uur later zat Shaw met een deken om zijn brede schouders achter in een witte bestelwagen en nam een slok hete Nederlandse koffie.

Tegenover hem zaten twee mannen in uniform, die nogal opvielen omdat op geen enkele manier te zien was van welke organisatie ze nu eigenlijk deel uitmaakten, plus een derde in een confectiepak.

'Je bent een raam uit gedoken? De gracht in? En dat op jouw leeftijd?' zei de man in het pak terwijl hij aan een rood stukje huid op zijn kale, eivormige hoofd krabde.

'Hebben jullie het telefoontje getraceerd?'

De man knikte. 'Goed bedacht van je om hem jouw telefoon te geven. Tien minuten geleden hebben we Mazlumi en zijn mannen in Helsinki opgepakt. Een naar stel. Wat een harde jongens, zeg.' De man deed of hij huiverde en begon toen te lachen.

Shaw lachte niet mee. 'Prettige mensen doen over het algemeen niet hun best om onschuldige mensen met kernbommen te bestoken. Daarom hebben we regeringen.'

'Geloof je dat echt?'

'Ja, en jij ook, Frank, als je het lef zou hebben om het toe te geven.'

Frank keek naar de twee geüniformeerde mannen en knikte naar de deur. Ze stonden haastig op en liepen het vertrek uit. Frank kwam wat dichterbij staan.

'Hoe komt het toch dat ik telkens weer hoor dat jij ermee wilt kappen?'

'Hoe lang had je verwacht dat ik hiermee door zou gaan?'

'Heb je de kleine lettertjes dan niet gelezen? Tot je dood bent. Zoals vanavond bijna was gebeurd.'

'Vanavond? Dat leek er zelfs niet op. Dit was ongeveer net zo gevaarlijk als met een non een wedstrijdje doen wie het hardst met een liniaal op tafel kan slaan.'

'Nou, als je ooit doodgaat, doe het dan alsjeblieft niet terwijl ik dienst heb. Dat soort narigheid kan ik niet gebruiken.'

'Fijn dat je zoveel om me geeft.'

'Waar ga je nu naartoe?'

'Naar Dublin.'

'Waarom?' vroeg Frank nieuwsgierig.

'Vakantie. Of vind je soms dat ik die na vanavond niet verdiend heb?'

'O, ga maar. Je komt toch wel terug,' zei Frank heel zelfverzekerd.

Shaw stond op, liet de deken van zijn schouders glijden en gaf Frank zijn lege mok aan. Zijn huid prikte en hij had het gevoel alsof zijn haar aan het uitvallen was.

'Zodra jij me een foto stuurt waarop je in die Amsterdamse gracht zwemt. Naakt natuurlijk.'

'Best hoor. Ben je nog steeds blij dat je tegenwoordig aan onze kant staat?'

'Ik had niet veel keus, hè?'

'Veel plezier in Dublin, Shaw.'

'Je zult zelf wel zien of ik me daar vermaak of niet, toch? Die jongens van jou blijven me overal goed in de gaten houden.'

Frank stak een Hollandse sigaar op en wierp hem door een waas van rook een brede grijns toe. 'Denk je nou echt dat jij zo belangrijk bent dat wij jou over de hele wereld achterna gaan jagen? God, wat heb jij toch een hoge dunk van jezelf.'

'Dat je maar nooit oud mag worden, Frank.'

·8·

De 'Denk aan Konstantin'-hysterie had inmiddels een koortsachtige intensiteit bereikt. In vijftig landen werden demonstraties tegen de Russen gehouden, en de Verenigde Naties hadden de Russische president Gorshkov officieel om een meer gedetailleerde reactie verzocht. Tegelijkertijd waren mensen die wat rustiger van aard waren, of in ieder geval iets sceptischer aangelegd, druk in de weer om een dam op te werpen tegen de snel aanzwellende anti-Russische gevoelens. Veel politieke leiders, journalisten, commentatoren en medewerkers van allerlei onderzoeksinstituten die zich in het verleden met een al te overhaast geuit oordeel in de vingers hadden gesneden, drongen aan op terughoudendheid en behoedzaamheid. Er waren inmiddels meer vragen gerezen over de authenticiteit van deze 'Konstantin' en zijn video, vooral omdat de Russische overheid alle aantijgingen tot in de kleinste details had weten te ontzenuwen en daarbij toegang had verschaft tot meer geheime archieven dan ooit tevoren. Twee dagen na dit nadrukkelijke vertoon van medewerking door Moskou was het wereldwijde gevoel dat Rusland de verpersoonlijking vormde van het kwaad dan ook weer wat aan het afnemen. En overal haalden presidenten en premiers weer wat gemakkelijker adem. Deze korte rust vormde echter niet meer dan een opmaat naar de werkelijke uitbarsting.

Want twee dagen later, toen de namen en foto's van duizenden Russen in een digitale ganzenmars over het internet werden verspreid, kreeg de wereld opnieuw een collectieve schok te verduren. Naar verluidde waren al die Russen door hun eigen overheid vermoord. Er waren mannen, vrouwen en kinderen bij; jong en oud, zwanger en invalide. En het ging niet alleen om namen en gezichten, want er werden ook details bij geleverd over hun leven en hun gruwelijke, tragische dood. Erger nog, al die bestanden beschikten over kenmerken die erop wezen dat ze rechtstreeks afkomstig waren uit de geheime databanken van de KGB en haar opvolger, de Russische Federale Veiligheidsdienst.

De onderwerpsregel van de bijbehorende e-mailberichten was al even eenvoudig als verwoestend: 'Denk niet alleen aan Konstantin.' Het duurde dan ook niet lang voordat iedereen – van zogenaamde deskundigen tot Russische expats en mensen uit de landen van het voormalige Sovjetblok – op radio, tv en het web verscheen om Rusland aan te klagen vanwege zijn overduidelijke terugval in een maniakaal gewelddadige en expansiegerichte politiek.

Het was alsof de arme, gemartelde Konstantin en al die duizenden 'nieuwe' doden, de mensen in het hele voormalige Oostblok eindelijk de moed hadden geschonken om te vertellen wat hen onder het communisme overkomen was. Een bizar bijkomend aspect van deze ontwikkeling was dat de wereldmarkt plotseling werd overstroomd door koffiemokken, sweaters en T-shirts met een afbeelding van Konstantins gekwelde gezicht erop. Kennelijk was hij inmiddels uitgegroeid tot de Che Guevara van zijn generatie. Ook in een ander opzicht waren de jaren zestig plotseling terug, want overal ter wereld maakte de paddenstoelvormige wolk van een ontploffende kernbom nu weer deel uit van de collectieve nachtmerries van de mensheid.

In actualiteitenprogramma's over de hele wereld verschenen gasten die beweerden familieleden of vrienden van Konstantin te zijn en die telkens opnieuw uitgebreide verhalen ophingen over het zware leven van iemand die nooit bestaan had. Ze deden hun verhaal allemaal met veel overtuiging. Kennelijk hadden ze zichzelf ervan weten te overtuigen dat Konstantin echt bestaan had, en dat zij hem gekend hadden. En natuurlijk ook dat hij een martelaar was, alom bekend en geliefd, en dat zij dat nu dus ook waren. Hun zeer aangrijpende optreden trok overal ter wereld sterk de aandacht en kwam bij veel mensen hard aan.

Nieuwslezers en presentatoren van praatprogramma's stelden deze mensen indringende vragen die er helemaal op gericht waren om de waarheid boven water te krijgen, zoals bijvoorbeeld: 'Dit is allemaal wel heel akelig, hè?' Of: 'Wat denkt u dat die arme, vermoorde Konstantin, als hij nu nog in leven zou zijn, tegen onze miljoenen kijkers zou willen zeggen?'

In een televisieprogramma verklaarde een commentator plechtig, alsof hij de diepste wijsheid verkondigde: 'In een wereld waar energie schaars is, en water nog schaarser, en waar elke dag weer nieuwe vijanden de kop opsteken, nemen de Russen er geen genoegen mee om een minder belangrijke rol in te nemen ten opzichte van landen als China en India, of zelfs de Verenigde Staten.' De man ging verder met te zeggen dat de Russen de democratie hadden uitgeprobeerd en dat die hen niet bevallen was. De Russische beer stond op het punt om weer eens woest om zich heen te slaan, en de wereld kon maar beter goed opletten.

En de wereld lette goed op, want degene die die woorden had gesproken, was niemand anders dan Sergei Petrov, de voormalige tweede man van de Russische Federale Veiligheidsdienst. Hij had slechts ternauwernood levend uit zijn geboorteland weten weg te vluchten en hij beweerde te verwachten dat hij als gevolg van zijn openhartigheid nu elk ogenblik om het leven kon worden gebracht door middel van een kogel, een bom of een kop koffie met een scheutje polonium-210. Bovendien was hij voor zijn opmerkingen goed betaald, met geld waarvan de herkomst hem volstrekt onbekend was. Er waren nog steeds allerlei mensen druk in de weer om uit te zoeken of al die verhalen over de Russische slachtoffers wel klopten. Op hulp van Petrov hoefden ze daarbij echter niet te rekenen, want die was zijn vaderland beslist niet goedgezind.

De vraag die iedereen werkelijk bezighield, was echter: wie zitten er achter dit alles, en waarom doen ze dit allemaal? En hoewel dit toch het informatietijdperk was, wist niemand daar een goed antwoord op te vinden. De reden waarom dat antwoord niet te vinden was, was heel eenvoudig maar werd toch door de meeste mensen niet onderkend: in het informatietijdperk waren er niet langer miljoenen plekken om je schuil te houden, maar duizenden en nog eens duizenden miljarden.

De eindeloos herhaalde crises in het Midden-Oosten waren vergeten. Gekke Kim in Noord-Korea was verbannen naar de middenpagina's. Elke Amerikaanse presidentskandidaat werd geconfronteerd met dezelfde vraag: wat wordt uw beleid ten aanzien van een land dat over bijna net zoveel kernwapens beschikt als de Verenigde Staten, en dat in het verleden een hele reeks leiders heeft gehad die de hele wereld aan zich wilden onderwerpen?

Met name het Amerikaanse publiek was razend. Al die tijd, al dat geld, al die levens verspeeld in het Midden-Oosten terwijl de Russen in het geniep plannen beraamden om de vrije wereld onderuit te halen? Rusland beschikte over duizenden volledig operationele kernkoppen, en over de middelen om die overal ter wereld te laten neerkomen. Daarbij vergeleken waren Bin Laden en Al-Qaida niet meer dan kleine boefjes. Hoe kon het toch dat alle intelligente mensen dat over het hoofd hadden gezien? En als het Amerikaanse publiek van streek was, kregen de machthebbers dat te horen.

De huidige president, die zich opnieuw verkiesbaar had gesteld, zag zijn positie in de opiniepeilingen van eerste naar vijfde zakken toen zijn tegenstanders hem met veel succes wisten af te schilderen als iemand die zich tegenover Rusland altijd veel te inschikkelijk had opgesteld. Konstantins foto prijkte nu op het omslag van elk belangrijk tijdschrift. In elk discussieprogramma, van *Hardball* tot *Face the Nation* en *Meet the Press*, en op elke blog, in elke chatroom en elk cybercafé ging het gesprek over niets anders dan de wederopstanding van Rusland, de terugkeer van de Koude Oorlog, of zelfs het ontstaan van een nieuw IJzeren Gordijn, dat door sommigen, die wel geestig maar niet bijster fijngevoelig waren, al de Titanium Doodskist werd genoemd.

Het meeste kabaal werd gemaakt door de deskundologen uit de politiek getinte Amerikaanse talkshows. Vanaf de helverlichte podia waarop ze een miljoenenpubliek wisten te bereiken, schreeuwden ze uit dat ze altijd al voor dit potentiële gevaar hadden gewaarschuwd, terwijl ze in werkelijkheid natuurlijk net als iedereen volkomen gefixeerd waren geweest op het Midden-Oosten. Maar toch brulden ze nu eenstemmig: 'Ik spreek voor de gewone man als ik zeg: neem dat stelletje communisten te grazen voordat zij ons te grazen nemen. Bombardeer ze helemaal plat. Dat is de enige manier om ze aan te pakken.'

De belangrijkste televisiezenders haalden hun uitgestrekte archieven vol met grofkorrelige zwart-witbeelden van atoombomontploffingen weer eens tevoorschijn. Minstens twee generaties Amerikanen kregen voor het eerst beelden te zien van schoolkinderen uit de jaren zestig die met wijd opengesperde ogen in elkaar gedoken onder hun schoolbanken zaten, alsof een beetje gelamineerd hout hen zou kunnen beschermen tegen een atoombom. Ook werden er beelden vertoond van militaire parades voor het Kremlin. Daarmee wisten die zenders iedereen de stuipen op het lijf te jagen.

Zoals een redactioneel commentaar het openhartig, zij het nogal smakeloos, stelde: 'Als Moskou New York bestookt met kernbommen, blijft het niet bij twee wolkenkrabbers. Dan zijn ze allemaal weg.'

De Amerikaanse strijdkrachten, de enige die een overtuigend tegenwicht zouden kunnen bieden tegen het Russische militaire apparaat, wellicht met uitzondering van China's drie miljoen tellende troepenmacht, waren zwaar aangeslagen. Het aantal militairen was sterk teruggelopen, veel materieel was vernietigd door het zand van de Irakese woestijn en allerlei slordig in elkaar gezette zelfbouwbommen, en het moreel was zwaar aangetast. Hoewel het materieel van de Amerikaanse luchtmacht en marine het weinige oudroest waarover de Russen nog beschikten ver in kracht en macht ver overtrof, hielden de Verenigde Staten en de rest van de wereld toch collectief hun adem in. Niemand wist wat die gestoorde Russen nu van plan waren, maar toch leek de hele planeet zich van één ding terdege bewust te zijn.

Het Rijk van het Kwaad was terug.

* * *

Nicolas Creel legde zijn krant weg en zette zijn kopje koffie neer. Hij vloog op dit moment tien kilometer boven het aardoppervlak en was met hoge snelheid op weg naar een zeer belangrijke gebeurtenis. Hij was op de hoogte gebracht van de meest recente ontwikkelingen. Alles ging prima. In het jargon van perceptiemanagement bevond de wereld zich inmiddels duidelijk in het 'gegrepen' stadium, waarin de meerderheid van de bevolking alles wat ze maar te horen kreeg, voor waar aannam. Dat stadium was veel eenvoudiger te bereiken dan de meeste mensen zouden willen of durven geloven. Mensen waren makkelijk te manipuleren. Manipulatie was bijna zo oud als de wereld en had de wereld dan ook regelmatig naar de rand van de afgrond geleid.

De digitale beelden die op dit moment door het wereldomvattende netwerk stroomden, de tienduizenden zogenaamd vermoorde Russen die de rest van de mensheid smekend aankeken, waren een tactische manoeuvre die Creels perceptiemanager graag een 'Vesuvius' noemde, naar de vulkaan die met zijn lava de Romeinse steden Pompeii en Herculaneum had bedolven. De overweldigende massa van alle informatie die nu over internet werd verspreid, zorgde ervoor dat alle ontkenningen van de regering in Moskou absurd overkwamen, zelfs al waren ze volkomen juist. Dit maakte deel uit van een klassieke exercitie in 'geestelijke manipulatie' die door Creels manager de 'Triple M' werd genoemd, en die in dit geval perfect had gewerkt. De Russen kwamen niet alleen over als leugenaars, maar wat zo mogelijk nog erger was, als incompetente leugenaars.

Creel keek uit het raampje van zijn Boeing 767 Jumbo Jet. Het toestel was erop ontworpen om meer dan tweehonderdvijftig gewone mensen te kunnen vervoeren, en het was opmerkelijk hoe je van een heel gewoon vliegtuig iets heel bijzonders kon maken door het zo om te bouwen dat het onderdak bood aan minder dan een tiende van het oorspronkelijke aantal passagiers. Deze twintig bevoorrechte individuen beschikten over eigen slaapkamers met bad, een fitnessruimte inclusief een masseuse die fulltime beschikbaar was, een eetzaal, een vergaderkamer en zelfs een bioscoop. Drie stewardessen met lange benen, strakke rokjes en het woord ARES op de achterkant van hun bloesjes stonden klaar om aan al zijn wensen te voldoen. Niet dat Creel dat laatste zelfs maar in de gaten had. Of nou, misschien een heel klein beetje...

Hij was getrouwd. Hij was al drie keer eerder getrouwd geweest en de teller liep nog steeds. Zijn meest recente vrouw was een Miss World of zoiets... hij kon zich haar titel niet goed meer herinneren. Dat huwelijk was natuurlijk absurd en het zou ook niet lang standhouden. Hij zou er echter wel wat plezier aan beleven en zij zou aan de scheiding voldoende overhouden om de rest van haar leven zorgeloos te kunnen leven. Zijn eerste twee echtgenotes waren elegante, intelligente vrouwen geweest, dames die over een eigen mening beschikten en hem daarmee hartstikke gek hadden gemaakt. Daarom koos hij sindsdien voor lekkere mokkels die gehoorzaam aan zijn arm bleven hangen en die hij regelmatig inruilde voor een nieuw model. De zorgvuldig opgestelde huwelijkse voorwaarden die hij daarbij hanteerde, zorgden ervoor dat zo'n lekker ding niet overdreven veel aan de scheiding overhield.

Hij keek uit het raampje. Onder hem lag China, een land met meer potentieel en meer problemen dan enig ander land ter wereld. Ja, een complex oord, misschien wel het meest complexe oord ter wereld. En wat een geweldige plek om een oorlog te beginnen, dacht Creel. Want daar ging dit uiteindelijk natuurlijk allemaal om. Ook al lag het allemaal eigenlijk een stuk ingewikkelder.

Nicolas Creel had zich echter nooit doelen gesteld die makkelijk te verwezenlijken waren. Hij richtte zich altijd juist op het schijnbaar onmogelijke.

•9•

Katie James kreunde toen het zonlicht de kamer binnen stroomde. Hoewel ze de balie speciaal had gevraagd om haar drie keer achter elkaar wakker te bellen, in de naïeve veronderstelling dat een van die telefoontjes misschien wel door de mist rondom haar benevelde brein zou weten te dringen, was het de receptie kennelijk toch niet gelukt om haar wakker te krijgen. Ze was uitgeput van al het reizen, het wisselen van tijdzone en het slaapgebrek dat dat met zich meebracht, en bovendien, wie wilde er nu opstaan uit zijn warme bed om naar een begrafenis te gaan? Nog steeds half versuft ging ze rechtop zitten en trok de lakens op tot aan haar nek. Ze hoestte, wreef over haar keel en keek snel even op de klok.

O shit! Ze was echt te laat. Hou het lijk nog even boven de grond. Ik kom eraan!

Ze sprong op, rende naakt de badkamer in en tien wazige minuten later had ze gedoucht en zich aangekleed en sloeg ze terwijl haar haar nog nat was de deur van de hotelkamer achter zich dicht. Het leven van een journalistieke globetrotter had haar er in ieder geval op voorbereid om als het moest heel snel in actie te komen. Prima, ze ging naar een begrafenis. Maar wat ze nu echt nodig had, was een *mojito*. Of eigenlijk drie mojito's, om te beginnen. Daarna zou ze dan aan de bourbon gaan, en vervolgens een stel martini's en een paar gintonics. Aan discriminatie deed ze niet. Alles waar alcohol in zat, was haar even lief.

Het was begonnen met te veel in kroegen hangen en je best doen om gelijke tred te houden met de jongens die verslag deden van het zoveelste grote buitenlandse nieuwsverhaal. Maar rond de tijd dat ze haar tweede Pulitzerprijs had gewonnen, en daarbij bijna het leven had gelaten, was haar drankgebruik uit de hand gelopen. Na die bijna-dooderveraring had Katie heel goede redenen gehad om te drinken, maar die redenen hield ze altijd voor zich.

De drank was pas een carrièreprobleem geworden toen haar redacteur opmerkte dat ze vaak met dubbele tong sprak, dat haar ogen 's middags bloeddoorlopen waren en dat ze af en toe vergat waar ze nu weer naartoe moest, welke artikelen ze nu weer moest schrijven, en wiens reet ze nu weer moest likken. Haar redacteur had de waarnemend hoofdredacteur op de hoogte gebracht, en zo was de aanstootgevende waarheid steeds hoger in de hiërarchie bekend geworden. Al die mensen waren zelf ook dronkelappen, dronkelappen die erin waren geslaagd om de traditie van de overvloedig besprenkelde zakenlunch voort te zetten tot in de eenentwintigste eeuw, maar zij had het zwaar te verduren gekregen, en uiteindelijk was ze overgeplaatst naar de afdeling die zich bezighield met de overlijdensartikelen.

En hier was ze dan. Ze deed verslag van de staatsbegrafenis van een geliefde Schotse leider, die belachelijk oud was geworden, honderdvier of zoiets. Ze was hier helemaal naartoe gekomen om een in een kilt gehuld, verschrompeld mannetje met een gezicht als een Shar-Peihond in een gigantische grafkist te zien liggen, als een miniatuurpoppetje in een reusachtig grote speelgoedkist. Bij zo'n tafereeltje moest ze eerder lachen dan huilen.

Katie James was inmiddels fulltime bezig met de overlijdensberichten. In het New-Yorkse journalistenwereldje was er een paar weken lang druk over geroddeld en daarna had niemand zich er nog druk om gemaakt.

Niemand behalve Katie.

Ze had de AA geprobeerd, maar alleen omdat haar redacteur had gedreigd haar anders op straat te zetten. De twee Pulitzerprijzen die ze voor die rotkrant had verdiend, was de man duidelijk vergeten, en dat gold ook voor de wond in haar linkerarm die nooit goed geheeld was. Of de steengoede artikelen waarmee ze in de loop der jaren telkens weer was komen aanzetten, en die ze had weggesleept uit de gevaarlijkste, meest chaotische uithoeken ter wereld. Dat alles had een enorme wissel getrokken op haar persoonlijke leven, of, om het wat nauwkeuriger te formuleren, het gevolg van dat alles was dat ze buiten haar werk eigenlijk geen persoonlijk leven had. Ze had in haar bestaan inmiddels vierentachtig verschillende landen bezocht en precies één keer een blind date gehad... met een Pakistani die haar had verteld dat ze hem aan zijn favoriete koe deed denken. Nou bedankt! Ze vroeg zich af of zijn neus na die stomp ooit nog goed geheeld zou zijn.

En toen, drie jaar voor haar biologische klok op veertig sprong, was ze wakker geworden in een kamer die ze niet herkende, naast een onbekende man, in een land waarvan ze niet wist hoe ze er was terechtgekomen, overdekt met iets wat kennelijk haar eigen braaksel was. Dat had haar weer naar de AA gebracht, waar ze was opgestaan en in een kamer vol volslagen vreemden had opgebiecht dat ze hopeloos in de knoei zat en hoopte er weer bovenop te komen. Het was inmiddels zes maanden geleden dat ze voor het laatst iets had gedronken. Maar elke ochtend, elke middag en elke avond verscheen het monster weer en smeekte haar om haar gelofte te breken en dat ene kleine slokje te nemen. En hier zat ze dan, in Schotland, waar de beste whisky ter wereld vandaan kwam, of in ieder geval de meeste soorten whisky. Bij die gedachte begonnen haar lippen te trillen, en het leek alsof er een ijzeren band om haar keel werd geklemd.

Haastig griste ze het eerste setje kleren dat ze zag uit de kast en pas toen ze de begrafenis had bereikt, kwam ze tot de ontdekking dat ze zich volledig in het wit had gekleed. Ze zag eruit als een lelie te midden van een zee van naargeestig zwart. Katie was lang en slank, met blond haar tot op haar schouders, dat op dit moment nog steeds nat was, zelfs al had ze het tijdens de rit hiernaartoe de hele tijd uit het zijraampje laten hangen. Ze was meer dan eens aangezien voor Téa Leoni. Er was misschien zelfs ooit wel een tijd geweest waarin Téa Leoni voor háár aangezien had kunnen worden, vooral na die tweede Pulitzerprijs, toen haar foto overal ter wereld in de krant had gestaan omdat het journalistieke onderzoekswerk voor dat artikel haar bijna het leven had gekost. Meer dan een paar seconden en enkele centimeters had het niet gescheeld.

Een oudere man had trouwens ooit geopperd dat ze eigenlijk een dubbelgangster was van Shirley Easton, het meisje uit de James-Bondfilm *Goldfinger*, en daarna had hij laten doorschemeren dat hij er beslist geen bezwaar tegen zou hebben om Katie helemaal overdekt te zien met goudkleurige verf, en met niets anders. Terwijl de man dat allemaal zei, had hij zijn hand over haar rug omlaag laten glijden en haar toen hard in haar billen geknepen. Ook op zijn gezicht had ze daarna haar vuist bezeerd.

Hollywood was natuurlijk graag bereid geweest om een film te maken over de schokkende maar erg avontuurlijke ervaringen die ze had opgedaan tijdens het winnen van de hoogste prijs die een journalist maar kan winnen. De filmmakers hadden zelfs geopperd dat Katie zichzelf zou kunnen spelen. Maar ze had al die aanbiedingen afgewezen. Niet uit ijdelheid, noch om redenen van privacy, maar uit schaamte en schuldgevoel.

Er was iemand anders bij betrokken geweest, iemand die om het leven was gekomen terwijl zij haar kortstondige roem vergaarde. Een kind. Een klein jongetje. En dat was tot op zekere hoogte háár schuld geweest. Nee, misschien was het wel grotendeels haar schuld geweest. Niemand kende dat deel van het verhaal. Niemand, behalve Katie. Op de momenten waarop dat tot haar doordrong, kon ze alleen nog maar troost vinden door een tijdje naar een vol glas sterke drank te turen en het dan in één teug achterover te slaan en te merken hoe de alcohol, terwijl die haar vanbinnen helemaal kapot brandde, ook de diepe littekens in haar ziel even verdoofde.

Het jongetje had Benham geheten. In het Afghaans betekende dat 'moed' of 'eer'. Ze had gemerkt dat hij over allebei beschikte. Krullend zwart haar, een glimlach die zelfs een van de allerhardste steen gemaakt hart nog kon vermurwen, vol van leven tot het moment waarop dat leven hem met grof geweld was ontnomen.

En het was haar schuld. Hij was gestorven. Zij had het overleefd. Maar niet helemaal. Een deel van Katie was samen met dat kind gesneuveld. Toen ze die tweede Pulitzerprijs in ontvangst had genomen, waren haar emoties zodanig geweest dat geen enkele dichter of schrijver, hoe begaafd dan ook, die ooit in woorden had kunnen vangen. Het was háár avond geweest; iedereen had haar telkens weer verteld hoe moedig, hoe fantastisch en hoe getalenteerd ze was. De ernstige, inwendige schade die de kogel had aangericht, ging grotendeels schuil achter haar uitgemergelde, sterk verzwakte lijf, maar haar gewonde arm zat dik in het verband en hing in een mitella, en had daarmee een spectaculaire visuele bevestiging gevormd van het feit dat ze deze prijs dubbel en dwars had verdiend. Ja, als er ooit iemand was geweest die de Pulitzerprijs werkelijk toekwam, dan was zij dat. Ze had geglimlacht, met haar goede arm iedereen omhelsd, en al met al was ze er heel goed in geslaagd zich voor te doen als iemand die vrede had met zichzelf en met haar illustere positie.

Die avond was ze in haar eentje naar huis gegaan, naar haar flat in New York, en de volgende ochtend wakker geworden terwijl ze in haar ondergoed op de vloer van haar woonkamer lag, met een lege fles Jack Daniels op haar buik en een enorme hekel aan zichzelf. Ja, ze kwam over als iemand die vrede had met zichzelf, en afgezien van het feit dat haar ziel destijds ruw in tweeën was gescheurd, ging het ook prima met haar.

Katie ging zitten, en maakte uitgebreide aantekeningen die ze naderhand op de een of andere manier zou verwerken in een artikel dat haar lezers een minuut later alweer vergeten zouden zijn. Terwijl ze terugliep van de teraardebestelling wisselde ze een paar vriendelijke opmerkingen uit met mensen die ze niet kende. Haar reputatie had inmiddels zulke enorme schade opgelopen dat niemand hier in de gaten had wie ze was, op een ouwe zak van *The Times* na, die haar een neerbuigend glimlachje toewierp. Dat mannetje was vierentachtig. Híj was degene die de overlijdensberichten zou moeten doen, vond ze; voor hem zou dit een geweldige manier zijn geweest om bij te houden hoe het met zijn leeftijdgenoten ging. Maar het was overduidelijk dat het mannetje hier was omdat hij hier wilde zijn, terwijl Katie zich hier alleen maar bevond omdat ze nergens anders heen kon.

Terug in haar hotelkamer tikte ze het artikel uit. Zoals het geval was bij iedereen die ook maar enige bekendheid genoot, was de officiële levensbeschrijving van de overleden Schot al een hele tijd geleden in het archief opgenomen. Haar artikel was alleen maar bedoeld om een sfeerbeeld te geven. Maar er was slechts een beperkt aantal manieren om een begrafenis te beschrijven. De aanwezigen zijn verdrietig, er wordt wat gehuild, en daarna gaat iedereen naar huis om verder te gaan met zijn leven, terwijl de dode noodgedwongen achterblijft op het kerkhof.

Andrew MacDougal had een lange loopbaan in de Europese politiek achter de rug, maar was al meer dan dertig jaar geleden met pensioen gegaan, en dus al een hele tijd uit de openbaarheid verdwenen. Het hele artikel zou nog geen vijfhonderd woorden in beslag nemen, en de enige reden dat er nog zoveel plaats voor zou worden ingeruimd, was dat de president-directeur van Katies krant van Schotse komaf was. Als er een foto bij het artikel werd geplaatst, zou het er ongetwijfeld een zijn waarop de dode blakend van gezondheid en met een kilt aan stond afgebeeld.

Ze schudde haar hoofd bij de gedachte. Zeven uur vliegen naar Londen, daarna met een aftandse interlokale vlucht naar Glasgow... en dat allemaal voor iemand wiens politieke loopbaan al voorbij was geweest toen Katie nog een kind was. Terwijl het grote nieuws van het millennium zich recht voor haar ogen voltrok.

Natuurlijk had ze de gebeurtenissen rond de Konstantin-beelden aandachtig gevolgd. Ze had zelfs een paar zorgvuldig geformuleerde mailtjes aan haar redacteur gestuurd waarin ze suggereerde dat het misschien de moeite waard zou zijn om, nu ze toch in Europa was, even door te vliegen naar Moskou. Ze beschouwde het als een slecht teken dat hij niet eens de moeite had genomen om te reageren.

Ik schrijf over dode mensen terwijl het verhaal dat mijn hele carrière weer tot leven zou kunnen wekken zich volkomen buiten mij om voltrekt. Tjonge, wat heb ik toch een mazzel!

Nadat ze haar meesterwerk van overlijdensartikelkunst naar de krant had gemaild, had Katie de rest van de dag vrij. Ze zou zelfs kunnen besluiten om nog wat langer te blijven. Ze had niets of niemand om naar terug te keren. Ze zou er een reisje naar de oude stad Edinburgh aan kunnen wagen, niet ver ten oosten van hier. Glasgow was de grootste stad van Schotland en geen ideaal terrein voor een herstellende alcoholiste, want het zat er boordevol met verlokkelijke pubs en clubs. Daarbij vergeleken was de Schotse hoofdstad Edinburgh wat ingetogener. En wie weet, tijdens haar verblijf daar zou er misschien nóg wel een honderd jaar oude Schot die een overlijdensartikel waard was, dood neervallen. In dat geval sloeg ze twee Schotten in één klap en met een beetje mazzel kreeg ze zelfs een bonus.

Katie liep met een boog om de bar het hotel uit.

Ze was nooit lang in Schotland geweest. Ierland was altijd de plek geweest waar het nieuws vandaan kwam, in ieder geval toen de IRA nog actief was. Helemaal aan het begin van haar loopbaan was ze ooit vast komen te zitten tijdens een vuurgevecht in Belfast dat een halve dag had geduurd. Ze had haar artikel doorgebeld naar de krant terwijl ze op haar knieën achter een roestige Fiat zat en telkens moest wegduiken voor rondvliegende kogels. Toen het voorbij was, was ze flink gaan stappen en had daarna in haar hotel een bad genomen. Pas toen had ze de platgedrukte kogel in haar haar opgemerkt. Kennelijk was die ergens op afgeketst. Ze had dat stukje metaal al die jaren bewaard; het was haar talisman. Ja, ze had het al die tijd bewaard, het hing zelfs om haar nek, hoewel het overduidelijk al een hele tijd geleden zijn beschermende werking was kwijtgeraakt.

Katie liep een café binnen om wat te eten. Toen de Earl Grey en de scones met bosbessen waren gebracht, raakte ze die echter nauwelijks aan. Ze rekende af en liep het café uit, maar haar ongeïnteresseerde uitdrukking bleef op de een of andere manier nog even hangen, alsof haar afmatting zo groot was dat die over het vermogen beschikte om haar beroerde levensomstandigheden om te zetten in iets tastbaars.

Ze vond het niet prettig om gedeprimeerd te zijn, en het beviel haar al evenmin dat één flinke zuippartij nu al voldoende kon zijn om haar volkomen te gronde te richten, en misschien wel voorgoed. Zeker, de alcohol was in staat om haar volkomen kapot te maken, maar Katie besefte ook dat de demonen die haar werkelijk teisterden zich in haar innerlijk bevonden, en dat een groot deel daarvan voortkwam uit de dood van een onschuldig jongetje. Het was een geheim van verwoestende omvang.

Elke minuut van de dag kon ze gewoon voelen hoe die demonen greep op haar probeerden te krijgen. Terwijl ze door de drukke straat in Glasgow liep, had ze zich nog nooit zo alleen gevoeld.

11

Dublin was een van Shaws favoriete steden. Hoe kon je nou niet van een stad houden waar op elke straathoek wel een pub en een boekwinkel te vinden waren? De helft van de bevolking was onder de dertig, en de tweede taal hier was het Mandarijn. Een stad vol met jonge, cultureel zeer diverse en uiterst belezen kroeglopers, die meningsverschillen vaak de wereld uit hielpen met een radde Ierse tong of rappe Ierse vuisten, en soms met beide.

Shaw was twee keer in een Dublins kroeggevecht verzeild geraakt en beide keren had hij met één harde klap gewonnen. Hij had zich kunnen inhouden om zijn tegenstanders wat langer te laten lijden, maar voor hem was er in een gevecht altijd maar één regel geweest: zodra je daar kans toe ziet, sla je je tegenstander tegen de grond, en laat iemand anders de grafrede dan maar houden.

Het waren twee verschillende gelegenheden geweest, maar in beide gevallen hadden zijn tegenstanders toen ze weer bij kennis waren gekomen aan de overwinnaar gevraagd hoe hij heette.

'Shaw.'

'Schots?'

'Nee.' In werkelijkheid wist Shaw niet waar hij vandaan kwam. Voor hem was het ene verleden vaak net zo goed als het andere; het verleden was wat je op het moment het beste uitkwam.

'Nou, dat verklaart het dan,' had een van hen gezegd met zijn zware Ierse accent, vol zachte, afgekorte klinkers en keiharde medeklinkers, terwijl hij over zijn bont en blauw geslagen kaak wreef. 'Je bent een Ier, verdomme!'

Nadat hij zich in zijn hotelkamer had verkleed, ging Shaw een eindje joggen in het ruim zevenhonderd hectare grote Phoenix Park, een groen paradijs dat twee keer zo groot was als Central Park in New York. Al joggende kwam hij langs de residenties van de Amerikaanse ambassadeur en de Ierse president, maar hoewel hij op verschillende tijdstippen voor beiden als freelancer had gewerkt, salueerde hij niet. Binnen een halfuur legde hij acht kilometer af. Geen persoonlijk record, maar toch een behoorlijk tempo. Hij kon het sneller en hij wist dat er een moment zou komen waarop hij het ook werkelijk sneller zou moeten doen.

Hij liep terug naar zijn hotel, nam een douche, en toen nog een, deed wat lotion op, en gaf zichzelf een paar extra halen met de deodorantroller, maar toch had hij durven zweren dat de stank van het Amsterdamse grachtenwater nog steeds uit al zijn poriën kwam opwellen. Hij keek op zijn horloge. Hij had nog steeds tijd over, en dus wandelde hij wat rond, totdat hij eindelijk de plek aan de rivier de Liffey bereikte waar de Britten in 1916 met een kanonneerboot naartoe waren gevaren om Dublin met granaten te bestoken en zo de 'opstand' de kop in te drukken. Geen wonder, dacht Shaw, dat de Ieren nog steeds tamelijk lichtgeraakt waren als het om hun oosterburen ging.

Hij keek nog eens op zijn horloge. Het was tijd om Anna te gaan opzoeken.

Anna Fischer. Anna was geboren in Stuttgart, opgeleid aan universiteiten in Engeland en Frankrijk, en woonde tegenwoordig in Londen. Ze was in Dublin om een toespraak te houden. En daarom was Shaw hier nu ook. Anna en hij ontmoetten elkaar regelmatig op allerlei verschillende plekken ter wereld, maar deze keer was het anders. En Shaw, de man die geen angst kende, merkte plotseling dat zijn hartslag versnelde en zijn ademhaling sneller en oppervlakkiger werd. Het was nu echt tijd.

Met Shaws lange benen en opgekropte verwachtingen duurde de wandeling naar Trinity College maar een minuut of tien. Omdat Anna's lezing nu bijna voorbij was, bleef hij zijn dame opwachten bij een zij-ingang van het college, niet ver van Maggie's Bookshop, waar ze allebei zeer op gesteld waren. Hij stapte even naar binnen en stond een paar minuten te babbelen met de vrouw die de winkel dreef.

Op een van de planken vond hij een exemplaar van het boek dat Anna had geschreven over het ontstaan van fascistische regeringen. *A Historical Examination of Police States* heette het. De liefde van zijn leven was in vele opzichten een emotionele en romantisch aangelegde meid, maar ze beschikte ook over een IQ dat heel wat hoger was dan dat van de meeste genieën, en de kwesties waarmee ze zich beroepshalve bezighield, waren buitengewoon ernstig. Was er ooit een betere combinatie geweest om iemands hart te winnen dan schoonheid en intelligentie?

Toen Anna naar buiten kwam, omhelsden ze elkaar en bleven zo een tijdje staan. Ze perste haar lange vingers hard in zijn onderrug en bewoog ze toen langzaam knedend over zijn ruggengraat omhoog. Als hij pijn had, had ze dat altijd meteen in de gaten, en hij was iemand die zulke dingen buitengewoon goed verborgen wist te houden.

'Ben je gespannen?' vroeg ze. Haar accent was inmiddels meer Iers dan Duits. De laatste keer dat hij ze geteld had, sprak Anna Fischer vijftien verschillende talen, en stuk voor stuk sprak ze die alsof het haar moedertaal was. Na zes jaar in Oxford, waar ze briljante wetenschappelijke artikelen en boeken had geschreven, was ze als simultaanvertaalster voor de VN gaan werken. Nadat ze dat een tijdje had gedaan, had ze een baan aangenomen bij een onderzoeksinstituut in Londen, waar ze zich had beziggehouden met internationaal beleid en ongelooflijk ingewikkelde vraagstukken van wereldomvattend belang, waarvoor zelfs in de verste verte geen eenvoudige oplossing in zicht was. Ze was ongetwijfeld veel intelligenter dan hij, maar toch liet ze hem dat nooit merken. 'Een beetje.'

'Heb je een zware vlucht gehad vanuit Holland?'

'De vlucht was prima. Gewoon een oude rugbyblessure.' In werkelijkheid kwam het door die harde val in het smerige grachtenwater, maar dat hoefde zij niet te weten.

'Die jongens met hun ruwe spelletjes toch,' zei ze alsof ze hem een standje gaf.

'En dat? Komt dat ook door het rugby?' Ze wees op de blauwe plek op zijn gezicht die hij te danken had aan een Iraniër die nooit meer vrij zou komen.

'De koffer schoot wat sneller uit het bagagerek dan ik had verwacht. Het ziet er erger uit dan het is.'

Toen ze elkaar eindelijk loslieten, keek Anna naar hem op, maar met haar één meter zevenenzeventig en haar vijf centimeter hoge hakken hoefde ze haar nek niet al te scheef te houden. Sinds hij haar had ontmoet, was Shaw altijd heel blij geweest met zijn imponerende lengte.

'Hoe ging je toespraak?'

'Er was behoorlijk veel publiek. Maar, om eerlijk te zijn, moet ik daar wel aan toevoegen dat dat waarschijnlijk voor een groot deel kwam doordat de catering werd verzorgd door het beste Indiase restaurant van de stad, en doordat de bar geopend was. Jammer dat je het gemist hebt. Dan had ik in ieder geval kunnen proberen me voor te stellen hoe je eruit zou zien in je ondergoed.'

'Waarom zou je proberen je zoiets voor te stellen als je het ook echt kunt zien?'

Ze gaf hem een kus en haar lange, dunne vingers verstrengelden zich met de zijne.

Hij hield haar het boek voor dat hij zojuist had gekocht.

'Heb je daarvoor betaald? Dat had je van mij ook wel gratis kunnen krijgen. Ze hebben me alle onverkochte exemplaren gestuurd. Het waren er zoveel dat ik ze als kantoormeubilair gebruik.'

'Nou, voor deze krijg je royalty's. Wil je het voor me signeren?'

Ze pakte haar pen en krabbelde iets op het schutblad. Toen hij probeerde te zien wat er stond, zei ze: 'Lees het later maar. Na Dublin.'

'Dankjewel.'

'Ben je geïnteresseerd in politiestaten?'

'Omdat ik zoveel reis, bezoek ik er minstens één per maand.'

Drie jaar geleden was hij haar in een achterafstraatje van Berlijn letterlijk tegen het lijf gelopen. Ze werd toen net beroofd door twee mannen, en hij was druk bezig met een solomissie die niet zo heel anders was dan die in Amsterdam, en niet in een bijster goed humeur. Toen de boeven hem zagen, hadden ze een grote fout gemaakt door te denken dat ze twee vliegen in één klap konden slaan. De politie kwam een paar minuten nadat Shaw had gebeld, maar hij had pas gebeld nadat hij ze allebei bewusteloos had geslagen. Een van de mannen had hij zo'n harde stomp verkocht dat hij bijna zijn hand had gebroken op diens schedel.

Nadat Anna had geweigerd om naar een ziekenhuis te gaan, had hij haar teruggebracht naar haar hotelkamer. Een uur lang had hij een plastic zakje met ijs tegen haar gezicht gehouden, en omdat ze nog steeds zo van streek was geweest door die beroving, was hij daarna op de vloer van haar kamer blijven overnachten.

Shaw had nooit eerder een serieuze relatie met een vrouw gehad. Misschien had dat wel iets te maken met zijn relatie met zijn moeder, of liever gezegd met het gebrek daaraan.

Zo ging dat als je al heel jong in de steek was gelaten.

Maar vanaf het eerste ogenblik dat hij Anna Fischer had gezien, zoals hij haar in die schemerige straat in de Duitse hoofdstad, onder het bloed en vol met blauwe plekken op straat had zien liggen, had Shaw geweten dat zijn hart niet langer alleen van hem was.

Er waren inmiddels bijna drie jaar verstreken en haar gevoelens voor hem waren duidelijk dieper geworden. Shaw wist dat Anna van hem hield. Maar hij kon ook aanvoelen dat ze steeds minder goed wist wat ze moest denken van zijn gebrek aan daadwerkelijke binding.

Maar daar zou een einde aan komen. Shaw was nog niet van Frank verlost, maar hij kon nu niet langer wachten. Hij zou ervoor zorgen dat dit werkte. Hoe dan ook. Op een of andere manier.

'Wat kijk je treurig,' zei ze tijdens het eten. Op haar achtendertigste had ze nog steeds lang haar. Het hing verleidelijk om haar scherpe Duitse gezicht.

'Nee, ik heb gewoon honger. Bij een man zijn die twee gezichtsuitdrukkingen hetzelfde. Zo te zien zijn ze hier niet gediend van luxe.' Het was een werkmansmaal van kaantjes, aardappelen, uien en worstjes, met veel peper erover.

'Hier niet, nee. Maar we kunnen ergens anders naartoe gaan.'

'Nee hoor, het is best. In de loop der jaren is het eten overal in Dublin steeds beter geworden.'

'Inderdaad, al begrijp ik nog steeds niet waarom er geen wortels in *Irish stew* zitten.' Vanachter haar wijnglas lachte ze hem ondeugend toe. 'Zelfs de Britten doen worteltjes in hun stoofpot.'

'En dat is dan ook precies de reden waarom de Ieren dat niet doen.'

Een tijdje later, toen ze bijna klaar waren met eten, zei ze: 'Nou, wat voerde je daar uit, in Amsterdam?'

'Zo weinig mogelijk.'

'Zit er een beetje de klad in de consultancybusiness?'

'Kom mee. Ik wil je iets laten zien.'

Shaw kon de spanning in zijn stem horen, en hij was zich ervan bewust dat Anna die ook opmerkte.

'Gaat het wel goed met je?' vroeg ze. 'Je doet heel geheimzinnig.'

Shaw likte zijn droge lippen en probeerde te glimlachen. 'Dat was toch een van de dingen die je zo leuk aan mij vond? Mijn geheimzinnigheid?'

Hij vond het zelf niet overtuigend klinken en het was wel duidelijk dat zij het ook flauwekul vond. Hij stond op. Zijn benen trilden een beetje, en in stilte vervloekte hij zichzelf. Ik ben van negen meter hoog een Amsterdamse gracht ingedoken, en heb een stel gestoorde terroristen die een vuile kernbom wilden kopen vrijwel eigenhandig te grazen genomen. Je zou toch denken dat ik dit dan wel zou kunnen regelen zonder me als een smoorverliefde tiener te gedragen.

Een uur later liepen ze een kleine pub ten noorden van de Liffey binnen, in het armere en heel wat minder fraaie deel van Dublin. Maar toch voelde Shaw zich in dit deel van de stad altijd op zijn gemak, en dat gold ook voor Anna.

Zoals ze ooit eens had gezegd: 'Hoe kun je nou niet dol zijn op elke molecuul van de stad die Jonathan Swift, Bram Stoker, George Bernard Shaw, William Butler Yeats, Oscar Wilde, Samuel Beckett en Seamus Heaney heeft voortgebracht? En de meester natuurlijk... James Joyce.'

'Ik hou eigenlijk meer van Roddy Doyle,' had hij toen geantwoord. Gewoon om te zien hoe ze zou reageren.

'En ik van Maeve Binchey,' had ze spits opgemerkt.

Hij bestelde voor hen allebei, wat niet hun gewoonte was. Toen de bestelling werd gebracht, zei ze: 'Wat is dat?'

'*Barm brack*. Een soort fruitcake.'

'Fruitcake! Kun je dat ding niet beter als deurstopper gebruiken, of om mensen mee te vergiftigen?'

Shaw sneed een plakje voor haar af. 'Probeer het nou maar. Je bent toch een avontuurlijke meid?'

Anna prikte met haar vork in de cake, en er klonk een metalig geluid. Haar grote ogen werden nog groter toen ze haar vingers in de cake duwde en voelde wat het was.

'Als je een ring in de barm brack vindt,' zei Shaw, 'ga je binnenkort trouwen. Zo luidt de legende.'

Nu was er geen weg meer terug. De volgende paar seconden zouden bepalend zijn voor zijn hele verdere levensloop. Er verschenen grote zweetplekken op zijn overhemd. Hij haalde diep adem, stond op, liet zich met één knie op de oude planken vloer zakken, die helemaal was gladgesleten door eeuwen vol dronkelappen en minstens één man die een huwelijksaanzoek deed. Hij nam haar trillende hand in de zijne, schoof de ring aan haar vinger en vroeg: 'Anna, wil je met me trouwen?'

•13•

Hij werd gewekt door het roffelen van de regendruppels. Toen hij zich omdraaide om weer in slaap te vallen, wekten de trillingen naast zijn hoofd een
lichte kreun bij hem op.

Shaw griste het apparaatje weg naast het kussen en las het berichtje dat hem
zojuist was gestuurd.

Frank.

Naast hem in bed lag Anna. Ze hadden op gepaste wijze hun verloving gevierd
en daarna een fles Dom Perignon leeggedronken, waarbij ze tussen twee slok-
ken in de glazen in wankel evenwicht op hun platte maag hadden laten wiebelen.

Ze sliep rustig door toen hij snel opstond, de aangrenzende kamer binnenliep
en daar een nummer intoetste waarvan hij wist dat er onmiddellijk zou worden
opgenomen.

'Zit je in Dublin?' vroeg Frank opgewekt. Shaw zag gewoon voor zich hoe de
man ergens in een stoel hing, waarschijnlijk een paar tijdzones hiervandaan,
met die zelfvoldane grijns die meesters altijd bewaren voor gesprekken met een
dienaar.

'Wat! Nemen die mannetjes van jou niet regelmatig contact met je op? Niet dat
je dat nodig hebt trouwens.' Terwijl hij dat zei, tuurde hij naar het oude litteken op zijn rechterzij. 'Niet om het een of ander hoor, maar het is hier drie
uur 's nachts. Is dat ook maar een seconde bij je opgekomen?'

'We zijn vierentwintig uur per etmaal, zeven dagen per week in bedrijf, Shaw.
Je kent de regels.'

'Jouw regels.'

Shaw rukte de gordijnen open en tuurde naar de plenzende regen. Het was
geen inspirerend uitzicht.

'We hebben je nodig, Shaw.'

'Nee, jullie hebben me helemaal niet nodig. Ook mensen zoals ik moeten zo nu
en dan wat rust en ontspanning hebben.'

'Aan die knorrige toon van je valt duidelijk te horen dat je niet alleen bent.'

Shaw had natuurlijk wel door dat Frank precies wist waar hij zich nu bevond,
en met wie. Maar de toon waarop de man het zei, zorgde ervoor dat hij zijn blik
afwendde van het raam en snel naar de slaapkamer liep om te zien of Anna nog
in bed lag. Ze lag nog steeds rustig te slapen, in zalige onwetendheid van het
feit dat hij op dit moment stond te marchanderen met een beroepspsychopaat.

Een van haar lange, welgevormde benen stak onder het dekbed uit. Alleen al de aanblik daarvan zorgde ervoor dat Shaw haar wilde wekken om opnieuw de liefde te bedrijven. Maar hij had Frank aan de lijn. Hij liep terug naar de andere kamer, keek uit het raam en liet zijn blik over alle hoeken en gaten van de sombere straten en stegen dwalen om te zien of hij Franks mannetjes ergens kon ontwaren. Ze waren ergens daarbeneden. Ze waren altijd ergens daar beneden.

'Shaw, ben je nog in het land der levenden?'

'Ik heb je gezegd waar ik naartoe ging. Dus waarom laat je mijn gangen nagaan?'

'Dat heb je aan jezelf te wijten, met die rare praatjes van je over stoppen met dit werk.'

'Dat waren geen rare praatjes, Frank. Ik ben klaar hiermee. Dit was echt de laatste keer.'

Shaw zag nu voor zich hoe Frank zijn hoofd schudde. Er zat een deuk in zijn achterhoofd. Een aandenken aan die keer dat hij van dichtbij was neergeschoten met een 19 millimeter Sig Sauer, die was voorzien van speciale handgrepen. Van die intieme details was Shaw op de hoogte omdat hij degene was die Frank had neergeschoten.

'We hebben een hoop te doen. De wereld is een gevaarlijk oord.'

'Ja, en dat komt door mensen zoals jij.'

'Wat wij doen, is nobel, Shaw. Heel eerzaam werk.'

'Bewaar die praatjes van je maar voor de groentjes.'

Shaw hoorde de stoel piepen toen de man wat meer rechtop ging zitten. Nou komt het.

Franks stem klonk nu zo strak en hard als beton. 'En waar wou je dan wel van je vrije tijd gaan genieten, lul dat je bent? In een extra beveiligde gevangenis soms?'

'Vijf jaar, Frank, dat was de deal. Ik heb het nu al bijna zes jaar volgehouden.'

'Je hebt me bijna vermoord.'

'Je hield een vuurwapen op me gericht. En je hebt me je identiteitsbewijs niet laten zien. Ik dacht dat je gewoon de zoveelste boef was die me in de rug wilde schieten.'

'Verdomme, wil je daarmee soms beweren dat je me niet in mijn hoofd had geschoten als ik mijn identiteitsbewijs had laten zien?'

'Nee, maar ik heb je wél naar het dichtstbijzijnde ziekenhuis gebracht. Anders was je doodgebloed.'

'Naar het ziekenhuis!' brulde Frank. 'Je hebt me met zo'n beetje de helft van mijn hersenen in mijn handen achtergelaten op het parkeerterrein van een soort mensenslagerij midden in Istanboel.'

'Denk je echt dat het maar de helft was?'

'Hoor eens...'

Maar Shaw viel hem in de rede. 'Ik heb je neergeschoten uit zelfverdediging, maar toen die mensen van jou een maand later in Griekenland kwamen opdagen, dachten ze daar duidelijk anders over. Dus hebben we een deal gesloten en die ben ik nagekomen. Verder valt er niets meer te zeggen.' Ze hadden inderdaad een deal, wist Shaw. Hij hoefde de rest van zijn leven geen zware dwangarbeid te verrichten in een of ander afgelegen oord in Siberië – iets wat Frank zodra dat grote gat in zijn hoofd weer geheeld was, met veel leedvermaak voor hem geregeld zou hebben – maar in plaats daarvan zette Shaw nu al bijna zes jaar geregeld overal ter wereld zijn leven op het spel om ervoor te zorgen dat, zoals Frank het zo beeldend formuleerde, anderen in vrede en veiligheid konden leven. Nou, Shaw wilde zelf inmiddels ook weleens wat vrede en veiligheid beleven, en wel nú. Samen met Anna.

Deals met mensen als Frank hadden veel weg van aan je pinken aan de Golden Gate Bridge bungelen terwijl er in de Baai van San Francisco een flinke wind opstak. Shaw kon nou niet bepaald de eerste de beste advocaat inhuren om tijdens een openbare rechtszitting zijn contractueel overeengekomen vrijheid op te eisen. Dat was de reden waarom hij erin had toegestemd nog een jaar extra geregeld bijna neergeschoten, neergestoken, vergiftigd of zelfs opgeblazen te worden. Toen hij had laten doorschemeren dat de recente confrontatie met de Amsterdamse islamitische kernbombrigade een eitje was geweest, had hij dat gemeend.

'Als jij niet over speciale "vaardigheden" had beschikt, had ik je alleen maar een gevangeniscel aangeboden.'

Dit was nieuw voor Shaw. 'Dus jij zat hierachter? Waarom jij?'

'Nadat ze mijn hersenen weer in mijn hoofd hadden gestopt, drong het tot me door dat we iemand die er bijna in geslaagd was om mij buiten gevecht te stellen, maar beter aan onze kant konden hebben.'

'Dan zou je ook moeten begrijpen dat ik nu wel genoeg gedaan heb.'

'Dat weet ik zo net nog niet,' zei Frank langzaam. 'Daar zal ik toch eerst met mijn mensen over moeten praten. Misschien zou ik mezelf er wel toe kunnen brengen om jou te laten gaan, maar ik denk niet dat ze daar blij mee zullen zijn.'

Shaw had nooit om Frank heen gekund, en was al evenmin ooit in staat geweest om over hem heen te walsen. Wat dat betrof, had de zwaargebouwde, kalende man nog het meeste weg van een stenen muur.

Ik had hem die kogel recht tussen zijn ogen moeten schieten.

'Het kan me niet schelen of ze blij zijn of niet! Geef gewoon maar door wat ik heb gezegd.'

'Maar voordat het zover is, heb ik je nodig in Edinburgh, en daarna in Duits-land… in Heidelberg om precies te zijn. En als je nu niet doet wat ik je vraag, praat ik er met helemaal niemand over, behalve dan met je nieuwe gevangen-bewaarder.'

Shaw zweeg even en probeerde zijn woede in bedwang te houden. 'Dit is de laatste keer, Frank! En dat méén ik. Wat je ook tegen die mensen van jou zegt, verdomme!'

'Je ontvangt je instructies via de gebruikelijke kanalen. Twee dagen. Geniet van Dublin. En van je vriendinnetje.'

'Let op je woorden, Frank.'

'Gewoon een opmerking.' De verbinding werd verbroken.

'Ik haat je, Frank,' fluisterde Shaw.

14

Shaw wrong zich het kleine badkamertje binnen. De meeste Europese badkamers waren klein. Om naar het toilet te gaan of een bad te nemen hadden Europeanen kennelijk heel wat minder ruimte nodig dan de rest van de wereld. Hij hield zijn gezicht onder de kraan, keek op en zag zichzelf in de spiegel.

Ruig, zo zouden de meeste mensen zijn gezicht beschreven hebben. Zelfs Anna had hem 'op een ruige manier knap' genoemd. Zijn kin en jukbeenderen waren welgevormd en zijn huid was redelijk gaaf, maar zijn ogen waren altijd zijn meest opvallende gelaatstrekken geweest. Niet alleen waren ze zo lichtblauw als ogen zonder kunstmatige hulpmiddelen maar konden zijn, maar bovendien pasten ze niet bij de rest van zijn lijf. Hij had een donkere huid, eerder Italiaans of zelfs Grieks, dan Iers of Schots, en zijn zwarte en krullende haar liet zich vaak nauwelijks in model kammen. 'Het zit op een aantrekkelijke manier in de war,' had Anna ooit gezegd. Maar toen Shaw in de spiegel keek, zag hij daar alleen maar een opgejaagde man met littekens die veel te diep gingen om draaglijk te zijn.

Alsof ze had aangevoeld dat hij aan haar stond te denken, kwam Anna achter hem staan en sloeg haar lange armen om zijn naakte, gespierde schouders.

Ze had zijn T-shirt aan. Als Shaw het droeg, zorgden zijn driehoeksspieren en brede borst ervoor dat de stof zich strak om zijn lijf spande, maar zelfs bij de lange Anna leek het meer op een ruimvallende jurk.

'Kun je niet slapen?' vroeg ze.

'De regen. Ik hou er niet van als het 's nachts regent.'

'Ik dacht dat ik je hoorde praten.'

Terwijl Shaw haar in de spiegel strak aankeek, streek ze met haar vingers over een klein litteken dicht bij zijn keel. Dat was een souvenirtje van een bezoek aan de Oekraïne. Hij had haar verteld dat hij van zijn fiets was gevallen, maar in werkelijkheid was het litteken veroorzaakt door een mes dat was gegooid door een voormalige KGB-agent, een man die zijn baan destijds alleen maar had gekregen omdat hij zo'n moordlustige maniak was. Het mes had Shaws halsslagader met ongeveer twee centimeter gemist, maar toch was hij bij die gelegenheid bijna doodgebloed in een oord dat de Turkse slagerij waar hij Frank had achtergelaten op een modern universitair ziekenhuis deed lijken.

Over het litteken op zijn rechterzij had hij haar nooit iets verteld, en wel om een eenvoudige reden. Hij wilde het bestaan ervan zo veel mogelijk vergeten, want elke keer wanneer hij eraan dacht, voelde hij een hevige schaamte.

Gebrandmerkt. Als een paard. Nee, als een slaaf. Eigenlijk was dat de andere reden waarom hij zich hier nu in Dublin bevond; hij wilde iets doen aan dat litteken, en aan datgene waaraan het hem herinnerde.

'Was je met iemand aan het praten?'

Frank, de littekens en die slager van de KGB waren onmiddellijk uit zijn gedachten verdwenen. Begon Anna nu te twijfelen? Zijn aanzoek was beantwoord met een betraand 'Ja', dat zo zacht was uitgesproken dat hij het nauwelijks had kunnen verstaan. En toen waren het enthousiasme en de opwinding van zijn aanstaande bruid plotseling drie tandjes hoger gezet en terwijl haar tranen op zijn huid druppelden, had ze zijn aanzoek ook nog eens in negen andere talen beantwoord. Door dat alles was Shaw zelf ook bijna in tranen uitgebarsten, en dat was hem in zijn volwassen bestaan nog nooit overkomen.

Maar iets in haar stem wees nu op andere gevoelens dan alleen geluk. Het werd echt de hoogste tijd, dacht hij.

Hij liet wat water in zijn handen lopen, plensde het in zijn gezicht en keerde zich naar haar toe. 'Ik ben niet echt een consultant die gespecialiseerd is in internationale fusies en acquisities,' zei hij.

'Dat weet ik.'

'Wat?' zei hij op scherpe toon.

'Ik ken een heleboel businessconsultants. Het komt maar weinig voor dat die in staat zijn twee gewapende mannen bewusteloos te slaan. Ze hebben bijna nooit littekens van messteken op hun lichaam en in de meeste gevallen lopen ze voortdurend met hun rijkdom te koop. Wat dat laatste betreft... ik heb zelfs je huis nog niet gezien. Je komt altijd bij mij logeren, in mijn flat in Londen.'

'En dat vertel je me nu allemaal?'

'Nu ligt het anders. Ik heb net gezegd dat ik met je wil trouwen.'

'En als ik nu nog steeds niets zou loslaten over wat ik doe?'

'Dan heb ik het in ieder geval gevraagd. Zoals ik het nu ook vraag.'

'Maar je hebt al ja gezegd.'

'Ik kan ook nog nee zeggen.'

'Ik ben geen crimineel.'

'Dat weet ik ook. Dat kan ik wel zien. Anders zou ik hier heus niet zijn. En vertel me nu de waarheid.'

Hij leunde tegen de wastafel en zette zijn gedachten even op een rijtje. 'Ik werk voor een internationale politieorganisatie die wordt gefinancierd door verschillende G8-landen. We houden ons bezig met zaken die te gevoelig zijn, of te mondiaal van aard, om voor één land afzonderlijk goed hanteerbaar te zijn. Een soort zwaar opgevoerde Interpol, zeg maar. Maar ik werk niet meer in het veld. Tegenwoordig heb ik een kantoorbaan.' Dat laatste was een leugen, maar volgens hem had hij die redelijk overtuigend gebracht.

'En welke wetten handhaven jullie dan wel?' vroeg ze streng.

'We proberen slechte mensen ervan te weerhouden slechte dingen te doen. Op welke manier dan ook.'

'Wat je nu doet is niet gevaarlijk, al word je wel 's nachts uit bed gebeld?'

'Leven is gevaarlijk, Anna. Als je de straat oversteekt kun je worden aangereden door een bus.'

'Niet zo neerbuigend, Shaw.'

'Nee, het is niet gevaarlijk.' Shaw merkte dat hij het warm kreeg. Een Perzische gek kon hij met het grootste gemak voorliegen, maar Anna niet.

'Zul je straks net zo onverwachts komen en gaan als de afgelopen jaren?'

'Eigenlijk ben ik van plan om te stoppen met dit werk en iets anders te gaan doen.'

Haar gezicht klaarde op. 'Dat... dat is een verrassing.'

Ik hoop dat ik lang genoeg in leven weet te blijven om dat goede voornemen ook werkelijk uit te voeren, dacht Shaw. 'Een huwelijk wordt verondersteld om twee mensen te draaien, mensen die samen zijn en niet van elkaar gescheiden.'

'Zou je dat voor me over hebben?'

'Voor jou doe ik alles.'

Ze streelde hem over zijn wang.

'Waarom?' vroeg hij plotseling.

'Waarom wat?'

'Je kunt iedere man hebben die je maar wilt. Waarom wil je mij?'

'Omdat je een goed mens bent. Een nederig mens. En een moedig mens. Maar hoe capabel je ook bent, je hebt iemand nodig die op je past. Je hebt mij nodig. En ik jou.'

Hij kuste haar en streek met zijn vingers over haar wang.

'Moet je nu weg?'

Hij schudde zijn hoofd. 'Over twee dagen.'

'Waarnaartoe?'

'Naar Schotland.'

Hij nam Anna in zijn armen, liet haar blonde haar over zijn gezicht strijken, en rook hoe haar geur zich vermengde met de zijne, compleet met de laatste resten van het rijke aroma van het Amsterdamse grachtenwater.

'Maar eerst naar bed.'

Ze bedreven de liefde en nadat ze in slaap was gevallen, legde Shaw zijn ene hand onder zijn hoofd en de andere beschermend over Anna's arm.

Terwijl hij naar de regen lag te luisteren zag hij voor zich hoe Frank zat te grinniken over de streek die hij hem deze keer weer had geleverd. Hij streelde Anna's wang. Ja, nu was alles inderdaad anders.

De Dublinse slagregens hielden aan. Elke nieuwe waterdruppel was net een kogel die recht in zijn hersenen werd geschoten. Shaw had haar ten huwelijk gevraagd. Maar na zijn gesprek met Frank was hij bang dat dit weleens de grootste vergissing van zijn leven zou kunnen blijken.

15

'RIC?' vroeg Anna terwijl ze de krant omhooghield voor Shaw, die nog in zijn boxershort koffie stond in te schenken. Anna duwde het wagentje van de roomservice een eindje weg en vouwde de ingevoegde bijlage open die uit de *Herald Tribune* was komen glijden.

Shaw keek mee over haar schouder. Het was een lang artikel, boordevol met weetjes, maar inhoudelijk was het gewoon de zoveelste tegen de Russische Federatie gerichte barrage. De titel van het artikel had 'The Evil Empire, Part 2' kunnen luiden.

Shaw las het hardop voor. 'Het Russian Independent Congress, ofwel het RIC, en een divisie daarvan, The Free Russia Group, doen een beroep op de vrije landen overal ter wereld om weerstand te bieden aan president Romuald Gorshkov en zijn onderdrukkende terreurbewind voordat het te laat is.'

Snel keek Anna even naar een ander deel van het artikel. 'De regering-Gorshkov heeft geheime gevangenissen gevuld met politieke tegenstanders, rivalen vermoord, en op het hoogste niveau de aanzet gegeven tot een beleid van etnische zuivering. Bovendien produceert ze nu in het geheim massavernietigingswapens, wat een duidelijke inbreuk vormt op talloze ontwapeningsverdragen.' Ze keek op naar Shaw. 'Eerst dat gedoe met die Konstantin, daarna al die Russen van wie wordt beweerd dat ze zijn vermoord, en nu dit? Het RIC... Heb jij ooit van die club gehoord?'

Hij schudde zijn hoofd. 'Er staat een internetadres onder aan de pagina.'

Ze haalde haar laptop tevoorschijn, zette hem aan en binnen een minuut had ze al verbinding met het draadloze netwerk van het hotel. Haar vingers schoten snel over de toetsen en er verscheen een kleurige webpagina op het scherm.

'Moet je deze website zien.' Ze wees naar het scherm. 'Gisteren bestond die nog niet. Dan had ik er wel van gehoord.'

Anna's mobieltje piepte. Ze nam op, luisterde even, stelde enkele vragen en luisterde toen weer een tijdje. Toen verbrak ze de verbinding en keek snel even op naar Shaw.

'Nou?' zei hij.

'Dat was mijn kantoor. Iedereen is in rep en roer over dat artikel. Gorshkov en zijn ministers schijnen woedend te zijn. Ze ontkennen alles en willen weten wie er achter deze "grote lastercampagne" zit.'

'Heb jij enig idee wie hierachter zit?'

Ze schudde haar hoofd. 'Ik weet het nog niet. Er hoeft geen grote organisatie achter te zitten. Zelfs enorm veel geld heb je voor zo'n campagne niet nodig. Die ingevoegde bijlage heeft wel wat gekost, maar zoals we de afgelopen dagen hebben gezien, zijn een paar mensen die goed met computers overweg kunnen in staat de hele wereld binnen een paar dagen te overstromen met propaganda.'

'Ze hebben enorm veel bijval gekregen.'

Ze keek weer op de computer en liet de hele site over het scherm glijden. 'De boosaardige Russische dit en de boosaardige Russische dat... het gaat maar door. Mijn organisatie heeft een paar onderzoeken gepubliceerd over de Russische terugval naar een autocratische bestuursvorm. Dat is voor mij niet alleen beroepsmatig interessant, maar ook persoonlijk van belang. De relaties tussen Moskou en de rest van de wereld zijn op dit moment erg gespannen, en al dit gedoe heeft die spanningen er zeker niet minder op gemaakt.'

'Nou, een gewaarschuwd mens telt voor twee,' zei Shaw.

Ze keek hem nadenkend aan. 'Dat is nou net het probleem. Een gewaarschuwd mens haalt misschien net wat sneller de trekker over dan verstandig is.'

'Net zoals vroeger,' zei hij. 'Een nieuwe Koude Oorlog.'

Ze keek hem wat bevreemd aan. 'Precies. Misschien wil iemand de oude wereldorde terug.'

Het was inmiddels opgehouden met regenen. Hij had nog maar twee dagen met Anna. Maar misschien konden die wel eeuwig duren.

Hij nam haar in zijn armen en zei: 'Laat ze doodvallen, die Russen.'

Hij hield haar stevig vast. 'Shaw,' zei ze. 'Ik krijg geen lucht zo.'

Hij liet haar los, deed een stap naar achteren en tuurde naar de vloer.

Ze voelde aan haar kin. 'We zijn verloofd. Je zou blij en gelukkig moeten zijn.'

'Dat ben ik ook. Ik ben nog nooit zo gelukkig geweest.'

'Je ziet er anders niet erg gelukkig uit.'

'Over twee dagen moeten we elkaar weer in de steek laten.'

'Maar niet voor lang. Binnenkort zijn we weer samen.'

Hij sloeg zijn armen weer om haar heen, maar deze keer hield hij haar wat minder strak vast.

Het staat niet vast dat dit goed gaat aflopen. Helemaal niet zelfs.

·16·

Twee dagen later kuste Shaw een betraande Anna vaarwel. 'De bruiloft,' zei hij tegen haar. 'We moeten nog een datum prikken voor de bruiloft.'
Ze keek hem bevreemd aan. 'Ja, natuurlijk.'
Shaw reed weg in een huurwagen, maar ging niet naar het vliegveld. Hij reed naar Malahide Castle.
In het Gaelic betekent Malahide 'aan de rand van de zee'. Het kasteel stond op het schiereiland Howth, op een kleine heuvel aan de uiterste noordzijde van de baai van Dublin, zodat het een goed zicht had op het water. Dat was nodig ook, want in de tijd dat Malahide gebouwd werd, kwamen vijanden vaak per schip om te moorden en te plunderen. Shaw reed langs de brede sportvelden op het terrein rondom het kasteel, waar plaatselijke teams rugby en cricket speelden zonder dat waar dan ook een woest met zijn bijl zwaaiende plunderaar te bekennen viel.
Shaw telde zijn euro's neer en kreeg toegang tot het oudste nog bewoonde kasteel van Ierland. Het zag eruit zoals je van een middeleeuwse vesting zou verwachten: opgetrokken uit stevige blokken steen, met een paar indrukwekkende, ronde torens, en overal klimop die zich aan de harde muren had gehecht. Vanaf het begin van de twaalfde eeuw tot in de jaren zeventig van de twintigste eeuw was deze vesting in het bezit geweest van de familie Talbot.
Hij wachtte tot de rondleiding voorbij was en liep toen naar de kleine en magere vrouw die een groepje toeristen net alles had verteld over Malahide Castle, de familie Talbot, de slag bij de Boyne, de verdwijnende maagd en de vier spoken waardoor het kasteel geteisterd werd, onder wie de ondeugende 'Puck'.
'Dag Leona.'
Ze draaide zich om, aanvankelijk aarzelend en toen met een ruk, totdat ze recht naar hem opkeek. Leona Bartaroma was in de zestig, maar haar lange haar was nog steeds donker van kleur, haar gezicht had nauwelijks rimpels en haar volle lippen waren in een gedempte kleur rood gestift die heel goed bij haar natuurlijke haarkleur paste.
Ze zei niets, maar nam hem bij de arm, trok hem snel met zich mee naar een kamertje en duwde de deur achter hen dicht.
'Wat doe jij hier, verdomme?' beet ze hem toe.
'Je bent niet blij me te zien, lijkt het.'
'Als Frank erachter komt...'
'Frank weet altijd precies waar ik ben en dat heb ik aan jou te danken.' Hij

duwde zijn vinger tegen zijn rechterzij. 'Dat is de reden waarom ik hier ben.'

Ze ging aan een klein, houten bureautje zitten, met uit hout gesneden engeltjes in de zijkanten.

'Ik begrijp je niet, Shaw. Ik heb je nooit begrepen.'

'Ik wil dat je dat ding weghaalt.'

'Ik ben met pensioen. Ik geef rondleidingen. Ik doe geen operaties meer.'

Hij stapte wat dichter naar het bureau toe. 'Eén operatie kun je nog wel opbrengen.'

'Onmogelijk.' Ze bladerde in de documenten op haar bureau.

'Alles kan als je maar wilt.'

'Je bent een idioot.'

'Ik ga binnenkort ook stoppen met mijn werk, Leona. En ik wil dat ding kwijt.'

'Dan zoek je maar iemand anders.' Ze maakte een achteloos handgebaar naar de rest van de kamer, alsof ze daarmee wilde aangeven dat zich daar misschien nog wel iemand verborgen hield die over chirurgische vaardigheden beschikte.

'Jij, Leona. Ik weet hoe je het hebt ingebracht. Als het er niet op de juiste wijze wordt uitgehaald...'

Haar donkere gezicht werd merkbaar bleker. 'Ik heb geen idee waar je het over hebt.'

'Dirk Lundrell, Leona, weet je nog wel? Hij probeerde zijn apparaatje weg te laten halen. Ze hebben nog steeds niet alle stukjes teruggevonden.'

'Lundrell is ook naar mij toe gekomen. En hij heeft van mij hetzelfde te horen gekregen, wat ik nu tegen jou zeg. Néé!'

'Wat als Frank het goedkeurt?' Hij hield zijn hoofd scheef. 'Wat dan?'

'Denk je dat Frank zoiets goed zou vinden?' zei ze minachtend. 'Ik heb gehoord dat jullie nog steeds niet met elkaar overweg kunnen.' Ze glimlachte. 'Wil je stoppen met dit werk? In jouw branche ga je niet met pensioen, Shaw.'

'Ik ga trouwen. Nog twee klussen en dan ben ik klaar.'

'Jij? Trouwen?' zei ze vol ongeloof.

'Ja. Denk je soms dat mensen zoals ik niet trouwen? Ik ben nu al zes jaar bezig en in die tijd ben ik telkens weer op een haartje na aan de dood ontsnapt. Ik ben het zat. Ik ben er klaar mee.'

'Ik weet wat je de afgelopen zes jaar allemaal hebt gedaan,' zei ze wat rustiger. 'Ik weet heel goed hoeveel risico je hebt gelopen.' Ze liet een korte stilte vallen en keek hem aandachtig aan. 'Hoe heet die vrouw?'

'Wat?'

'Je verloofde? Hoe heet ze?'

'Anna.'

'Ik ben ooit getrouwd geweest.' Leona tuurde naar haar handen. 'Hou je veel van haar?'

'Ik zou niet met haar gaan trouwen als ik niet veel van haar hield.'
Leona zweeg even en keek Shaw strak aan.
'Als Frank het goed vindt, haal ik het weg.'
'En leef ik nog als je daarmee klaar bent?'
'Elke chirurgische ingreep brengt een bepaald risico met zich mee,' begon ze.
Maar toen zei ze vlug: 'Je overleeft het wel.'
Hij stond op. 'Meer hoef ik niet weten. Je hoort nog van me.'
Hij draaide zich om.
'Waar komt deze Anna vandaan?'
'Uit Duitsland.'
'Duitse vrouwen zijn vaak goede echtgenotes, heb ik gehoord.'
Shaw trok de deur zachtjes achter zich dicht. Nu hoefde hij alleen Frank nog maar te overtuigen. En natuurlijk moest hij eerst de komende paar dagen zien te overleven.

* * *

Drie uur later stak hij aan boord van een snelle catamaran de Ierse zee over. Onder normale omstandigheden zou hij gewoon vanuit Dublin het vliegtuig naar Edinburgh hebben genomen, maar zijn instructies waren duidelijk geweest. Neem de veerboot en ga daarna vanuit Holyhead met de sneltrein door Wales naar Londen. Vanuit Londen zou hij dan met de slaaptrein naar de Schotse hoofdstad reizen, waar hij vroeg in de ochtend zou aankomen. Een rechtstreekse vlucht vanuit Dublin naar Edinburgh zou nog geen uur geduurd hebben.
In de lounge ging Shaw aan het derde bureautje rechts zitten. Er stond een lamp op het bureau en zoals hem was opgedragen, deed hij die aan en uit, en toen weer aan.
Terwijl hij zat te wachten sloeg Shaw het boek open om te lezen wat Anna voor hem op het schutblad had geschreven. De opdracht was in het Frans, maar die taal las hij goed genoeg om te kunnen begrijpen wat er stond. Het was een kort en eenvoudig tekstje en het raakte hem als een stomp in zijn maag.
Liefde zonder vertrouwen is niets.
Toen Shaw langzaam het boek dichtsloeg keek hij in een opwelling even op.
Zijn lichtsignaal had effect gehad. Er kwam een man naar hem toe gelopen. Zo ging het altijd.

·17·

In het holst van de nacht arriveerde hij in Edinburgh en liep hij van het station naar het Balmoral Hotel vlak bij de North Bridge. De opdracht die Anna in het boek had gezet, stond in zijn hersenen geëtst. Liefde zonder vertrouwen stelde inderdaad niets voor. Om een uur of drie 's ochtends, terwijl hij wazig wat lag te mijmeren over een leven en een gezin, samen met Anna, viel hij in slaap.

En misschien was dat wel de reden waarom het begon… waarom het wéér begon.

'Mammie? Waar is mammie?'

'Hou je kop, stomme idioot. Jij hebt helemaal geen moeder!'

Het jongetje, dat zojuist wakker was geschrokken uit een nachtmerrie, begon nog harder te roepen: 'Mammie!'

Een van de oudere jongens deed hem spottend na: 'Mammie, waar is mammie? Mammie is dood. Daarom zit je in een weeshuis, halvegare!'

Een andere grote jongen grinnikte en zei: 'Mammie is dood. Mammie is dood. Mammie is echt mors- en morsdood.'

Een dikke, ouwe non kwam de kamer binnen en liep geruisloos naar het bed. Het was duidelijk dat ze ook in het donker goed wist waar ze zijn moest. Ze nam het kleine jongetje in haar armen, wiegde hem zachtjes heen en weer, gaf hem een klopje op zijn hoofd en een kus op zijn wang.

'Je hebt gewoon een nare droom gehad, meer niet. Ik ben hier, kind. Alles is goed. Het was gewoon een nachtmerrie.'

Haar aanwezigheid bracht het jongetje altijd tot rust en een hele tijd later hield hij eindelijk op met huilen. Hij was groot voor zijn leeftijd, maar hoewel de non al oud was, was ze sterk en de jaren leken haar kracht niet te laten afnemen, al had ze hier veel meegemaakt waar een mens erg moe van kon worden.

Ze legde hem weer in bed. Er stonden zesentwintig van die bedden in een slaapzaal die bedoeld was voor niet meer dan de helft daarvan. De non wist dat de bedden zo dicht naast elkaar stonden dat de jongens van het ene bed op het andere konden stappen om bij de twee gedeelde toiletten te komen. Maar ze hadden in ieder geval een bed, te eten en een dak boven hun hoofd. Voor zulke kinderen was dat op dit moment het enige wat werkelijk telde, en waarschijnlijk ook het enige wat ooit werkelijk voor hen van belang zou zijn.

Terwijl de non weer naar haar kamertje sjokte, luisterden tweeënvijftig oren naar haar afgemeten voetstappen. Toen ze hoorden hoe haar deur in het slot werd getrokken, fluisterde een oudere jongen: 'En je vader is ook dood. Hij heeft zo veel gedronken dat hij dood in de goot lag. Ik heb het zien gebeuren.'

'Mammie is dood,' zong een andere jongen, maar nu wat zachter, want hoewel de non een goed karakter had, was haar geduld niet onbeperkt.

Deze keer barstte het jongetje niet in tranen uit, en hij begon al evenmin over zijn hele lijfje te trillen, zoals dat soms gebeurde als ze hem sarden. Een uur later hielden het zachte zingen en de treiterige opmerkingen op. Iedereen was in slaap gevallen.

Iedereen, op één na.

Het jongetje klom moeizaam uit zijn bed, liet zich op de vloer zakken en kroop op zijn buik over de vloer, zoals hij de soldaten had zien doen op de zwartwit-tv in de kamer van de non. Soms mocht hij daar komen, voor een glaasje vers sinaasappelsap en een snee brood met dik boter en veel jam.

Hij had nu een ander bed bereikt, ging op zijn hurken zitten en dook toen op zijn doelwit af.

Zijn handen klemden zich om de keel van de andere jongen. Een vuist raakte het gezicht van het veel grotere kind. Er spatte bloed op de lakens en hij voelde het ook op zijn arm. Hij rook zweet. En angst. Het was de eerste keer dat hij angst ervoer bij iemand anders dan zichzelf, maar het zou zeker niet de laatste keer zijn.

Hij haalde opnieuw uit en voelde zijn vuist wegzakken in zacht vlees. Toen werd zijn rechteroog geraakt. Het deed erg pijn en zijn oog voelde onmiddellijk opgezwollen aan. Een knokige knie werd hard in zijn maag gestoten, zodat de lucht uit zijn longen werd geperst. Maar toch bleef hij zich vastklampen. Hij haalde uit met zijn handen, met zijn voeten, en zelfs met zijn hoofd, dat hij diep in de borstholte van de jongen onder hem stootte. Hij voelde zijn eigen bloed over zijn wangen druipen, en proefde het toen het natte spul zijn lippen raakte. Het smaakte dik en zout, en maakte hem misselijk. Maar toch liet hij niet los.

'Mammie!' Hij hoorde zichzelf roepen. Zijn armen en benen gingen nu als de zuigerstangen van een machine op en neer. Door alle inspanning had hij zo'n zwaar gevoel op zijn borst dat het net leek alsof zijn longen plotseling gevuld waren met beton.

'Mammie... is,' hijgde hij.

Handen rukten aan hem, nagels als klauwen reten zijn huid aan flarden. Iemand brulde in zijn oor, maar het was net alsof hij door een wervelstorm van dat alles werd gescheiden.

Klauwende vingers scheurden. Hij raakte vlees, bot en kraakbeen. Het bloed droop in zijn mond. De smaak van de oceaan.

'Mammie... is... niet.'

Hij ramde een knie in de geslachtsdelen van de jongen, iets wat ze hier al meer dan eens met hém hadden gedaan. De oudere jongen stootte een jammerend gekreun uit en hij voelde het lichaam onder zich verslappen.

Nu kreeg hij eindelijk voldoende lucht om te schreeuwen: 'Mammie... is... niet... dood!'

Toen grepen de klauwen hem stevig vast. Als een kromme, roestige spijker in een oude paal kwam hij eindelijk los en viel op de vloer, hijgend en bloedend, maar niet huilend.

Sindsdien had hij nooit meer gehuild. Geen enkele keer.

•18•

Shaw ging rechtop in bed zitten. Hij snoof de geur van zijn volwassen zweet op, en proefde de zoute smaak ervan toen het in zijn mond liep. Hij stond op, maakte het raam van zijn hotelkamer open en liet de angst van een jongetje van zes wegblazen door de koele Edinburghse nachtlucht.

Zijn kamer in het Balmoral Hotel keek uit op Princes Street, een statige boulevard vol winkels, pubs en restaurants. Links van hem stond op een hoge heuvel het indrukwekkende kasteel van Edinburgh, waarbij Malahide Castle volstrekt zou verbleken – als die twee burchten naast elkaar hadden gestaan – en aan de westelijke rand van de stad stond Holyrood Palace, het officiële zomerverblijf van de Britse koninklijke familie.

Het zou best fijn zijn, dacht Shaw, om over een officieel zomerverblijf te beschikken.

'Mammie,' zei hij met zachte stem. Hij had die ellendige nachtmerrie al bijna een jaar niet meer gehad. Hij had gedacht dat die voor altijd verdwenen was. Maar zoals dat met veel belangrijke zaken in zijn leven het geval was, leek hij het mis gehad te hebben.

Ondanks de hartstochtelijke smeekbeden van de oude non om hem te laten blijven, was hij de volgende dag al het weeshuis uit gezet. Het andere kind, een stevig gebouwde jongen van twaalf, was zwaargewond geraakt. Iemand had de politie erbij willen halen. Maar hoe kon je nou een rechtszaak beginnen tegen een kind van zes? Shaw herinnerde zich termen als 'boosaardige opzet' en 'het opzettelijk toebrengen van lichamelijk letsel', maar hij had niet geweten wat die betekenden. Hij besefte wel dat hij die jongen had willen vermoorden. Hij had hem willen vermoorden, zodat die andere jongen net zoveel pijn en verdriet zou voelen als hijzelf.

Uiteindelijk werd besloten dat een kind dat nog 'mammie' zei als hij het over zijn moeder had, en dat eigenlijk nooit een moeder had gehad, niet verantwoordelijk kon worden geacht voor een misdrijf.

Zuster Mary Agnes Maria… Wat een prachtige naam was dat toch geweest! Ze hadden haar allemaal zuster 'Mam' genoemd, en zij was voor hem degene geweest die een moeder nog het dichtst benaderde. Een nieuwe moederfiguur zou hij niet meer vinden.

Hij had zichzelf niet A. Shaw genoemd omdat hij 'een Shaw' was, maar vanwege zijn ervaringen in het weeshuis. Boven het bed van de jongen tegenover hem had een grote letter A op de muur gestaan. Die stond er niet zomaar, en was ook niet bedoeld als de eerste letter van het alfabet. Ooit had die letter deel uit-gemaakt van een woord, maar de M, de E en de N waren in de loop der jaren weggesleten, en die arme zuster Mary Agnes Maria had het altijd zo druk gehad dat ze nooit de tijd of de verf had weten te vinden om de MEN terug te zetten in het woord AMEN.

Shaw vond dat niet erg. Hij lag naar de letter te kijken en stelde zich voor hoe de lange schuine lijnen van de A steeds zachter werden en overgingen in het blonde gezicht van zijn moeder. De horizontale streep tussen de twee lange schuine lijnen plooide zich in een glimlach op zijn moeders gezicht, omdat ze zo blij was hem te zien. Zijn moeder was teruggekomen om hem op te halen. Ze zouden hier samen weggaan en wel nú. De letter A was hem goedgezind. Die letter bevatte zo veel heerlijke mogelijkheden! En dan werd het weer licht en smolten al die hoopvolle verwachtingen weg als sneeuw voor de zon. Sinds die tijd had Shaw altijd veel meer genoten van de nacht dan van de dag. Hij zou altijd een nachtdier blijven.

De jaren waren snel voorbijgegaan, met een hele reeks weeshuizen, die echter geen van alle over een zuster Mary Agnes Maria beschikten. Daarna waren de pleeggezinnen gekomen, en andere regelingen en instellingen voor kinderen die weliswaar officieel niet-crimineel waren, maar die daar wel zo dicht tegen-aan zaten dat niemand veel met ze te maken wilde hebben. En zo was zijn hele leven verlopen, elke dag weer, totdat Shaw de jongen op zijn achttiende Shaw de volwassen man was geworden.

Tegen die tijd kon hij 'moeder' zeggen, maar had hij geen enkele reden om dat ooit nog te doen.

Hij deed het raam dicht en ging op bed zitten. De man op de snelle catamaran vanuit Dublin was zijn contactpersoon geweest. Ze waren naar de open boot-deuren in het achterschip gegaan en terwijl de wind en het gedreun van de motoren het anderen onmogelijk maakten om hen af te luisteren, had de man Shaw het eerste deel verteld van wat hij weten moest. Toen hij afscheid nam, had de man hem strak aangekeken en de uitdrukking op zijn gezicht was niet mis te verstaan geweest. Het zal echt een wonder zijn als je dit overleeft.

In de sneltrein van Wales naar Londen had Shaw aandachtig uit het raam zitten kijken, en afwisselend zeegezichten en fraaie uitkijkjes over de Cambrian Mountains in zich opgenomen terwijl hij zich afsloot voor de plichtmatige gesprekjes van de passagiers om zich heen. Zijn leven had niets normaals en hij vond het vrijwel onmogelijk om zich in te leven in iets wat buiten zijn eigen wereldje viel.

Op Anna na dan. Zij vormde zijn eerste en enige connectie met de rest van de mensheid.

In de slaapcoupé van de nachttrein naar Schotland kreeg hij opnieuw bezoek, deze keer van een vrouw. Ze was jong, maar zag er oud uit. Ze was fysiek best aantrekkelijk, maar kwam zielloos over. Ze was niet meer dan een werktuig. Mensen als Frank hadden haar ziel uit haar lijf gerukt om de leegte die dat achterliet te kunnen opvullen met alles wat ze maar wilden. Met monotone stem vertelde zij hem het tweede deel van wat hij weten moest. Er werd nooit iets op papier gezet, en dus had hij zich alle details goed ingeprent. Als hij ook maar één foutje maakte, was hij er geweest. Zo simpel was het.

Hij stond op, trok zijn kleren aan en keek nog eens naar het boek waar Anna een opdracht voor hem in had gezet.

Liefde zonder vertrouwen is niets.

Ze zou nu wel slapen. Hij belde haar toch. Tot zijn verbazing nam ze bij de tweede pieptoon al op.

'Ik had gehoopt dat je zou bellen,' zei ze, en aan haar stem was duidelijk te horen dat ze klaarwakker was. 'Hoe was de reis?'

'Ik heb de opdracht gelezen.'

Ze zei niets.

Hij slikte moeizaam. 'Ik wil je vertrouwen. Ik vertrouw je echt. Ik heb je verteld wat ik doe voor de kost. Besef je wel hoe zwaar me dat is gevallen?'

'Ja, maar er zijn duidelijk dingen die je me niet kunt vertellen.'

'Inderdaad,' gaf hij toe.

'Dus na ons trouwen zul je regelmatig vertrekken zonder iets te zeggen, en dan na een tijdje weer komen opdagen, terwijl je nog steeds niet kunt vertellen waar je geweest bent?'

'Ik ga stoppen met dit werk. Dat heb ik je al verteld. En ik heb tegenwoordig een kantoorbaan.'

'Doe nou niet of ik achterlijk ben. Met smoesjes over bagage die uit het bagagerek van een vliegtuig valt, hoef je bij mij heus niet aan te komen. En mensen met een kantoorbaan gaan echt niet naar een kasteel toe zonder een rondleiding te nemen. En die nemen ook heus niet de tijd om met de veerboot van Ierland naar Schotland te gaan. Moest je daar iemand ontmoeten?'

Bij die woorden voelde hij een scheut van verdriet. 'Ben je me gevolgd?'

'Natuurlijk ben ik je gevolgd. Ik ben van plan om met je te trouwen. En ik vind het afschuwelijk dat ik er zelfs maar over moet dénken om je gangen na te gaan, en nog veel afschuwelijker dat ik dat ook werkelijk doen moet.' Haar stem trilde en hij hoorde een korte snik. Hij wilde dat hij zijn hand door de telefoonlijn kon steken om haar vast te houden en haar te vertellen dat alles goed zou komen. Maar hij had al genoeg tegen haar gelogen.

Hij vond zijn stem weer. 'Er is nog steeds tijd om je terug te trekken, Anna. Je hebt ja gezegd, maar je kunt ook nee zeggen. Daar heb ik alle begrip voor.'

Nu kwam een harde klank in haar stem. 'Het bevalt me niet dat je daar begrip voor zou hebben. Daar hoor je geen begrip voor te hebben, en dat geldt ook voor mij. Als jij nu zomaar weg zou lopen, zou ik daar géén begrip voor hebben.'

'Ik hou van je. Ik zal ervoor zorgen dat het werkt tussen ons. Daar zal ik echt voor zorgen.'

Hij meende nog een snik te horen, en zijn schuldgevoel werd nog groter.

'En hoe je daarvoor gaat zorgen kun je me niet vertellen?'

'Nee,' gaf hij toe. 'Dat kan ik je niet vertellen.'

'Waar ga je na Schotland naartoe?'

'Naar Heidelberg.'

'Mijn ouders wonen daar ongeveer een uur rijden vandaan. In een dorpje. Durlach heet het. Het ligt vlak bij Karlsruhe. Ze hebben een boekwinkel, de enige in het hele dorp. Ga ze opzoeken. Ze heten Wolfgang en Natascha. Het zijn aardige mensen. Ik had graag gezien dat je ze al eerder had ontmoet, maar daar had je het altijd te druk voor.'

Hij had het niet altijd te druk gehad, besefte Shaw. Hij was er te bang voor geweest.

'Wil je dat ik ze ga opzoeken zonder dat jij erbij bent?'

'Ja. Vraag mijn vader om mijn hand. Als hij ja zegt, gaan we trouwen. Als je dat nog steeds wilt.'

Toen hij dat hoorde, wist hij niet hoe hij het had. 'Anna, ik...'

Haastig ging ze door. 'Als je denkt dat het de moeite waard is, doe je dat. Ik zal ze vertellen dat je komt. Als je niet gaat, is dat je antwoord...'

De verbinding werd verbroken. Langzaam legde Shaw de telefoon neer en toen hij omlaag keek, zag hij dat hij telkens en telkens weer de naam Anna Fischer op de onderlegger op het bureau had geschreven, en wel met zo veel kracht dat de letters hard in het bovenste vel vloeipapier geperst stonden. Hij trok het vel los en scheurde het dikke vloeipapier in kleine stukjes, liep het hotel uit en wandelde langs de gesloten winkels in Princes Street. Hij zwierf nog steeds rond door de Schotse hoofdstad toen de opkomende zon twee uur later de oude stenen bruggen deed oplichten en lange schaduwen wierp waarin Shaw al zijn nachtmerries kon terugzien. En hij had er meer gehad dan de meeste mensen.

Hij zou haar ouders gaan opzoeken in die boekwinkel in Durlach. En hij zou hen om de hand van hun dochter vragen.

Ja, dat zou hij allemaal doen. Als hij tegen die tijd nog in leven was.

'Waar is mammie?' fluisterde hij terwijl hij in het grauwe halfduister van de vroege ochtend terugliep naar het hotel om zich voor te bereiden op wat heel goed zijn laatste paar uur op deze wereld zouden kunnen zijn.

·19·

In het grootste deel van de wolkenkrabber in de bekende *Dulles hightech corridor* in Virginia, waar meer dan de helft van de elektronische infrastructuur van het hele internet gehuisvest is, waren de lichten uit. Eén firma, Pender & Associates, had het hele gebouw in het bezit. In totaal had het bedrijf een bedrag met zeven nullen neergeteld voor een kantoortoren op een van de duurste stukken grond in het hele land. En hoewel het bedrijf Pender & Associates heette, werd het gerund door één man: de oprichter, Richard 'Dick' Pender.

Pender had een gezicht dat wel uit steen gehouwen leek, en met zijn perfect gecoiffeerde, dikke bos haar en zijn blikkerende witte grijns deed hij niet onder voor welke met de bijbel zwaaiende televisiedominee dan ook. Zijn manier van praten was al even soepel en gelikt als die van een beroemde strafpleiter en terwijl hij je zo vaak als maar nodig was een mes in je rug stak, lachte hij je voortdurend opgewekt toe.

Zijn motto was eenvoudig: waarom tijd verdoen met zoeken naar de waarheid als je die zo eenvoudig zelf kunt scheppen?

Pender hield zich bezig met iets wat hij perceptiemanagement noemde. Perceptiemanagementfirma's werden betaald om overal ter wereld uit te maken wat waar was en wat niet. Sommige traditionele lobbyisten beschouwden zichzelf als perceptiemanagementfirma's, maar eigenlijk waren ze dat toch niet. Als het om het echte, zuivere perceptiemanagement ging, waren er maar heel weinig spelers en Pender & Associates was een van de beste ter wereld.

Dick Pender kon ervoor zorgen dat een geheim ook werkelijk geheim bleef, zelfs al deed de pers nog zo zijn best om erachter te komen. Zo nu en dan was hij een oorlog begonnen op basis van bepaalde waarheden, of had hij een oorlog die aan de gang was op basis van dergelijke waarheden weten te intensiveren. En als er vervolgens een onderzoek werd ingesteld naar de werkelijke redenen voor zo'n oorlog, bleken die inmiddels schuil te gaan onder zo'n enorme hoeveelheid uiterst verwarrende feiten, cijfers en mystificaties dat ze voor niemand meer te achterhalen vielen. Maar Dick Pender werd toch vooral betaald om waarheid te scheppen.

Daar werden enorme geldbedragen voor neergeteld, zowel door overheden als door particuliere bedrijven overal ter wereld. Voor zijn cliënten was het van wezenlijk belang om zelf een eigen waarheid te creëren, want zelfgemaakte waarheden waren te beheersen en echte waarheid was veel te onvoorspelbaar. Als het om effectiviteit ging, was het verschil tussen een echte en een zelfgemaakte waarheid ongeveer net zo groot als het verschil tussen een conventionele bom en een kernwapen.

Die avond verwachtte Pender speciaal bezoek. De privélift bracht zijn gast naar de bovenste verdieping. Er werd een deur geopend, en gehuld in een jas met zwarte capuchon werd Nicolas Creel een kamer binnengeleid die volledig werd overheerst door een grote glazen wand. Deze glazen wand, die aan de andere kant volkomen ondoorzichtig was, stelde de grote wapenfabrikant in staat om het hoogtechnologische, volledig gedigitaliseerde commandocentrum van Pender & Associates te bekijken zonder zelf gezien te worden.

Pender ging naast hem zitten. 'Ik hoop dat u een goede vlucht hebt gehad, meneer Creel.'

'Ik zou het echt niet weten. Ik lag te slapen.'

'Iemand vertelde me dat u de top-vijftien op de *Forbes*-lijst van de rijkste mensen ter wereld hebt gehaald.'

'Inderdaad,' zei Creel op een toon waaruit duidelijk bleek dat dat hem volstrekt niet interesseerde.

'Achttien miljard dollar?' schatte Pender.

'Eenentwintig miljard.'

'Gefeliciteerd.'

'Waarmee? Wat maakt dat allemaal nog uit nadat je je eerste miljard binnen hebt? Die twintig miljard extra hebben echt geen invloed gehad op hoe mijn leven eruitziet. Nou, laat je verslag maar horen.'

Pender wees naar de ruimte aan de andere kant van de glazen ruit, waar nu tientallen mensen hard aan het werk waren. 'We hebben ons hele commandocentrum erop gezet. Dertig mensen, honderden computers, enorme databanken en een internetpijpleiding die zich kan meten met alles wat Google in het veld kan brengen.'

'En je bent er zeker van dat dat niet te traceren valt?'

'We hebben buitengewone veiligheidsmaatregelen genomen. Zo hebben we onder meer de elektronische identiteit van honderden websites en internetportals gestolen. Als iemand probeert onze activiteiten te traceren, wordt hij daardoor rechtstreeks naar, ik noem maar wat, de officiële website van het Vaticaan of het Rode Kruis geleid. We hebben ook onze eigen site "gekaapt", en de sites van sommige concurrenten.'

'Dus als iemand dit hele gedoe toch naar jullie weet te traceren, kunnen jullie altijd nog zeggen dat iemand jullie elektronische identiteit heeft gestolen?'

'Waarom een naald in een hooiberg verstoppen als je ook gewoon een heleboel naalden kunt maken?' zei Pender zelfvoldaan.

'En die mensen aan de andere kant van het glas?'

'Die worden buitengewoon goed betaald, en zijn mij persoonlijk zeer toegedaan. Ze hebben geen idee van uw, eh, belangstelling voor deze kwestie. Niet dat het ze trouwens ook maar iets zou kunnen schelen. Voor mensen met een geweten is hier geen plaats. Wij bekommeren ons niet over de gevolgen van ons werk. Dat is voor rekening van de cliënt.'

'Heel verfrissend, zo'n instelling. En de eerste impact voldoet aan de verwachtingen?'

'Deze operatie is wel wat gecompliceerder dan een oorlog te beginnen door geruchten te verspreiden over buitenlandse invallers die te vroeg geboren kindjes uit couveuses rukken,' zei Pender zachtjes, maar met een neerbuigende glimlach. 'Maar u hebt uw doelwit goed gekozen, meneer Creel. We hoefden alleen maar te zorgen dat het balletje ging rollen, en daarna wilde iedereen maar al te graag meedoen.'

'De Russische beer is een makkelijk doelwit. Hoe zijn jullie aan al die duizenden Russische doden gekomen?'

'In wezen door te photoshoppen, maar dan een beetje geavanceerder. Maar we hebben er ook een stel echte slachtoffers tussen gezet. Die zijn afkomstig uit oude KGB-dossiers die we jaren geleden ooit eens hebben aangekocht. Als er vijf authentieke doden tussen zitten, zal iedereen ervan uitgaan dat de andere twee-endertigduizend ook bonafide zijn.'

'Je hebt een vooruitziende blik.'

'Dat hoort bij het vak. Ik zie gewoon al voor me hoe president Gorshkov langzaam op een attaque af koerst. Laat me eens kijken, eerst hadden we de "Grijp ze"-strategie en die hebben we opgevolgd met de Vesuvius-tactiek.' Hij gebaarde naar Creel. 'U bent nu een lek aan het regelen, neem ik aan?'

'Ja, maar stuur me vooral alles door wat je tegenkomt en wat je wat lijkt. Dan werk ik het verder wel uit.'

'Niet dat ik op welke wijze dan ook geïnteresseerd ben in uw motivatie, maar ik heb wel gelezen dat de Ares Corporation nu al voor de vierde keer op rij met tegenvallende kwartaalcijfers is gekomen.'

'Dat is nog maar het topje van de ijsberg. We leiden echt aan alle kanten grote verliezen. Ik was ervan overtuigd dat Irak het begin zou zijn van een armageddon in het Midden-Oosten, en daar hebben we de productie dan ook flink voor opgevoerd. Maar een paar maanden *shock and awe* werden gevolgd door jarenlang getouwtrek met niet meer dan wat proppenschieters. Ik heb geen bedrijf met een omzet van 150 miljard dollar opgebouwd om mijn personeel in militaire kantines slaatjes te laten klaarmaken voor de soldaten. Het was een enorme mislukking en dat is mijn verantwoordelijkheid. Maar ik zorg wel dat we weer uit de problemen komen. Daarom heb ik jou ingehuurd. Ik moet aan mijn personeel denken.'

'Dat spreekt vanzelf,' zei Pender ingetogen. 'We hebben ook een aantal filmsterren weten te interesseren. Ze trekken een T-shirt aan met DENK AAN KONSTANTIN erop, promoten hun film, zwaaien met hun vuisten voor een "Vrij Rusland" en misschien gaan ze zelfs wel naar Washington om zich door een stel politici te laten omhelzen en god mag weten wat nog meer.'

'Mogelijke probleemgebieden?'

'Drie.' Pender keek op zijn computerbeeldscherm. 'Komende week verschijnen er in kranten over de hele wereld honderdachtenveertig journalistieke artikelen over "het Rode Gevaar". Op twee na stemt de teneur daarvan volkomen overeen met onze insteek. De twee uitzonderingen zijn een krant in Spanje en een in New York. Die vent in Spanje is bijzonder vasthoudend, maar hij is ook al twee jaar bezig met een schandaal waar leden van de koninklijke familie bij betrokken zijn en morgen ontvangt hij documenten die zijn belangstelling voor dat verhaal nieuw leven zullen inblazen.'

'En die vent in New York?'

'Zijn vrouw vermoedt al enige tijd dat hij haar ontrouw is. Morgen krijgt ze een cadeautje waaruit blijkt dat ze het bij het rechte eind had. Daarmee is manlief volkomen uit de running. Een scheiding kan heel akelig zijn en buitengewoon veel tijd kosten. Ik spreek jammer genoeg uit ervaring.'

'En al die informatie hadden jullie hier toevallig rondslingeren?'

'Ik heb een dossier over bijna elke journalist die ook maar een knip voor de neus waard is. We verzamelen geheimen, vervaardigen halve leugens en verspreiden die dan zodra dat onze cliënten goed uitkomt.'

'Maar je zei dat er drie mogelijke problemen waren?'

'We hebben hier in de Verenigde Staten een senator die zichzelf beschouwt als een deskundige op het gebied van Russische aangelegenheden. Hij is van plan een reeks hoorzittingen over deze kwestie te houden en daarbij zal hij een heel sceptisch licht op de hele zaak laten schijnen.'

'En wat doen jullie daaraan?'

'De eerstvolgende keer dat hij een openbaar herentoilet binnenstapt, doen we met hem wat Larry Craig is overkomen.'

'Dus senator Craig is inderdaad in de val gelokt?'

'Wie weet? En wie kan dat ook maar iets schelen? Maar daarmee zijn we wel van deze senator verlost.'

'En hoe noemen jullie die tactiek?'

'De "ik word genaaid"-tactiek,' zei Pender met een glimlach.

'Een heel toepasselijke naam.'

'Eigenlijk gebruik ik liever een wat subtielere benadering, waarbij het doelwit niet eens in de gaten heeft wat hem overkomt. U herinnert zich nog wel die verslaggevers die *"embedded"* waren bij de Amerikaanse strijdkrachten in Irak?'

'Zodat ze de oorlog met eigen ogen konden zien?'

'Nee, zodat ze alleen maar informatie kregen die in het straatje van het Pentagon paste. Dat was een idee van mij, en elke generaal en hoge ambtenaar die erbij betrokken was, is hier in eigen persoon naartoe gekomen om me uitvoerig te bedanken voor mijn briljante idee.'

'Je verstaat je vak heel goed, Dick.'

'Ik heb het geleerd van de allerbesten.'

'Waar dan?'

'Ik ben begonnen op de afdeling Voorlichting van het Witte Huis.'

Creel wees naar een grote werktafel in het commandocentrum, waar twee mensen druk in de weer waren met een stapeltje documenten.

'Wat is dat?'

'Dat is het *Tablet of tragedies*. Kortgeleden zijn we tot de ontdekking gekomen dat een van onze concurrenten tijdens de Eerste Golfoorlog is ingehuurd om iets dergelijks in elkaar te draaien en daarmee te helpen het Westen zover te krijgen dat het op de bres sprong voor Koeweit. Dat heeft toen schitterend gewerkt. Daarom dachten we dat wij ook maar zoiets moesten doen. Maar in plaats van honderdduizenden exemplaren te drukken hebben we gekozen voor met de hand gemaakte, heel rudimentaire informatie. Dat maakt het iets realistischer en authentieker, en dat vormt een mooi tegenwicht voor de hoogtechnologische benadering die we tot nu toe hebben gebruikt. We maken er niet meer dan een stuk of tien, maar om een zo groot mogelijk effect te krijgen, sturen we die toe aan een aantal optimale targets.'

'Met je poten in de modder,' mompelde Creel peinzend.

'Daar zou u voor zorgen,' merkte Pender op. 'Ik kan iedereen laten geloven dat een leugen waar is, maar er is geen surrogaat voor echt bloedvergieten.'

'De poten in de modder heb ik allemaal al geregeld. Dat zul je binnenkort wel merken.'

'Hoe zit het met het andere deel van de formule?'

'Wat is daarmee?' zei Creel op scherpe toon.

'Niets, maar u hebt gezegd dat u ons zou laten weten wanneer het zover is.'

'Heb ik je daar al iets over laten weten?'

'Nee.'

'Nou, dan is het dus nog niet zover!'

Een ogenblik later was Creel verdwenen. Pender had de man geholpen om tijdens de Koude Oorlog een fortuin te vergaren, en toen de Koude Oorlog voorbij was, hadden ze samen een groot aantal kleinere conflicten in scène gezet, totdat de Eerste Golfoorlog hun letterlijk in de schoot was geworpen. De Eerste Golfoorlog was gevolgd door de Tweede, maar zoals Creel niet lang geleden tegen hem had gezegd: 'De Amerikanen liggen helemaal op apegapen en de EU is alleen maar ingesteld op vrede, en verspilt al haar geld aan onderwijs, infrastructuur en gezondheidszorg in plaats van het aan defensie te besteden. Die idioten denken er nooit eens bij na dat het toch verdomd vervelend zou zijn als de kinderen straks fijn naar school kunnen, en oma naar de dokter, maar dat ze straks wel overal in Europa trouw moeten zweren aan Allah. Maar ondanks al die tegenwerking ga ik déze oorlog toch winnen.'

En Dick Pender durfde er echt niet om te wedden dat dit de miljardair niet zou lukken.

·20·

Sergei Petrov liep over straat, met zijn kraag omhoog tegen de kille wind die New York sinds twee dagen in zijn greep had. Hij was net klaar met een interview met iemand van een plaatselijke omroep waarin hij uitgebreid had verteld over de afschuwelijke gebeurtenissen die zich hadden voorgedaan onder de regimes van Putin en Gorshkov en waarvan hij voordat hij het land uit was gevlucht als tweede man van de federale veiligheidsdienst getuige was geweest. Petrov had gemerkt dat westerlingen zulke dingen maar al te graag wilden horen en ook bereid waren om er goed voor te betalen. Het was een heel wat prettiger manier om aan de kost te komen dan schoothondje spelen voor dictatoren die zich hadden vermomd als democratisch gekozen president. Hij wist niet waar deze publiciteitscampagne over het 'Rode Gevaar' vandaan kwam, maar dat kon hem ook niet veel schelen. Gorshkov was een slecht mens en met Petrovs vaderland ging het snel bergafwaarts. Of al die horrorverhalen die de afgelopen tijd aan het licht waren gekomen nou waar waren of niet, kon hem al evenmin iets schelen. Sommige daarvan waren dat waarschijnlijk wel, en dat was voor hem voldoende.

Hij voelde aan het pistool in zijn zak. Petrov was een voorzichtig man. Hij wist dat hij inmiddels een doelwit was. Als Gorshkov een dodenlijstje bijhield, zou hij daar een voorname plaats op innemen. Als hij de straat op ging, droeg hij altijd een wapen bij zich, hij lette er goed op dat hij zich alleen op plekken waagde waar veel andere mensen waren en keek voortdurend met zijn geoefende blik om zich heen. Bovendien dronk of at hij nooit iets als er iemand anders in de buurt was. Hij was niet van plan om aan zijn einde te komen zoals Litvinenko. Voor hem geen kopje thee met polonium-210.

Hij liep naar de hoek van de straat en zwaaide met zijn arm. Even later kwam er vlak naast hem een taxi tot stilstand.

'Grand Central Station,' zei Petrov. De chauffeur knikte en Petrov stapte in. Terwijl hij dat deed, werd het achterportier aan de andere kant van de auto opengetrokken en stapte er snel nog iemand in. Op hetzelfde ogenblik duwde een andere zwaargebouwde man Petrov van achteren de taxi binnen en liet zich daarna zelf op de achterbank ploffen. De portieren werden dichtgetrokken en de taxi reed met hoge snelheid weg.

Petrov kreeg niet eens de kans om zijn ontvoerders te zien. Ze duwden hun zware lijven aan weerszijden tegen hem aan, zodat zijn armen tegen zijn zij werden gedrukt en hij geen kans zag om zijn pistool te trekken. Het mes werd één keer over zijn keel gehaald en op datzelfde ogenblik voelde hij hoe een ander mes diep in zijn rechterzijde werd gestoken. En toen werd hij nog eens gestoken, en nog eens.

Hij zakte voorover en voelde hoe zijn levensbloed snel uit hem wegstroomde.

Een tijdje later reed de taxi Westchester binnen en kwam tot stilstand naast een klein en donker park. De drie inzittenden stapten snel over in een gereedstaande suv, die onmiddellijk met hoge snelheid wegreed. De taxi, met Petrovs levenloze lichaam op de vloer, bleef onbeheerd achter.

Op zijn voorhoofd was met een zwarte viltstift een Russisch woord geschreven. De vertaling daarvan maakte alles meteen duidelijk.

VERRADER.

In de suv nam Caesar zijn hoed af en trok zijn masker van zijn gezicht. Dit was Nicolas Creels openingssalvo in de categorie 'met je poten in de modder'. Caesar had vanavond nog een klus te doen. De suv reed een hele tijd door totdat ze hun bestemming hadden bereikt. Er was al een hoop geregeld en betaald, en dus konden ze zonder probleem naar binnen rijden.

De suv reed helemaal naar de achterkant van het terrein, waar een grote kuil was gegraven. De mannen stapten uit, trokken de achterdeur van de zware terreinwagen open en trokken de lijkzak eruit.

Caesar ritste de zak open en tuurde even naar een gezicht dat met een lege blik in zijn ogen leek terug te kijken.

Arme Konstantin, zijn grote loopbaan in de Spaanstalige soapopera was in de kiem gesmoord. Caesar ritste de zak weer dicht en hees hem over zijn schouder, liep ermee naar de zijkant van de kuil en liet het lijk erin rollen. Toen hij daarmee klaar was startte de motor van een grote kiepwagen, die langzaam achteruitreed naar de rand van de kuil en vele tonnen puin over Konstantins 'graf' stortte. Daarna reed een bulldozer naar de kuil toe en begon de aarde erin te schuiven. Morgenochtend zou er geen kuil meer te zien zijn. Met een nogal nonchalant gebaar bracht Caesar een militaire groet.

Vaarwel Konstantin, we zullen je nooit vergeten.

Toen Caesar en zijn mannen wegreden, toetste hij een privénummer in en meldde dat de missie geslaagd was.

Drieduizend kilometer verderop vinkte Nicolas Creel weer een item op zijn lijstje af. Dick Pender was een slimme vent die precies wist hoe hij de wereld met zijn intellectuele spelletjes bij de neus moest nemen, maar soms kon je met één 'echt' lijk miljoenen harten breken. Niemand speelde dat spelletje beter dan Nicolas Creel. En als je met één lijk al zo veel kon bereiken, wat kon je dan niet doen met een groot aantal lijken?

21

Katie James besloot nog wat langer in Edinburgh te blijven. Ze zag nogal op tegen haar terugkeer naar New York en het volgende belangrijke sterfgeval dat haar daar wachtte. Ze had de First ScotRail-trein van Glasgow naar Edinburgh genomen en tijdens de vijftig minuten durende rit had ze aandachtig naar het nu eens weelderig groene, dan weer kale en dorre Schotse landschap zitten kijken. De trein reed vlak langs de Firth of Forth, een diepe inham niet ver ten noorden van de Schotse hoofdstad.

Ze nam haar intrek in het Balmoral Hotel en ging snel een hapje eten in het restaurant voordat ze de stad in ging. Toen ze naar buiten liep, botste ze tegen een lange en forsgebouwde man die zich beleefd verontschuldigde en daarna snel wegliep. Katie wreef over haar pijnlijke schouder en stond hem wat verbouwereerd na te kijken. Het was net of ze tegen een muur was gelopen. Het zou wel een rugbyspeler zijn of zo.

Ze liep langs de portier, die gekleed ging in traditionele Schotse klederdracht, compleet met een kilt en een ceremoniële dolk in zijn sok. Ze maakte een lange en prettige wandeling door de stad en ging uitgebreid theedrinken niet ver van Holyroodhouse Palace. Ze wist weerstand te bieden aan de talloze pubs die haar als magneten naar binnen probeerden te trekken en maakte de pelgrimstocht heuvelopwaarts naar Edinburgh Castle, het kroonjuweel van de stad.

De steile, donkere rotswanden van Castle Rock die nu hoog boven haar uit rezen, en naar de ondergaande zon leken te reiken, vormden de enige reden voor het bestaan van Edinburgh. De met rotsblokken bezaaide hellingen van wat ooit een vulkaan was geweest, lagen als een anker tussen Centraal-Schotland en Engeland, het land dat door veel Schotten nog steeds als de *auld enemy* werd aangeduid. Katie liep langs de toegangspoort, die werd geflankeerd door standbeelden van Robert the Bruce en William Wallace, twee Schotse helden die hun reputatie te danken hadden aan het feit dat ze de Engelsen er zo ongenadig van langs hadden gegeven. Ze was te laat voor het dagelijkse kanonschot met een vijfentwintigponder uit de Tweede Wereldoorlog, maar de Stone of Destiny kreeg ze wel te zien. Die steen was door de Engelsen in de dertiende eeuw uit Schotland weggehaald en ze hadden hem tot in de twintigste eeuw bij zich gehouden. De zevenhonderd jaar daartussenin had hij onder de Coronation Chair in Westminster Abbey gelegen, en alle Engelse koningen, van Eduard II tot Elizabeth II hadden er hun vorstelijke billen op laten rusten.

Een tijdje later liep ze naar het hoogste punt van Castle Rock, waar zich

St. Margaret's Chapel bevond, het oudste nog bestaande gebouw van Edinburgh. Daar, in de kapel, zag ze hem opnieuw. Hij zat op zijn knieën in de derde rij. Toen ze dichterbij kwam, zag Katie dat er nog iemand naast hem zat. Deze man zag eruit als een doodgewone toerist en ze zou zich hebben omgedraaid en weer naar buiten zijn gelopen als haar niet plotseling iets was opgevallen. Snel knielde ze neer in de achterste rij, haalde haar camera tevoorschijn en gebruikte de zoomlens om te controleren of ze het wel goed had gezien.

De tatoeage op de onderarm van die man. Jaren geleden, tijdens weer een andere oorlog waarbij zij als verslaggever aanwezig was geweest, had ze er net zo een gezien. Al haar zintuigen stonden nu op scherp en ze kon wel zien dat die twee niet zaten te bidden en ook geen catechismuslesjes prevelden. Ze zaten tegen elkaar te fluisteren.

Ze kon het niet goed genoeg horen om hen te verstaan, dus liep ze de kapel uit, maar bleef wel dicht bij de hoofdingang. Tien minuten later kwam de getatoeeerde man naar buiten. Ze stond zich nog af te vragen of ze hem zou volgen toen hij al uit het zicht verdween in de drukke menigte toeristen.

Een minuut later kwam de lange man naar buiten en Katie richtte haar aandacht daarom maar op hem. Als hij in het Balmoral Hotel logeerde, zo dacht ze, ging hij daar nu waarschijnlijk weer naartoe. Ze had eigenlijk geen reden om hem te volgen, maar ze was nou eenmaal verslaggeefster; sterker nog, ze was een zwaar afgezakte verslaggeefster die wanhopig op zoek was naar iets om weg te komen van de pagina met overlijdensberichten. Ze had geen idee of dit iets zou opleveren, maar het zou best kunnen, en ze had per slot van rekening verder toch niet veel te doen.

De man ging niet terug naar het Balmoral Hotel. In plaats daarvan liep hij vanuit het stadscentrum drie kilometer naar het noorden, naar Leith om precies te zijn, waar hij wat geld neertelde voor een rondleiding aan boord van het koninklijke jacht Brittannia, dat niet meer in de vaart was en hier voor anker lag.

Katie trok haar schoenen uit en wreef over haar zere voeten. Haar prooi was een heel snelle wandelaar die geen rekening hield met mensen die hem probeerden te schaduwen. Ze telde eveneens een paar Engelse ponden neer, stak de loopplank over en deed haar best om niet op te vallen tussen de andere toeristen, want anders zou de man die ze nu achtervolgde haar misschien herkennen. Ze was per slot van rekening vanochtend in het hotel al tegen hem aan gelopen, en had net achter hem in de kapel gezeten. Bovendien zag hij er ontzettend sterk uit.

Met een half oor luisterde Katie naar de wetenswaardigheden ratelende gids. Ze was er wél met haar volle aandacht bij toen de gids naar het mahoniehouten windscherm op het bovenste dek wees, vlak voor de brug. Dat was daar neergezet om te voorkomen dat een windvlaag plotseling de koninklijke rokken zou doen opwaaien en zo een koninklijke slip zou onthullen. Toen ze de lange man een beetje doelloos zag weglopen, en achter hem aan liep, hield Katie haar eigen jurk stevig vast. De man stond nu over het water te turen en even later kwam er iemand naast hem aan de reling staan. Katie waagde zich zo dicht bij hen in de buurt als ze maar durfde. Ze slaagde er niet in om meer dan drie woorden op te vangen, maar voor haar was dat ruim voldoende. *Vanavond* had ze gehoord, en *Gilmerton's Cove.*

Ze ging onmiddellijk van boord en nam een taxi naar het hotel. Ze had maar weinig tijd om zich voor te bereiden, en eerst moest ze nog wat onderzoek doen. Ze had geen idee waar ze nu per ongeluk tegenaan gelopen was, maar ze wist uit ervaring dat de belangrijkste primeurs soms voortkwamen uit de meest onverwachte ontmoetingen.

22

Vergeleken bij dit stelletje mensen waren de Iraniër en zijn bloeddorstige handlangers een stelletje vier jaar oude duimzuigers, dacht Shaw. Hij zat in een auto, ingeklemd tussen een blok graniet uit Tadzjikistan en een kleine berg uit hetzelfde Aziatische land. Het was een wonder dat de voorwielen van de zware Mercedes niet van de weg af wipten door de bijna vijfhonderd kilo levend vlees die nu dicht op elkaar gepakt op de achterbank zat. Maar misschien kwam dat wel door de twee mannen voorin, allebei ook Tadzjieken, die samen minstens driehonderdvijftig kilo wogen, waar voor zover Shaw kon zien maar heel weinig vet bij zat. Nog één man erbij en ze hadden samen een heel behoorlijk American Football-team kunnen vormen.

Shaw had nog nooit een Tadzjiek ontmoet die niet boos keek. Als je in een aan alle kanten door bergen omsloten land woonde, dat door de Sovjets als stortplaats voor giftig afval was gebruikt en waar tachtig procent van de bevolking zich onder de armoedegrens bevond, had je misschien ook wel goede redenen om voortdurend in een slecht humeur te zijn.

Hij zei iets in het Russisch en dat leverde hem een reactie op die alleen maar omschreven kon worden als een boze grauw. Tadzjieken beschouwden zichzelf niet als Russen; cultureel gezien waren ze nauw verwant aan de Iraniërs. Shaw had nooit de moeite genomen om Tadzjieks te leren en hoopte maar dat hij daar nu geen spijt van zou krijgen.

Hij leunde achterover in zijn stoel. De Tadzjieken verkochten drugs, vooral heroïne die was gemaakt van opium uit het aangrenzende Afghanistan, waar opium het meest lucratieve exportproduct vormde. Dat was mogelijk omdat het grootste deel van de coalitietroepen Afghanistan inmiddels had verlaten om Irak tot een toonbeeld van democratie te gaan maken. Alle grote drugshandelaren ter wereld waren daar elke avond weer heel dankbaar voor, want zonder opium viel er geen heroïne te maken, en dat was nog steeds een van de populairste drugs aller tijden. De pure ellende die deze ontaarde chemische tijdbom over de wereld had uitgestort, was zo groot dat de omvang ervan niet of nauwelijks te becijferen viel.

Shaw was hier om een metrisch ton van die troep aan te kopen, duizend kilo dus, met een straatwaarde in Amerika van vijftien miljoen dollar ofwel vijftien dollar per gram. De drugs zouden van Schotland naar New York worden vervoerd terwijl ze verstopt zaten in een partij voetballen. De Tadzjieken waren tot de ontdekking gekomen dat importproducten uit Schotland veel minder aandacht kregen van de met een chronisch personeelstekort kampende Amerikaanse douane dan, om maar eens iets te noemen, een groot postpakket uit Iran of Noord-Korea met het opschrift DOOD AAN AMERIKA erop.

Als alles volgens plan verliep, zou de heroïne die Shaw nu aan het inkopen was, in de haven van New York natuurlijk in beslag worden genomen. De confiscatie van zo'n enorme partij drugs zou worden gepresenteerd als een enorme slag voor de internationale drugshandel en een blijk van de efficiëntie van de wereldwijde drugsbestrijding. Maar eerst moest Shaw zijn missie echter met succes afronden en hier dan ook nog heelhuids zien weg te komen. Het leek hem trouwens onwaarschijnlijk dat Frank dat laatste nodig zou vinden om van een geslaagde missie te kunnen spreken.

Maar Shaw was hier niet om te zorgen dat de Amerikaanse douane een goede beurt maakte. Hij was hier om te verhinderen dat de opbrengsten van deze drugsdeal naar een internationaal misdaadsyndicaat zouden stromen dat gedeeltelijk was overgenomen door de in Tadzjikistan overal aanwezige islamitische fundamentalisten. Hun aandeel in de opbrengst van deze transactie was voldoende voor een paar vuile bommen of tienduizend zelfgemaakte springladingen, en dat was geen van beide gezond voor de beschaafde wereld.

Ze waren hier niet ver van Edinburgh, maar de bebouwde kom hadden ze al snel achter zich gelaten en ze bevonden zich nu op een volkomen verlaten open terrein. Een eind ten noorden van hen lag de Firth of Forth. Toen een van de Tadzjieken zijn raampje omlaag liet zakken om de rook van zijn sigaret uit te blazen, dacht Shaw dat hij de zilte zeelucht kon ruiken. Dertig minuten later draaiden ze een grindweg op en verdwenen snel in het dichte bos.

De bestuurder van de vrachtwagen die hen aan het eind van de grindweg stond op te wachten, knikte naar zijn collega in de personenwagen toen die naast de truck tot stilstand kwam.

Shaw en de vier Tadzjieken stapten uit.

'Voetballen?' vroeg Shaw, en hij wees naar de lading van de vrachtwagen.

De man links van hem gromde iets, waarvan Shaw maar aannam dat het 'Ja' was in het Tadzjieks.

De enige reden waarom Shaw nog leefde, was dat deze mannen dachten dat hij een goede toekomstige klant zou kunnen zijn aan de overkant van de oceaan. Op de Amerikaanse drugsmarkt, de grootste ter wereld, maakten Zuid-Amerikaanse kartels de dienst uit, maar de Tadzjieken hadden al geruime tijd een oogje op de Verenigde Staten, en als ze om zich op de Amerikaanse markt een positie te verwerven eerst naar Colombia moesten vliegen om een paar duizend kartelmedewerkers naar de andere wereld te helpen, zouden ze daar geen enkel bezwaar tegen hebben.

Met een mes dat hem was overhandigd door een van de Tadzjieken, sneed Shaw een voetbal open. Er zaten plastic zakjes met wit poeder in. Anders dan je op de televisie altijd zag, nam hij niet de moeite om er een open te snijden en het spul zelf te proeven. Hij had helemaal geen zin om die vuiligheid in zijn lijf te krijgen. Het enige wat nog erger was dan heroïne waren amfetaminen. Als je daar op honderd meter afstand maar aan rook, had je al een uitgebreide detox nodig. 'En hoe zit het verder? Moet ik er dan maar van uitgaan dat dit heroïne is, dat alle andere ballen daar ook vol mee zitten, en dat dat samen precies duizend kilo is?'

De vier mannen keken hem strak aan en geen van hen leek van plan te zijn om daar antwoord op te geven. Toen ging het rechterportier van de truck open. Een kleine, slanke man sprong de cabine uit en kwam licht neer op de zachte grond. Hij had blond haar, dat duidelijk dunner werd, droeg een duur pak en had een glimlach op zijn gezicht die zijn gloednieuwe implantaten fraai deed uitkomen. 'We doen dit al een hele tijd,' zei hij, en als hij al een accent had, viel dat toch nauwelijks op te merken. Hij stak Shaw zijn hand toe.

'Alle nieuwe klanten hebben dezelfde vragen. Maar we hebben nog nooit iemand teleurgesteld.' Hij wees naar de in tweeën gespleten voetbal. 'Dit is de beste heroïne ter wereld. Gegarandeerd zeventig procent zuiver, zelfs met alle rotzooi die jullie erin stoppen voordat het spul in Amerika op straat aan de man wordt gebracht. Meestal heb je tien kilo opium nodig om twee kilo heroïne te krijgen die je op straat kunt slijten. Dat is een zuiverheidsgraad van veertig procent. Dat is waardeloos. Dat kost je geld, beste vriend. Met ons product verdien je twee keer zo veel.'

Shaw zag ineens voor zich hoe hij ergens op de markt naar een standwerker stond te luisteren.

'En ik heb er tien kilo extra bij gedaan,' ging de man verder. 'Op straat in Amerika is dat goed voor 1,2 miljoen. Dat doen we alleen maar voor nieuwe klanten, om te laten zien dat we te goeder trouw zijn. En maar één keer,' voegde hij daar streng aan toe, nog steeds met die brede glimlach van hem. 'We verkopen jullie dit spul voor acht miljoen euro en in New York, LA en Miami kun je er twaalf tot vijftien miljoen voor krijgen. Dat is geen slechte winstmarge. En we kunnen jullie elke week weer zo'n partij leveren. Snel verdiend.'

'Drugs verkopen in Amerika is heel riskant,' merkte Shaw op.

De man grinnikte. 'Dat heb ik wel anders gehoord. Het is zo makkelijk als wat, want alle Amerikanen zijn verslaafd aan drugs. Het zijn allemaal hebzuchtige, seksverslaafde vetzakken. Nu jij ons product hebt gezien, zou ik graag jouw geld willen zien.'

'Hoe krijg ik die ballen naar de haven?' vroeg Shaw om tijd te winnen. Wat als Frank hem had genaaid? De Tadzjieken zouden hem aan de eekhoorns voeren, in heel kleine stukjes.

'We brengen ze voor je aan boord van het schip. Niemand zal het in de gaten hebben. En nu, het geld?' De man knikte naar de Mercedes. 'Ik zie geen koffertje. Acht miljoen euro neemt een hoop ruimte in, zelfs in grote coupures.' Hij keek Shaw onderzoekend aan. 'We accepteren geen cheques of creditcards,' voegde hij daar met een flauwe glimlach aan toe, en toen verstrakte zijn mond. 'Waar is het geld, verdomme?'

'Mijn mensen komen het zo brengen,' zei Shaw achteloos.

'Jouw mensen? Wat voor mensen?' Het mannetje keek om zich heen naar de hen omringende leegte.

'Jij hebt jouw mensen. Ik heb de mijne.'

'Daar hebben we niets over te horen gekregen.'

'Schiet op. Denk je nou echt dat ik met acht miljoen euro op zak bij vier van die bullebakken van jou in een auto kruip? Als ik zo achterlijk was, had ik het in deze business geen week volgehouden.'

Het mannetje gebaarde naar zijn manschappen en er werden snel vier machinepistolen uit de koffer van de Mercedes gepakt. Uit een metalig geluid achter hem maakte Shaw op dat de vrachtwagenchauffeur eveneens gewapend was.

Frank, waar blijf je nou, verdomme?

·23·

Katie James stelde haar verrekijkertje wat bij en legde daarna een hand op haar borst om haar wild kloppende hart een beetje tot bedaren te brengen. Ze was de Mercedes gevolgd vanuit het Balmoral Hotel. Omdat ze die middag op de Brittannia al had gehoord waar ze zijn moest, was ze zelfs in staat geweest om de auto een paar keer in te halen en zo te vermijden dat de inzittenden argwaan kregen, en vervolgens had ze dan vaart geminderd en was ze weer achter de Mercedes gaan rijden. Toen de wagen een grindweg op draaide, was ze een eindje doorgereden en toen gekeerd. Ze was er maar van uitgegaan dat de auto niet ver de grindweg op zou rijden, had haar eigen Mini Cooper voorbij de eerste bocht in de weg geparkeerd en was te voet verder gegaan. Ze liep over een heuveltje heen, sloop tussen een stel bomen door en liet zich toen achter een lichte glooiing op de grond zakken om toe te kijken.

Ze was dichtbij genoeg om zo nu en dan een flard van het gesprek op te vangen. De lange man uit het Balmoral Hotel was hier om drugs te kopen, dat was wel duidelijk. Dat verbaasde haar omdat degene met wie ze hem in de kapel had zien praten een tatoeage had gehad die Katie alleen maar bij manschappen van de Delta Force had gezien. Maar zelfs die kunnen op het verkeerde pad raken, dacht ze bij zichzelf. De mannen vóór haar waren drugs aan het verkopen. De drugs zaten in een stel voetballen en ze hadden over geld staan praten toen de machinepistolen plotseling tevoorschijn waren gehaald.

Katie had erover gedacht om de politie te bellen, maar besloot van tactiek te veranderen. Nu die lui daar plotseling met machinepistolen stonden te zwaaien, zou ze er snel vandoor gaan. Ze had al een paar stappen naar achteren gedaan toen ze een geluid hoorde dat haar deed verstarren.

Een eind rechts van haar was het net of er een zwarte golf door het bos stroomde. Ze liet zich plat op de grond vallen en probeerde helemaal in de aarde weg te kruipen. Toen de eerste schoten klonken, drukte ze zich nog veel harder tegen de grond. Maar iets in haar, misschien wel haar journalistieke instinct, zorgde ervoor dat ze net op tijd opkeek en haar verrekijker pakte om te zien hoe twee drugsdealers met een machinegeweer werden neergemaaid. Hun lichamen werden letterlijk opengereten en het bloed spatte in het rond. Toen ze de grond raakten, waren ze al dood, en dat alles voordat ze ook maar enig geluid hadden kunnen uitbrengen.

Terwijl ze lag te kijken, slaagde de lange man erin om een van de reuzen voor hem zijn machinepistool afhandig te maken. Met een lenigheid die niet bij zijn grote afmetingen leek te passen, gaf hij de grote vent een schop in zijn maag, zodat de man languit achteroversloeg. Daarna draaide hij zich om en hield het machinepistool omhoog, alsof hij zich wilde overgeven. Maar toen de kogels overal om hem heen insloegen, leek hij zich te bedenken.

De andere drugshandelaars hadden inmiddels dekking gezocht achter de vrachtwagen. Ze vuurden op alles wat hun kant uit kwam, terwijl de zwarte golf, die Katie inmiddels was gepasseerd, ook onophoudelijk bleef schieten. En de lange man zat daar recht tussenin.

'Hij is er geweest,' fluisterde Katie angstig.

Shaw dook weg achter de Mercedes toen de kogels van de zoveelste vuurstoot rakelings langs hem heen floten. Van de ene kant werd hij beschoten door de Tadzjieken en van de andere kant namen zijn eigen mensen hem onder vuur. Wat was er aan de hand? Was Frank soms vergeten het aanvalsteam door te geven dat ze verondersteld werden minstens één man in leven te laten? Hém dus?

Hij vuurde een schot af in de richting van de Tadzjieken en schoof toen achter het stuur van de Mercedes, startte de motor, en gaf een ruk aan de versnellingspook. Een kogel sloeg de achterruit aan splinters.

Hij gaf plankgas en de S600 schoot met een ruk naar voren. Het grind spoot weg onder de banden en spatte tegen de truck aan. Hij stak het machinepistool uit het zijraampje en schoot het magazijn leeg op de vrachtwagen, waarbij hij een van de Tadzjieken recht in zijn gezicht raakte en daarmee een abrupt einde maakte aan diens carrière in de internationale drugshandel.

De ping-geluidjes die hij nu hoorde, deden hem denken aan een hagelbui. Overal boorden zich kogels in de auto, en water en olie spatten op van onder de motorkap. Hij rukte aan de versnellingspook, scheurde met hoge snelheid achteruit over de grindweg en gaf toen een harde ruk aan het stuur, zodat de Mercedes een scherpe achterwaartse bocht maakte. Hij schakelde en gaf plankgas zodat de wagen zijn bocht van honderdtachtig graden voltooide en vooruit schoot. Op het rechte deel van de grindweg haalde hij een snelheid van 160 kilometer, en hij was al bijna tussen de bomen vandaan toen de motor zwarte rook uitbraakte en er abrupt mee ophield. Snel keek hij de auto rond voordat zijn blik bleef rusten op de 9mm-Sig die gedeeltelijk onder de mat voor de rechtervoorstoel was geschoven. Hij pakte het pistool van de vloer, trapte het portier open en rende weg.

Hij was niet de enige.

Hij veranderde van richting en rende de bocht om. Met zijn lange benen kon hij bij elke stap een flinke afstand overbruggen en net toen ze in het autootje stapte, een zwarte Mini Cooper, haalde hij haar in.

'Laat me los!' schreeuwde ze toen hij haar bij de arm greep.

'Geef me de sleutel!' brulde hij terug.

Hij rukte de sleutels uit haar handen, maakte het portier open en wrong zich met zijn grote lijf de kleine ruimte in.

'Stap in!' riep hij, want ze bleef daar gewoon staan.

'Nee!'

'Als ze je zien staan, schieten ze je dood.'

'Je bedoelt dat jij me gaat doodschieten.' Ze keek naar zijn pistool.

'Als ik jou wilde doodschieten, was je er nu al geweest. Dan had ik je geen lift aangeboden.'

'Je wilt me als gijzelaar hebben, zul je bedoelen.'

'Deze kerels maken zich echt niet druk om gijzelaars. Vooruit, stap in.'

Niet ver van hen vandaan hoorden ze geluid. Het kwam hun kant op.

'Dit is je laatste kans!' zei hij met een stem waaruit duidelijk bleek dat hij het meende.

Vijftien meter van hen vandaan kwam de truck met luid geraas tevoorschijn vanachter de bomen. Een van de grote Tadzjieken zat aan het stuur. De kleine man met de boosaardige grijns die geen creditcards of cheques wilde accepteren, zat naast hem. Toen hij hen zag, werd de grijns op zijn gezicht nog breder. Hij liet het zijraampje naar beneden zakken en mikte zorgvuldig.

'Kijk uit!' riep Shaw.

Zijn ogen hadden iets opgemerkt wat Katie niet had gezien. Hij greep haar bij de arm en trok haar door het open zijraampje de auto in terwijl hij tegelijkertijd, schijnbaar in een en dezelfde beweging, vol gas gaf.

Een paar seconden later sloeg een exploderende granaat een krater op de plek waar Katie zojuist had gestaan.

Shaw duwde Katie tegen de vloer en schakelde snel door naar de hoogste versnelling. De motor maakte nu veel meer toeren dan de fabrikant ooit had bedoeld en toch zou dit misschien nog steeds niet voldoende zijn.

Het geluid van de machinepistolen achter hen klonk nu als een zwerm sprinkhanen met angels van vijftig kaliber. Toen Katie overeind probeerde te krabbelen duwde hij haar weer naar beneden. 'Blijf liggen!'

Shaw keek in de achteruitkijkspiegel. Hij dacht erover om van de weg af te rijden en het er maar op te wagen in de groene weilanden. Het enige probleem was dat hij de Mini Cooper nooit over de diepe greppels langs de weg zou kunnen krijgen. En zelfs als hij daar wel in zou slagen, was het terrein hier zo oneffen dat je er alleen met een vierwielaandrijving overheen kwam.

De Mini Cooper was wel een stuk wendbaarder dan de truck, maar op lange, rechte wegen zou Shaw niet buiten het bereik van de volgende granaat kunnen komen. Hij verwachtte nu elk ogenblik een op de auto zelf te horen neerkomen. Hij meende zelfs de blikkerende tanden van de kleine Tadzjiek te kunnen zien. Die dacht nu ongetwijfeld dat hij degene was die het heft in handen had. Dat was ook zo, maar daar zou snel verandering in komen.

'Hou je vast!' brulde Shaw tegen Katie. Hij gaf een harde ruk aan het stuur, maakte opnieuw een bocht van honderdtachtig graden en gaf plankgas zodat ze nu met hoge snelheid recht op de truck af schoten.

Katie wist nog net op tijd weer rechtop te gaan zitten om het te zien. 'Wat doe je nou?' gilde ze.

De grote truck en het kleine autootje schoten met hoge snelheid op elkaar af, zodat dit spelletje wie het het langst durfde vol te houden nog maar vijf seconden van een catastrofale afloop verwijderd was. Katie kneep haar ogen stijf dicht en klampte zich vast aan het dashboard.

Terwijl de koplampen steeds dichterbij kwamen, keken de twee Tadzjieken elkaar snel even aan. Kennelijk waren ze niet in staat om te geloven wat ze nu voor hun ogen zagen gebeuren. Als ze op het autootje botsten, zou de truck misschien zware schade oplopen, en met al die gewapende mannen achter zich aan konden ze zich dat niet veroorloven.

En dat was precies waarom Shaw recht op hen af kwam rijden.

De grote Tadzjiek gaf een harde ruk aan het stuur, zodat de vrachtwagen met een ruk naar links schoot. Het was de laatste ontwijkende manoeuvre die hij ooit zou uitvoeren.

Shaw haalde de trekker over en er verschenen drie kogelgaten in de linkerzijde van de truck. De glimlach op het gezicht van het kleine mannetje verdween al even plotseling als het leven van zijn chauffeur. Shaw maakte een schuiver naar rechts en terwijl de Mini Cooper om de truck heen schoot, lieten de wielen een diepe groef in de berm achter. Toen kregen ze weer houvast op het grind en schoot het wagentje met hoge snelheid weg.

De stuurloze vrachtwagen reed nog vijfhonderd meter door voordat hij van de weg raakte en door de berm ploegde, zodat aardkluiten en graspollen hoog de lucht in vlogen terwijl de zware truck eerst een diep spoor in de grond trok en toen kantelde.

Pas toen deed Katie James haar ogen weer open.

24

Toen ze een kilometer of vijftien van de plek verwijderd waren waar ze volgens de wetten van de kansrekening eigenlijk het leven hadden moeten laten, minderde Shaw vaart, liet zijn zijraampje zakken en haalde een keer diep adem. Zelfs voor hem was dit niet iets wat hij elke dag meemaakte.

Voor het eerst merkte Katie nu de rode plek bij zijn schouder op. 'Je bent geraakt!' Zonder veel belangstelling keek hij snel even naar de wond. Zijn geest draaide op volle toeren terwijl hij alles wat er zojuist was gebeurd, nog even de revue liet passeren. 'Niet meer dan een schampschot. De kogel is er niet in gegaan.'

'Hoor eens, als je me laat gaan, zal ik er tegen ñiemand iets over zeggen.'

'Jij kijkt te veel speelfilms.'

'Wil je zeggen dat je me gewoon laat lopen?'

'Nou, ik heb echt geen zin om lang met je rond te blijven hangen.'

'Wie waren al die mannen in het zwart?'

'Ik heb je een lift gegeven. Ik ben hier geen verklaring aan het afleggen.'

Ze keek hem nieuwsgierig aan. 'Jij bent geen drugsdealer, hè?'

'Heb je er veel ontmoet?'

'Eigenlijk wel, ja.'

'Wat deed je daar trouwens?' Er verscheen een grimmige uitdrukking op zijn gezicht. 'Ik ben jou tegen het lijf gelopen in het Balmoral Hotel. En je zwierf ook rond op het jacht. Je bent me gevolgd!' Hij greep haar bij de schouder. 'Waarom? Wie heeft je daar opdracht toe gegeven?'

Ze pakte zijn hand vast. 'Laat los! Je doet me pijn!'

Hij kneep haar nog even hard in haar schouder en liet toen eindelijk los. 'Wat voerde je daar uit?'

'Het was gewoon toeval.'

'Ik word altijd heel moe en treurig van leugenaars.'

'Oké, oké, je gedroeg je verdacht en ik ben je gevolgd.'

'Waarom? Werk je voor de politie?'

'Nee. Ik ben… journalist.'

'Journalist? Doe je onderzoek naar drugshandel in Schotland?'

'Nee, ik…'

'De waarheid, want anders verander ik misschien van gedachten en laat ik je niet gaan.'

'Ik was in Schotland om een artikel te schrijven over de dood van Andrew MacDougal,' zei ze haastig.

'Voor welke krant?'

'De *New York Tribune*.'

Hij liet een korte stilte vallen en zei toen: 'Jij bent Katie James?'

'Hoe weet je dat?'

'Ik heb dat artikel over MacDougal gelezen, en daar stond jouw naam bij. Maar MacDougal is begraven in Glasgow. Dus was doe je hier in Edinburgh?'

'Vakantie. Ook journalisten hebben zo nu en dan weleens vrij.'

'En je met zaken bemoeien die je niet aangaan, maakt voor jou deel uit van je vakantie?'

'Was het maar niet zo.'

'Volgens mij heb jij iets helemaal verkeerd gedaan, anders zou je voor je zeventigste geen overlijdensberichten hoeven schrijven.'

'Loop naar de hel, jij.'

'Daar ben ik al geweest. Het is er net zo naar en akelig als iedereen denkt.'

Hij zei het zo nuchter en feitelijk dat zelfs de ervaren journaliste hem alleen maar kon aangapen.

'Wat bedoel je daarmee?' stamelde ze even later.

'Als je dat moet vragen, zou je het antwoord toch niet begrijpen.'

Eigenlijk dacht Katie dat ze best begreep wat hij bedoelde, maar ze koos ervoor om niets te zeggen. Zwijgend reden ze verder. Dertig minuten later kwam de Mini Cooper tot stilstand voor het Balmoral Hotel.

'Oké,' zei Shaw tegen Katie. 'Zorg dat je zo snel als je maar kunt wegkomt uit Edinburgh.'

'Hoe zit het met jou? Ze schoten op jou.'

'Ik kan mezelf wel redden.'

Ze boog zich naar hem toe en toen hij wilde uitstappen greep ze hem bij de hand. 'Hoe heet je?'

'Ik heb je werk in de loop der jaren gevolgd, dus ik weet dat je niet achterlijk bent.'

'Kun je me dan in ieder geval vertellen wat zich daar heeft afgespeeld?'

Hij aarzelde.

'Ik ga hier geen artikel over schrijven, als je dat soms denkt. Daarvoor weet ik niet genoeg.'

'Als je hier wel over schrijft, zul je een heleboel hard werk bederven en een stel hele foute types in de kaart spelen.'

'Oei! Foute types in de kaart spelen, dat wil ik niet, hoor.'

Hij liet een korte stilte vallen en nam haar onderzoekend op. 'Het ging inderdaad om een partij drugs. We proberen ervoor te zorgen dat terroristen niet aan geld kunnen komen. Zo, nu weet je het allemaal.'

'Maar goeieriken openen niet zomaar het vuur.'

'Dat weet ik,' gaf Shaw toe. 'Ik weet niet waarom ze zomaar begonnen te schieten.'

Zijn openhartigheid leek het grootste deel van Katies twijfels weg te nemen. Op nieuwsgierige toon vroeg ze: 'Maar waarom schoten je eigen mensen dan op je?'

'Dat ga ik nu uitzoeken.' Hij keek haar recht in de ogen. 'Zorg dat je hier wegkomt. Je hebt deze avond overleefd. Het is zonde als dat voor niks zou zijn geweest.'

Een paar seconden later was hij verdwenen.

Katie liet zich in de leren bekleding van de Mini Cooper zakken. Ze had in haar loopbaan al veel doden gezien, hartverscheurende taferelen waar je nooit echt overheen kwam. Maar deze schietpartij van vanavond... En ze was nog nooit zo iemand tegengekomen als deze kerel.

Was alles wat hij had verteld compleet gelogen? Als ervaren journaliste had ze gemerkt dat zoiets maar al te vaak voorkwam. Maar hij had haar laten gaan. En hij had haar leven gered. Ze voelde zich schuldig toen het tot haar doordrong dat ze hem daar niet eens voor had bedankt. Ze had het aan hem te danken dat ze nu niet door talloze kogels aan flarden gereten ergens in een Schots bos lag.

Katie trok haar tasje van de achterbank en haalde een pen en een schrijfblokje tevoorschijn. Voordat ze was overgestapt naar de journalistiek had ze een tekenopleiding gevolgd. Ze klapte het schrijfblokje open en maakte snel een schetsje van Shaw, en daarna ook een paar aantekeningen.

Terwijl ze zat te schrijven, mompelde ze in zichzelf. 'Donker haar, ongeveer een meter negentig, geschat gewicht 110 kilo. Schouders zo breed als Nebraska. Adembenemend blauwe ogen.' Ze legde haar pen neer. Adembenemend blauwe ogen? Waar kwam dat nou vandaan?

Het maakte niet uit. De kans dat ze hem ooit nog zou zien...

Ze schoof achter het stuur, reed een steegje in, liet de auto daar achter en glipte door de dienstingang het Balmoral Hotel binnen.

25

Shaw nam niet de moeite om zijn kleren weg te halen uit het hotel. Al zijn belangrijke persoonlijke bezittingen had hij achtergelaten in een box op het station. Zodra hij een eind uit de buurt van het hotel was, belde hij Frank. De man liet de telefoon vier keer overgaan voordat hij opnam.

'Waar ben jij nou mee bezig?' blafte Shaw in de hoorn.

'Je zou moeten vieren dat je weer eens een missie met succes hebt afgerond. We hebben de drugs, de lui die hierachter zitten hebben geen geld gekregen en de enige boef die nog in leven is, vertelt ons op dit moment alles wat we maar weten willen. Persoonlijk heb ik de champagne al aangebroken.'

'Jullie hebben zonder enige aanleiding het vuur geopend.'

'Wauw! Echt waar?'

'Ja, echt waar. Wat is er gebeurd met het recht om te zwijgen én in leven gelaten te worden?'

'We hebben een paar Tadzjieken buiten gevecht gesteld, en wat dan nog? Weet je hoeveel die kerels eten? Ik ben toch al bijna over mijn budget heen.'

'En jullie schoten ook op mij.'

'Dan moet je in het vervolg misschien beter opletten.'

'En waarop dan wel?'

'Wij zijn niet gediend van mensen die willen stoppen met dit werk, Shaw. Jij kunt pas gaan als wij vinden dat het tijd is, als het daar ooit al van komt.'

'Onze deal…'

'Die deal heeft niets te betekenen. Die deal van ons heeft nooit iets te betekenen gehad, maar dat heb je niet onder ogen willen zien, Nou, vanavond ben je ruw uit je droom ontwaakt, beste vriend. Dat hoop ik tenminste voor je, want een tweede kans krijg je niet. En wees nou maar blij dat je het er levend vanaf hebt gebracht. O, en trouwens, je orders voor Heidelberg kun je afhalen op de luchthaven. Een charter. Vertrek over twee uur. Er staat een man op je te wachten bij de ingang van het terminalgebouw. En geniet nu nog maar even van je avond in het lieflijke Schotland.'

Frank verbrak de verbinding en Shaw stond voor zich uit te staren in Princes Street, midden in de oeroude stad Edinburgh, te midden van duizenden mensen.

Hij had zich nog nooit zo alleen gevoeld.

* * *

Katie haalde een leeg opschrijfboekje uit haar tasje, schoof iets tussen twee bladzijden en liep de lobby van het Balmoral Hotel binnen. De receptionist die op dit moment dienst had, was een magere jongeman. Katie liep met lange passen naar hem toe en hield haar opschrijfboekje omhoog.

'Iemand heeft dit laten vallen in de lobby. Een man. Er staat geen naam in, maar misschien logeert hij wel hier in het hotel. Hij reed weg in een taxi voordat ik hem kon tegenhouden.' Ze gaf een gedetailleerd signalement van Shaw.

'Ja, die logeert inderdaad hier in het hotel, mevrouw,' zei de jonge Schot. 'Een zekere meneer Shaw. Ik zal het in zijn postvakje doen.'

Ze keek toe terwijl hij het opschrijfboekje in het postvak van de kamer van nummer 505 schoof. Toen hij zich weer omdraaide, was ze al weggelopen.

God zegen de Schotten, dacht ze. Als ze dat in New York had geprobeerd, had de man haar het opschrijfboekje in haar gezicht gesmeten, haar door de beveiliging tegen de vloer laten werken en daarna de politie gebeld.

Ze bleef twee uur zitten wachten in de lobby, terwijl ze zo nu en dan snel even naar de balie keek en intussen aan een cola nipte en op haar nagels beet totdat die helemaal afgekloven waren. Pas toen de jonge Schot zijn plaats afstond aan een vrouw van middelbare leeftijd die Katie nooit eerder had gezien, kwam ze in beweging. Zodra de man uit het zicht was, liep Katie naar de balie.

'Ik logeer in kamer 505, samen met mijn verloofde,' begon ze. 'Ik heb hem de sleutel gegeven toen hij zijn eigen sleutel kwijt was, maar hij zou die tussen de bladzijden van een boek stoppen dat hij hier voor me zou achterlaten, zodat ik weer de kamer binnen kon komen.'

De vrouw keek snel even naar de rij postvakjes achter haar, stak haar hand in het vakje van kamer 505 en haalde het notitieboekje tevoorschijn.

'Dit boek?' zei ze.

Katie knikte en nam het boekje van haar aan. Ze bladerde het door en zorgde ervoor dat het voorwerp dat ze daar in had gestopt voordat ze het aan de jongeman had gegeven, op de balie viel. De vrouw raapte het voor haar op. Het was Katies Amerikaanse rijbewijs. De vrouw keek naar de foto, en toen naar Katie, die zei: 'Dat heb ik nou overal gezocht. Kennelijk heeft hij het gevonden en het voor me in het boek gestopt.'

'En waar is uw verloofde dan?' vroeg de vrouw heel vriendelijk, maar wel op de toon van iemand die een taak had en die van plan was om die goed te vervullen.

'Hij zit in Glasgow.' Ze bladerde het boekje nog een keer door. 'Morgen is hij weer terug, maar de sleutel heeft hij niet voor me achtergelaten. Hoe kom ik mijn kamer nou binnen?'

'Hebt u al geprobeerd hem te bellen?'

'Ja, maar er wordt niet opgenomen. De telefoon hier is niet altijd even betrouwbaar.'

'Wat u zegt,' beaamde de vrouw enthousiast.

Ze keek snel even naar het rijbewijs en het opschrijfboekje.

'Tja, we kunnen onze gasten ook niet op straat laten slapen, hè?' Ze haalde een reservesleutel uit het postvakje en schoof het opschrijfboekje, het rijbewijs en de sleutel naar Katie toe.

Katie keek even op het naamplaatje van de vrouw. 'Sara, hartstikke bedankt. Ik kan er nog steeds niet over uit dat hij er niet aan heeft gedacht om die sleutel voor me achter te laten.'

'Ik ben nu al zesentwintig jaar getrouwd met Dennis, en die arme sukkel is niet eens in staat om zich mijn verjaardag of onze huwelijksdag te herinneren. Soms weet hij zelfs niet meer hoe die vijf kinderen van ons allemaal heten. Dus als die verloofde van u alleen maar zo nu en dan de sleutels vergeet, zou ik het huwelijk maar gewoon doorzetten, mevrouw. Daar mag u dan echt heel blij mee zijn.'

Katie liep naar de lift.

Een minuut later opende ze de deur van kamer 505. Toen ze Shaw had zien weglopen, was hij niet de kant van het hotel uit gegaan, dus ze was er vrij zeker van dat hij zich niet in het gebouw bevond. Maar toch hield ze zich voor dat ze niet meer dan tien minuten had om zijn kamer te doorzoeken.

Negen minuten later had ze de hele kamer zorgvuldig uitgekamd, de weinige achtergelaten bezittingen uitgebreid bekeken en helemaal niets gevonden. Nou... niet helemaal niets. In de zak van een jasje had ze een bonnetje gevonden van een boek dat hij had gekocht in Dublin. Maar daar schoot ze niet veel mee op.

Ze liep naar het bureau. Alles wat erop lag, was afkomstig uit het hotel zelf. Maar toen zag ze het. Ze ging zitten en trok het vloeiblok naar zich toe, haalde een potlood uit het pennenbakje en streek er voorzichtig mee over het vloeipapier, zodat er langzaam een naam tevoorschijn kwam op de plek waar Shaw die met zo veel kracht op een velletje papier had geschreven dat het was doorgedrukt in het vloeiblok dat eronder lag. Een echte beginnersfout, maar een die hij had gemaakt op een moment dat hij zich ernstig zorgen maakte om Anna.

'Anna Fischer,' zei Katie. Een heel gewone, veel voorkomende naam, maar om de een of andere reden had Katie het gevoel dat ze die ergens van kende.

Toen klikte er iets. Ze keek op het bonnetje dat ze in de zak van zijn jasje had gevonden.

'*A Historical Examination of Police States*' las ze. Ook nu weer had ze het idee dat dat haar bekend voorkwam.

Ze liep de kamer uit en toetste het telefoonnummer in dat op het bonnetje vermeld stond. Ze had niet verwacht dat er op dit uur nog zou worden opgenomen, maar even later kreeg ze een vrouw aan de lijn. Katie vroeg of ze *A Histo-*

rical Examination of Police States in voorraad hadden. Dat was het geval, kreeg ze te horen, maar niet meer dan één exemplaar. 'Wat was de naam van de auteur ook weer?' zei ze. 'Ik ben het even kwijt.'

'Anna Fischer,' antwoordde de vrouw.

•26•

Langzaam liep Anna Fischer door de straten van het Londense Westminster. Er kwamen altijd grote aantallen toeristen naar dit deel van de stad, in de hoop om een glimp op te vangen van de koningin of een ander lid van de koninklijke familie in Buckingham Palace, of om in de roemruchte Westminster Abbey naar de graven van lang geleden gestorven vorsten te gaan kijken. Het West End, met al zijn theaters, was hier ook te vinden, evenals Lord Nelson die peinzend op zijn hoge granieten zuil op Trafalgar Square stond terwijl de duiven hem aan alle kanten onderscheten.

Ze liep St. James Park binnen en passeerde allerlei buitenlandse kindermeisjes en Britse moeders die kinderwagens voor zich uit duwden en genoten van een vroege avondwandeling onder een heldere hemel. De zon zag je hier op dit door heel veel water omgeven eilandje niet vaak, en als het goed weer was, deden de inwoners van Londen dan ook hun best om ervan te genieten.

Anna liep door. Toen ze langs de King's Steps kwam, bleef ze staan en tuurde naar het in het midden van het park gelegen Duck Island. Toen ging ze zitten en trok haar rok omlaag over haar lange benen.

Was ze Shaw te hard gevallen? Ze had half en half het gevoel dat dat inderdaad zo was, maar tegelijkertijd liet iets in haar ook een luid 'néé' horen. Voor Anna was het huwelijk een levenslange verbintenis. Ja, dat had ze eerder duidelijk moeten maken, maar nu Shaw haar een officieel aanzoek had gedaan, was het allemaal veel urgenter geworden. Dat moest hij ook begrijpen, en als hij dat niet snapte, nou, dan was het misschien beter als ze uit elkaar zouden gaan.

Er waren in de loop der jaren wel andere mannen geweest die naar haar hand hadden gedongen; goed onderlegde en welbespraakte mannen, die belangrijke posities bekleedden of aanzienlijke rijkdom hadden vergaard, en ze kon niet zeggen dat ook maar een van hen bij haar ooit zulke diepe en tedere gevoelens had losgemaakt als hij. Maar zou Shaw zelfs maar de moeite nemen om naar Durlach te gaan en haar ouders om haar hand te vragen?

Ze stond op en ging toen weer zitten. Naast haar lag een oude krant. Ze pakte hem op. *The Guardian* had vandaag al dat gedoe over het boosaardige Rusland weer eens goed uitgemolken. De kopregel vatte het goed samen: IS HET RODE GEVAAR TERUG?

Kennelijk hadden een aantal wereldleiders en belangrijke kranten niet lang geleden iets ontvangen dat het *Tablet of Tragedies* werd genoemd. De uiterst eenvoudige lay-out en de korrelige foto's van Russen van wie werd beweerd dat

ze vermoord waren, met daaronder in eenvoudige taal hun tragische levensver-
halen, hadden een zeggingskracht die een glossy tijdschrift met een oplage van
een miljoen exemplaren nooit had kunnen bereiken. Met opgetrokken wenkbrauwen las Anna het artikel door. Er stond veel opgewarmd oud nieuws in,
waarop vervolgens werd voortgeborduurd. Het was net zoals dat bekende gezel-
schapsspelletje waarbij je een verhaaltje in het oor van degene naast je moest
fluisteren, die het dan weer in het oor van degene naast hem fluisterde, totdat je
van degene die het laatst aan de beurt was een heel ander verhaal te horen
kreeg. En toch werd de moord op Sergei Petrov, die dood was aangetroffen met
het Russische woord voor verrader op zijn voorhoofd, door de westerse pers als
een overtuigend bewijs van Gorshkovs schuld beschouwd.

Toen overal in het land spontane massademonstraties werden gehouden, had
de Russische president zijn strijdkrachten in de hoogste staat van paraatheid
gebracht. Het leek wel alsof het land helemaal ineenstortte. Van haar vroegere
collega's bij de Verenigde Naties had Anna zelfs gehoord dat de Russische zetel
in de Veiligheidsraad in gevaar zou kunnen komen als Rusland niet snel met
een acceptabele verklaring kwam. Wat Konstantin en zijn gezin ook overkomen mocht zijn, de man werd nu grondig gewroken.

Maar had ook maar iemand de moeite genomen om de juistheid van al die
beschuldigingen te controleren? Anders dan sommige andere mensen die met
dergelijke vragen worstelden, beschikte Anna over goede mogelijkheden om er
een antwoord op te zoeken. Misschien kwam het wel doordat ze even niet aan
haar persoonlijke problemen wilde denken, maar hoe dan ook, daar op dat
parkbankje besloot ze er iets aan te doen.

Anna liep terug naar haar kantoor, een honderdvijfenzeventig jaar oud bakste-
nen gebouw in een stille, doodlopende straat niet ver van Buckingham Gate. De
gebouwen aan weerszijden van het hare stonden leeg en zouden binnen een
maand of zes gerenoveerd worden. Voorlopig kon ze nog van haar rust en afzon-
dering genieten, maar straks zou die volkomen bedorven worden door drilboren
en motorzagen. Er hing een sterke verflucht in het gebouw. Het had net een op-
knapbeurt gehad, waarbij ook al het houtwerk opnieuw een likje had gekregen.
Ze maakte de zware voordeur open. Op een goudkleurige plaquette stond de
naam van het bedrijf: THE PHOENIX GROUP LTD. Toen ze hier kwam werken,
had Anna te horen gekregen dat het bedrijf werd gefinancierd door een zeer
teruggetrokken levende miljonair uit de Amerikaanse staat Arizona. De miljonair was zo op zijn privacy gesteld dat niemand bij de Phoenix Group zelfs
maar wist hoe hun weldoener heette. De man kwam ook nooit langs. Wel
stuurde hij van tijd tot tijd een communiqué met bemoedigende woorden over
hun belangrijke werk. En vanuit Amerika waren er afgezanten van de man bij
hen op bezoek gekomen om vragen te beantwoorden. De eigenaar was haar

beschreven als een intellectueel die veel belangstelling koesterde voor de grote vragen waarmee de mensheid zich nog steeds niet goed raad wist, en die mensen zoals Anna betaalde om daar een antwoord op te zoeken. Maar wie het ook mocht zijn, hij gaf Anna en de anderen volledig de vrije hand bij het bevredigen van hun intellectuele passies. Er waren tegenwoordig niet veel banen meer waarin je zo veel vrijheid werd gegund. Het was het meest stimulerende werk dat Anna ooit had gedaan. Als ze nu ook nog haar persoonlijke leven een beetje op orde wist te krijgen…

Ze deed de deur achter zich op slot en liep de trap op. Haar rommelige kantoor bevond zich aan het eind van de gang op de bovenste verdieping. Ze liep langs een reeks andere kamers, die allemaal leeg waren, op één na, waarin de oude en nogal prikkelbare academicus Avery Chisholm druk in de weer was met een van zijn huidige projecten. Het witte haar dat als een grote stralenkrans om zijn hoofd hing, stak nauwelijks boven de hoge stapels boeken uit die hij voor zich op zijn bureau had staan. Hij stak zijn hand op toen ze hem gedag zei, en Anna liep haastig verder.

Ze ging achter haar ruime bureau zitten, dat bezaaid was met boeken en stapels papier. Het was haar taak om de wereld te doorgronden in al zijn complexiteit. Haar collega's en zij schreven het ene artikel na het andere, publiceerden het ene boek na het andere, hielden de ene toespraak na de andere, en in al die artikelen, boeken en toespraken gaven ze telkens weer nauwgezette en gedetailleerde analyses. Al dat denkwerk zou voor de leiders van overheden en grote bedrijven van de Verenigde Staten tot aan Japan een goudmijn moeten zijn, maar ze was zich er pijnlijk van bewust dat vrijwel niemand ooit de moeite nam ze te lezen.

Ze ging online en keek even rond in een paar chatrooms. Telkens als ze in een daarvan in twijfel trok of de Russen echt wel zo schuldig waren, en zich openlijk afvroeg wat de 'werkelijke' oorzaak zou zijn van de stroom anti-Russische publiciteit die inmiddels werd aangeduid als de 'Rode Gevaar-campagne', werd ze van alle kanten onder vuur genomen door mensen die openlijk twijfelden aan haar geloof en haar vaderlandsliefde, en dat terwijl al die mensen niet eens wisten of ze eigenlijk wel godsdienstig was, of uit welk land ze kwam. Er werd haar ook te verstaan gegeven dat ze Gorshkovs reet likte, dat ze een onmens was, en een vreselijke bitch.

Ze trok zich terug uit die wereld en zocht verder, totdat haar aandacht werd getrokken door een obscure blogger ergens in een ver verwijderd sterrenstelsel van de cyberwereld, die ook zo zijn twijfels leek te hebben over de ware toedracht en die dezelfde vragen stelde als zij. Ze stuurde hem een uitgebreid mailtje en hoopte maar dat ze snel een reactie zou krijgen.

Die reactie zou er komen, maar niet op een manier waar ze zich zelfs in haar stoutste dromen ook maar een voorstelling van had kunnen maken.

Anna Fischer was een opmerkelijk intelligente vrouw die aan universiteiten van wereldklasse in verschillende vakken een academische graad had behaald. Maar toch had ze zojuist een essentiële fout gemaakt. Ter verdediging kan worden aangevoerd dat ze op geen enkele manier had kunnen weten dat het een fout was. Maar dat zijn nou juist het soort fouten die een mens veel ellende kunnen bezorgen.

De blogger aan wie ze dat mailtje had gestuurd waarin ze haar eigen twijfels uiteenzette, was niet wie hij leek. Het was niet eens een echt mens. In wezen was hij niet meer dan een digitale geestverschijning.

Dick Pender en zijn werknemers hadden aandachtig in de gaten gehouden wat zich afspeelde in enkele duizenden chatrooms van over de hele wereld. De razendsnelle dialogen die kilobyte voor kilobyte over hun reusachtige computerschermen schoten, konden zich meten met de 'Lieve Lita'-rubrieken uit de Britse kranten uit het einde van de negentiende eeuw. De Rode Gevaar-campagne was natuurlijk datgene wat iedereen op dit moment het meeste bezighield en Pender moest glimlachen toen hij optelde hoeveel mensen ervan overtuigd waren dat de Russen daarachter zaten, en hoeveel mensen daar nog aan twijfelden. Negenentachtig procent was volkomen zeker van zijn zaak.

Vol leedvermaak constateerde hij dat iedereen die het ook maar waagde om tegen de door hem gecreëerde 'waarheid' in te gaan, onmiddellijk door hele legers chatters onder vuur werd genomen. Op duizenden webfora en discussiesites liet Pender van tevoren geschreven reacties plaatsen waarin het ene 'feit' na het andere in stelling werd gebracht. Al die feiten waren nergens op gebaseerd, en grijnzend merkte hij op dat hij door de chattende horden werd ingehaald als een held wiens woorden grote wijsheid bevatten.

God, dacht Pender, wat was het toch gemakkelijk om een populaire stelling te verdedigen, zelfs al was die nog zo onzinnig. Daar had je werkelijk geen greintje moed voor nodig.

Een minuut later werd zijn grijns nog breder. Hij had zojuist zijn zogenaamde 'online berenklemmen' gecontroleerd, en een daarvan was de blogger aan wie Anna haar mailtje had gestuurd. Penders werknemers hadden een aantal blogs opgezet, waaronder deze, om de aandacht te trekken van iedereen die misschien dacht dat de hele Rode Gevaar-campagne flauwekul was. Het was van essentieel belang om te weten of er een tegengestelde golf van twijfel aan de juistheid van alle berichten over het Rode Gevaar kwam opzetten.

Als Pender dergelijke bewegingen opmerkte, kon hij zich bedienen van verschillende strategieën om die de kop in te drukken. Een van zijn meest geliefde werkwijzen was het creëren van een schokkende gebeurtenis die de aandacht van een probleemgebied afleidde. In het verleden was hij al honderden keren, vaak met zeer weinig voorbereidingstijd, voor iets dergelijks ingehuurd door regeringen in Washington, Londen, Parijs, Beijing en Tokio. Over het algemeen was de vraag naar zulke gebeurtenissen het grootst in tijden van verkiezingen, schandalen, oorlogen en grote begrotingsconflicten.

Er waren niet veel mailtjes naar de undercoverwebsites gestuurd. De overgrote meerderheid van de wereldbevolking ging er kennelijk voetstoots van uit dat alles wat de afgelopen tijd over de Russen was beweerd, zonder meer waar was. De meeste mensen waren er volkomen tevreden mee om zich hun hele leven als kuddedieren te gedragen, en dat kwam Pender bij zijn werk goed van pas. Er waren natuurlijk altijd wel een paar mensen die meer wilden weten over het *Russian Independent Congress*, ofwel het RIC, en die bereid waren diep te graven om die informatie ook daadwerkelijk te bemachtigen, en om hun ergste honger te stillen wierp Pender hun zo nu en dan een brokje toe. Eigenlijk was het helemaal niet zo moeilijk om dat soort mensen voortdurend een stap vóór te blijven, want de media moesten hun aandacht verdelen over veel verschillende onderwerpen, terwijl Pender zich met maar één ding hoefde bezig te houden: de zaken van Nicolas Creel. Pender noemde deze techniek 'kranen', waarmee hij bedoelde dat hij de kraan met informatie op het juiste moment open- of dicht draaide. Hij had de media nu precies waar hij ze hebben wilde, in een toestand waarin ze alleen nog maar reageerden op het nieuws, zonder er zelf achteraan te gaan.

Het beperkte aantal mensen dat navraag had gedaan op de undercoversite was al nagetrokken door Penders werknemers, en werd niet van groot belang geacht. In tegenstelling tot de eenvoudige chatrooms moest je echt goed zoeken om deze onlineberenklemmen te vinden. Mensen die ze toch wisten te bereiken, beschikten waarschijnlijk over meer inzet en vastberadenheid dan de meeste terloopse chatters ooit zouden kunnen opbrengen. Pender had geen idee wie Anna Fischer was, maar haar webadres intrigeerde hem.

'De Phoenix Group,' prevelde hij zachtjes terwijl hij aan zijn bureau in het commandocentrum zat. Hij had de geografische oorsprong van het bericht al nagetrokken. De Phoenix Group was gevestigd in Londen. Voor hem op zijn bureau lag een dossier dat hij snel had samengesteld. The Phoenix Group Ltd was een onafhankelijk instituut dat gevestigd was in Westminster, niet ver van Buckingham Palace; het was niet bekend wie de eigenaar was.

Pender had veel aan zijn hoofd. *The Wall Street Journal* zou binnenkort een artikel plaatsen waarin enige twijfel werd geuit over het bestaan van enkele personen op de lange dodenlijsten. Pender kende de journalist die het artikel had geschreven. Het was een goede verslaggever, maar wel een beetje lui, en hij stond erom bekend dat hij onderzoek naar een bepaald onderwerp vaak niet doorzette als het onderzoek wat lastig werd of zijn artikelen weerstand bleken op te roepen. Pender gaf zijn medewerkers opdracht om vier artikelen op het web te plaatsen waarin op niet mis te verstane wijze gesuggereerd werd dat sommige gegevens op de lijst met dode Russen wellicht niet correct waren, maar dat dat het gevolg was van onbetrouwbare overheidsgegevens en dus op geen enkele manier beschouwd mocht worden als een reden tot twijfel aan zo'n onmiskenbare holocaust tegen het Russische volk als deze, en dat iedereen die daar wel aan durfde te twijfelen een smet wierp op de nagedachtenis van de slachtoffers. Pender regelde ook dat verschillende 'experts' in de grote Amerikaanse actualiteitenrubrieken zouden verschijnen om dat nog eens met grote nadruk te verklaren.

Pender was er zeker van dat de verslaggever van *The Wall Street Journal* niet bekend wilde komen te staan als een cynische rotzak die goede vriendjes was met een dictator, en dat hij het hele onderwerp daarom verder zelfs met geen tang meer zou aanraken. Hij had ook gehoord dat de bbc een programma over het Rode Gevaar ging maken, maar dat de regisseur nog niet goed wist vanuit welke hoek hij dat onderwerp zou belichten. Pender liet de drukbezette producer een anoniem briefje en drie door ghostwriters geschreven artikelen toesturen die de vrouw een paar nuttige duwtjes in de juiste richting gaven, de richting dus die het beste overeenstemde met wat Pender en Creel wilden bereiken. Hij zag het programma met belangstelling tegemoet.

Intuïtief voelde Pender echter dat deze Phoenix Group weleens precies zou kunnen zijn wat Creel zocht. Daarom stuurde hij al deze informatie door aan zijn cliënt voordat hij verderging met waar hij goed in was: het verkopen van de waarheid aan een goedgelovige wereld.

Nooit eerder was er een spel geweest dat zo opwindend was als dit.

•28•

Nicolas Creel zat in zijn overdadig ingerichte thuisbioscoop op zijn landgoed aan de Rivièra en keek naar de laatste scène van *Saving Private Ryan*. Hij hield van deze film, niet vanwege het uitstekende acteerwerk en de bijzonder goede regie, en al evenmin vanwege de morele boodschap die in dit klassieke oorlogsdrama was vervat. Nee, hij genoot ervan om de wereld in oorlog te zien omdat het daardoor zo nobel werd om te sterven.

Creel had zijn fortuin gemaakt met het kopen en verkopen van apparaten waarmee duizenden mensen, in sommige gevallen zelfs miljoenen, om het leven konden worden gebracht, maar toch was hij een vreedzaam man. Hij had nog nooit iemand in een vlaag van woede een klap gegeven en nog nooit de trekker overgehaald van welk wapen dan ook. Hij had een afkeer van geweld. Hij verdiende het meest als het vrede was, maar dan wel een bepaald soort vrede. In wezen ging het om een gevoel van vrede dat was vervlochten met de angst dat er elk ogenblik een oorlog kon uitbreken. Voor Creel was een vrede gebaseerd op voortdurende angst het allerbeste.

Er was nog een tweede reden waarom Creel zo dol was op *Saving Private Ryan*. De Tweede Wereldoorlog was een klassieke confrontatie tussen goed en kwaad geweest, een nobele oorlog die een hele generatie Amerikanen in staat had gesteld hun lotsbestemming te verwezenlijken en zich te ontwikkelen tot de *greatest generation*, de grootste en voortreffelijkste generatie die het land ooit had gekend. En of de wereld zich daar nou wel of niet van bewust was, op dit moment was er ook een dergelijk conflict aan de gang. Creel was allerlei nietsvermoedende mondiale spelers in stelling aan het brengen om straks een belangrijke rol te spelen… om het kwaad te verpletteren en de wereld tot een veiliger oord te maken dan die in tientallen jaren geweest was. Op korte termijn zouden er natuurlijk wel een paar vervelende dingen gebeuren, maar slachtoffers had je nou eenmaal altijd. Op de lange termijn zou het zeker de moeite waard zijn.

Hij stond op, liep naar zijn slaapkamer en kuste Miss Hottie even op haar wang. Nadat ze hem haar gebruikelijke diensten had verleend, was ze uitgeput in slaap gevallen.

Zelfs terwijl hij op haar neer keek, besefte hij dat er niet veel toekomst in deze relatie zat. Hottie was dol op haar nieuwe rijkdom en sociale status, en alle drank die ze nu kon bemachtigen, vond ze eigenlijk net iets te lekker. Ze stond geregeld te schelden tegen de bedienden, gedroeg zich bijzonder aanmatigend en was er zelfs in geslaagd om Creels volwassen kinderen uit zijn vorige huwelijken, als ze eens langskwamen, de stuipen op het lijf te jagen. Dat laatste was trouwens niet zo heel erg, want Creel was toch niet bijster op ze gesteld. Maar toch, die woedeaanvallen van haar konden soms erg slecht uitkomen.

Zijn dierbare echtgenote was echt een schoolvoorbeeld van onzekerheid. Onder die fraaie rondingen van haar had ze niet veel in huis, en meer dan een diploma voortgezet onderwijs had ze nooit gehaald. Maar toen hij haar in New York over die catwalk had zien paraderen, had hij onmiddellijk geweten dat hij haar móést hebben, gewoon omdat alle andere mannen haar zo wanhopig begeerden. Creel wilde altijd haantje de voorste zijn.

Zoals 's avonds zijn vaste gewoonte was, ging hij naar zijn studeerkamer om te werken. Het vertrek was waarschijnlijk niet zo groot als je zou verwachten van iemand met zijn rijkdom, maar efficiënt was het wel. Hij ging aan zijn bureau zitten, zette de computer aan en zag het mailtje met de bijgevoegde bestanden dat Pender hem had toegestuurd.

Nadat hij alles grondig had doorgelezen, was zijn belangstelling gewekt.

De Phoenix Group? Die naam kwam hem niet bekend voor.

Hij belde en gaf een opdracht. 'Het gaat om een denktank in Londen, de Phoenix Group. Zorg dat je zo snel mogelijk te weten komt wie daarachter zit.'

Creels intuïtie schreeuwde hem toe dat dit weleens het zoveelste ontbrekende stukje zou kunnen zijn dat hij nog nodig had om zijn grote legpuzzel te voltooien. Misschien zou hij een beetje geluk moeten hebben, maar zelfs mensen die miljarden hadden verdiend met handelen in de dood, werd zo nu en dan nog weleens een beetje mazzel gegund.

Een paar uur later ging zijn wens in vervulling. De mensen die hij in dienst had, waren heel goed in hun werk. Ze hadden zich door verschillende façades heen gewerkt die de werkelijke eigenaar van de Phoenix Group uit het zicht moesten houden. En als mensen zo veel moeite deden om anderen om de tuin te leiden, hadden ze daar over het algemeen goede redenen voor. Creel kon nauwelijks geloven dat hij zo veel geluk had gehad.

De eigenaren van de Phoenix Group hadden niets te maken met Arizona. De feniks werd over het algemeen beschouwd als van Egyptische oorsprong, maar hij was ook afkomstig uit een ander deel van de wereld. In dat oeroude land had de feniks symbool gestaan voor kracht en macht die iemand door de voorzienigheid werden toegekend. De feniks stond ook symbool voor trouw en eerlijkheid. Het had allemaal niet beter kunnen kloppen.

'Laat het gebouw van de Phoenix Group vierentwintig uur per dag bewaken. En ik wil een compleet dossier over iedereen die daar werkt. En een plattegrond van het hele gebouw, tot in de kleinste details nauwkeurig.'

Daarna belde hij met Caesar. Het moment waarop zijn 'poten in de modder' aan de slag moesten gaan, was nu bijna aangebroken.

·29·

Shaw stond in het kasteel van Heidelberg en keek naar het grootste houten vat ter wereld waar ooit wijn in had gezeten. Hij was de afgelopen nacht vanuit Edinburgh naar Frankfurt gevlogen en die ochtend met een auto naar Heidelberg gereden. Deze keer was de klus betrekkelijk eenvoudig. Hij moest enkele documenten doorgeven aan iemand anders, die ze dan weer zou doorgeven aan iemand iets hoger in de keten.

Als hij zijn opdracht had voltooid, werd hij verondersteld Anna's ouders te gaan opzoeken in hun boekhandeltje in Durlach. Zou hij dat ook echt gaan doen? Frank had hem duidelijk gemaakt dat zijn slavernij voorlopig niet voorbij zou zijn, en het was heel goed mogelijk dat hij er tot aan zijn dood aan vast zou blijven zitten. Waarom dan nog naar Durlach gaan? Hij kon niet met Anna trouwen én voor Frank blijven werken. Hij had haar nooit moeten vragen om met hem te trouwen. Nu hij dat toch had gedaan, kon hij maar beter zorgen dat hij zo snel mogelijk weer uit haar leven verdween, zodat iemand anders haar kon geven wat ze van hem niet krijgen kon.

Dat zou nobel zijn, een manier om haar belang boven het zijne te laten gaan. Shaw was echter niet in de stemming voor nobele en altruïstische daden. Hij wilde Anna niet kwijt; hij kon niet zonder haar. Hij ging naar Durlach en onderweg zou hem misschien wel een manier invallen om zich uit deze nachtmerrie te bevrijden.

De documenten werden een halfuurtje later zonder problemen doorgegeven aan een jongen die eruitzag als een Amerikaanse tiener, compleet met een honkbalpetje van de Red Sox, een versleten spijkerbroek en een paar Nikes. Shaw bleef zich voordoen als toerist en nam foto's van het kasteel en het terrein eromheen. Hij kwam ook een hoop te weten over de geschiedenis van de oudste vesting van Duitsland, met zijn zeven meter dikke muren. Toen hij eindelijk weg kon, rende hij bijna de heuvel af naar zijn huurwagen en zette koers naar Durlach.

Onderweg kwam Shaw langs de buitenwijken van Karlsruhe. Zoals Anna had gezegd, was het boekwinkeltje makkelijk te vinden omdat het aan de weg door het pittoreske dorpje lag.

Natascha Fischer stond hem in de deuropening op te wachten. Ze was bijna even lang als Anna, en ook bijna even knap, maar Anna was open en spraakzaam en haar moeder kwam zeer gereserveerd over, en toen hij zich voorstelde keek ze hem niet recht in de ogen.

De boekwinkel was klein, maar de boekenplanken waren gemaakt van oud grenen en fraai donker notenhout. Tegen een muur met antieke boeken stond een ladder op wieltjes, tegen een andere muur stond een bureau dat bezaaid was met brieven en documenten. Aan het bureau zat een man die zelfs nog groter was dan Shaw. Wolfgang Fischer stond op en stak hem zijn hand toe. Anna had haar ouders al verteld dat hij in aantocht was. Natascha hing een bordje met GESLOTEN op en deed de deur op slot. Daarna liep ze achter Shaw en haar man naar een deur naar het woongedeelte.

Net als de boekwinkel zelf maakte het woongedeelte een nette en gezellige indruk. Er hingen veel foto's van Anna, van klein meisje tot volwassen vrouw. Terwijl Natascha thee zette, haalde Wolfgang een flesje schnaps uit een kast.

'Zo'n gelegenheid als deze vraagt toch wel om iets sterkers dan thee, vind je niet?' zei hij in het Engels, maar met zo'n zwaar Duits accent dat het Shaw moeite kostte om hem te verstaan. Wolfgang schonk de glaasjes vol, ging zitten en keek vol verwachting op naar Shaw, die wat gespannen tegen een ruwe houten schoorsteenmantel geleund stond.

'Anna heeft ons veel over je verteld,' zei Wolfgang op behulpzame toon.

Natascha kwam binnen met een dienblad met thee en koekjes. Toen ze het glas zag dat haar man in zijn hand hield, verscheen er een afkeurende uitdrukking op haar gezicht.

'Het is nog niet eens vier uur,' zei ze. Het was duidelijk een standje.

Haar man grinnikte. 'Shaw hier wilde net iets zeggen.'

Natascha ging zitten en schonk de thee in, maar terwijl ze daarmee bezig was, wierp ze zo nu en dan een nerveuze blik op het bezoek.

Shaw voelde dat er vochtplekken onder zijn oksels verschenen. Hij zweette bijna nooit van spanning, zelfs niet als hij onder vuur werd genomen. Hij voelde zich als een schooljongen op zijn eerste afspraakje. Zijn mond was droog en zijn benen leken zijn gewicht nauwelijks te kunnen dragen.

'Ik ben hier gekomen om u iets te vragen,' zei hij uiteindelijk en hij ging tegenover hen zitten.

Ik kan er net zo goed meteen mee voor de dag komen. Hij keek Anna's vader recht in de ogen. 'Zou u er bezwaar tegen hebben als ik met uw dochter trouw?'

Wolfgang keek snel even naar zijn vrouw. Zijn lippen plooiden zich in een glimlach. Natascha veegde haar tranen weg met een servetje.

Wolfgang stond op, trok Shaw overeind en sloeg zijn armen zo strak om hem heen dat Shaws ribben kraakten. 'Is dat voldoende antwoord?' dreunde Wolfgang lachend.

Natascha kwam lenig overeind, pakte Shaws hand stevig vast, gaf hem een kus op zijn wang en zei zachtjes: 'Je hebt Anna zo gelukkig gemaakt. Ze heeft nog nooit op zo'n manier over iemand anders gepraat. Nog nóóit. Zo is het toch, Wölfchen?'

Wolfgang schudde zijn hoofd. 'En zij maakt jou gelukkig, neem ik aan?'

'Gelukkiger dan ik ooit geweest ben.'

'Wanneer is de bruiloft?' vroeg Natascha. 'Die wordt hier gehouden, neem ik aan. Waar haar familie woont?'

Wolfgang keek haar nijdig aan. 'Hoho, hoe zit het dan met Shaws familie? Misschien vindt die het helemaal niet leuk om naar zo'n klein dorpje als dit te moeten komen.' Hij gaf Shaw een harde klap op zijn arm, jammer genoeg precies op de plek waar die in Schotland was geschampt door een kogel. Shaw moest zijn uiterste best doen om het niet uit te schreeuwen van de pijn.

'Hier is best,' zei hij. 'Ik, eh... ik heb geen familie.' Meneer en mevrouw Fischer keken hem nieuwsgierig aan. 'Ik ben een wees.'

Natascha's onderlip trilde. 'Daar heeft Anna nooit iets over gezegd. Neem me niet kwalijk.'

'Maar nu heb je wél familie,' zei Wolfgang. 'Een heleboel familie zelfs. Alleen al in Durlach zijn er twintig Fischers. Als je Karlsruhe en Württemberg meerekent, zijn het er meer dan honderd, en in heel Duitsland zijn we met z'n duizenden. Zo is het toch, Tascha?'

'Maar die komen niet allemaal naar de bruiloft, hoor,' zei Natascha haastig.

'Kleinkinderen,' zei Wolfgang terwijl hij Shaw een brede grijns toewierp. 'Nu krijg ik eindelijk kleinkinderen. Anna en jij gaan vast een groot gezin stichten.'

'Dat gaat je niets aan, Wolfgang,' zei Natascha streng. 'En zo jong is Anna niet meer. Ze heeft een eigen carrière, een heel belangrijke carrière. En kinderen néém je niet, die kríjg je. Wij hadden graag meer kinderen gewild, maar hebben alleen Anna gekregen.'

'Nou, geen groot gezin dan,' zei Wolfgang. 'Vijf is ook wel genoeg.'

'We zullen ons best doen,' zei Shaw, die zich nu heel ongemakkelijk voelde.

'Anna zei dat je een consultant was,' zei Wolfgang. 'Op welk terrein?'

Shaw vroeg zich af of Anna ze soms had gezegd dat ze dit moesten vragen om hem te dwingen ze te vertellen wat hij haar ook al had verteld.

'Internationale betrekkingen.'

'Is daar veel werk in?' vroeg Wolfgang.

'O, zoveel, u hebt geen idee.' En toen voegde hij daaraan toe: 'Nou, eigenlijk doe ik nog wel meer dan dat.' Terwijl ze hem verwachtingsvol aankeken, leunde hij tegen de muur. Het stevige houtwerk leek hem wat meer vastberadenheid te geven. 'Ik werk voor een organisatie die helpt om de wereld een veiliger oord te maken.'

Wolfgang en Natascha keken elkaar snel even aan. 'Je bent een soort politieman? Een politieman voor de hele wereld?'

'Zoiets, maar als Anna en ik eenmaal getrouwd zijn, wil ik stoppen met dit werk.'

Gelukkig stelden ze verder niet veel vragen meer. Misschien voelden ze wel aan dat het om vertrouwelijke informatie ging.

Ze moesten eens weten.

Shaw bleef meer dan een uur bij het echtpaar Fischer. Zodra hij weg was, klopte er een man op de deur. Toen Natascha opendeed, zei de man: 'Mevrouw Fischer, ik wil u spreken over de man die u zojuist hebt ontmoet.'

Zonder te wachten tot ze hem binnenvroeg, drong hij langs haar heen. Toen Wolfgang naar hen toe liep, zei de man: 'Ik denk dat u allebei maar beter even kunt gaan zitten.'

·30·

Tot Nicolas Creels grote genoegen deed Rusland opnieuw iets heel voorspelbaars. Het geïsoleerd geraakte land voelde zich zo in het nauw gedreven dat het zijn spierballen liet zien door vanuit een TU-160 de grootvader van alle niet-nucleaire bommen af te werpen. Het thermobarische vermogen daarvan was gelijk aan dat van meer dan vijftig ton TNT ofwel vijf keer zoveel als de grootste soortgelijke bom die de Verenigde Staten ooit hadden afgeworpen, en dat was een bom geweest die een krater met een straal van bijna vijfhonderd meter had achtergelaten en een angstaanjagende maar gelukkig niet radioactieve paddenstoelwolk had veroorzaakt. President Gorshkov omschreef de explosie als onderdeel van een routineoefening, en bracht onmiddellijk daarna alle Russische strijdkrachten in de hoogste staat van paraatheid. Hij verklaarde ook in niet mis te verstane bewoordingen dat Rusland deze agressieve lastercampagne als een oorlogshandeling beschouwde en dat zodra duidelijk werd wie daarvoor verantwoordelijk gehouden kon worden, onmiddellijk gepaste maatregelen zouden volgen.

'Ik heb medelijden met het land of de organisatie die hierachter zit, om welk land of welke organisatie het ook gaat,' had Gorshkov er dreigend aan toegevoegd, en daarmee stak hij op beleefde wijze zijn middelvinger op naar de Verenigde Staten, die nadrukkelijk elke betrokkenheid bij deze anti-Russische campagne hadden ontkend. In diplomatieke kringen werd dat echter beschouwd als iets wat bijna gelijkstond aan een openlijke schuldbekentenis. Want wie had er buiten de Amerikanen nou het geld of een reden om zoiets te doen?

Nicolas Creel schoot in de lach toen hij dit meest recente verslag te lezen kreeg. Hij zat in de vergaderkamer van zijn Boeing, twaalf kilometer boven de Atlantische Oceaan. Caesar zat tegenover hem. Creel draaide het velletje papier om zodat Caesar de kopregel kon zien, waarin te lezen stond dat Rusland een bom had laten ontploffen en dat Gorshkov dreigementen had geuit.

'Een oorlogshandeling?' zei Creel spottend. 'Om oorlog te voeren heb je een leger nodig, en dat hebben de Russen niet. Ze zitten op een enorme berg oliegeld, maar vanwege een ongelooflijk achterlijk presidentieel decreet mogen ze niet meer dan 3,5 procent van hun BNP aan de strijdkrachten spenderen. Dat is niet meer dan tweeëntwintig miljard dollar per jaar, en daarvan is maar acht miljard bestemd voor wapenaankopen. Voor dat soort kleingeld kun je geen grote wapensystemen bouwen. Kijk maar eens naar de Amerikanen. Inclusief aanvullende budgetten besteden die elk jaar meer dan zevenhonderd miljard dollar aan defensie. Dat is ongeveer twintig procent van het complete budget van hun federale overheid. De Amerikanen geven méér uit aan wapens dan alle andere landen ter wereld samen. En zo hoort het ook. Het is niet goedkoop om een supermacht zijn, maar het is de moeite waard. Want áls je dan wilt laten merken dat je meetelt, dan kún je dat ook, beste vriend.'

Creel wees naar een grafiek die een overzicht gaf van de sterkte van de Russische strijdkrachten.

'Het Russische leger beschikt over hooguit vijf gevechtsklare divisies, als ze mazzel hebben. Vroeger bouwden de Russen een derde van alle oorlogsschepen ter wereld, maar tegenwoordig zijn ze niet eens meer in staat om een vliegkampschip te bouwen, omdat dat stelletje idioten geen enkele scheepswerf meer heeft die daar groot genoeg voor is. Wat een geweldige planning, kameraad! En omdat hun eigen overheid niet bereid is iets van hen te kopen, moeten Russische wapenfabrikanten hun spullen zien te exporteren naar China en India en andere landen die goedkoop aan wapens willen komen en zich niet al te druk maken om de technische eisen waaraan die wapens moeten voldoen. De Amerikanen, Britten, Duitsers en Fransen zouden er zelfs niet over denken om ook maar een cent neer te tellen voor die Russische troep. Die hervormde communisten hebben in geen vijftien jaar ook maar één enkel nieuw vliegtuig aan hun grensverdediging toegevoegd. Ze hebben meer dan drieduizend toestellen, maar die voldoen in de verste verte niet aan westerse maatstaven en de helft van hun luchtmachtbases zit zonder brandstof. De productie van hun allernieuwste straaljagerontwerp hebben ze financieel zelfs nooit rond kunnen krijgen. Ze hebben nog steeds kernwapens, maar die kunnen ze niet gebruiken. Ze hoeven maar een van die dingen te laten ontploffen en de Amerikanen sturen er tien terug als vergeldingsmaatregel. Hun roemruchte marine bestaat uit twintig krakkemikkige oorlogsschepen, waaronder een tiental jaren oud vliegdekschip. Al die duikboten van ze, die regelmatig op de oceaanbodem belanden om daar nooit meer vandaan te komen, reken ik maar niet mee. De Amerikanen beschikken over driehonderd oorlogsbodems, waaronder tien van kernbommen voorziene vliegkampschepen uit de Nimitz-klasse. En dan heb ik een stuk of tien onderzeeboten uit de Ohio-klasse, die over langeafstandsraketten met kernkoppen beschikken, nog niet eens meegerekend, terwijl elk van die dingen in zijn eentje een heel land van de kaart kan vegen. En ik kan het weten, want die dingen zijn door een van mijn dochterondernemingen gebouwd. Godallemachtig, de Amerikanen kunnen dat zogenaamde Rode Gevaar zonder enige moeite binnen een week volkomen onschadelijk maken.'

Creel grinnikte weer. 'Maar toch ben ik nu een gelukkig man.'

Caesar las het artikel uit. 'Hoezo dan? De Russen gaan echt niets van u kopen.'
Creel nam even de tijd om een sigaar op te steken. 'Vorig jaar heeft president Gorshkov in een zeldzame vlaag van gezond verstand een nieuw bewapeningsprogramma in gang gezet. In het kader daarvan zal over een periode van acht jaar bijna vijfduizend miljard roebel worden uitgegeven. Dat is in Amerikaanse dollars bijna tweehonderd miljard en dat is heel wat meer dan hun huidige defensiebudget.'
'Oké, dan wordt het interessant.'
'Dat dacht ik nou ook toen ik mijn mensen daar ervoor heb laten zorgen dat dat plan erdoor gedrukt werd. Maar nee, echt opgewonden word ik daar toch niet van. Dat was alleen maar een eerste aanzetje.'
'Neem me niet kwalijk, meneer Creel, maar ik heb geen idee waar u het over hebt.'
De miljardair glimlachte. 'En dat geldt ook voor de rest van de mensheid. Ik zal het uitleggen. Het grootste deel van al dat geld gaat naar Russische fabrikanten. Maar als de Russen hetzelfde percentage van hun BNP aan wapens zouden besteden als de Amerikanen, zou dat betekenen dat ze nog eens zeventig miljard per jaar meer zouden moeten uitgeven dan ze nu al doen, inclusief dat nieuwe bewapeningsprogramma van ze. Hun eigen wapenindustrie kan al dat werk nooit aan. Ze zullen een jaar of tien nodig hebben om daarvoor voldoende binnenlandse capaciteit op te bouwen. En dat wil zeggen dat ze in het Westen moeten gaan shoppen, bij mij dus. Aangepast voor inflatie gaat het om bijna duizend miljard dollar. Laten we zeggen dat de Ares Corporation zeventig procent daarvan weet te bemachtigen. Dat is dan zevenhonderd miljard dollar. En dáár krijg ik het wel een beetje warm van.'
'Maar waarom zouden ze hun defensie-uitgaven opvoeren tot het niveau van de Verenigde Staten?'
'Als ze het gevoel hebben dat ze wel moeten.'
'Konstantin? Die publiciteitscampagne die u hebt opgezet? Denkt u dat dat de Russen ertoe zal dwingen net zo te worden als de oude Sovjet-Unie, zodat u daar steenrijk van wordt?'
'Zo eenvoudig is het niet. De Rode Gevaar-campagne heeft ze geïsoleerd van de rest van de wereld, dat is wel zeker. Op dit moment kun je met een stalen gezicht beweren dat Gorshkov bij het ontbijt kleine kindertjes eet, en dan zal de helft van de wereld je nog geloven ook. Maar om het plan te laten werken, moet ik de inzet verhogen. De Russen zijn niet achterlijk. Ze zullen echt verdomd goede redenen moeten hebben om zoveel geld te besteden aan het allerbeste wapentuig dat ze maar kunnen krijgen.'
'Maar hoe wilt u de inzet dan verhogen?'
'Daar heb ik jou voor nodig. Ik heb twaalf mensen nodig. Het moeten Russen

zijn, of ze moeten er in ieder geval uitzien als Russen.'

'Geen probleem. De werkloosheid daar is hoog, dus er zijn Russen in overvloed. En het maakt die lui absoluut niet uit of ze nou moeten moorden met vuurwapens, messen of hun blote handen.'

'Ik had ook niet verwacht dat dat ze iets zou uitmaken. Er moeten ook een paar computerwhizzkids tussen zitten.'

'Ook dat zal geen probleem zijn. Rusland heeft de beste hackers ter wereld.'

Creel boog zich voorover en haalde een dossier tevoorschijn. 'Nou, hier is wat die "poten in de modder" van jou moeten gaan doen.'

31

Anna Fischer wilde net de deur van haar Londense flatje openmaken, toen er een man snel op haar af kwam lopen. Sinds die beroving in Berlijn was ze altijd op haar hoede, en toen ze merkte dat er iemand achter haar stond, klemde ze haar vingers om de pepperspray in haar sleutelring en draaide zich razendsnel om.

De man hield zijn identiteitsbewijs al omhoog.

'Mevrouw Fischer? Ik ben Frank Wells. Ik zou het graag even met u over Shaw willen hebben.'

Ze tuurde even naar zijn identiteitsbewijs en nam daarna de man zelf aandachtig op.

'Die organisatie ken ik niet,' zei ze.

'De meeste mensen kennen ons niet. Kan ik binnenkomen?'

'Ik laat geen vreemde man binnen. U zegt dat u Shaw kent. Maar u zou kunnen liegen.'

'Dat had ik moeten weten. Een dame met zo veel universitaire diploma's als u is niet dom.'

'Zoveel universitaire diploma's als ik? Hoe weet u dat?'

'Ik heb een vijftien centimeter dik dossier over Anastasia Brigitta Sabina Fischer. Uw ouders, Wolfgang en Natascha wonen in Duitsland, en drijven een boekwinkel in het dorpje Durlach. U bent enig kind. U bent ooit zwemkampioene geweest. U hebt diploma's van verschillende universiteiten, waaronder die van Cambridge, en bent tegenwoordig werkzaam bij de Phoenix Group hier in Londen.'

Hij keek naar de ring aan haar vinger. 'En tegenwoordig bent u verloofd met Shaw.' Hij wendde zijn ogen af van haar stomverbaasde gezicht en keek snel even naar de voordeur. 'Kan ik nu binnenkomen? Het is belangrijk.'

Ze gingen in haar kleine woonkamertje zitten waar ze uitzicht hadden op de straat. Frank Wells keek om zich heen.

'Leuk flatje.'

'Waarom bent u hiernaartoe gekomen?'

'Zoals ik al zei, om met u over Shaw te praten. Net zoals mijn manschappen al bij uw ouders langs zijn geweest.'

'Mijn ouders! Nee, dat hebt u mis. Dan zouden ze me gebeld hebben...'

'We hebben hun gezegd dat ze niet moesten bellen, zodat ik u eerst zou kunnen spreken.' Hij keek haar aandachtig aan. 'In Dublin heeft hij u een aanzoek gedaan?'

'Het is me volstrekt onduidelijk waarom u daar ook maar iets mee te maken zou hebben.'

'En hij heeft u verteld dat hij met zijn werk zou stoppen,' zei Frank zonder daar aandacht aan te besteden.

Anna merkte dat ze onwillekeurig knikte.

'Ik zal u vertellen hoe de zaken werkelijk liggen. Zou u dat op prijs stellen?'

De tranen sprongen haar in de ogen. Ze veegde ze weg met de rug van haar hand, en probeerde zich te beheersen. 'Als u me iets te vertellen hebt, zegt u het dan. Dan maak ik zelf wel uit of ik daar geloof aan hecht.'

Frank grinnikte en knikte toen. 'Dat is niet onredelijk.' Hij boog zich voorover en hield zijn hoofd een beetje schuin zodat ze de diepe groef in zijn schedel kon zien. 'Ziet u die deuk hier? Die heb ik te danken aan een kogel die Shaw me in het hoofd heeft geschoten toen ik probeerde hem op te pakken.'

Anna wierp hem een kille blik toe. 'Waarom probeerde u hem dan op te pakken?'

'Dat is geheime informatie. Maar niet omdat hij zijn parkeerbonnen niet had betaald, dat kan ik u wel zeggen. Toen ik er weer bovenop was gekomen en we hem eindelijk te pakken hadden gekregen, is hij voor ons gaan werken.'

'Hij werkt voor ú? Nadat hij u bijna heeft vermoord? U zei toch dat u hem wilde oppakken? Als hij een crimineel is, en u beweert dat hij u heeft neergeschoten, waarom zit hij dan niet in de gevangenis?'

Frank hield zijn sigaar op. 'Hebt u er bezwaar tegen als ik rook?'

'Ja.'

Hij stopte de sigaar weer weg. 'In mijn wereld draait niet alles om goed en kwaad. Shaw zou nu ongetwijfeld in de gevangenis hebben gezeten als er niet een reden was geweest om hem los te laten rondlopen.'

'En wat mag die reden dan wel zijn?' zei ze boos.

'Uw verloofde beschikt over een aantal ongelooflijke vaardigheden. Niemand met wie ik ooit heb samengewerkt, kan zelfs maar aan hem tippen. Hij kan een kamer met tot de tanden bewapende terroristen binnenstappen, ze allemaal buiten gevecht stellen en dan levend weer naar buiten lopen. Daarin is hij echt tamelijk uniek. Voor zulke mensen maken we soms een uitzondering.' Hij tikte op de groef in zijn hoofd. 'Zelfs als zo'n uitzondering me bijna het leven heeft gekost.'

'Dus hij werkt voor u. Mij heeft hij gezegd dat hij voor een politieorganisatie werkte.'

'Dat heeft hij u dus verteld? Heeft hij erbij gezegd dat hij continu de hele wereld afreist, zonder te weten of hij levend terugkomt?' Hij keek haar aandachtig aan.

Anna zat nu nerveus in haar handen te wrijven. 'Hij zei... hij zei dat hij tegenwoordig een kantoorbaan had.'

'Een kantoorbaan?' Frank grinnikte. 'En hij heeft zeker ook gezegd dat hij ging stoppen met dit werk, hè?' Hij boog zich nu zo dicht naar haar toe dat ze merkte dat zijn adem naar tabak rook. 'Ik zal u iets vertellen. Mensen zoals Shaw gaan niet met pensioen. Hij blijft gewoon doorgaan totdat hij crepeert of we hem niet meer nodig hebben. Als hij voor die tijd probeert te stoppen, gaat hij rechtstreeks de rottigste gevangenis in die ik maar vinden kan.' Hij leunde achterover.

'Waarom bent u hiernaartoe gekomen om me dit allemaal te vertellen? De man die u me hebt beschreven, is niet de man die ik ken. Hij heeft me in Duitsland het leven gered. Shaw is de zachtmoedigste en aardigste man die ik ooit heb ontmoet.'

'Hij vermoordt mensen, mevrouw Fischer. Slechte mensen, dat zeker, maar toch... hij doodt ze. Ik ook trouwens. Of liever gezegd, dat deed ik vroeger. Want weet u, ik heb tegenwoordig wél een kantoorbaan. Moed heeft die verloofde van u wel, dat moet ik hem nageven. En stalen zenuwen. Maar ik heb hem ook weleens iemand van hier tot hier zien opensnijden.' Frank ging met zijn vinger van zijn navel naar zijn nek. 'Die kerel had het dubbel en dwars verdiend, maar Shaw is niet iemand met wie je ruzie moet krijgen. Als die man op jacht is, is hij een Alfamannetje, met een hoofdletter A! Als u begrijpt wat ik bedoel.'

Hij hield op met praten en nam haar aandachtig op. Langzaam verscheen er een flauwe glimlach op zijn gezicht. 'Ik ben trouwens wel onder de indruk, hoor. Ik had gedacht dat u vijf minuten geleden al zou zijn gaan huilen.'

'Hebt u ooit weleens van iemand gehouden, meneer Wells?' zei Anna plotseling.

Franks ogen vernauwden zich en zijn jolige manier van doen was op slag verdwenen.

'Wat?'

'U schijnt te denken dat dit op een of andere manier allemaal reuze grappig is. Beleeft u soms genoegen aan het verdriet van anderen? Is dat wat die organisatie van u in haar werknemers zoekt? Dat ze geen ziel hebben? Geen mededogen?'

'Hoor eens, ik ben hiernaartoe gekomen om de waarheid te vertellen.'

Anna liep naar de deur en trok die open.

Frank verstarde even en haalde toen zijn schouders op. 'Goed, maar u kunt niet zeggen dat u niet gewaarschuwd bent.'

Toen hij langs haar heen liep, zei Anna: 'Waarom haat u hem zo?'

'Hij heeft me een kogel in mijn hoofd geschoten!'

'Volgens mij is dat niet de werkelijke reden.'

'Gaat u nu de psychiater uithangen?'

'U hebt zeker nooit om iemand gegeven, hè? U hebt zeker nooit iemand gehad die u werkelijk dierbaar was? Of die werkelijk om ú gegeven heeft.'

'Dit gaat niet om mij!'

'Volgens mij bent u zelf de enige die die vraag naar waarheid kan beantwoorden. Goedenavond, meneer Wells.'

Toen ze de deur achter hem dicht had gedaan, sloeg Anna haar handen voor haar ogen en moest ze haar uiterste best doen om niet in tranen uit te barsten.

De telefoon ging. Bijna nam ze niet op.

'Kan ik Anna Fischer spreken, alstublieft?' zei de stem.

'Spreekt u mee,' zei Anna wat aarzelend. 'Met wie spreek ik?'

'Kent u een zekere Shaw?'

Anna verstijfde. 'Waarom vraagt u dat?'

'Een lange, forsgebouwde man, donker haar en blauwe ogen?'

Plotseling voelde Anna een brok in haar keel. Alstublieft, God, laat hem niet...

Dit werd haar allemaal te veel. 'Ja, ik ken hem,' wist ze uit te brengen.

'Dan denk ik dat we elkaar dringend moeten ontmoeten.'

'Gaat het goed met hem?' wist Anna moeizaam uit te brengen.

'Toen ik afscheid van hem nam wel, maar dat wil niet zeggen dat het goed met hem blijft gaan.'

'Hoe bedoelt u? Wie bent u?'

'Mijn naam is Katie James. En volgens mij zit Shaw zwaar in de problemen.'

32

De twee vrouwen zaten tegenover elkaar in een café in Victoria Street. Het was een kille, klamme middag met zo nu en dan een bui. Het soort weer dat inwoners van Londen maar al te vertrouwd was.

Katie James roerde in haar koffie terwijl Anna Fischer uit het raam keek, waar nu een hele stoet paraplu's voorbijliep. Een enkele traan liep over haar wang. Katie deed alsof ze het niet zag.

'U hebt me verteld wat er in Edinburgh met Shaw is gebeurd, maar u hebt me niet uitgelegd hoe u mij hebt weten te vinden,' zei ze.

'Een paar jaar geleden hebt u in Den Haag een artikel voorgelezen over het evenwicht tussen het bewaren van de burgerlijke vrijheden en de strijd tegen het terrorisme. Ik heb daar verslag van gedaan voor de krant. Ik was in die tijd correspondent in het Midden-Oosten en voor dat deel van de wereld was het onderwerp van uw lezing heel relevant. In Shaws hotelkamer vond ik een bonnetje waarop te zien viel dat hij een boek van u had gekocht. Ik herinnerde me dat u het er tijdens die lezing nog over hebt gehad. U was echt briljant.'

'Wat jammer nou dat bijna niemand ernaar heeft geluisterd.'

'Ik weet zeker dat een heleboel mensen wél hebben geluisterd, mevrouw Fischer.'

Anna keek op van het eten dat ze nauwelijks had aangeroerd. 'Zeg maar Anna,' zei ze op berustende toon. 'Na alles wat je me hebt verteld over de man met wie ik verloofd ben, kunnen we elkaar wel tutoyeren.'

'Goed, Anna. En je had daar helemaal geen idee van?'

'Natuurlijk had ik wel mijn vermoedens.'

'Maar je bent er nooit lang op doorgegaan?'

'Jawel. Nadat hij me ten huwelijk had gevraagd,' voegde ze daar met verstikte stem aan toe. Toen ze wat gesnik liet horen, keken een paar andere bezoekers op. 'Wil je soms liever ergens anders heen?' vroeg Katie met zachte stem.

Anna veegde haar ogen droog en stond op. 'Laten we maar even naar mijn kantoor gaan. Dat is hier niet ver vandaan.'

Een paar minuten later zaten ze in Anna's met boeken gevulde kantoor bij de Phoenix Group. Een secretaresse kwam thee brengen en liep toen de kamer weer uit. Katie keek vol belangstelling om zich heen.

'En wat doe je hier nou precies, Anna?' vroeg ze in een duidelijke poging om het ijs wat te breken.

'Wat wij hier doen is nadenken,' zei Anna 'We denken na over mondiale kwesties die voor iedereen ter wereld van groot belang zijn, maar waar de meeste mensen zich liever niet mee bezighouden, of waarvoor het hun aan de vereiste tijd en deskundigheid ontbreekt. We schrijven onze artikelen, publiceren onze boeken in oplagen van honderd exemplaren, houden redevoeringen voor half gevulde zaaltjes, en intussen gaat de rest van de wereld rustig zijn eigen gang, zonder ook maar enige aandacht aan ons te besteden.'

'Is het echt zo erg?'

'Ja.' Anna nam een slokje thee. 'Je zei dat Shaw gewond is?' Hoewel ze zo achteloos mogelijk probeerde te doen, vertrok haar gezicht toen ze die woorden uitsprak.

'Het leek hem niet veel te kunnen schelen. Het was maar een schampschot, zei hij, of zoiets in ieder geval. Maar er werd van alle kanten op hem geschoten, door zijn eigen mensen, door de goeien dus.'

'Dat het de goeien waren, weet je alleen maar omdat hij dat heeft gezegd,' zei Anna op scherpe toon.

Katie wist even niet hoe ze het had. 'Ja, ik had daar natuurlijk alleen maar zijn woord voor. Ik was niet in de gelegenheid om iedereen om zijn identiteitsbewijs te vragen.'

Anna stond op en liep rusteloos door het kamertje, waarbij ze telkens een draai van exact negentig graden maakte. 'Het zou heel goed kunnen dat Shaw niet degene is wie ik dacht.'

'Hij heeft me het leven gered, Anna. En hij heeft me laten gaan.'

Alsof ze zojuist al haar energie had opgebruikt, liet Anna zich onderuitzakken in haar stoel, sloeg de handen voor haar gezicht en begon zachtjes te snikken.

Katie stond op en legde een hand op haar schouder. 'Is er verder nog iets?'

Anna haalde diep adem en veegde haar gezicht droog met een tissue. 'Shaw is mijn ouders gaan opzoeken in Duitsland. Dat heeft hij gedaan op mijn verzoek. Om mijn vader officieel om mijn hand te vragen.' Ze keek snel even op naar Katie. 'Ik weet dat het een beetje raar is. Maar ik wilde gewoon...'

'Zien of hij dat zou doen?' Anna knikte. 'En wat is er toen gebeurd?'

'Mijn vader heeft hen met alle genoegen zijn toestemming gegeven.'

'Wat is het probleem dan?'

'Toen Shaw was vertrokken, kwam er iemand anders aan de deur, en die heeft hun van alles over Shaw verteld. Heel verontrustende dingen. En diezelfde avond nog, de avond waarop jij hebt gebeld, is er een man bij mij aan de deur gekomen. Hij werkte voor een internationale organisatie waar ik nog nooit van heb gehoord, en hij beweerde dat Shaw voor hen werkt.'

'Dus hij hoort echt bij de goeien!' riep Katie uit.

Maar Anna schudde haar hoofd. 'Hij zei dat Shaw werd gedwongen om voor hen te werken.'

'Gedwongen? Hoe dan?'

'Om te voorkomen dat hij wegens ernstige misdrijven de gevangenis in gaat. Die man heeft me verteld dat Shaw hem een kogel in zijn hoofd had geschoten, en hem daarmee bijna had vermoord.'

'Als dat het geval is, waarom hebben ze hem dan niet gewoon in de cel gestopt? Waarom hebben ze dan zo'n deal met hem gesloten?'

'Dat heb ik ook gevraagd. En die man – hij zei dat hij Frank Wells heette – die man beweerde dat Shaw beschikt over alle vaardigheden die ze nodig hadden. Hij is moedig en heeft sterke zenuwen, hij kan zich in gevaarlijke situaties begeven en zich er op een onnavolgbare manier heelhuids weer uit werken.'

'Uit wat ik heb gezien, lijkt me dat niet onwaarschijnlijk. Dus hij werkt inderdaad voor de goeien.'

'Wells zei dat hij mensen doodt.'

'Als ze proberen hem te vermoorden.'

'Waarom neem je hem zo in bescherming?' vroeg Anna plotseling boos. 'Je kent hem niet en je geeft zelf toe dat je hem maar één keer hebt ontmoet.'

'Dat is waar, maar dat was wel een heel bijzondere gelegenheid. In zo'n situatie krijg je echt niet de kans om je anders voor te doen dan je bent. Hij heeft mijn leven gered, Anna, en daarna heeft hij me laten gaan. Dus ik heb het gevoel dat ik hem iets verschuldigd ben. Maar het maakt niet uit wat ik denk. Het gaat erom wat jij gelooft.'

'Ik dacht dat ik hem kende.' Ze liet een korte stilte vallen. 'Mijn vader heeft zijn toestemming ingetrokken.'

'Je bent een grote meid. Als jij wilt trouwen, heb je daar echt je vaders toestemming niet voor nodig.'

'Zou jij onder zulke omstandigheden met iemand trouwen?'

'Ik zou het er wel met hem over hebben voordat ik een besluit nam.'

'Ik ben... ik ben bang,' gaf ze toe.

'Anna, als hij je kwaad wil doen, had hij dat inmiddels toch wel gedaan.'

'Ik ben niet bang dat hij me te lijf zal gaan of zo, maar wat als hij werkelijk heeft gedaan wat die man allemaal zegt? En wat als hij dat bevestigt? Daar kan ik niet mee leven. Dat wil ik niet weten.'

'Maar dan geef je hem ook geen gelegenheid om zijn kant van het verhaal te vertellen. Dat is niet eerlijk tegenover hem.'

'Hij heeft me verteld dat hij een kantoorbaan had. Volgens jou was dat niet waar. Dus heeft hij tegen me gelogen. En hij zei dat hij ging stoppen met dit werk. Volgens die Frank Wells mag hij helemaal niet stoppen. Als hij ophoudt met dat werk, gaat hij onmiddellijk de cel in.'

'Anna, ik weet het ook niet, maar ik heb wel een suggestie. Praat met hem. Op dit moment heeft hij je nodig. Zijn eigen mensen hebben geprobeerd hem uit de weg te ruimen. Misschien doet hij zijn best om weg te komen en hebben ze hem een behoorlijk dodelijke waarschuwing gegeven. Maar je moet in ieder geval eerst met hem praten.'

Anna kwam weer tot rust. 'Ik stel het echt heel erg op prijs dat je hiernaartoe bent gekomen om me dit te vertellen. Bedankt.'

'Graag gedaan,' zei Katie een beetje boos. 'Maar je gaat niet met hem praten, hè?'

'Alsjeblieft, dat is tussen hem en mij.'

De deur ging open en er kwam een man de kamer binnen. 'Anna, Bill wil je even spreken.'

Ze draaide zich om naar Katie. 'Ik ben zo weer terug.'

'Veel valt er anders niet meer te zeggen, toch?'

Anna liep haastig de kamer uit en Katie trok haar regenjas aan. Haar blik bleef rusten op een paar vellen papier op Anna's bureau. En omdat ze, zoals dat een journaliste betaamde, altijd heel nieuwsgierig was, ging ze even iets dichterbij staan.

'Het Rode Gevaar,' las ze hardop. Dat was de titel van een paar uitgeprinte vellen. Anna's bureau was bezaaid met verslagen van onderzoek naar het grootste nieuwsverhaal ter wereld, en er lagen overal ook briefjes met haar eigen handgeschreven aantekeningen. Snel liet ze haar blik over het bureaublad gaan, en nam zoveel in zich op als ze maar kon. Namen, data, plaatsen en websites. Ze had een geweldig goed kortetermijngeheugen. Buiten zou ze alles straks snel opschrijven. Ze wist niet waarom. Ze was journaliste en zulke dingen deed ze nou eenmaal. Zo zat ze gewoon in elkaar.

Toen zag Katie nog iets anders. Ze pakte de foto van het bureau. Zoals ze daar met hun armen om elkaar heen stonden, leken Shaw en Anna heel verliefd. Op de achtergrond hield de Arc de Triomphe hen in de gaten.

'Nou, als je in Parijs niet verliefd kunt worden, hoor je niet samen te zijn.'

Ze keek snel op toen Anna haastig de kamer binnenliep.

'Dus jij bent het Rode Gevaar aan het analyseren,' zei Katie.

'Ik ben gewoon nieuwsgierig, net zoals iedereen.' Toen zag ze wat Katie in haar handen hield. 'Zet dat alsjeblieft neer.'

Toen ze langs Anna heen liep, drukte Katie haar de foto in handen. 'Reken er maar niet op dat je zo'n liefde nog eens tegenkomt. De meeste mensen is dat in hun hele leven niet gegund.' Ze overhandigde Anna een visitekaartje. Op de achterkant stond een met de hand geschreven adres. 'Hier logeer ik. Voor het geval je nog wat wilt praten.'

Terwijl Anna de foto met beide handen vasthield, liep Katie de kamer uit en de trap af.

33

Shaw zat in de wachtruimte van British Airways op de luchthaven van Frankfurt. Net als de andere passagiers keek hij naar het nieuws op de verschillende beeldschermen die her en der door het vertrek verspreid hingen. Op een daarvan losten verontwaardigde sprekers in de eerbiedwaardige Amerikaanse Senaat elkaar af bij het maken van nare opmerkingen over de Russen en hun neerwaartse spiraal naar een autoritaire staat die zich kon meten met de genadeloze terreurmachine van vadertje Stalin.

Op een ander beeldscherm liet de BBC zien hoe het Britse parlement de voormalige Sovjet-Unie dezelfde behandeling gaf. Op een derde scherm droeg de Duitse bondskanselier haar steentje bij. Hoewel ze iedereen tot kalmte maande en er bij de anderen op aandrong om niet al te snel met hun oordeel klaar te staan, liet de kanselier er geen misverstand over bestaan dat de Russen zich diep moesten schamen. Dat was dezelfde invalshoek die de Franse president ook had gekozen, al stelde hij zich wat behoedzamer op dan zijn collega's.

Shaw had echter wel iets anders aan zijn hoofd dan de grote internationale politieke kwestie van het moment. Hij had zijn besluit genomen. Hij ging naar Londen en zou Anna alles vertellen over de manier waarop hij aan de kost kwam. Als ze daarna nog steeds met hem wilde trouwen, wat hij betwijfelde, zouden ze wel een manier vinden om dat te doen. Eigenlijk was hij nogal verbaasd dat hij na zijn gesprek met haar ouders nog niets van Anna had gehoord. Hij had haar gebeld en ingesproken dat hij naar Londen kwam. Ze had niet teruggebeld en ook dat was ongebruikelijk. Hij zat daarover te denken toen de mannen naar hem toe kwamen. Ze hoefden niet eens hun identiteitsbewijs te laten zien. Hij herkende hen onmiddellijk. Franks zware jongens.

Een paar minuten later stapte Shaw een kamertje diep in de ingewanden van de luchthaven binnen. Aan het ene eind van een tafel zat Frank en aan het andere uiteinde zat een man die Shaw niet kende. Verder stonden er nog vier andere mannen in het kamertje en die zagen er allemaal even afgetraind uit. Shaw twijfelde er niet aan dat ze ook zwaarbewapend waren.

Frank knikte. 'Makkelijk klusje, net als in Schotland. Hoe was je uitstapje naar Durlach trouwens? Is dat ook naar wens verlopen?'

Dat verbaasde Shaw niet. Hij wist dat Frank al zijn bewegingen liet nagaan. 'Eigenlijk wel, ja.'

Frank keek snel even naar de mannen die tegen de muur geleund stonden en knikte even. Ze deden allebei een stapje naar voren, zodat Frank en Shaw nu door een muur van levend vlees en vuurwapens van elkaar gescheiden werden.

'Meneer en mevrouw Fischer zijn aardige mensen, hè?' zei Frank. 'Het mannetje dat ik naar ze toe heb gestuurd, heeft werkelijk van zijn bezoek genoten. En ik vond het heel plezierig om Anna te leren kennen toen ik bij haar in Londen was. Al heeft het me wel verbaasd hoe weinig ze eigenlijk over je wist. Maar nu is ze volledig op de hoogte. Dat wilde ik je even laten weten.'

Daarna was het een minuut lang volkomen stil terwijl Shaw Frank strak aankeek, en Frank hem vriendelijk toelachte.

Shaw had de situatie onmiddellijk ingeschat. Voordat hij Frank zou kunnen bereiken, hadden ze hem allang doodgeschoten; zoals hij de afgelopen zes jaar maar al te goed had geleerd, moest je soms gewoon geduld hebben.

Hij richtte zijn aandacht op de andere man die aan tafel zat. De man was kort van stuk, met een dikke nek en krullend haar, en was ongeveer net zo oud als hijzelf. 'Wie is dit, Frank? Je baas of weer zo'n mannetje van je?'

Als Frank teleurgesteld was omdat Shaw hem niet was aangevlogen, dan liet hij dat niet merken. Hij bleef gewoon glimlachen en gebaarde naar de andere man. 'Eigenlijk ben ik geen van beide,' zei de man. 'Mijn naam is Edward Royce, MI-5.' Hij overhandigde Shaw zijn visitekaartje.

'En wat is er zo belangrijk dat ik mijn gemakkelijke stoel en mijn flesje Guinness voor u in de steek heb moeten laten, meneer MI-5?'

Met licht gefronste wenkbrauwen keek Royce snel even naar Frank. 'Het spijt me dat ik u moet storen.'

'Nee, dat spijt u helemaal niet. En schiet u nu een beetje op, alstublieft. Ik moet het vliegtuig halen.' Terwijl hij dat zei keek Shaw Frank recht in de ogen.

Die opmerking zorgde ervoor dat Royce opnieuw zijn wenkbrauwen optrok. 'Nou, laat ik eerlijk zijn, meneer Shaw. Als het aan mij lag, zou ik hier helemaal niet zijn. MI-5 stelt in samenwerking met Interpol een onderzoek in naar dat gedoe rondom wat we inmiddels maar het "Rode Gevaar" zijn gaan noemen. Volgens mij kunnen we dat zelf heel goed aan, maar het is niet aan mij om dat te beoordelen, en mijn superieuren hebben de organisatie van meneer Wells om hulp verzocht. Op zijn beurt heeft meneer Wells mij weer aangeraden om een onderhoud met u te hebben.'

'Wat wilt u dat ik eraan doe?' zei Shaw bot.

'Ik heb gehoord dat u over uitstekende contacten in Moskou beschikt, vloeiend Russisch spreekt en dat u zich in gevaarlijke situaties goed weet te redden. Dat maakt u tamelijk uniek.'

'Ik heb een tijd in Rusland doorgebracht, maar dat was tegen mijn wil. Dus misschien kunt u beter een ander uniek iemand zoeken om uw koffers voor u te dragen.'

'Wilt u dan niet weten wie er achter al dat gedoe rondom het Rode Gevaar zit?'

'Hoezo?' zei Shaw scherp. 'Is het dan niet waar wat er allemaal over Rusland beweerd wordt?'

'Hoe moet ik dat nou weten?' riep Royce uit. 'Een deel ervan zal zeker kloppen. Maar de waarheid is hier helemaal niet van belang. In feite is dat wel het laatste waar we nu behoefte aan hebben. Zoals u waarschijnlijk weet, beschermt MI-5 het Verenigd Koninkrijk tegen terroristen, spionnen, extremisten en ander gevaarlijk tuig. Nou, dat gedoe rondom het Rode Gevaar heeft er echt voor gezorgd dat de doos van Pandora open ging. De wereld bevindt zich op dit moment in een uiterst kritiek stadium. Een heleboel landen zijn kruitvaten die elk ogenblik de lucht in kunnen gaan.'

'Echt? Daar heb ik tot nu toe anders niets van gemerkt,' zei Shaw.

Frank liet een snuivend lachje horen.

'Maar hoe dan ook,' ging Royce haastig verder, 'deze campagne drijft de Russen een kant op die wij en de rest van de EU hoogst ongewenst vinden. Een Russische beer die zich in het nauw gedreven voelt, is gevaarlijk voor iedereen, meneer Shaw. We moeten ervoor zorgen dat de situatie wat minder gespannen wordt. En om dat te bereiken, moeten we weten wie er echt achter deze hele campagne zit.'

'Waarom werkt u dan niet samen met de Amerikanen? Als het erop aankomt, kunnen zij de Russische beer wel van zijn klauwen ontdoen.'

'Zoals gebruikelijk gaan de Amerikanen in deze kwestie hun eigen gang. Maar Frank heeft toegezegd dat hij er geen bezwaar tegen heeft als u met ons samenwerkt. Hij vertelde zelfs dat u een persoonlijke kennis bent van Sergei Petrov, u weet wel, de zojuist vermoorde premier.'

Shaw keek Frank even aan, en die keek onverstoorbaar terug.

'Het was heel vrijgevig van Frank om mijn diensten aan te bieden, maar met alle respect moet ik toch weigeren.'

'Mij best,' zei Royce boos. 'Ik zit er niet mee, hoor.'

Frank stond op. 'Hoor eens, Shaw, als je deze klus weet te klaren, kunnen we het misschien nog eens over die andere dingen hebben.'

'Meen je dat nou?' Shaw moest zijn uiterste best doen om niet over de tafel heen te duiken en de man het hart uit zijn lijf te rukken.

Frank trok zijn broek wat op. 'Ja, dat meen ik. Tegenover jou ben ik altijd eerlijk en rechtdoorzee, Shaw. Altijd.'

'Dan moeten we het daar later nog maar eens over hebben.'

'Wat? Waarom?' riep Frank uit.

'Op dit moment heb ik iets belangrijkers te doen.'

'Iets wat belangrijker is dan de hele wereld die naar de verdommenis gaat?' zei Royce.

'Reken maar.'

'En wat mag dat dan wel zijn?' vroeg de Engelsman hoogst verontwaardigd.

'Ik ga een dame opzoeken,' zei Shaw terwijl hij Frank strak aankeek en toen de kamer uit liep.

Royce keek Frank boos aan. 'Dat was niet bepaald waar ik op gehoopt had, Wells,' blafte hij.

Er lag een bedachtzame uitdrukking op Franks gezicht terwijl hij naar de deuropening zat te staren. 'Het verbaasde mij ook, maar om een andere reden.'

'Wat had u dan in vredesnaam verwacht?'

'Ik had verwacht dat hij zou proberen me te vermoorden.'

'Goeie god, man! En die vent werkt voor jou! Jullie zijn allebei niet goed bij je hoofd.'

'Die man werkt niet echt voor wie dan ook, Royce.'

'Maar ik dacht dat u net zei...'

'Ja, maar Shaw is een geval apart.'

'Hebt u nog iemand anders die over dezelfde vaardigheden beschikt?'

'Niemand die zelfs maar in de buurt komt.'

34

Anna gilde het bijna uit toen ze wakker werd en zag dat er een man over haar heen gebogen stond. Ze lag in bed in haar flatje in Londen. Ze ging rechtop zitten, en trok het laken om zich heen.

'Wat doe jij hier?' vroeg ze geschrokken.

Shaw ging op de rand van het bed zitten. 'Ik denk dat je wel weet waarom ik hier ben,' zei hij zachtjes.

'Hoe ben je binnengekomen?'

Hij hield een sleutel omhoog. 'Die heb je me gegeven, weet je nog wel?'

'Dat weet ik nog,' zei ze half versuft van de slaap.

'Ik ben je ouders gaan opzoeken, maar ik weet zeker dat je dat al hebt gehoord.'

'En weet je ook wie er na jou bij ze op bezoek is geweest? En wie mij is komen opzoeken?'

'Wat heeft hij je verteld?'

'Wil je soms raden? Zo moeilijk is dat trouwens niet. Maar wat ik nu wil weten, is of het waar was of niet!'

'Anna, het spijt me. Ik heb dit niet zo gewild.'

'Met leugens kwets je mensen altijd, en dat weet je best.'

'Ik weet dat je boos bent. En dat je me op dit moment waarschijnlijk haat. Daar heb je alle recht toe. Maar ik ben hiernaartoe gekomen om je de waarheid te vertellen.'

'En moet ik dan gewoon maar aannemen dat het deze keer de échte waarheid is?'

Shaw keek snel even de slaapkamer rond. Ze hadden hier heel wat gelukkige uren doorgebracht. Hij kende elke vierkante centimeter van Anna's flatje beter dan alle huizen waar hij zelf ooit had gewoond. 'Ik kan het alleen maar proberen.'

'Ik trek eerst even iets aan. Ga jij maar zolang in de woonkamer zitten.'

'Ik heb je anders al duizend keer naakt gezien.'

'Maar vannacht niet. En nou wegwezen!'

Hij liep de kamer uit. Een paar minuten later kwam ze bij hem zitten. Ze had een lange badjas aan, maar was nog steeds blootsvoets. Ze zaten nu aan het kleine tafeltje dat uitkeek over de straat. Hetzelfde tafeltje waar Frank en zij aan hadden gezeten.

'Voor de draad ermee,' zei ze kortaf.

'Frank Wells is mijn chef bij de organisatie waar ik je al over heb verteld.'

'Ja. Waar je een kantoorbaan hebt, toch? Hoe gaat het trouwens op je werk? Heb je de afgelopen tijd nog interessante dingen moeten doen op dat prettige en veilige kantoor van je?'

Shaw tuurde naar de vloer. 'Het werk dat ik doe is heel gevaarlijk. Er is nooit een missie waarbij ik er zeker van ben dat ik er levend uit zal komen. Dat is de waarheid.'

Anna kreunde hoorbaar, maar vond toen haar zelfbeheersing weer. 'En dat doe je omdat je zo'n goed hart hebt?'

'Vijf jaar geleden heb ik Frank Wells in Istanboel een kogel in zijn hoofd geschoten. Hij trok een pistool en ik dacht dat hij me wilde doodschieten. Toen het tot me doordrong wie hij was, heb ik hem naar een ziekenhuis gebracht. Anders zou hij nu dood zijn geweest. Waarschijnlijk heeft hij dat laatste er niet bij gezegd.'

'Hij zei dat hij probeerde je te arresteren vanwege een of ander misdrijf.'

'Dat is zijn verhaal, maar dat wil niet zeggen dat het waar is.'

Anna leunde achterover en trok de badjas wat strakker om zich heen. 'Nou, wat is jouw versie dan? Waar was je mee bezig toen je hem neerschoot?'

'Dat kan ik je niet vertellen. Maar het was niet wat Frank dacht dat het was. Dat kon ik alleen niet bewijzen.'

Ze keek hem vol ongeloof aan. 'Dus ik moet je gewoon op je woord geloven? Tot nu toe is jouw staat van dienst als het om de waarheid gaat, niet al te best.'

Shaw liet dat even tot zich doordringen. 'Oké, maar dit blijft wel onder ons, Anna. En dat méén ik. Dit blijft onder ons.' Snel gaf ze een knikje. Er lag een gespannen uitdrukking op haar gezicht. 'Ik was die dag in Istanboel. Ik wilde uitzoeken wie de indruk probeerde te wekken dat ik samenwerkte met een uiterst gewelddadig drugskartel dat zijn thuisbasis had in Tadzjikistan. Ik was destijds freelancer. Ik werkte onder andere voor de Amerikanen, de Fransen en de Israëliërs, en niets van wat ik deed was crimineel.'

'Wie zou nou proberen jou er op zo'n manier in te luizen?' zei Anna, maar haar stem klonk nu iets minder boos.

'Er waren een heleboel potentiële verdachten. Het werk dat ik deed, had een heleboel boeven bij hun criminele activiteiten gehinderd. Toen Franks organisatie erbij betrokken raakte, hebben ze kennelijk de indruk gekregen dat ik was overgelopen naar de andere kant en daarom hebben ze besloten me op te pakken. Ik dacht dat Frank een van die kerels was die deden alsof ik een drugshandelaar was. Ik dacht dat ze in Turkije een valstrik voor mij hadden gezet, en dat hij daar was om het werk af te maken. En dus heb ik hem neergeschoten voordat hij mij kon neerschieten!'

'Waarom zou je er naderhand in toegestemd hebben om voor Frank te werken als je niet fout zat?'

'Laat ik het zo stellen. Als ik deze zaak voor de rechter had laten komen, zou ik waarschijnlijk nooit het daglicht meer te zien hebben gekregen. Ik had geen bewijs, en het bewijsmateriaal tegen mij was weliswaar vals, maar wel behoorlijk overtuigend. Voor Frank werken is niet bepaald makkelijk, maar het leek me beter dan het alternatief. Volgens mij hadden Frank en zijn mensen wel in de gaten dat ik in de val was gelokt, maar in plaats van hun onderzoek voort te zetten om mijn onschuld vast te stellen, hebben ze dat als excuus gebruikt om mij voor hen te laten werken. Zo zijn ze wel.'

'Dus waarom hebben je eigen mensen jou in Schotland onder vuur genomen?'

'Wie heeft je dat verteld?' vroeg hij scherp.

'Misschien was het Frank wel.'

'Ga nou niet tegen me liegen, Anna.'

'Dat moet jij nodig zeggen.'

'Ik heb nooit echt tegen je gelogen. Ik heb je gewoon niet alles verteld.'

'Dat is nogal een verschil,' zei ze nijdig.

Er verscheen even een boze uitdrukking op zijn gezicht, maar een paar seconden later was die alweer verdwenen. 'Je hebt gelijk, dat is inderdaad nogal een verschil. Maar goed, we hebben afgesproken dat ik vijf jaar lang voor ze zou werken en als ik dan nog in leven was, weer vrij man zou zijn. Om zeker van mijn zaak te zijn ben ik bijna zes jaar voor ze blijven werken.'

'Waarom zou je nog een jaar langer voor die afschuwelijke mensen werken? Dat slaat nergens op.'

'Dat heb ik gedaan omdat ik er zeker van wilde zijn dat ze me zouden laten gaan. Daar moest ik wel zeker van zijn omdat, nou... neem van mij aan dat ik daar een heel goede reden voor had.'

'Wanneer precies heb je besloten nog een jaar extra voor ze te werken?'

'Drie jaar geleden. Om twaalf uur 's nachts. In Berlijn.'

Hun blikken kruisten elkaar en terwijl Anna's adem stokte, keken ze elkaar recht in de ogen. Twaalf uur 's nachts, dat was het moment geweest waarop ze elkaar hadden ontmoet en waarop hij haar van de overvallers had gered. Dat wist ze nog omdat juist op dat moment een kerkklok twaalf uur had geslagen.

'Maar die man zei dat die beslissing niet aan jou is, dat je nog steeds voor hem werkt en dat mensen in jouw beroep nooit met hun werk stoppen. Nooit.'

'Daar ben ik zelf ook net achter gekomen.'

Hij klonk zo terneergeslagen dat ze haar hand om de zijne klemde.

'Kun je er niet gewoon mee ophouden? Gewoon weglopen?' Anna's ogen stonden nu vol tranen.

'Dat zou ik kunnen doen, maar als ik dat deed, zou ik binnen vierentwintig uur dood zijn of in de gevangenis zitten. Dat laatste lijkt me eigenlijk nog het meest waarschijnlijke.'

'Maar die mensen zijn van de politie! Hoe kunnen ze dat nou doen?'
'Die lui staan boven de wet. Als zij vinden dat het nodig is, ruimen ze zonder aarzelen mensen uit de weg. Het is een gevaarlijke wereld en de regels van het spel zijn veranderd.'
'Dat is een geruststellende gedachte.'
'Wil je veilig zijn?'
'Tot elke prijs? Nee!'
'Dan hoor je bij een minderheid.'
'En wat betekent dat voor ons?'
'Ik heb je gevraagd of je met me wil trouwen. Je hebt ja gezegd. Je hebt me gevraagd om je vader om je hand te vragen, en dat heb ik gedaan. Maar ik ben niet eerlijk tegen je geweest. Ik kan niet stoppen met mijn werk voor Frank. En ik kan niet van je verwachten dat je onder die omstandigheden nog met me wilt trouwen. Dat is niet eerlijk, en ik hou te veel van je om je dat aan te doen. En daarom ga ik nu het moeilijkste doen wat ik ooit heb moeten doen.'
'En wat is dat dan?' fluisterde ze angstig.
'Ik ga uit je leven verdwijnen.' Shaw stond op.
'Wacht!' riep ze uit.
Hij ging weer zitten.
Anna veegde haar ogen droog met de mouw van haar badjas. 'Wil je nog steeds met me trouwen?'
'Anna, dat is niet meer aan de orde. Elke keer wanneer ik naar mijn werk ga, zul je niet weten of ik levend thuiskom.'
'Maar dat is toch niet anders dan het voor de echtgenotes van soldaten en politiemensen is? Die maken zoiets elke dag weer mee.'
'Dat is makkelijk gezegd, Anna, maar...'
Ze ging op zijn schoot zitten en legde zijn grote, gespierde hand over haar verlovingsring.
'Je hoeft jezelf maar één vraag te stellen, Shaw. Hou je nog van me of niet? Als het antwoord nee luidt, verdwijnt het probleem vanzelf.'
Hij liet zijn hoofd zachtjes tegen het hare rusten. 'Dan heb ik een groot probleem.'

35

Nicolas Creel was nooit een bijzonder religieus man geweest, maar de enorme hoeveelheid geluk die hij in zijn leven had gehad, moest toch zeker zijn voortgekomen uit een soort goddelijke genade. Te oordelen naar dit meest recente prachtige buitenkansje dat hem in de schoot was geworpen, loonde het om goede werken te combineren met de verkoop van dodelijke wapens.

Toen hij de videobanden van de surveillancecamera's in het gebouw van de Phoenix Group had bekeken, had hij daar tot zijn stomme verbazing gezien hoe de vrouw die hem was aangewezen als Anna Fischer, het gebouw binnen kwam lopen in gezelschap van niemand anders dan de legendarische journaliste Katie James. De twee liepen bijna arm in arm!

Nu beschikte hij over de laatste ontbrekende onderdelen van zijn aanvalsplan. Creel had dossiers over een stuk of tien veelbelovende kandidaten, maar Katie James was zo grondig uit de openbaarheid verdwenen dat hij niet eens aan haar had gedacht. Binnen een uur nadat hij haar op de videoband had gezien, had hij een compleet dossier over haar laten samenstellen. En wat hij daar zag, beviel hem goed.

Haar val van de top was snel gegaan. Geruchten over alcoholisme, artikelen die ze hopeloos had verknoeid of zelfs nooit had geschreven. Al voor haar veertigste overgeplaatst naar de overlijdensberichten. De twee Pulitzerprijzen die ze op haar naam had staan, hadden haar dat lot niet bespaard. Op de videobeelden maakte ze een hongerige indruk.

Nou, Creel zou ervoor zorgen dat haar dromen uitkwamen. Hij zou haar een artikel toespelen dat haar in één klap weer helemaal terug aan de top zou brengen. Hij belde Caesar en gaf de man opdracht om binnen twee dagen gereed te zijn. Hij legde de telefoon neer en leunde achterover in zijn stoel. Net op dat moment ging de deur van zijn studeerkamer open en kwam Little Miss Hottie binnen met een fles champagne. Ze was naakt.

'Ik vind die studeerkamer van jou toch zo heerlijk,' zei ze. 'Het is echt helemaal jouw kamer. Als je er niet bent, ga ik hier soms zitten en dan laat ik me helemaal wegzinken in de sfeer die hier hangt.' Ze ging bij hem op schoot zitten en nam een slok uit de fles.

'Dat is een leuke verrassing,' zei Creel terwijl hij met zijn hand over haar naakte dij streelde. 'Dit stond niet op de agenda, schatje.'

'Een bedankje voor die prachtige ring die je voor me hebt gekocht, lieverd,' zei ze met dubbele tong. Ze was dronken, en te oordelen naar haar sterk vernauwde pupillen, ook high. Maar het was Creel al eerder opgevallen dat zijn vrouw het beste de liefde bedreef als ze hartstikke stoned was.

'Heel bijzonder wat je tegenwoordig voor twintig karaat al kunt krijgen,' verzuchtte Creel terwijl Miss Hottie zich languit op zijn bureau liet zakken.

* * *

Shaw werd wakker van een zoemend geluid. Zonder erbij na te denken ging hij rechtop zitten en liet zijn blik de kamer rondgaan, totdat het tot hem doordrong waar hij zich bevond. Naast hem lag Anna nog steeds te slapen. Hij wreef over zijn gezicht en keek snel even naar zijn telefoon. Het was Frank. Hij pakte zijn telefoon van het nachtkastje, liep naar de zitkamer en keek uit het raam naar de maanloze Londense nacht. Het regende niet meer, maar er zweefden nog steeds kille mistflarden door de straat, die alles wat ze maar aanraakten aan het oog onttrokken.

'Wat moet je?' zei hij.

'Een nachtje logeren? Die dame moet wel echt van je houden.'

'Als je ooit nog bij haar in de buurt komt, Frank, ga je eraan.'

'Geen dingen beloven die je niet kunt waarmaken, beste vriend.'

'Wat moet je, verdomme?' snauwde Shaw.

'Nou, omdat je niet zoveel belangstelling leek te hebben voor die opdracht van MI-5 is het mijn taak om je weer aan het werk te zetten. En ik hoop dat je dat halfbakken idee dat je ooit weer vrij man zou kunnen worden nu grondig uit je hoofd hebt gezet, want anders kan dat vrouwtje van je je komen bezoeken in de rottigste gevangenis die ik maar kan vinden.'

Door zijn verzoening met Anna voelde Shaw zich zo enorm opgewekt dat Franks sarrende opmerkingen hem niet konden raken. 'Waarheen?' vroeg hij kortaf.

'Parijs. Morgenavond. Morgenmiddag neem je de trein door de kanaaltunnel. Je eerste instructies krijg je op Waterloo Station. De rest als je in Parijs bent.'

'Een goede raad, Frank. Kijk voortaan regelmatig achter je.'

De verbinding was echter al verbroken.

Shaw glimlachte en zette de telefoon uit. Hij had Anna. Dat was het enige wat nu telde. Hij was van zo'n last verlost dat hij bijna het gevoel had dat hij kon vliegen.

Hij ontbeet samen met zijn verloofde, gaf haar een afscheidskus en net toen hij op het punt stond de flat uit te lopen, en zij al onder de douche stond, herinnerde hij zich dat hij zijn jasje in haar rommelige studeerhoekje naast de eetkamer had laten liggen. Toen hij het van haar bureau pakte, zag hij toevallig het visitekaartje liggen.

'Katie James, *New York Tribune*,' zei hij en voelde zich langzaam boos worden.

Hij draaide het kaartje om en zag dat er met potlood een adres in Londen op geschreven stond. Zo kwam het dus dat Anna had geweten wat zich in Schotland had afgespeeld! Hij keek op zijn horloge. Hij had nog wat tijd. Hij liet het visitekaartje in zijn zak glijden.

·36·

Shaw voelde gewoon hoe het oog achter het kijkgaatje hem aandachtig opnam. Hij had durven wedden dat ze hem niet zou binnenlaten. Maar die weddenschap zou hij verloren hebben.

Katie kwam meteen ter zake. 'Ben je bij Anna geweest?'

Ze ging op het kleine zitbankje zitten en trok haar benen onder zich op de zitting. Ze droeg een badjas van het hotel. Haar haar was nat en hing steil omlaag. Shaw rook dat er nog damp uit de badkamer kwam, en het aroma van haar shampoo zweefde zijn neusgaten binnen. Hij merkte het echter nauwelijks op. Hij stond bijna te trillen van woede.

'Mag ik je wat vragen?' zei hij.

'Ga je gang.'

'Hoe haal je het verdomme in je hoofd om je met mijn leven te bemoeien?' zei hij woedend.

Ze leunde achterover, sloeg haar armen over elkaar en zei koeltjes: 'En welk leven mag dat dan wel zijn? Het leven waarin je wordt beschoten of misschien wel bedrogen? Of het leven waarin je een fantastische vrouw hebt die tot over haar oren verliefd op je is, terwijl jij erachter probeert te komen of je nou haar prins op het witte paard bent of een psychopaat?'

'Je hebt het recht niet om je hierin te mengen.'

'Ik heb tegen Anna gezegd dat ze eerst met jou moest praten voordat ze een besluit nam. Ik heb haar gezegd dat ik dacht dat jij wel deugde. Nou, had ik daar gelijk in, of niet?'

'Op dit moment weet ik dat echt even niet.'

'Hoezo?'

'Omdat ik je eigenlijk het liefst eigenhandig zou wurgen.'

'Oké. In plaats daarvan misschien een kopje koffie?'

Nu pas zag hij het roomservicetafeltje staan met haar ontbijt erop.

'Nee.'

'Nou, ik weet zeker dat je er geen bezwaar tegen zult hebben als ik voor mezelf wat inschenk.' Ze schonk een kop koffie in en nam een hapje van een bagel.

'Nou?'

'Nou wat?' zei hij.

'Heb je met Anna gepraat?'

'Ja.'

'En?'

'En dat gaat jou helemaal niets aan, dame.'

'Is dat de enige reden waarom je hiernaartoe bent gekomen? Om mij de les te lezen? Dat doe je dan niet erg goed,' zei ze geamuseerd.

Het roomservicetafeltje sloeg met een luide klap tegen de muur, en dat was zo snel gegaan dat ze het met haar ogen nauwelijks had kunnen volgen.

Onverstoorbaar dronk Katie haar koffie op en zette het kopje neer. 'Ben je klaar met dat theatrale gedoe?'

'Bemoei je niet met mijn leven.' Hij draaide zich om en wilde de kamer uit lopen.

'Eigenlijk is er iets wat ik jou nog wilde vragen. En het heeft niets met Anna te maken,' zei ze snel.

Bij de deur bleef hij staan en keek haar woedend aan.

'Wat bedoelde je toen je zei dat je in de hel was geweest en dat het daar net zo erg was als iedereen dacht?'

'Zoals ik je de vorige keer ook al heb gezegd, zou je het antwoord toch niet begrijpen.'

Als reactie daarop trok Katie haar badmantel een eindje naar beneden, zodat er een lang, rood litteken op haar rechterbovenarm zichtbaar werd.

'Misschien begrijp ik het ook wel.'

Shaw keek naar de oude wond in haar schouder. 'Een schotwond?'

'Ik had wel verwacht dat jij dat zou zien. Het schot werd gelost door een nijdige Syriër. Het is maar goed dat hij zo'n beroerde schutter was, want naderhand heeft hij gezegd dat hij op mijn hoofd had gemikt.'

Ze pakte een koffiekopje op dat nog heel was, en de thermosfles die op wonderbaarlijke wijze vanbinnen niet aan stukken was gesprongen, en schonk hem wat koffie in. Toen ze hem het kopje aangaf, zei ze: 'Telkens als Clint Eastwood in een film in zijn arm wordt geschoten, gieten ze er gewoon wat whisky op, geven hem een mooi draagverbandje en laten hem dan weer op zijn trouwe paardje stappen en wegrijden. Ze nemen nooit de moeite om wat dieper in te gaan op wat er gebeurt als een kogel je arm binnendringt en dan gewoon doorgaat, een ader openscheurt, een paar spieren en pezen aan flarden rijt en daarna tijdens zijn wilde rit door je lichaam ook nog je linkerhartkamer schampt. Ik heb drie maanden op de intensive care gelegen voordat ze me eindelijk loskoppelden van de hartbewakingsapparatuur. Ze hebben een mooi klein gaatje in mijn rug moeten snijden om de kogel eruit te krijgen. Het ding was zo plat als een pannenkoek.'

'Een kogel met een zachte punt. Speciaal ontworpen om tuimelend door je lichaam te schieten en alles in zijn baan volkomen kapot te maken. En dan heeft zo'n kogel ook nog eens de neiging in je lichaam achter te blijven, zodat een chirurg terwijl je op sterven na dood bent, je op een andere plek nog eens open moet snijden om het ellendige ding eruit te halen.'

Van over de rand van haar koffiekopje nam ze hem aandachtig op. 'Hoeveel schotwonden heb jij eigenlijk? Mij kun je die wel laten zien. Ik zal het aan niemand vertellen.'

'Een goede plastisch chirurg kan dat litteken wel weghalen.'

'Dat weet ik. Toen ik terug was in de Verenigde Staten wilden ze dat ook doen.'

'Waarom hebben ze dat dan niet gedaan?'

'Omdat ik dat niet wil.'

'Waarom niet?'

'Omdat ik het litteken wil houden. Is die verklaring voor jou genoeg?'

Toen verscheen er een wat zachtere uitdrukking op haar gezicht en op rustiger toon zei ze: 'Hoor eens, je hebt het volste recht om boos te zijn. Als jij je zomaar met mijn leven zou gaan bemoeien – als ik een eigen leven zou hebben, wat op dit moment niet het geval is, maar stel dat – dan zou ik daar niet blij mee zijn. Voor wat het waard is, ik probeerde je alleen maar te helpen. Je hebt een fantastische vrouw gevonden, en het is niet moeilijk om te zien hoeveel ze van je houdt.'

Shaw nam een slokje koffie maar zei niets.

'En verder zal ik me er niet mee bemoeien,' zei Katie. 'Echt niet. Ik hoop dat het goed zal gaan met jullie.'

Hij dronk zijn kopje leeg en stond op. Hij voelde zich nu overduidelijk niet op zijn gemak. 'Met Anna en mij gaat het prima. Ik heb haar... ik heb haar een aantal dingen verteld die ik haar al een hele tijd geleden had moeten zeggen.'

Hij deed een paar stappen naar de deur en keek toen snel achterom. 'Ik ben blij om te zien dat je veilig uit Edinburgh weg bent gekomen.'

'Ik ben er erg laat mee, maar nog bedankt dat je daar mijn leven hebt gered. En dat méén ik.'

'Hoe ben je erachter gekomen dat ik een relatie heb met Anna?'

'Hé, ik ben per slot van rekening een onderzoeksjournaliste die vele prijzen heeft gewonnen. Ik ben je hotelkamer binnengedrongen. Haar naam was doorgedrukt in het vloeiblok op het bureau. En in de zak van je jasje vond ik een bonnetje van een boekwinkel. Een paar jaar geleden heb ik Anna Fischer ooit eens horen spreken, en daar was ik toen erg van onder de indruk. Het leek me wel een paar telefoontjes waard om te zien of het hier om dezelfde Anna Fischer ging. Uit wat ik van jou heb gezien, moet een vrouw echt heel bijzonder zijn om jouw belangstelling vast te houden.'

Shaw leek wat verbaasd over dat onverwachte compliment, maar hij zei niets. Toevallig keek hij even op het bureau naast de deur van de hotelkamer. Het was bezaaid met hoge stapels kranten, krantenknipsels en volgeschreven velletjes.

'De volgende Pulitzerprijs?' vroeg hij.

'Je moet het blijven proberen. En een vrouw moet veel beter haar best doen om bij te blijven dan een man, anders wordt ze aan alle kanten gepasseerd.'

'Nou klink je net zoals Anna.'

Shaw aarzelde, viste toen langzaam iets uit zijn binnenzak en gaf het aan haar. Het was een visitekaartje, maar er stond geen naam op. Alleen een telefoonnummer.

'Er zijn maar heel weinig mensen aan wie ik dit geef.'

'Dat geloof ik meteen.'

'Maar als je Anna gaat opzoeken, is er een kans dat de man voor wie ik werk daar ook weer komt opdagen. Als hij dat doet...'

'Dan ben jij de eerste die ik bel.'

'Pas goed op jezelf. Ik betwijfel of wij elkaar ooit nog zullen zien.'

'Dat dacht ik de vorige keer ook, en moet je nu eens kijken. We zitten samen gezellig koffie te drinken.'

Een seconde later was hij verdwenen.

•37•

Na Shaws vertrek naar Parijs maakten de Russen bekend dat als iedereen vond dat ze werkelijk zulke rotzakken waren, de wereld natuurlijk ook al die smerige aardolie van hen niet wilde verstoken, en dat ze daarom hun exportvolume met onmiddellijke ingang zouden halveren. Omdat Rusland na Saoedi-Arabië de grootste exporteur van ruwe aardolie ter wereld was, en over de grootste bewezen gasreserves ter wereld beschikte, was dat geen loos gebaar. Het land exporteerde meer aardolie dan Noorwegen, Iran en de Verenigde Arabische Emiraten samen, en dat waren de eerstvolgende landen op de lijst met grootste aardolie-exporteurs ter wereld. Zelfs met alle zeilen bijgezet had de mondiale productie de vraag nauwelijks kunnen bijhouden en nu de aanvoer van het Russische zwarte goud plotseling werd gehalveerd, was er geen enkele manier om het tekort aan te vullen.

De wereldmarkten waren daar bepaald niet blij mee. Binnen enkele uren nadat de exporthalvering bekend was gemaakt, steeg de prijs van een vat ruwe olie tot 120 dollar en hoewel het handelsverkeer in veel gevallen na enige tijd automatisch werd stilgelegd, werden op aandelenmarkten overal ter wereld verliezen geleden die hun weerga in de geschiedenis niet kenden. Aan de pomp schoten de benzineprijzen omhoog, en ook vliegtickets werden stukken duurder. En omdat heel veel alledaagse producten tegenwoordig gemaakt worden met gebruik van uit aardolie vervaardigde materialen, ging de prijs van talloze gebruiksartikelen, van speelgoedautootjes tot grote vrachtwagens, flink omhoog.

De OPEC, die zo lang de touwtjes van de wereldeconomie in handen had gehad, deed haar uiterste best om de tekorten aan te vullen, maar slaagde daar absoluut niet in. En hoewel je zou verwachten dat de Arabische oliestaten schatrijk werden van de hoge olieprijs, kostte dat hun in werkelijkheid miljarden, want anders dan Rusland importeerden deze woestijnlanden bijna alles wat ze nodig hadden. De prijs van ruwe olie was dan wel met veertig procent gestegen, maar de prijzen van producten die aardolie bevatten, waren in veel gevallen bijna verdubbeld. Niet alleen vanwege de stijging van de olieprijs, maar ook vanwege de grote geldbedragen waarover Rusland beschikte, de grote buitenlandse investeringen en de verhoudingsgewijs lage import- en consumptiecijfers, werd algemeen aangenomen dat Moskou dit beleid een hele tijd kon volhouden.

En alsof dat alles niet voldoende was om binnen één week te moeten verwerken, hadden de Russen nog meer troeven achter de hand. De minister van Buitenlandse Zaken maakte bekend dat vanuit een door de Taliban gedomineerde sector van Afghanistan op grote schaal drugs naar Rusland werden gesmokkeld. Al die drugs leidden tot een sterke stijging van de criminaliteit en bedierven de onschuldige Russische jeugd. Iedereen besefte natuurlijk dat dit volkomen waar was, maar tot nu toe hadden de Russen daar nooit veel tegen ondernomen. Nu verklaarde de minister echter dat de Russen niet bereid waren om deze zeer ernstige kwestie op te lossen via diplomatieke kanalen. Afghanistan had die smokkel jarenlang oogluikend toegestaan en daar had Moskou nu schoon genoeg van.

En als de Russen eenmaal tot een besluit kwamen, handelden ze daar ook naar. Een dag later vuurde een Russische onderzeeboot vijf grote kruisraketten af op een opleidingskamp van de Taliban, waarvan een Russische minister naderhand zou beweren dat het een belangrijke rol had gespeeld bij de internationale drugshandel. Binnen enkele seconden werden duizend Talibanstrijders van de aardbodem weggevaagd, en hun wapenvoorraden vernietigd. De Russen waarschuwden alle Arabische landen in het Midden-Oosten dat als er vergeldingsmaatregelen werden genomen die de Russische belangen zouden schaden, ze dezelfde behandeling konden verwachten, maar dan honderd keer erger.

De Afghaanse president vaardigde een officiële verklaring uit waarin hij zijn sterke afkeuring uitsprak over deze 'volkomen ongerechtvaardigde inmenging in de binnenlandse aangelegenheden van een soevereine staat'. In diplomatieke kringen werd dat echter beschouwd als een verklaring die alleen maar werd uitgegeven omdat de Afghanen nou eenmaal íéts moesten zeggen. Per slot van rekening deden de Taliban al jaren hun uiterste best om de Afghaanse regering omver te werpen, en hadden ze al twee keer een mislukte moordaanslag op de huidige president gepleegd. Nadat de Afghaanse leider Moskou in het openbaar een standje had gegeven, had hij waarschijnlijk een vreugdedansje door zijn presidentiële paleis gemaakt.

De Iraniërs reageerden met een boze verklaring waarin ze te kennen gaven ontzet te zijn over het barbaarse gedrag van de Russen, en deden vervolgens haastig een beroep op de Verenigde Naties.

De Verenigde Staten tekenden eveneens onmiddellijk protest aan bij de Veiligheidsraad en begonnen hun troepen terug te trekken uit Irak en Afghanistan. Het Pentagon maakte bekend dat deze terugtrekking volledig losstond van de aanvallen op de Taliban, en volkomen in de lijn lag van het staande beleid. Insiders beseften echter maar al te goed dat de reductie van de troepensterkte alles te maken had met de steeds groter wordende Russische dreiging... en het grootste deel van de Amerikaanse bevolking had dat waarschijnlijk ook wel door. Het Midden-Oosten was minder belangrijk dan vroeger. Generaals uit alle NAVO-landen haalden hun oude defensieplannen voor een aanval door de Sovjet-Unie haastig weer tevoorschijn.

Zoals een belangrijke krant het in tien centimeter hoge letters op de voorpagina kernachtig maar nogal melodramatisch verwoordde: DE KOUDE OORLOG IS TERUG.

Onder elkaar waren hoge militairen en regeringsfunctionarissen dolblij dat de Russen in één klap een groot deel van de Taliban hadden uitgeroeid. Zoals een viersterrengeneraal tegen zijn adjudant zei: 'Konden wij zoiets maar ongestraft doen.'

Toen de eerste grote troepenreductie in Irak in gang werd gezet, voerden de sjiitische en soennitische milities voorzichtig een paar verkennende aanvallen op elkaar uit, ter voorbereiding op iets wat volgens velen zou uitgroeien tot een langgerekte burgeroorlog. Die ontwikkelingen werden in de meeste grote kranten verwezen naar de binnenpagina's, en geen enkel belangrijk televisieprogramma had het als belangrijkste item. Wat nieuwswaarde betrof, was Irak inmiddels van ondergeschikt belang. Het islamitische terrorisme stond in recente internationale opiniepeilingen op de elfde plaats van zaken waarover mensen overal ter wereld zich zorgen maakten, en daarmee kwam het zelfs nog ná te veel seks en geweld op de televisie.

Rusland, dat was waar iedereen zich nu de meeste zorgen over maakte, en de reden daarvoor was maar al te duidelijk. Terroristen beschikten over kleine bommetjes; Rusland beschikte over enorme hoeveelheden échte kernbommen, en zo te zien was het land inmiddels collectief zwaar over zijn toeren aan het raken.

De zoektocht naar de mensen achter de publiciteitscampagne rond Konstantin en al die andere slachtoffers werd plotseling een stuk belangrijker geacht. Waarschijnlijk dachten de mensen dat als de Russen de kans zouden krijgen om één doelwit met de grond gelijk te maken, ze de rest van de wereldbevolking misschien met rust zouden laten.

Maar wat als de Verenigde Staten achter deze publiciteitscampagne zaten? Dat vroegen veel mensen zich angstig af. De Russen hadden verklaard dat ze dat als een oorlogshandeling zouden beschouwen. Was dit werkelijk het begin van het einde? Zouden de Amerikanen zich zo ongelofelijk kunnen misrekenen? In alle landen ter wereld hielden de mensen hun adem in en zetten ze zich schrap voor de volgende crisis.

Ze zouden niet lang hoeven wachten.

De laatste voorbereidingen voor de missie in Frankrijk hadden buitensporig veel tijd gekost. Meestal arriveerde Shaw al een dag of twee voor het grote gebeuren, kreeg zijn briefing en ruimde vervolgens zijn doelwitten uit de weg. Het enige wat niet van tevoren vaststond, was of hij er levend uit zou komen. Maar deze keer was het anders.

Frank was met een heel team overgekomen om alles van tevoren tot in de kleinste details door te nemen. Tijdens de laatste voorbereidende bespreking, die plaatsvond in een klein landarbeidershuisje een kilometer of dertig buiten Parijs, had hij de belangrijkste punten er bij Shaw telkens weer in geramd.

'Die kerels zijn goed, Shaw,' had hij gewaarschuwd. 'Echt heel goed. Ze vertrouwen niemand en iedereen die ze niet vertrouwen gaat eraan.'

'Bedankt voor de peptalk, Frank. Dat stel ik echt op prijs.' Shaw zat tegenover hem, wreef langzaam in zijn handen en keek zijn collega niet recht in de ogen.

Frank merkte dat op en sloeg plotseling hard met zijn vuist op tafel. 'Je gaat me toch niet vertellen dat je zenuwachtig bent!'

Shaw keek naar hem op. 'Wat had je dan gedacht, verdomme?'

'Wat ík denk, is dat ik de oude Shaw nodig heb, de man die zich nooit ergens druk om maakt. Als die lui jouw angstzweet ruiken, schieten ze je nog sneller een kogel door je kop dan jij "O shit!" kunt zeggen.'

'Ik red me wel, Frank.'

'Het komt door die vrouw, hè? Je gaat trouwen, dus nu heb je eindelijk iets te verliezen.' Frank leunde achterover en terwijl hij Shaw hoofdschuddend aankeek, verscheen er een neerbuigende uitdrukking op zijn gezicht. 'Nou, denk eraan, grote minnaar dat je bent, als je het morgen verknoeit, komt er geen bruiloft maar alleen vier begrafenissen. Eén voor elk stuk van jou dat er nog over is nadat die klootzakken je hebben gevierendeeld.'

'Hoe lang doe ik dit nu al? Ik ben er steeds levend uitgekomen.'

'Net zoals er voor alles een eerste keer is, is er ook voor alles een laatste keer. Zorg nou maar dat dit voor jou niet de laatste keer wordt. Ik ben nog niet klaar met jou.'

Shaw boog zich voorover en greep de man bij zijn arm. 'Waarom ben je Anna echt gaan opzoeken?'

'Dat heb ik je al gezegd. Ik wilde eerlijk zijn. En jij bent degene die het haar had moeten vertellen, niet ik. Ze had er recht op om te weten waar ze aan begon.'

'Ze is geen klein meisje, Frank.'

'Heb je haar verteld dat je niet ging stoppen met dit werk? Dat elke missie je laatste kon zijn?'

'Wat maakt dat nou uit, verdomme?'

Er verscheen een wat ongemakkelijke uitdrukking op Franks gezicht, en hij haalde zijn schouders op. 'Het leek me een aardige vrouw. Heb je er weleens over nagedacht hoe ze zich zou voelen als jij omkomt? Of als een van die mafkezen met wie wij elke dag weer te maken hebben, lucht krijgt van haar bestaan?'

'Ik zorg er wel voor dat Anna niets overkomt.'

'Maar dat heb je zelf toch niet in de hand? Je bent geen accountant, Shaw. Bij jouw werk hoef je maar één vergissing te maken en voordat je het doorhebt, ben je er geweest. En zij misschien ook.' Hij liet een korte stilte vallen. 'Dus vind je dan niet dat ze het recht had om dat te weten?'

Shaw zei niets, want het drong tot hem door dat Frank, de gehate Frank, daar misschien wel gelijk in had.

Frank stond op, pakte zijn jas en liep naar de deur. 'Veel geluk, Shaw. En als ik je niet meer zie, nou... dan moet ik iemand anders zien te vinden, hè?'

'Iemand die net zo goed is als ik vind je nooit meer.'

Terwijl hij zijn verfomfaaide hoed opzette, dacht Frank daar even over na. 'Daar heb je waarschijnlijk gelijk in. Maar dan neem ik wel genoegen met iemand die bijna net zo goed is. En als ze je inderdaad vermoorden, stel jezelf dan voordat de kogel je hoofd binnendringt deze vraag: was die vrouw dat nou werkelijk waard?'

Frank trok de deur met een klap achter zich dicht en liet Shaw alleen achter met zijn gedachten.

'Ja,' zei Shaw tegen de lege kamer. 'Ze is het werkelijk waard.'

39

Het pakhuis bevond zich in een deel van Parijs dat gemeden werd door mensen die niet van geweld hielden. Dit kleine stukje Franse aarde viel niet onder het gezag van de politie; het behoorde toe aan anderen, die dit als hun thuisbasis beschouwden en niet gediend waren van ongenood bezoek.

Uit het donker kwamen vier skinheads naar hem toe gelopen. Hij stond aan het ene uiteinde van het pakhuis, met niet meer dan een paar schemerige gloeilampen boven hem als lichtbron. De jongemannen kwamen om hem heen staan. Ze namen niet eens de moeite om hun wapens te verbergen. Waarschijnlijk stonden ze ermee op en gingen ze ermee naar bed, en hielden ze die dingen als ze in bed lagen dichter tegen hun lijf gedrukt dan welke vrouw dan ook.

Hoewel het buiten kil was, droegen de meesten van hen niet meer dan een strak hemdje. Ze waren allemaal blank, al was dat moeilijk te zien, omdat hun lijf bijna zwart zag van de tatoeages. Afgezien van de swastika die ze alle vier op hun rechtertriceps droegen, waren al die tatoeages anders. Een van hen, een jongen van een jaar of twintig, had een hele draak op zijn bovenlijf laten tatoeëren, in zwart, groen en zalmkleurig roze. De klauwen van de draak verspreidden zich over het onderste deel van zijn gezicht. Hij had een 12-kaliber pompgeweer in zijn ene hand, en de bruine ogen waarmee hij Shaw nu strak aankeek, straalden een overtuigende mengeling van haat en minachting uit. Het kan me allemaal geen ruk schelen, leek hij met zijn hele lichaamshouding uit te stralen. Hij bracht een kogel in de kamer en spuugde. De klodder kwam twee centimeter voor Shaws voeten neer.

Wat zal je moeder trots op je zijn, dacht Shaw.

Shaw draaide zich naar de man toe die nu naar hem toe kwam lopen. In plaats van een zwarte broek, een hemdje dat zijn spieren goed deed uitkomen en een paar legerkistjes met stalen neuzen, droeg deze man een jack, een keurig gestreken spijkerbroek en een paar bruine schoenen met leren kwastjes, maar zijn lichaamshouding weerspiegelde die van zijn gezelschap. Hij liep met een opgeblazen trots die je handen liet jeuken om hem voor het heil van de gehele mensheid een knal in zijn gezicht te geven.

Ouder dan dertig kon hij niet zijn, maar met zijn gezicht vol littekens maakte hij de indruk van iemand die over veel meer levenservaring beschikte dan de meeste andere mensen in een jaar of dertig bij elkaar wisten te harken.

Hij gaf Shaw een hand en gebaarde dat hij met hem mee moest lopen naar een klein kaarttafeltje dat in een hoek van het gebouw stond. Pas toen hij ging zitten, volgde Shaw zijn voorbeeld. De skinheads stonden nu om de tafel heen. Het waren kuddedieren, merkte Shaw op, die gehoorzaam stonden te wachten tot het baasje zei dat ze mochten bijten.

'*Je suis Adolph, monsieur*. En uw naam is?'

'Dat doet niet ter zake,' zei Shaw. 'Ik heb alles wat u nodig hebt.'

'Over de prijs hebben we het nooit gehad,' zei Adolph. 'Dat is hoogst ongebruikelijk, ja?'

Shaw leunde iets voorover. 'Sommige dingen zijn belangrijker dan geld.'

'De meeste dingen zijn belangrijker dan geld, maar je hebt geld nodig om ze te kunnen bemachtigen.' De man glimlachte en stak een sigaret op. 'Als Sartre nog leefde, zou hij ons een nauwgezette filosofische analyse kunnen geven, of misschien zou hij het houden bij: *C'est la vie*.'

'U wilt president Beniste vermoorden,' zei Shaw. 'Dat zal Frankrijk in een toestand brengen die de anarchie dicht benadert.'

Adolph schudde zijn hoofd. 'U overschat hoezeer de Fransen gesteld zijn op politiek. U beweert dat ik Beniste wil vermoorden? Dat is alleen maar wat u denkt. Maar zelfs als ik dat zou willen, komt het land alleen maar met een dode president te zitten. Dan wordt er gewoon een andere idioot gekozen.'

'Dit is het land van de politieke revolutie,' wierp Shaw tegen.

'*Au contraire*. Dit wás het land van de politieke revolutie,' zei Adolph. 'We zijn werkelijk veramerikaniseerd. Het enige waar mijn medeburgers zich nog om bekommeren is of ze over de laatste iPhone beschikken. Wij zijn de echte revolutionairen, *mon ami*.'

'Waar gaat die revolutie van jullie om?'

'Wat denkt u?' grauwde de man plotseling. Hij greep een van zijn mannen bij de arm en duwde de swastika recht in Shaws gezicht. 'Anders dan die slappelingen rondom Hitler hebben wij het hakenkruis in onze huid gegrift. Het vormt onze permanente identiteit. En ik heb de naam van de meester aangenomen.'

'Dus de joden vormen de bron van alle kwaad?'

'Joden, moslims, christenen, ze hebben allemaal evenveel schuld. Benistes moeder was joods, al probeert hij dat te verdoezelen. U zei dat u over de informatie en de identiteitsbewijzen beschikt die we nodig hebben om dat hotel binnen te komen waar hij gaat logeren?'

'Inderdaad. Ik heb niet alles bij me. Maar ik heb wel een monster meegenomen om te laten zien dat ik het meen.' Langzaam bracht hij zijn hand naar zijn zak en trok er een officieel uitziende perskaart uit, en een toegangskaartje voor de toespraak die de president binnenkort zou houden in een hotel in Parijs.

Adolph keek ernaar en was duidelijk onder de indruk. '*C'est bon. Bien fait!*'

'Ik heb er nog vijf,' zei Shaw. 'En u wordt allemaal op de officiële gastenlijst geplaatst.'

'Wapens?' vroeg Adolph.

'De Fransen zijn niet zo paranoïde als de Amerikanen. VIP's hoeven hier niet door een detectiepoortje te lopen.'

Hij keek naar de skinheads. 'Maar uw mensen moeten er natuurlijk wel uitzien als VIP's, en zich ook zo weten te gedragen.'

Adolph lachte. 'Dit zijn mijn persoonlijke lijfwachten. We zijn samen straatjongens in Parijs geweest, samen opgegroeid... Elk van hen zou met groot genoegen zijn leven geven om mij te redden. Ik ben de uitverkorene. Dat beseffen ze allemaal heel goed.'

Shaw keek naar de skinhead met de draak op zijn lijf. Ja, zo te zien was die stom genoeg om zijn leven te geven voor deze megalomane klootzak.

'Dus u hebt nog andere mensen om de aanslag te plegen? Mensen die er wél netjes uitzien?'

Adolph knikte. 'Wanneer komt de rest van de documenten?'

'Zodra we het eens worden over de prijs.'

'Ach, nu komt het.' Adolph leunde achterover, sloeg zijn benen over elkaar en blies een rookkringetje naar het plafond dertig meter boven hen. 'Ik zal u van tevoren duidelijk maken, *monsieur*, dat we niet veel geld hebben.'

'Ik dacht dat ik al duidelijk had gemaakt dat het me niet om geld gaat.'

'Iedereen zegt altijd dat het niet om geld gaat, en dan willen ze geld zien. Wij zijn geen drugsdealers of woestijnterroristen die dik en vet geworden zijn van onze oliewinsten. Ik heb geen miljarden euro's op een Zwitserse bankrekening staan. Ik ben een arme man, die uitsluitend rijk is aan ideeën.'

'Mijn vader is vorig jaar gestorven in een Franse gevangenis.'

Adolph ging met een ruk rechtop zitten en uit de blik waarmee hij Shaw nu aankeek, sprak plotseling heel wat meer belangstelling. 'Welke?'

'De Santé.'

De man knikte en trapte zijn sigaret uit op het kille beton. 'Alle Franse gevangenissen zijn waardeloos, maar dat is een van de ergste. Sommige mensen van ons zitten nu in de Santé. Ze wilden de straten schoonvegen, meer niet. En daarom worden ze opgesloten als een stelletje dieren? De wereld is gek geworden.'

Achter Shaw liet de skinhead met de draak op zijn lijf een grommend geluid horen.

Shaw keek achterom en zag een volgende klodder speeksel vlak naast zijn schoenen neerkomen.

'Victors broer is een van hen,' zei Adolph. 'Hij heeft vorig jaar zelfmoord gepleegd in de Santé. Je was erg op je broer gesteld, hè, Victor?'

Victor liet opnieuw een grommend geluid horen, en bracht een kogel in de kamer van zijn geweer.

'Ik neem zonder meer aan dat ze heel close waren,' zei Shaw droogjes.

'Dus jouw vader is gestorven in de gevangenis. Wat had hij gedaan?'

'Mijn vader was een Amerikaan die naar Frankrijk is gekomen om een bedrijf op te zetten, een bedrijf dat concurreerde met een paar bedrijven van vriendjes van Beniste. Het was zelfs zo concurrerend dat die andere bedrijven in de problemen kwamen. Dus toen Beniste nog officier van justitie was, heeft hij mijn vader vals beschuldigd van een aantal misdrijven die hij nooit gepleegd had, gewoon om hem te ruïneren. Het waren leugens en dat wist Beniste maar al te goed. Mijn vader heeft twintig jaar in die afschuwelijke gevangenis doorgebracht en vlak voordat hij zou worden vrijgelaten, is hij gestorven aan een hartaanval. Een gebroken hart. Beniste had hem net zo goed een mes in zijn borst kunnen steken.'

'Als we dat verhaal gaan natrekken, komen we er dan achter dat het waar is?'

'Ik spreek de waarheid,' zei Shaw nadrukkelijk terwijl hij de andere man recht in de ogen keek. 'Anders zou ik hier niet naar binnen zijn gelopen.'

'Dus u wilt wraak. Is dat alles?'

'Is dat niet voldoende? Ik geef u de benodigde papieren en uw mensen vermoorden Beniste.' Hij liet een korte stilte vallen. 'En dan is er nog iets,' zei hij toen heel langzaam.

'Wat?' zei Adolph op scherpe toon.

'Benistes vader. Hij heeft mijn vader vermoord, en nu wil ik zijn vader dood hebben.'

Adolph leunde achterover en dacht daar even over na. 'Ik heb begrepen dat Benistes vader ook wordt bewaakt.'

'Ik ben jaren bezig geweest om het allemaal goed voor te bereiden.' Hij keek naar de skinheads. 'Deze mannen hier zijn in staat om het te doen. Het enige wat je nodig hebt is een beetje moed en een vaste hand.'

'Hoe bent u aan die inlichtingen gekomen? Dat vind ik heel interessant.'

'Hoezo?'

'Omdat het gerucht gaat dat Beniste het niet beneden zijn waardigheid acht om zo nu en dan een valstrik te zetten. Daarom.'

Hij gebaarde naar zijn mannen, die Shaw vastgrepen, hem zijn jasje uittrokken en hem van zijn stoel trokken. Victor trok een mes en sneed Shaws overhemd open om te zien of hij ergens een draadje zag. Daarna trokken ze hem zijn broek uit en keken ook daar of ze geen afluisterapparatuur zagen. Na een visitatie die zo grondig was dat die zelfs een internist die regelmatig endoscopisch onderzoek deed nog het schaamrood op de kaken zou hebben gebracht, kreeg Shaw toestemming om zijn kleren weer aan te trekken.

'Het verbaast me dat jullie zo lang gewacht hebben om me te visiteren,' zei Shaw terwijl hij zijn overhemd weer dichtknoopte.

'Wat had het tot nu toe nou uitgemaakt als u een *poseur* was en een zendertje bij u had gehad? Dan was u nu al dood geweest. En voordat die idioten hier een inval hadden kunnen doen, zou ik allang verdwenen zijn.'

'Ze hadden het pakhuis kunnen omsingelen,' merkte Shaw op.

'Nee, nee, *monsieur*,' zei Adolph met een neerbuigende grijns. 'Zodra ze zich hier zelfs maar in de buurt wagen, krijg ik het onmiddellijk te horen. In de delen van Parijs waar de toeristen komen, hebben de gendarmes het voor het zeggen, maar hier niet, *monsieur*. Hier niet.'

Shaw ging weer zitten. 'Ik heb een goede relatie met Beniste. Hij vertrouwt me.'

'Hoe kan dat nou, na alles wat hij uw vader heeft aangedaan?'

'Hij weet niet dat het mijn vader was,' zei Shaw eenvoudigweg. 'Ik heb Frankrijk verlaten, mijn naam veranderd en voordat ik hier terugkwam, heb ik een nieuwe identiteit aangenomen. Ik ben degene die voor Beniste het vuile werk achter de schermen doet. Hij vertrouwt me als zijn eigen zoon. Elke dag weer laat ik de ironie daarvan tot me doordringen.'

'Haat vormt een rijke bron van inspiratie.'

'Hebben wij een deal?'

'*Vive la révolution, monsieur.*'

•40•

In haar kamer in het gebouw van de Phoenix Group zat Anna Fischer aandachtig te lezen aan haar met documenten bezaaide bureau. Ze had nu meer vragen dan antwoorden als het ging om het Rode Gevaar, en elke dag, soms zelfs elk uur, kwam er weer een nieuwe onthulling die de aarde op zijn grondvesten deed schudden. Het leken wel de naschokken van een tsunami.

Wat Anna er nog het meeste aan dwarszat, was dat er geen naam of gezicht achter zat. De persverklaringen van het RIC werden uitsluitend verspreid via internet. Niemand was de openbaarheid binnengestapt om te verklaren dat hij of zij van het RIC was. En na de moord op Petrov en de aanval op Afghanistan kon Anna ook wel begrijpen waarom. Gorshkov had heel duidelijk te kennen gegeven dat degenen die hiervoor verantwoordelijk waren hun gerechte straf niet zouden ontlopen, en er waren maar weinig landen ter wereld waar de mensen zo goed konden straffen als in Rusland.

Was dit hele gedoe op de een of andere manier anders gelopen dan de mensen die het in gang hadden gezet hadden bedoeld? Waren ze nu angstig op de vlucht geslagen? Wisten ze niet goed meer wat hun nu te doen stond? Op geen van die vragen wist Anna het antwoord. Ze wist alleen maar dat de hele operatie bijzonder goed was voorbereid. Maar was de opzet ervan nou boosaardig of niet? Als er goede bedoelingen achter zaten, zou ze dat kunnen begrijpen. Per slot van rekening had Rusland geen al te beste reputatie op het gebied van de mensenrechten en waren er veel mensen en organisaties die niets liever wilden dan de Russen hun plaats wijzen. De boosaardige opzet die hier eventueel achter zou kunnen zitten, was voor Anna moeilijker te begrijpen. Welk belang zou ermee gediend zijn om Rusland nog geïsoleerder en achterdochtiger te maken dan het al was? Het was net zoiets als de Noord-Koreanen een stel gratis kernwapens geven en erbij zeggen dat ze ermee konden doen wat ze maar wilden.

Ze wreef over haar slapen. Ze kon hier niet al haar werktijd aan besteden, maar toch was ze er zeker van dat overal ter wereld een heleboel mensen nu precies hetzelfde deden als zij. Het was nu bijna drie uur. Er was vandaag een verplichte bijeenkomst gepland voor alle medewerkers van de Phoenix Group, en ze keek er bepaald niet naar uit om de zoveelste saaie discussie te moeten bijwonen. Maar in ieder geval had ze nog een halfuur om zich met iets belangrijks bezig te houden. En vanavond ging ze iets doen wat nóg belangrijker was.

Ze ging een bruidsjurk kopen. Zij in een bruidsjurk? Anna glimlachte bij de gedachte en merkte een beetje verbaasd op dat haar huid begon te tintelen. Het enige wat nog leuker zou zijn, was Shaw in een rokkostuum. Ze twijfelde er niet aan dat dat hem heel goed zou staan.

Het leek tamelijk belachelijk om over trouwjurken en bruiloften te denken terwijl er een wereldcrisis aan de gang was, maar daar stond weer tegenover dat als de wereld nu ten onder zou gaan, Anna voor het zover was toch getrouwd wilde zijn met de man van wie ze hield.

Een paar minuten later was ze zo verdiept in haar werk dat ze niet hoorde wat zich op de begane grond afspeelde.

Op dat moment vlogen de deuren aan de voorkant en de achterkant van het gebouw open en kwamen er twaalf mannen in lange jassen naar binnen gerend. Van onder hun jassen haalden ze hun van geluiddempers voorziene pistolen tevoorschijn en openden het vuur.

Op het moment dat ze in volle vaart het gebouw in kwamen rennen, tilde de receptioniste in de foyer net de hoorn van de haak, maar ze hoorde geen kiestoon. Even later werd ze door een kogel in haar voorhoofd getroffen en was ze dood. Ze gleed van haar stoel en zakte in elkaar naast haar bureau. Het bloed uit de wond in haar hoofd stroomde over haar jurk. Een analist van middelbare leeftijd had jammer genoeg net dat moment uitgekozen om de foyer binnen te lopen en een minuut later lag hij dood naast de receptioniste. Een aantal van de gewapende mannen rende naar de kelder. Anderen gingen op de benedenverdieping de deuren langs, trapten ze een voor een open en schoten iedereen die zich in de kamers daarachter bevond onmiddellijk dood. Nog weer anderen renden naar de hogere verdiepingen. Er waren vandaag achtentwintig mensen in het pand. Geen van hen zou vanavond thuiskomen.

Toen het geschreeuw en gegil Anna's oren bereikte, dacht ze dat er iemand gewond was geraakt. Ze sprong op en rende haastig naar de deur. Toen ze een gedempt geluid hoorde, drong het niet onmiddellijk tot haar door wat het was. Toen ze het nog eens hoorde, drong de waarheid tot haar door.

Dat was een schot! Toen hoorde ze er nog een paar.

Ze sloeg de deur dicht en deed hem op slot, holde terug naar haar bureau en probeerde te bellen. Geen kiestoon. Ze griste haar tasje van de plank en haalde haar mobieltje tevoorschijn. Op de gang hoorde ze naderende voetstappen, gevolgd door nog meer knallen, nog meer geschreeuw en gegil, en nog meer doffe klappen, die waarschijnlijk veroorzaakt werden door lichamen die languit tegen de vloer sloegen. Ze probeerde rustig te blijven, maar haar handen trilden nu zo erg dat ze er nauwelijks in slaagde om dat verdomde mobieltje vast te houden.

Ze toetste het alarmnummer in en keek vol ongeloof toe hoe het telefoontje tevergeefs verbinding probeerde te krijgen. Ze had al zo vaak vanuit het gebouw met haar mobieltje gebeld. Wat was er aan de hand? Snel keek ze op het schermpje. Geen bereik. Ze probeerde het nog een paar keer, maar het wilde gewoon niet lukken. Uiteindelijk smeet ze haar telefoontje op het bureau en rende naar het raam. Ze bevond zich hier op de eerste verdieping, maar ze had geen keus. Op de trap hoorde ze dreunende voetstappen. Haar kamer was de laatste op de gang. Ze had waarschijnlijk nog geen minuut de tijd.

Ze probeerde uit alle macht het raam open te trekken. Het kozijn was niet lang geleden door een ploegje huisschilders opnieuw in de verf gezet, en plotseling drong het tot haar door dat die idioten het venster dichtgeschilderd hadden. Ze liet haar vingernagels diep in het hout dringen en trok zo hard ze maar kon, maar er was geen beweging in te krijgen. Op de gang kwam het geluid nu steeds dichterbij. Ze hoorde hoe een deur open werd getrapt en vrijwel onmiddellijk daarna een luide gil, gevolgd door een geluid dat nog het meest leek op een boek dat op de grond viel, toen het zoveelste slachtoffer tegen de vloer sloeg.

In haar doodsangst bracht dat haar op een idee. Ze griste een boek van haar bureau en gebruikte dat om het raam stuk te slaan en vervolgens alle scherven uit de sponning te tikken. Ze leunde uit het raam en schreeuwde.

'Help! Help ons! Bel de politie.'

Jammer genoeg was het een stille straat, met lege gebouwen aan weerszijden van het kantoor van de Phoenix Group, en niemand op het trottoir die haar kon horen. Er stond een grote bestelwagen langs de stoeprand. Ze riep nog eens, maar kennelijk zat er niemand in. Ze wilde er iets tegenaan gooien, maar toen zag ze een satellietschoteltje op het dak van de bestelwagen. Het ding was recht op hun gebouw gericht.

In haar paniek dacht ze ongelooflijk snel na, en nu drong het tot haar door wat er aan de hand was. Dáárom had haar mobieltje geen bereik. De verbinding werd geblokkeerd door het signaal dat deze bestelwagen uitzond, wat dat dan ook mocht zijn. Snel keek ze naar links en naar rechts de doodlopende straat door en zag dat er aan het ene uiteinde een rood-witgestreepte wegversperring was neergezet, zodat er geen verkeer de straat binnen kon rijden.

Ze trok haar pumps uit, stapte op de vensterbank en keek omlaag. Er hing een zonnescherm boven het raam op de begane grond. Als ik dat weet te raken, kan ik me zo de straat op laten rollen.

Ze had geen idee of er nog iemand in de bestelwagen was achtergebleven, maar als ze hier bleef, was ze er geweest. Ze zette zich schrap voor de sprong. De tranen rolden over haar gezicht toen ze hoorde hoe de deur van de kamer naast haar werd ingetrapt. Een schreeuw, een doffe klap en dat was het dan voor die arme Avery. Dood.

God, was Shaw hier maar.

Ze zei een schietgebedje, keek goed waar ze neer wilde komen en zette zich schrap voor de sprong. Zodra ze veilig het gebouw uit was, zou ze hollen zoals ze nog nooit had gehold om hulp te gaan halen. Hoewel ze betwijfelde of er nog iemand te redden viel. Iedereen was dood, behalve zij.

De twee kogels die door de deur heen werden geschoten, troffen haar recht in haar rug en schoten daarna door haar borst weer de frisse Londense middaglucht in. Als verstard zat ze daar, gehurkt op de vensterbank, schijnbaar zonder zich ervan bewust te zijn dat ze zojuist was neergeschoten. Het bloed gutste over de vloer en het raam. En over haarzelf. Toen ze haar gezichtsvermogen verloor, werd de blauwe hemel langzaam bruin en het smalle strookje gras aan de overkant van de straat vergeelde. Ze kon de vogels niet langer horen, en de auto's in de straat hiernaast al evenmin. Ze greep het hout van het raamkozijn zo stevig vast als ze maar kon, maar doordat het bloed zo snel haar lichaam uit stroomde, had ze binnen enkele seconden geen kracht meer.

Toen Anna Fischer viel, viel ze niet voorover het raam uit, maar achterover de kamer in. Daar lag ze nu wijdbeens naar het plafond van haar kamer te staren.

De deur werd ingetrapt. Twee mannen liepen naar binnen en bogen zich over haar heen. Een van hen trok zijn masker af en keek hoofdschuddend op haar neer.

'Daar hebben we verdomd veel geluk mee gehad,' zei hij. 'Ik probeerde alleen maar het slot kapot te schieten.'

De andere man trok ook zijn masker af. 'Hoe kan dat nou, verdomme?' zei Caesar. 'Twee schoten recht door haar borst en toch ademt ze nog steeds?'

'Geef het even tijd,' zei de andere man. 'Ze is er bijna geweest.'

'Ik heb geen tijd. Kijk eens naar het raam. Ze probeerde te ontsnappen.'

De andere man keek waar Caesar naar stond te kijken en zag de glasscherven liggen.

Terwijl Anna's borstkas zwoegend op en neer ging, mikte Caesar zorgvuldig en haalde toen de trekker over.

De kogel raakte haar recht in haar voorhoofd.

Toen ze haar laatste adem uitblies, leek het net alsof ze een naam zei.

'Shaw.'

Met de neus van zijn zware schoen gaf Caesar de vrouw een harde por tegen haar schouder, maar het was volkomen duidelijk dat ze nooit meer in staat zou zijn om voor de rechtbank te verklaren wat zich hier vandaag had afgespeeld.

De tweede man zei iets in een walkietalkie, luisterde even en knikte toen.

'Allemaal dood,' zei hij tegen Caesar.

'Allemaal dood,' herhaalde Caesar. 'En de hackers?'

'Bijna klaar.'

'Zeg maar dat ze twee minuten hebben, en stuur een paar mensen de straat op om te kijken of iemand die meid in de vensterbank heeft zien staan. Als dat het geval is, weten ze wat ze te doen staat. Het vliegtuig staat klaar. Als ze te laat zijn, dan zijn ze te laat. Aan de slag!'

De twee mannen maakten hun rugzak open en haalden er notitieboekjes, dikke stapels papier vol met tabellen, grafieken en tekst uit en drukten Anna's vingertoppen tegen een groot deel daarvan.

Daarna legden de mannen het materiaal op Anna's bureau. 'Verdomme,' zei Caesar. Hij keek naar de documenten die daar al op lagen.

'Wat?' vroeg de ander.

Caesar wees naar een van de documenten die Anna had uitgeprint, waaruit duidelijk bleek dat ze geïnteresseerd was in het Rode Gevaar.

'Die dame was duidelijk al nieuwsgierig,' zei Caesar. 'Dat komt dan goed uit.'

Caesar haalde een camera tevoorschijn en maakte foto's van het kantoor.

Ze kregen bericht dat alles veilig was en dat niemand Anna in het venster had zien staan, al was er bloed van haar terechtgekomen in een bloemperkje links van de ingang, waardoor de oranje daglelies inmiddels iets donkerder van kleur waren geworden.

Het duurde niet lang voordat een derde man zich bij hen voegde. Hij ging aan Anna's computer zitten en schoof er een dvd in. Daarna begon hij zo snel te typen dat zijn gehandschoende vingers wazig werden en het toetsenbord tekeerging als een trein die over een slecht stuk rails dendert.

Zestig seconden later haalde hij de dvd er weer uit. 'De download is klaar.' Hij stond op en rende de kamer uit.

Dertig seconden later was er in het gebouw van de Phoenix Group geen levende ziel meer te bekennen.

·41·

Toen president Beniste het Ritz Carlton-hotel in Parijs verliet, waar hij zojuist een toespraak had gehouden, werden er zes mensen opgepakt in verband met een voorgenomen moordaanslag op de Franse leider. Volgens de nieuwsberichten was dit een knap staaltje politiewerk, want de samenzweerders, die zich met uitstekend vervalste documenten toegang tot het hotel hadden weten te verschaffen, waren opgepakt nog voordat ze zelfs maar bij Beniste in de buurt hadden kunnen komen. In een verwante zaak werd een poging gedaan om Benistes bejaarde vader te ontvoeren, maar de criminelen werden opgepakt voordat ze het appartement van de oude Beniste binnen konden gaan. Twee van hen waren door de autoriteiten doodgeschoten.

De mannen schenen lid te zijn van een welbekende neonazistische groepering die actief was in de voorsteden van Parijs. Er werden nog meer arrestaties verwacht. Volgens de autoriteiten zou dit alles waarschijnlijk het einde betekenen van deze bijzonder gewelddadige organisatie. Terwijl Shaw op zijn hotelkamer naar dit verslag op de tv stond te luisteren en zijn koffer aan het pakken was, begon zijn telefoon te trillen.

'Gefeliciteerd,' zei Frank. 'Dat heb je weer heel mooi gedaan.'

'Wat weet je het toch leuk te zeggen.'

'Klaar voor nog wat meer werk?'

'Nee, ik ga hier weg.'

'Laat me eens raden, naar Londen?'

'Voor jou kan ik ook niets geheimhouden, hè?'

'Twee dagen. Dan heb ik je nodig.'

'Drie. En daar mag je heel blij mee zijn.'

Hij verbrak de verbinding, pakte zijn koffer en liep naar de deur. Nog voordat hij zijn hand naar de deurkruk had kunnen brengen, ging die echter al open.

Terwijl hij een paar stappen naar achteren deed, met zijn koffer nog in zijn armen, werd het pistool recht op Shaws borst gericht.

Victor vuurde een grote klodder speeksel af die hem recht in zijn gezicht raakte. Een andere man, met een klein rugzakje om, stapte achter Victor langs de kamer binnen, trok de deur achter zich dicht en deed die daarna op slot.

De telefoon in Shaws zak begon te trillen. Waarschijnlijk was het Frank die hem wilde waarschuwen, maar daar kwam hij dan te laat mee.

Adolph grijnsde hem toe.

'Nee, nee, *mon ami*, jij gaat Parijs nog niet verlaten. De voorstelling is nog niet afgelopen.'

Shaw deed nog een stap naar achteren, zodat hij met zijn rug tegen de muur kwam te staan. Terwijl Victors speeksel van zijn gezicht droop, schoten zijn ogen heen en weer tussen Adolph en het pistool.

Adolph haalde een kapzaag en een bijltje uit zijn rugzak terwijl Victor een geluiddemper op zijn pistool schroefde.

'Jullie zijn de enige twee die nog over zijn,' zei Shaw.

'Ik kan altijd meer manschappen krijgen,' zei Adolph. 'Voor iedere man die ik kwijtraak, heb ik zo vijf nieuwe.'

'De Fransen moeten echt iets aan hun hoge werkloosheidscijfers doen.'

Adolph tilde de bijl op. 'Ben jij een jood?'

'Hoezo?' zei Shaw met een blik op de bijl. 'Wil je me soms koosjer fileren?'

'Ik wil weten waarom je me in de val hebt gelokt. Dat wil ik weten voordat je sterft. Biecht het maar op. Het zal goed voor je zijn om je ziel te zuiveren. Biecht het maar op aan papa Adolph.'

'Weet je wat? Ik geef je een kans om weg te gaan. Eén kans maar. En daarna ligt alles open.'

Adolph keek hem en Victor eens aan en lachte. 'Wij hebben de wapens in handen, en jij hebt niets. Dat wil zeggen dat je uit je nek staat te kletsen.' Hij zwaaide met de zaag en glimlachte boosaardig. 'Als je uit je nek staat te kletsen, zullen we straks weleens kijken wat er allemaal nog meer uit die nek van jou komt.'

Shaw drukte op een knop naast het slot van zijn koffer. Een seconde later klonk overal om hen heen het oorverdovende geluid van een sirene.

Adolph en Victor keken snel naar het raam en dachten ongetwijfeld dat de politie in aantocht was.

Een ogenblik later dook Shaw op de twee neonazi's af, met zijn koffer recht voor zich. Victor mikte en schoot op de koffer, waarschijnlijk omdat hij verwachtte dat de kogel zonder enige moeite door de stof heen zou gaan en Shaw in zijn hoofd zou raken. Maar dat had hij mis.

De kogel raakte de koffer maar ketste af op het supersterke composietmateriaal van de bekleding en bleef steken in het plafond. De kracht van de inslag zorgde ervoor dat Shaw even wankelde op zijn benen, maar hij wist zijn vaart te behouden en toen hij tegen Victor aan liep, was de kracht van de botsing zo groot dat het pistool de neonazi uit de hand werd geslagen en zijn om de trekker gekromde wijsvinger meenam.

Victor schreeuwde het uit van de pijn en klemde zijn andere hand om de bloederige stomp. Hij hield echter abrupt op met schreeuwen toen Shaws koffer met een harde klap zijn hoofd raakte en hij languit over een bankje viel.

Voordat Shaw zich naar Adolph toe kon keren, had die al uitgehaald met de zaag. Het zaagblad sneed diep door Shaws arm en terwijl hij strompelend een paar stappen naar achteren deed, bracht de neonazi de bijl omhoog. Shaw slaagde er echter in om Adolphs benen onder hem vandaan te schoppen, zodat de man met een harde klap tegen de vloer sloeg en de bijl uit zijn hand schoot. Snel kroop Adolph er over de vloer achteraan, greep de bijl vast en gooide die naar Shaw. Gelukkig sloeg de bijl met de steel tegen Shaws dijbeen, en niet met het blad, maar het deed toch flink pijn.

Shaw voelde niet hoe het mobieltje in zijn zak opnieuw begon te trillen, want Adolph kwam nu op hem af gerend met de zaag en Victor was weer opgekrabbeld en zocht, duidelijk onvast ter been, naar zijn pistool. De helft van zijn gezicht was een bloederige smeerboel.

Shaw dook op Adolph af en stootte zijn schouder recht in de maag van de neonazi, zodat ze allebei op het bed vielen, eroverheen schoten en hard op de grond smakten, met Shaw bovenop. Adolph klauwde naar Shaws gezicht en probeerde zijn ogen te raken. Half blind, zwaar buiten adem en met een kloppend gevoel in zijn gewonde arm en been, slaagde hij er toch nog in om zijn arm tegen de luchtpijp van de neonazi te duwen. Maar toen hij kracht wilde zetten om een eind aan het gevecht te maken, merkte hij dat dat niet ging. Snel keek hij even naar zijn arm. Het bloed stroomde eruit.

Verdomme! Kennelijk had het zaagblad een slagader geraakt. Hij voelde zijn vingers gevoelloos worden. Hij duwde zich weg van Adolph en slaagde erin om overeind te krabbelen, maar helaas konden zijn benen zijn gewicht niet meer dragen. Toen hij zich omdraaide en naar een uitweg zocht, verstarde hij.

Victor hield het pistool recht op zijn hoofd gericht, met zijn middelvinger om de trekker. Het leek erop dat de boosaardige grijns van de skinhead het laatste worden wat Shaw ooit zou zien. Wat een rottige manier om de pijp uit te gaan. Toen vloog de deur met een klap open en Frank en zes van zijn mannen stormden de kamer binnen. Frank zag onmiddellijk wat er aan de hand was en loste twee schoten. Beide kogels raakten Victor in het hoofd, zodat de man onmiddellijk in elkaar zakte.

Schreeuwend sprong Adolph naar voren en klemde zijn handen om Shaws keel.

'Verdomme, pak hem!' brulde Frank en vier van zijn mannen holden naar Adolph toe om hem weg te trekken van de zwaargewonde man.

'Haal dat stuk vuil hier weg,' zei Frank en Adolph werd snel de kamer uit gewerkt.

Toen Frank zich weer omdraaide, zag Shaw krijtwit en een ogenblik later zakte hij elkaar.

'Shaw!' Frank rende de kamer door en liet zich naast hem op zijn knieën zakken.

'Roep de verplegers!' brulde hij.

Hij schoof zijn hand onder Shaws hoofd. 'Shaw? Hoor je me? Shaw!'

Shaws hoofd rolde heen en weer in Franks hand. Hij keek snel naar de diepe snijwond in Shaws arm, rukte zijn das los en bond die als een tourniquet om Shaws arm, vlak boven de wond.

'Volhouden, Shaw, volhouden. De verplegers komen eraan. Ze zijn er zo!'

'Hoe hebben die klootzakken hem gevonden?' brulde hij tegen zijn manschappen. 'Hij had een goede dekmantel moeten hebben!'

'Frank?' zei een zwakke stem.

Frank keek naar Shaw, die hem verzwakt aanstaarde. 'Shaw, je overleeft het wel. Ik hoor de verplegers al de trap op lopen.'

'Bel Anna,' zei Shaw. Zijn ademhaling was nu heel snel en oppervlakkig. 'Bel Anna voor me.'

De verplegers kwamen de kamer binnengerend en gingen om Shaw en Frank heen staan. Terwijl Frank zijn hand onder Shaws hoofd wilde wegtrekken, greep de gewonde man met de weinige kracht die hij nog over had zijn arm vast.

'Bel Anna, alsjeblieft.'

'Dat zal ik doen,' zei Frank snel. 'Nu meteen.'

Shaw raakte buiten bewustzijn en zijn arm viel slap langs zijn zij.

Een paar minuten later werd hij op een brancard de kamer uit gedragen.

Victor, de skinhead met de getatoeëerde draak op zijn lijf, verliet de kamer in een lijkzak.

Frank stond voor het raam en keek hoe de ambulance met hoge snelheid wegreed. De kamer zou gesteriliseerd worden, de plaatselijke politie zou te horen krijgen dat ze zich hier niet mee moest bemoeien, en dit zou nooit op het Franse nieuws verschijnen. In gedachten nam Frank de verschillende stappen door.

'Wie is Anna?' vroeg een van Franks mannen terwijl hij naar zijn chef toe liep.

Frank viste zijn Blackberry uit zijn jaszak en las het mailtje op het scherm voor de vierde keer door. 'Urgent: aanslag op de Phoenix Group in Londen. Geen overlevenden.' Dat was de reden waarom hij had geprobeerd Shaw te bereiken. Toen er niet werd opgenomen, was hij naar het hotel gegaan om Shaw in eigen persoon te vertellen wat er was gebeurd en daar had hij plotseling het alarmsignaal gehoord. Hij slaakte een diepe zucht terwijl hij zijn blik over de ravage in de hotelkamer liet gaan. 'Gewoon een vrouw waar hij veel om gaf.'

·42·

Katie James zat in haar kleine flatje aan de Upper Westside in New York en tuurde naar de fles gin die ze zorgvuldig op het aanrecht had gezet. Er stond een leeg glas naast. Ze liet vijf ijsklontjes in het glas vallen en schonk er toen twee vingers tonic bij. Daarna leunde ze achterover en keek aandachtig naar wat ze tot nu toe had gedaan. Ze roerde even met een lepeltje in de tonic, en hoorde de ijsblokjes verlokkend tegen het glas tinkelen. Ze tuurde naar de fles gin. Eén glaasje maar, dat was alles. Dat had ze toch wel verdiend?

Om te beginnen was ze bijna vermoord. Eenmaal terug in New York had ze te horen gekregen dat ze vanwege bezuinigingen haar baan bij de pagina met overlijdensberichten kwijt was. Ze hadden haar vervangen door een freelancer die tegen de tachtig liep.

'Veel geluk, Katie!' hadden ze hartelijk tegen haar gezegd, en daarna hadden ze haar door de beveiliging naar de uitgang laten brengen. Ze had weer naar binnen willen hollen, en die lui de twee Pulitzerprijzen die ze had gewonnen dwars door hun strot willen rammen.

In plaats daarvan was ze naar huis gegaan en zat ze nu naar de gin te staren. Ze zou het bij één glaasje laten. Ze wist dat ze daartoe in staat was. Ze kon gewoon voelen dat ze over de kracht beschikte om het bij één glas te laten. Ze draaide de fles open, snoof aan die heerlijke gin, liet een schijfje lime in het glas vallen, en roerde nog even terwijl ze moed verzamelde voor de laatste stap: het inschenken van de Bombay Sapphire. Het zou een toost worden op haar nieuwe loopbaan, al wist ze nog niet in welke branche.

Maar dat was niet het hele verhaal. Als ze nuchter was, zag ze Benham in haar dromen. Dat was het probleem. Benham was het Afghaanse jongetje dat was gestorven zodat zij haar tweede Pulitzerprijs kon winnen, en hij verscheen altijd in haar slaap. Dan leek hij nog springlevend en zijn krullende zwarte haar waaide op in de verstikkend hete woestijnwind. De glimlach op zijn gezicht zou zelfs het hardvochtigste hart nog laten smelten en de donkerste nacht nog laten oplichten. Maar de droom eindigde er altijd mee dat hij dood in haar armen lag. Dan was Benham altijd dood.

Pas als ze dronken was, zag ze hem niet meer; alleen als ze ladderzat was, bleef hij weg. En dat wilde zeggen dat hij de afgelopen zes maanden vrijwel elke nacht aan haar was verschenen. Nadat hij in haar dromen eerst drie of vier keer per nacht weer tot leven was gewekt, was hij vervolgens altijd weer gestorven, al honderden keren. Ze had er genoeg van. Ze wilde een borrel. Nee, ze wilde dronken worden. Ze wilde niet machteloos toezien hoe Benham leefde en dan plotseling dood was.

Ze had alleen een versleten oude sweater aan en nadat ze haar blote billen weer op de bank had laten zakken, tuurde ze naar buiten. Er was een bijeenkomst aan de gang in Central Park. Een protestdemonstratie tegen de Russische regering. Tienduizenden mensen liepen mee en zwaaiden met 'Denk aan Konstantin'-vlaggen. Katie kon niet weten dat die vlaggen heimelijk bij de organisatoren van de demonstratie waren bezorgd door een firma die daartoe opdracht had gekregen van een lege vennootschap die op geen enkele manier met Pender & Associates in verband kon worden gebracht. Voor demonstraties zoals deze waren in totaal twintig miljoen vlaggen gemaakt en over de hele wereld verspreid.

Katie had besloten de protestbijeenkomst niet bij te wonen. Ze had wel andere dingen aan haar hoofd.

Ze wendde haar ogen af van het raam, en toevallig zag ze door het blauwe glas van de ginfles het tv-scherm daarachter.

Breaking news. Er was altijd breaking news. Het zoveelste grote verhaal. In het recente verleden zou ze nu al in een vliegtuig hebben gezeten om zich met achthonderd kilometer per uur recht in het centrum van de orkaan te storten. En ze zou ervan genóten hebben. Ze zou genoten hebben van elke seconde, totdat het voorbij was en het volgende grote verhaal eraan kwam. En daarna weer een nieuw groot verhaal, in een krankzinnige, adrenaline verstokende race zonder finish.

Londen weer. Nou, er was wel vaker breaking news in Londen. Al was er geen rottigheid geweest tijdens Katies verblijf. Ze had ook altijd pech. Ze haalde eens diep adem en keek zonder veel belangstelling naar het met oranje tape afgezette gebouw. Het kwam haar bekend voor. Ze ging met een ruk rechtop zitten en was de gin ineens volkomen vergeten.

Wat zei die vrouw nou? Westminster? Welke groep? Katie sprong op, rende de zitkamer binnen en zette het geluid wat harder.

De verslaggever stond in de regen terwijl politie en mensen in witte uniformen druk af en aan liepen. Een nieuwsgierige menigte werd met draagbare afzettingen in bedwang gehouden. Overal op straat stonden cameraploegen die met hun satellietmasten het verhaal langs elektronische weg over de wereld verspreidden.

'De Phoenix Group was wel de laatste plek waar men zoiets als dit zou verwachten,' zei de verslaggever. 'De organisatie is gevestigd in een stille Londense straat en staat bekend als een onderzoeksinstituut dat zich bezighoudt met beleidsonderzoek ten aanzien van talloze maatschappelijke problemen. Vrijwel alle mensen die hier werkten, waren onderzoekers van wie niemand ooit ver-

157

wacht had dat ze het slachtoffer zouden worden van een uiterst gewelddadige moordpartij. Er wordt geen officiële slachtofferlijst vrijgegeven voordat alle familieleden op de hoogte zijn gebracht, maar al zijn er nog maar weinig details bekendgemaakt, toch ziet het ernaar uit dat de massaslachting…'

Massaslachting? Had dat mens nou massaslachting gezegd? Terwijl haar hart plotseling als een razende tekeerging, liet Katie zich op het kleed ploffen. Haar armen en benen leken plotseling volkomen gevoelloos.

De journaliste ging verder. 'Tot nu toe hebben de autoriteiten alleen maar losgelaten dat er bijna dertig slachtoffers in het gebouw zijn aangetroffen. Over eventuele overlevenden is niets bekend.'

Over eventuele overlevenden is niets bekend? Katie keek op haar horloge en terwijl haar verslaggeversmentaliteit het overnam, rekende ze ondanks haar opkomende paniek vlug het tijdverschil uit. In Londen was het nu avond. Een paar uur om de lijken te laten vinden, de politie te laten bellen en de cameraploegen ter plekke te laten komen. Dus het zou waarschijnlijk die middag tussen drie en vier gebeurd zijn. Toen nam de paniek het weer over.

Geen overlevenden.

Ze sprong op, rende naar de telefoon, belde het nummer op het visitekaartje dat ze van Anna had gekregen en werd onmiddellijk verbonden met de voicemail. Katie snikte toen Anna's nauwgezette stem aan de lijn kwam en haar vroeg om alsjeblieft een bericht in te spreken. Zonder iets te zeggen verbrak ze de verbinding.

Het volgende wat haar inviel, trof haar als een bliksemschicht. 'Shaw!' riep ze uit.

Ze belde het nummer dat hij haar had gegeven. Het toestel ging vier keer over en ze dacht net dat ze hier ook de voicemail zou krijgen toen er iemand opnam.

'*Allo?*' zei een vrouw in het Frans.

Verward zei Katie: 'Eh, is Shaw daar?'

De vrouw aan het andere eind van de lijn zei opnieuw iets in het Frans.

Katie dacht snel na en deed verwoed haar best om zich het weinige Frans weer voor de geest te halen dat ze op de middelbare school had geleerd en overzee had opgedaan. Ze vroeg de vrouw of ze Engels sprak. 'Een beetje,' luidde het antwoord. Katie vroeg waar Shaw was.

Die naam kende de vrouw niet.

'U hebt zijn telefoon.'

De vrouw klonk nu wat verward, maar vroeg of ze familie was.

Dat klonk niet best, dacht Katie. Eén surrealistisch ogenblik vroeg ze zich af of Shaw soms bij Anna op bezoek zou zijn geweest in het gebouw van de Phoenix Group, en ook was vermoord. Maar de moordpartij had plaatsgevonden in Londen, dus waarom zou de telefoon dan worden opgenomen door een Française? 'Ja,' zei ze tegen de vrouw. 'Ik ben familie. Zijn zus. En wie bent u?'

De vrouw zei dat ze verpleegkundige was en Marguerite heette.

'Verpleegkundige? Dat snap ik niet.'

'Deze man, deze Shaw, ligt in het ziekenhuis,' zei Marguerite.

'Wat is er met hem aan de hand?'

'Hij is gewond geraakt. Hij ligt nu op de operatietafel.'

'Waar?'

'In Parijs.'

'Welk ziekenhuis?'

De vrouw vertelde het haar.

'Komt hij er weer bovenop?'

Dat wist ze niet, zei Marguerite.

Katie rende naar haar slaapkamer om haar tas te pakken. Met behulp van haar miljoenen airmiles boekte ze een ticket voor het Air France-toestel dat vanavond nog vertrok van JFK.

Tijdens de vlucht probeerde ze een beetje te slapen, maar het wilde niet lukken. Terwijl de passagiers om haar heen zaten te dutten, tuurde Katie als gehypnotiseerd naar de nieuwszender op haar persoonlijke monitor. Er was nog meer informatie over de Phoenix Group-moorden, zoals deze massaslachting in de media inmiddels was gaan heten, maar niets wat werkelijk licht op de zaak wierp. Voordat ze aan boord ging, had Katie nogmaals geprobeerd om Anna te bereiken, maar ze kreeg nog steeds alleen de voicemail.

Terwijl het straalvliegtuig over de oceaan schoot, vroeg Katie zich af waarom ze dit eigenlijk deed. Ze kende Anna en Shaw nauwelijks en zoals Shaw maar al te duidelijk, en volkomen terecht, had laten blijken, had zij het recht niet om zich in hun leven te mengen.

Dus waarom doe je dit dan, Katie? Waarom?

Misschien was het antwoord wel eenvoudig: gewoon omdat ze op dit moment helemaal niets anders had om zich mee bezig te houden. En hoewel ze Anna en Shaw niet goed kende, zorgde de uiterst dramatische wijze waarop ze hen had leren kennen er wel voor dat deze twee mensen heel wat meer leken dan doodgewone kennissen. Ze gaf om hen. Ze wilde dat ze gelukkig zouden zijn. En nu? En nu voelde ze zich zoals ze zich gevoeld zou hebben als er een heel goede vriend van haar was overleden.

Ze landde om zeven uur 's ochtends, ging door de douane en nam een taxi naar het niet ver buiten het centrum van Parijs gelegen ziekenhuis.

Ze rekende af met de taxichauffeur en holde door de hoofdingang naar binnen. Met behulp van haar gebroken Frans wist ze al snel iemand te vinden die Engels sprak en aan wie ze kon vragen op welke kamer Shaw lag. Vervolgens kreeg ze te horen dat er geen patiënt onder die naam geregistreerd stond.

Verdomme! Ze kon zichzelf wel voor haar hoofd slaan omdat ze was vergeten de verpleegkundige die ze aan de lijn had gehad te vragen onder welke naam Shaw was opgenomen.

'Hij was zwaargewond. Hij is gisteren geopereerd. Een lange man, een meter vijfennegentig of zo, donker haar, heel blauwe ogen.'

De vrouw keek haar met een uitdrukkingsloos gezicht aan. 'Dit is een groot ziekenhuis, mevrouw.'

'Ik heb een verpleegkundige over hem gesproken. Marguerite heette ze.'

'Ah, Marguerite, *bon*. Daar hebben we iets aan,' zei de vrouw. Ze belde even, zei iets in rad Frans en knikte toen naar Katie. 'Monsieur Ramsey ligt in kamer 805.'

Terwijl Katie haar kleine, van wieltjes voorziene reistas ratelend achter zich aan zeulde en op een holletje naar de liften liep, stond de vrouw haar met een ongeruste blik na te kijken en zei toen opnieuw iets in de hoorn.

Een uur nadat Anna Fischer was vermoord, liet de Blackberry van Nicolas Creel een luid gezoem horen. Hij draaide zich om in zijn bed, pakte het ding op, drukte op een toets en er verschenen vijf woorden op het schermpje: *All's well that ends well*. Dat was een bericht van Caesar. Wie had ooit gedacht dat zo'n man in staat zou zijn om Shakespeare te citeren? Creel keek op zijn horloge. In Londen was het nu middag, dus ze zaten precies op schema. Hij draaide zich nog eens om en viel weer in slaap.

Later die avond streek Creel zijn smokingjasje glad, trok zijn manchetten recht en stond op, terwijl overal om hem heen een donderend applaus klonk. Hij schreed met lange passen naar het spreekgestoelte en schudde de hand van de gouverneur die hem zojuist had voorgesteld aan een zaal vol mensen die vijfduizend dollar per persoon hadden neergeteld voor het privilege om erbij te zijn als Nicolas Creel tot man van het jaar werd uitgeroepen vanwege zijn liefdadige activiteiten. De meest recente daarvan was een donatie van tachtig miljoen dollar aan een belangrijk ziekenhuis ten behoeve van een van de allermodernste snufjes voorziene kliniek voor kinderen met kanker. De kliniek was niet naar hem vernoemd. Er waren al genoeg gebouwen die zijn naam droegen. In plaats daarvan droeg de kliniek de naam van zijn overleden moeder.

De gouverneur van Californië had hem in zijn inleidende opmerkingen enorm veel lof toegezwaaid, en Creel, die miljardair was geworden met de verkoop van wapens, omschreven als een man die over honderden jaren nog herinnerd zou worden vanwege zijn grenzeloze visie en onbeperkte mededogen met anderen. Als Creels moeder nog geleefd zou hebben, had ze bij die gloedvolle omschrijving ongetwijfeld vele tranen vergoten, maar haar zoon hoorde het allemaal met droge ogen aan. Huilen was gewoon niet zijn manier van doen. Zoals met alles in zijn leven het geval was, had hij ook voor deze schenking verschillende redenen. Hij had er geen enkele moeite mee om zieke kinderen te helpen. Zijn oudste zoon was bijna gestorven aan leukemie en dat had zijn belangstelling voor kankeronderzoek gewekt. Hij mocht dan veel hebzuchtiger en ambitieuzer zijn dan de meeste mensen, maar hij had ook veel meer succes gehad. Hij was werkelijk vrijgevig van aard en wat nog beter was: hij bulkte van het geld.

De afgelopen decennia had Creel miljarden geschonken aan liefdadigheid, veel meer dan de meeste andere superrijken bij elkaar. Het weggeven van die bezittingen gaf hem een goed gevoel, het gaf anderen een goed gevoel, er viel iets goeds mee te bereiken en bovendien was het een prachtige manier om de nagedachtenis van zijn overleden moeder te eren en haar de onsterfelijkheid te schenken die ze dubbel en dwars verdiend had. Daar kwam dan nog bij dat je met het verrichten van goede werken ook hooggeplaatste vrienden maakte, op wie je een beroep kon doen als je ze nodig had. Hij had het gevoel dat hij bij de gouverneur van Californië, en vele andere inwoners van die Amerikaanse staat, voor de rest van zijn leven heel geliefd zou zijn, en voor zoiets was tachtig miljoen dollar niet duur. Je hoefde bepaald geen genie te zijn om te begrijpen dat dit een klassieke win-winsituatie was.

Hij trok de tekst van zijn van tevoren uitgeschreven speech uit zijn binnenzak en terwijl hij zijn blik over de bewonderende menigte liet gaan, vroeg hij zich plotseling af of zich hier ergens in de zaal misschien een nieuwe Miss Hottie bevond. Hij had zijn vrouw niet zomaar thuisgelaten. Hij was aan een nieuwe echtgenote toe. Het was duidelijk dat ze hem niet inspirerend vond en op het enige wat haar voor hem interessant maakte, was hij al een hele tijd uitgekeken. Hij dacht dat hij de volgende keer maar iemand moest kiezen die ook wat geestelijke bagage had, al moest ze natuurlijk wel uitzonderlijk mooi zijn. Hij was een man die zich graag omringde met schoonheid.

Hij opende zijn toespraak met een verwijzing naar de Phoenix Group-moorden, en vroeg zijn publiek om een minuut stilte ter nagedachtenis aan de slachtoffers. Dat vond hij wel goed gevonden van zichzelf. Hij boog het hoofd, en terwijl hij aan de doden en hun naaste verwanten dacht, voelde hij zijn ogen vochtig worden. Het was echt afschuwelijk. Hij vond het echt enorm spijtig dat hij het had moeten doen. Was er maar een andere manier geweest om zijn doel te bereiken... Wat een tragedie! De wereld was tegenwoordig zo verdomde ingewikkeld geworden dat het onderscheid tussen goed en kwaad vrijwel niet meer te zien viel.

Toen hij weer opkeek, zag hij een zee van glimmende ogen die op hem gericht waren. Het was een magisch moment, echt. In die paar kostelijke ogenblikken was er tussen zijn publiek en hem een band ontstaan. Ze zaten in hetzelfde schuitje. Door deze afschuwelijke gebeurtenis was iedereen ter wereld iets meer met zijn medemensen verbonden geraakt, net zoals dat ook het geval was bij andere rampzalige gebeurtenissen. Tegenslag en rampspoed kunnen verbazingwekkende gevolgen hebben. Het was geen toeval dat de grootste Amerikaanse presidenten zonder uitzondering hun ambtsperiode hadden vervuld in oorlogstijd. Zo ging dat met gewapende conflicten. Of je steeg tot grote hoogten, of je stortte brandend neer. Er was geen tussenweg, geen plek om je schuil te houden. Het was het meest feilloze scorebord in de hele geschiedenis. Alleen na een groot verlies, zo geloofde Creel, slaagden de mensen er werkelijk in om het leven ten volle te leven.

Toen hij een minuut of tien later zijn toespraak afrondde en terugliep naar zijn stoel, waarbij hij op nederige wijze niet al te veel aandacht besteedde aan de langdurige staande ovatie die hem werd gebracht, dacht hij even na over het bericht dat Caesar hem had gestuurd.

Het was inderdaad een opmerkelijke avond geweest, zelfs voor hem!

Caesar en Pender dachten ongetwijfeld dat het hem alleen om het geld ging, en dat hij de Ares Corporation er weer bovenop wilde helpen. Dat was zeker een van zijn drijfveren, maar niet meer dan één, en niet eens de allerbelangrijkste. Alleen hij, Nicolas Creel, besefte waarom hij dit werkelijk deed. En als de mensen hier zijn werkelijke beweegredenen hadden gekend, zouden velen van hen nog steeds voor hem geapplaudisseerd hebben, daar was hij zeker van. Soms heiligde het doel werkelijk de middelen. In dat oude cliché, dat in de loop der jaren zo vaak was misbruikt en in diskrediet was gebracht, ging werkelijk een parel van wijsheid schuil waarvan andere mensen zich volgens Creel nu eindelijk ook bewust begonnen te worden.

Het doel heiligde de middelen, maar alleen als die doelen werkelijk van kritiek belang waren. En dat waren er maar weinig. Al het doen en laten van de mensheid werd vroeg of laat op zijn merites beoordeeld. Iemand van negentig die een dure medische behandeling kreeg terwijl hij toch niet lang meer te leven had; bepaalde olievelden die niet in exploitatie werden genomen om ervoor te zorgen dat de een of andere vogelsoort zich beter zou kunnen handhaven; duizenden miljarden dollars die werden uitgegeven en honderdduizenden levens die werden opgeofferd om een bruggenhoofd van de democratie te vestigen in een aantal islamitische landen, in de hoop dat de vrijheid zich van daaruit vanzelf zou verbreiden... dergelijke beslissingen werden elke dag weer genomen, en wat je ook besloot, er vielen altijd doden en gewonden bij en er waren altijd mensen die eronder leden, maar er moesten nou eenmaal besluiten worden genomen. Dat was precies wat Creel had gedaan. Hij had niet alleen een besluit genomen, maar hij had het ook ten uitvoer gebracht, en hij had daar veel langer over nagedacht dan de meeste regeringen tegenwoordig deden. Wat nog het belangrijkste was: Creel had er wél over nagedacht wat hij moest doen om zich uit de nesten te werken als zijn plan niet zou slagen. Hij beschikte over een exitstrategie.

Tijdens de receptie na de prijsuitreiking kwam hij verschillende vrouwen tegen die misschien wel geschikt waren als toekomstige vriendin. Maar niet als echtgenote, daar begon hij niet meer aan. Op bijeenkomsten als deze zwermden er altijd grote aantallen vrouwen om hem heen, zelfs vrouwen met een goed verstand en uitstekende diploma's. Hij was zo rijk, en zijn netwerk zo goed, dat ze gewoon niet om hem heen konden.

Een tijdje later, toen de lange, elegante vrouw die hij had uitgenodigd voor een drankje bij hem in zijn limousine stapte, had Creel het gevoel dat niets in zijn leven ooit nog mis zou kunnen gaan. Het was een moment dat hem een enorm gevoel van macht en kracht gaf. Zelfs een man als hij maakte zoiets niet vaak mee en hij was van plan om er zo lang van te genieten als hij maar kon. Want Creel besefte maar al te goed dat alles morgen weer heel anders kon liggen.

Een intelligente man wist dat de overwinning hem altijd kon ontgaan. Een nog intelligentere man wist ook dat een verlies nooit verpletterend hoefde te zijn, als je wist hoe je er een mooie draai aan kon geven. En de allerslimste mannen wisten zelfs nog te winnen als ze verloren hadden.

Nicolas Creel had zichzelf altijd als zo'n soort man beschouwd.

·44·

Toen Katie op de zevende verdieping de lift uitstapte, viel er onmiddellijk een grote hand op haar schouder. Haar eerste impuls was om die van zich af te schudden, maar toen ze in de ogen keek van de man met de brede schouders en de ernstige uitdrukking op zijn gezicht, deed ze dat toch maar niet.

'Komt u mee,' zei de man met een afgemeten Brits accent.

'Hoezo?'

De hand klemde zich nog steviger om haar schouder. Tegelijkertijd kwam er een andere man in een pak bij hen staan. Deze man was zelfs nog langer dan de eerste en zag er nog sterker uit. Hij hield haar een identiteitsbewijs voor, maar zo snel dat ze niet kon zien wat erop stond.

'We willen u een paar vragen stellen,' zei de tweede man.

'Mooi, want ik heb ook een paar vragen voor u.'

Tussen de twee mannen in liep ze de gang door. Er ging een deur open en Katie werd een kamertje in geduwd en kreeg te horen dat ze moest gaan zitten. Ze bleef staan, met haar armen over elkaar geslagen en een uitdagende blik in haar ogen. Een van de mannen zuchtte.

'We zijn zo terug.'

Een minuut later kwamen ze terug met een andere man. Hij was al wat ouder, kaal, en ging gekleed in een gekreukt pak dat nodig eens naar de stomerij moest. Hij ging zitten en gebaarde Katie dat ze dat ook moest doen. 'Iets drinken?'

'Nee,' zei ze en ze ging tegenover hem zitten. 'Ik wil Shaw zien.'

Frank leunde achterover en nam haar aandachtig op. 'Mag ik vragen waarvan u hem kent?'

'Nee, dat mag u niet.'

Hij knikte en een van zijn mannen rukte Katie haar tasje uit handen. Ze wilde niet loslaten, maar de andere man sloeg zijn armen om haar heen zodat ze niet kon tegenstribbelen. Haar portefeuille en paspoort werden uit het tasje gevist en aan Frank gegeven.

Hij keek ze even door. 'Katie James. Dat komt me bekend voor. U bent journaliste, hè? Bent u bezig met een artikel over Shaw?'

'Nee, hij is een vriend van me.'

'Wat raar. Ik ken al zijn vrienden en vriendinnen, en daar zit u niet bij.'

'Ik ken hem nog maar kort. En mag ik uw identiteitsbewijs zien? Ik wil er zeker van zijn dat ik straks in het artikel dat ik hierover ga schrijven de feiten goed weergeef.'

'Hoe kort kent u hem?' vroeg Frank rustig.

Ze aarzelde. 'Sinds Edinburgh.'

'Daar heeft hij niets over gezegd.' Frank keek nu aandachtiger in haar paspoort. 'Dus u bent helemaal vanuit New York hierheen gekomen om een vriend op te zoeken die u nog maar heel kort kent? Waarom?'

'Wie bent u, verdomme?'

'Waarom bent u hier?' zei Frank nogmaals.

'Leeft hij nog?'

'Hij leeft nog, maar veel heeft het niet gescheeld. En geeft u nu antwoord op mijn vraag.'

'Ik heb hem gisteren gebeld. Er werd opgenomen door een vrouw. Ze zei dat hij in het ziekenhuis lag, en dat hij op dat moment werd geopereerd. Dus ben ik hiernaartoe gekomen.'

'Juist. En waarom hebt u hem gebeld?'

Katie keek zenuwachtig om zich heen. De twee andere mannen keken haar aan met gezichten waarop geen enkele uitdrukking te lezen stond. 'Omdat ik over de Phoenix Group heb gehoord.'

Dat leek Frank helemaal niet te bevallen. 'Wat is daarmee?'

'O, hou toch op!' zei Katie woedend. 'U hebt heus wel gehoord van die moord-partij in Londen.'

'En wat heeft Shaw daarmee te maken?'

'Anna Fischer. En aan uw gezicht is duidelijk te zien dat u daar alles van weet, dus probeert u me nou niets wijs te maken, want dat lukt u toch niet.'

'Waarvan kent u mevrouw Fischer?'

'Is ze dood?'

'Waarvan kent u haar, mevrouw James?'

Katie vroeg zich af of ze nu de hele waarheid zou vertellen of niet. Ze besloot een leugen te vertellen die wel aannemelijk zou klinken. 'Ik was bezig met een artikel over de Phoenix Group. Daar ken ik Anna van. En via haar heb ik Shaw ontmoet. We zijn bevriend geraakt.'

'U zei dat u Shaw in Edinburgh hebt ontmoet. Hoe wist u dat hij daar zou zijn?'

'Dat heb ik van Anna gehoord.'

'Nee, dat hebt u niet van Anna gehoord. Ik laat me ook niets wijsmaken. En nu vertelt u me de hele waarheid óf u kunt een tijdje tot rust komen terwijl u in voorarrest zit in een Franse politiecel. Het kan wel een paar jaar duren voordat uw zaak voorkomt, want de Franse rechtbanken zijn berucht om hun trage werktempo. De Fransen staan trouwens niet bekend om de hygiënische omstandigheden in hun gevangenissen.'

'Dat weet ik. Ik heb vijf jaar geleden een artikel geschreven over de beerputten die ze hier gevangenissen noemen, en daar heb ik een belangrijke journalistieke prijs mee gewonnen. Mag ik trouwens vragen waarvan ik beschuldigd word? Want zelfs in Frankrijk moet je toch ergens van beschuldigd worden voordat je gevangen wordt gezet.'

'Wat dacht u van domheid en gebrek aan medewerking?'

'Wat dacht u ervan om me naar de Amerikaanse ambassade te brengen? Ik ken het adres uit mijn hoofd.'

'We lijken in een impasse te zijn beland.' Hij trommelde met zijn vingers op het tafelblad. 'Als ik u toestemming geef om Shaw even te zien, wilt u me dan de waarheid vertellen?'

Katie leunde achterover en zag er ineens een stuk minder uitdagend en zelfverzekerd uit. Deze keer koos ze voor de waarheid. 'Goed. Ik was een paar dagen met vakantie in Edinburgh. Ik zag Shaw samen met een andere man in de kapel van de vesting zitten en iets aan hun manier van doen wekte mijn argwaan.'

Katie vertelde wat er was voorgevallen bij Gilmerton's Cove, dat Shaw haar leven had gered en dat ze daarna zijn kamer had doorzocht, dat ze de aanwijzing die ze daar had gevonden, had nagetrokken en zo in contact met Anna was gekomen.

'Het verbaast me dat hij mij daar niets over heeft verteld.'

'Het had niet veel gescheeld of hij had die nacht niet overleefd. En hij is er pas kortgeleden achter gekomen dat ik Anna had opgespoord. Daar was hij niet blij mee. Hij werd er zelfs heel boos om.'

'Dat kan ik me goed voorstellen.'

'Nu weet u alles.' Katie aarzelde, en merkte dat ze tegen beter weten in toch hoop koesterde. 'Is Anna ook vermoord?'

'Ja. Net als alle andere mensen in het gebouw.'

Katie tuurde naar haar handen. 'Waarom? Het was gewoon een onderzoeksinstituut. Anna zei dat niemand ooit ook maar enige aandacht aan hun werk besteedde.'

'Kennelijk heeft iemand er toch enige aandacht aan besteed.'

'Heeft hij al gehoord dat Anna dood is?' Ze keek snel naar hem op.

'Nee,' zei Frank zacht en hij keek haar niet aan.

'Komt hij er weer bovenop?'

'Hij heeft een heleboel bloed verloren, maar de artsen zeggen dat hij de operatie goed doorstaan heeft, en dat hij buiten levensgevaar is. Hij is enorm sterk.'

Katie blies haar ingehouden adem uit. 'Godzijdank.'

'Maar als hij te horen krijgt dat Anna...?'

'Iemand moet het toch vertellen.'

'Ik weet niet zeker of het verstandig is het hem nu al te zeggen,' zei Frank openhartig.

'Maar als hij erachter komt via de tv, de krant, of de telefoon?'

Frank schudde zijn hoofd. 'Dat hebben we allemaal onder controle.'

'Zal hij zich niet afvragen waarom zij hem niet komt opzoeken?'

'Dan zeg ik wel dat ik haar daar geen toestemming voor heb gegeven.'

'Maar dan zal hij haar toch willen spreken, in ieder geval over de telefoon.' Ze aarzelde even. 'U hebt me uw naam nog niet gezegd.'

Hij aarzelde. 'Frank.'

'Is dat uw voornaam of uw achternaam?'

'Gewoon Frank.'

'Oké, Gewoon Frank. Ze zijn verloofd. Hij zal heus niet accepteren dat hij haar niet mag zien of spreken.'

'Ik heb ook niet gezegd dat het een volmaakt plan was!' barstte Frank plotseling uit. 'Toen hij dacht dat hij elk ogenblik dood kon gaan, heeft hij me gevraagd haar te bellen. En ik heb hem gezegd dat ik dat zou doen, al wist ik toen al dat ze dood was.' Hij sprong op en terwijl hij met een strak gezicht naar zijn schoenen tuurde, begon hij met zijn handen diep in zijn zakken door het kamertje te ijsberen.

'Kan ik hem bezoeken? U zei daarnet dat ik hem mocht bezoeken als ik de waarheid zou zeggen.'

Frank hield op met ijsberen. Zonder Katie aan te kijken knikte hij kort naar zijn mensen.

Toen ze met haar de kamer uit liepen, riep Frank haar na: 'Vertel het hem maar.'

Ze draaide zich om. 'Wat?'

'U had gelijk. Vertelt u het hem maar, van Anna.'

Katie keek hem verbijsterd aan. 'Ik? Ik... Dat kan ik niet. Ik...'

'U zei dat hij uw leven heeft gered. Dat u zijn vriendin bent. Gedraagt u zich daar dan ook naar.'

Katie, die nu duidelijk doodsbenauwd was, wilde nog iets zeggen, maar Frank sloeg de deur in haar gezicht dicht. Een ogenblik later liep ze naar Shaws kamer. Ze voelde zich alsof ze de laatste paar eenzame stappen aflegde naar het schavot waarop ze zelf ter dood zou worden gebracht.

·45·

Met behulp van een nachtvlucht aan boord van zijn privéjumbojet, had Nicolas Creel Los Angeles verwisseld voor Italië, en vandaag speelde hij gezagvoerder aan boord van zijn reusachtige jacht, de *Shiloh*. Dit gigantische plezierjacht was meer dan honderdvijftig meter lang, had een grootste breedte van eenentwintig meter en beschikte over negen dekken vol met overdaad. Het jacht had een eigen overdekt zwembad, een bioscoop, een disco, een gymlokaal, een wijnkelder, een basketbalzaal, elk stuk waterspeelgoed dat een mens zich maar kon voorstellen, twee helikopterplatforms, verschillende bubbelbaden en een eigen onderzeeboot die plaats bood aan dertig passagiers. De onderzeeboot verliet het schip via een luik in de bodem van de romp, zodat Creel kon komen en gaan zonder dat dat van buitenaf te zien viel. De *Shiloh* had een bemanning van dertig buitengewoon goed getrainde professionals, die als enige doel hadden het de passagiers zo aangenaam mogelijk te maken. Alleen al Creels eigen suite had een oppervlakte van meer dan vierhonderd vierkante meter. De *Shiloh* was ook een bijzonder veilig schip dat beschikte over de modernste beveiligingsapparatuur, zoals bewegingssensoren en zelfs een speciaal systeem om naderende raketten te detecteren. En zolang hij hier in Italiaanse wateren lag, zorgde de Italiaanse regering, die zich zeer bewust was van zijn prestige en de liefdadige werken die hij in dat land had laten verrichten, ervoor dat er permanent een paar Italiaanse politieboten in de buurt waren om hem te bewaken.

Ondanks de gigantische afmetingen van het jacht, dat een stuk groter was dan veel marineschepen, had de *Shiloh* toch een topsnelheid van wel vijfentwintig knopen, waardoor het een naderende storm zonder moeite voor kon blijven.

Al met al vond Creel het voor driehonderd miljoen dollar een koopje. Van al zijn residenties overal ter wereld, was hij het meest gesteld op de *Shiloh*. Als jongeman had hij een geheime hartstocht voor de zee gekoesterd en een nooit in vervulling gegaan verlangen om bij de koopvaardij te gaan en als eenvoudig zeeman de wereld te zien.

In overeenstemming met zijn nautische omgeving ging hij vandaag gekleed in een donkerblauw, dubbelbreasted jasje en een crèmekleurige pantalon, en droeg hij een wit petje op zijn hoofd. Hij keek toe terwijl de helikopter die naar het schip kwam vliegen, met een snelheid van meer dan honderd knopen over het stille water scheerde. Het toestel minderde vaart, bleef boven het jacht hangen en kwam toen traag neer op het helikopterplatform. Nog voordat de rotoren tot stilstand waren gekomen, stapte Dick Pender al het toestel uit. Hij

169

droeg een hoed met brede rand en een lange regenjas en had bovendien een donkere zonnebril op. In de harde luchtstroom van de rotoren sloeg zijn smalle koffertje telkens tegen zijn been.

Creel stond de man op te wachten op het achterdek en liep samen met hem de gepolitoerde teakhouten trap af naar een van een notenhouten lambrisering voorziene hut midscheeps. Aan de andere kant van de grote patrijspoorten zagen ze de donkere en onheilspellend blauwe vlakte van de Middellandse Zee, met daarachter de Italiaanse kustlijn.

'Hebt u uw vrouw niet meegenomen?' vroeg Pender terwijl hij zijn hoed af zette, zijn jas uittrok en die allebei op een stoel legde.

'Nee. De bemanning geniet net een beetje te veel van haar gewoonte om naakt te zonnebaden. Ze zit nu in het een of ander Zwitsers kuuroord, maar het is me niet helemaal duidelijk wat haar precies mankeert.'

Pender keek even naar het plasmascherm aan de muur, waarop beelden van de massamoord in Londen werden herhaald.

'Wat een afschuwelijke toestand daar,' zei Pender. 'U zult het wel druk gehad hebben.'

Creel beschikte over meer dan voldoende belastende gegevens om Pender op allerlei manieren te gronde te richten en dat wist de man maar al te goed. Daarom maakte hij er zich nooit druk om of Pender zich tegen hem zou keren. Niemand wist dat Pender hier was; de man was hier in het geheim gekomen en zou straks ook weer vertrekken zonder dat iemand er weet van had.

Dat was gewoon Creels manier van werken. Als je zo ongeveer over je eigen luchtvaartmaatschappij beschikte, was zoiets ook vrij eenvoudig te regelen.

'En dan nu, ter zake.'

Pender stalde de inhoud van zijn koffertje uit op tafel. 'Ik neem aan dat de relevante documenten zijn achtergelaten in het gebouw van de Phoenix Group?'

'Dat is correct.'

'Is er al iets wat erop wijst dat de politie die heeft doorgenomen?'

'Het is nog vroeg, maar ze zijn niet moeilijk te vinden. Het is alleen maar een kwestie van tijd.'

'Hebt u iemand binnen de organisatie?'

Creel knikte alleen maar.

'Weet u, toen u me belde om te vertellen wat u te weten was gekomen over de Phoenix Group, leek me dat eigenlijk te mooi om waar te zijn.'

'Dat dacht ik nou ook,' gaf Creel toe. 'Maar ik heb het laten natrekken, en alles klopte. Anders had ik het ook niet gedaan. En vertel me dan nu maar hoe je onze volgende "waarheid" voor het voetlicht wilt brengen.'

Pender pakte een velletje papier van tafel. 'Om een maximale exploitatie en verspreiding te bereiken, raden we u aan om het verhaal eerst via het web te verspreiden en de belangrijke media het daarna zelf stukje bij beetje van internet te laten plukken. De grote televisiezenders geven dat niet graag openlijk toe, maar ze speuren geregeld de bloggerswereld af op zoek naar belangrijke nieuwe trends en nieuwsfeiten. Als ze het nieuws zelf vinden, verspreid over een aantal blogs, zal het een stuk authentieker lijken. Dat geeft het meer geloofwaardigheid en zorgt ervoor dat er minder snel verdenking rijst.'

Creel knikte instemmend. 'Op die manier halen we zo veel mogelijk effect uit de onthulling wie de ware eigenaar van de Phoenix Group is, en dat past dan weer mooi bij het onvermijdelijke lek dat zal voortkomen uit wat er in Londen is ontdekt.'

'Dat is ook hoe ik denk dat dit scenario zich zal ontvouwen. Eerst wordt bekend wie de werkelijke eigenaar is en daarna wordt het werkelijk verbijsterende nieuws over de dingen waarmee ze zich bij de Phoenix Group echt bezighielden naar buiten gebracht.' Na een korte stilte voegde hij daaraan toe: 'Het zal natuurlijk ontkend worden.'

'Natuurlijk wordt het ontkend. Maar dat zal het alleen maar geloofwaardiger maken. Zodra je iets moet ontkennen, ben je verloren.'

'Die "poten in de modder" van u hebben prima werk geleverd.'

'Nou, ze zijn nog niet klaar,' zei Creel geheimzinnig.

'Wanneer komt het lek?'

'Ze is schietklaar gemaakt en ter plekke. Zodra ik denk dat het juiste moment gekomen is, haal ik de trekker over.'

'Is ze te vertrouwen?'

'Het is geen kwestie van vertrouwen.'

'En als ze eenmaal gelekt heeft?'

'Ik besluit te zijner tijd wel wat me te doen staat, Dick.'

'In mijn ervaring...' begon Pender, maar Creel stak een sigaar op en keerde hem de rug toe om een karaf te pakken.

'Een glas port. In míjn ervaring geeft port altijd bijzonder veel steun als je grote plannen aan het maken bent.'

'Ik weet zeker dat uw port beter is dan die van wie dan ook,' zei Pender met een glimlach.

Er klonk een scheepshoorn.

Pender keek snel even door de patrijspoort aan stuurboord en zag nog net hoe een acht meter lange motorboot met een stuk of tien opgewonden, in afdankertjes gehulde kinderen aan boord naar het jacht toe kwam varen.

Met een geamuseerde uitdrukking op zijn gezicht keek hij Creel aan. 'Geeft u rondleidingen op de *Shiloh*, meneer Creel? Verdient u nog een zakcentje aan die mediterrane schooiertjes?'

Creel glimlachte niet terug. Hij stond op uit zijn stoel, zette zijn pet op en trok zijn blauwe kapiteinsjasje aan. Dit was de reden waarom hij vandaag zijn uniform had aangetrokken. Voor de kinderen.

'Het zijn Italiaanse kinderen uit een weeshuis in de buurt. Die gaan nooit eens ergens naartoe. Dus als we hier voor anker liggen, laat ik ze altijd hier komen. Voor een stevige maaltijd, wat nieuwe kleren, wat speelgoed en een beetje pret. Het zijn maar kinderen. En kinderen horen zo nu en dan een beetje pret te hebben, Dick.'

'Heel royaal van u.'

'Daarom heb ik mijn vrouw niet mee laten komen. Het is gewoon niet mogelijk om dat mens zover te krijgen dat ze aan boord haar kleren aanhoudt, zelfs als die kindertjes hier rondrennen. Ik bedoel, als ze dat doet waar volwassenen bij zijn, dan is dat één ding, en als de bemanningsleden een beetje willen gluren, moeten ze dat zelf weten, maar als er kinderen bij zijn? Dat exhibitionisme van haar is eigenlijk een heel verwerpelijk aspect van haar persoonlijkheid. Had ik dat kunnen weten toen ik met haar trouwde? Tja, het is nou eenmaal zo.'

'Een kleine deuk in uw aura van alwetendheid,' zei Pender die niet de moeite nam om zijn glimlach te verbergen.

'Dick, in mijn ervaring veroorloof jij je zo nu en dan vrijheden tegenover mij waar je niet toe gerechtigd bent.'

Pender keek stomverbaasd. 'Het spijt me, meneer Creel. Het was niet mijn bedoeling...'

Creel zette het glas port voor hem neer. 'En trouwens, het is inderdaad de beste.'

Met een bleek gezicht hief Pender nerveus zijn glas, en de miljardair hief het zijne.

'Op een betere wereld,' zei Creel.

'Op een betere wereld,' mompelde Pender nerveus.

'Kijk niet zo sip, Dick. Ik meende het niet voor honderd procent.'

Die opmerking leek Pender echter bepaald niet gerust te stellen.

'Ik ben zo weer terug, maar nu ga ik eerst even de kinderen te eten geven. En daarna ga ik een tochtje met ze maken in de onderzeeboot.'

'Hebt u een onderzeeboot?'

'Ik heb hier alles, Dick. Ik dacht dat je dat wel wist.'

'Ja, maar Italiaanse weeskinderen in een onderzeeboot?'

'Als je alles hebt, moet je ook alles delen,' zei Creel streng.

Creel liep naar boven om zijn jeugdige gasten welkom te heten en Pender ging weer aan het werk. Terwijl hij daarmee bezig was, mijmerde hij wat over de eigenaardigheden van de mensheid in het algemeen en de wel bijzonder eigenaardige karakterstructuur van één buitengewoon vermogend man in het bijzonder. Bovendien nam hij zich voor om in het vervolg nooit, maar dan ook helemaal nooit meer familiair te worden met deze miljardair. Dat, zo besefte hij, zou een dodelijke vergissing kunnen blijken. Het was zonder meer waar dat er maar zeer weinig mensen op de hele wereld waren die konden wat Dick Pender kon. Maar het was al even waar dat er maar één Nicolas Creel was.

46

Langzaam sloeg Shaw zijn ogen op. Het eerste wat hij zag, was een kastje dat tegen de muur tegenover hem stond. Toen hij naar rechts keek, zag hij naast de deur een paar lange, welgevormde benen en hoewel de pijnstillers bijna uitgewerkt waren en zijn rechterarm aanvoelde of die elk ogenblik geamputeerd kon worden, verscheen er een glimlach op zijn gezicht.

'Anna?' zei hij, en in een poging haar aan te raken bracht hij zijn goede arm omhoog.

De benen kwamen naar hem toe gelopen en werden nu duidelijker zichtbaar.

'Ik ben het, Katie. Katie James. Weet je nog wie ik ben?' zei ze wat onhandig. Haar stem sloeg zelfs over.

God, hij had haar aangezien voor Anna!

Katie bleef naast het bed staan. Shaw keek langzaam op en herkende haar.

'Wat doe jij hier?' vroeg hij, en hij zat nog zo zwaar onder de medicijnen dat zijn stem haperde.

Katie stond als verstard. Daar had ze niet aan gedacht. Wat deed ze hier eigenlijk? De dood van Anna vormde de enige reden voor haar aanwezigheid hier. Plotseling kwam haar geest in actie.

'Ik belde je mobiele nummer en er werd opgenomen door een verpleegkundige die zei dat je gewond was geraakt. Dus ben ik even langsgekomen, eh, om te zien hoe je eraan toe was… of het goed met je ging.'

'Je bent naar Parijs gekomen?'

'Nou, ik was toch nog in Londen,' loog ze. 'Dus het was maar een korte trip.'

Katie trok een stoel dichterbij, zette haar tas op het nachtkastje en ging naast hem zitten. Ze stak haar handen door de spijlen van het bed, nam zijn grote hand in de hare en gaf er een kneepje in. Ze zag het enorme verband om zijn linkerarm en de bloedvlekken aan de buitenste rand daarvan, en ook de snijwonden en blauwe plekken op zijn gezicht.

'Jongen, je ziet er uit alsof er een stoomwals over je heen gegaan is. Maar de artsen zeggen dat je er weer helemaal bovenop komt.'

'Waar is Anna?' vroeg hij met een onvaste, versufte stem.

Haar mond ging open, maar ze kon de woorden niet uitbrengen. Het ging gewoon niet. Het zou zijn dood kunnen worden. 'Ik weet het niet zeker. Is ze gebeld?'

Shaw knikte verstrooid. 'Ik heb het tegen Frank gezegd,' zei hij vaag. 'Hij zou ervoor zorgen.'

Toen kromp hij in elkaar en greep naar zijn gewonde arm. Het was duidelijk dat hij plotseling erge pijn had.

Katie keek panisch om zich heen, zag de alarmknop en drukte erop. Er klonk een stem uit de luidspreker. Ze zei iets tegen de verpleegster en een minuut later kwam die de kamer binnen. Er werd meer medicatie in het zakje met intraveneuze vloeistof gespoten en langzaam viel Shaw weer in slaap.

Katie bleef zijn hand vasthouden, schopte haar schoenen uit en leunde tegen de zijkant van het ziekenhuisbed terwijl ze keek hoe zijn borst langzaam op en neer ging.

Ze zat daar maar, zonder zich bewust te zijn van de tijd. Ze was uitgeput door de lange reizen die ze de afgelopen dagen had gemaakt en het slaapgebrek dat die met zich mee hadden gebracht, zodat haar ogen na een tijdje vanzelf dichtvielen. Er ging nog meer tijd voorbij, en Shaw en zij waren nu allebei diep in slaap. Uiteindelijk sloeg Katie haar ogen op en merkte dat Shaw met een starre blik in zijn ogen naar haar lag te kijken. Langzaam liet ze zijn hand los en leunde achterover.

'Hoe gaat het met je?' vroeg ze.

'Waarom ben je hiernaartoe gekomen?' Er lag een grimmige klank in zijn stem, die dwars door haar heen sneed. Het was duidelijk dat het waas van de medicijnen nu volkomen verdwenen was.

'Dat heb ik al gezegd. Ik hoorde dat je gewond was geraakt. En ik bedoel, tja... je hebt mijn leven gered.' Het bleef stil. 'De ene goede daad is de andere waard,' voegde ze er wat ongelukkig aan toe, en onmiddellijk wenste ze vurig ze dat ze niet zoiets doms had gezegd. Hij leek recht door haar heen te kijken, recht in het diepst van haar ziel, waar ze zichzelf niet eens zo heel vaak had gewaagd. Het was een bijzonder angstaanjagende ervaring.

'Heb je honger of dorst?' vroeg ze snel, in de hoop dat ze in allerlei onbenullige details beschutting zou kunnen vinden tegen die indringende blik.

'Waar is Frank? Je hebt langs Frank heen moet komen om hier binnengelaten te worden.'

'Hij loopt hier ergens rond.'

Shaw probeerde op te staan, maar Katie duwde hem zachtjes terug.

'Er komen overal slangetjes uit je lijf,' waarschuwde ze. 'Blijf nou gewoon liggen, anders richt je echt grote schade aan.'

'Ik wil Frank spreken,' zei hij streng. 'Ik wil weten waar Anna is!'

'Ik ga hem even zoeken.'

'Doe dat!'

Ze voelde haar mond droog worden terwijl hij haar beschuldigend aankeek, alsof ze het een of andere misdrijf had begaan. En eerlijk gezegd had Katie het gevoel dat dat inderdaad zo was. Ze had hem voorgelogen, en ze wist dat hij dat had gemerkt.

Ze rende bijna de kamer uit.

'Dus u hebt het hem niet verteld?' zei Frank op dezelfde beschuldigende toon die Shaw zojuist tegen haar had aangeslagen. Ze zaten weer in hetzelfde kamertje.

'Hij is gewond en kwetsbaar,' snauwde Katie. 'En toch al somber. Het is niet goed om het hem nu al te zeggen.'

Frank leek niet overtuigd, maar hij sprak haar al evenmin tegen.

'Hij wil u spreken,' zei Katie.

'Dat weet ik wel zeker, ja, maar ik kan hem niet vertellen wat hij horen wil.'

'Dus wat doen we nu?'

'We kunnen hem onder verdoving houden totdat hij wat meer hersteld is.'

'Hoe is hij gewond geraakt?'

Frank keek haar vol ongeloof aan. 'Wat? Wilt u dat ik verantwoording ga afleggen?'

'Als hij voor u blijft werken, overleeft hij dit niet. Dat weet u toch?'

'Dit is een riskant beroep. We proberen zo voorzichtig te zijn als we maar kunnen.'

'Houdt dat ook in dat u hem door uw eigen mensen laat beschieten? Want dat lijkt me toch wel een beetje raar, zelfs in dat "beroep" van u.'

Frank draaide zich razendsnel om en keek haar strak aan. Hij stond op het punt om iets te zeggen toen ze een eindje verder in de gang rumoer hoorden. Snel renden ze naar Shaws kamer. Er klonken luide kreten, gevolgd door een harde dreun, alsof er een tafel omver was gesmeten. Een deur sloeg met een klap open. Van alle kanten weergalmden de voetstappen van mensen die over de tegelvloer naar hen toe kwamen hollen.

Eén schreeuw leek boven alle andere uit te rijzen.

'Dat is Shaw!' riep Frank uit. 'Wat is er verdomme aan de hand?'

Plotseling stond Katie stil. 'O, mijn god!'

Frank was ook blijven staan. 'Wat?' zei hij snel.

'Mijn tasje. Ik heb mijn tasje naast zijn bed laten staan. Mijn mobieltje zat erin. Je kunt ermee op internet.' Katie zag nu krijtwit.

'Verdomme!' brulde Frank terwijl hij verder holde.

Ze sloegen de hoek om en bleven abrupt staan.

Shaw stond aan het andere uiteinde van de gang. Zijn ziekenhuispyjama was bijna van zijn lijf gerukt, er droop bloed over zijn arm en overal hingen slangetjes uit zijn lijf. Katie zag dat hij haar telefoon in zijn bebloede hand geklemd hield.

Snel keek ze naar zijn gezicht, en merkte toen dat ze haar ogen niet meer kon afwenden. Zo'n gekwelde uitdrukking, zo'n hartstochtelijk verdriet had ze nooit eerder gezien.

'Shaw!' riep ze en ze rende naar hem toe.

Tegen de tijd dat ze hem had bereikt, was hij op zijn knieën gezakt. Ze sloeg haar armen om hem heen, terwijl de tranen over haar wangen liepen.

'Anna!' brulde hij. 'Anna!' Hij leek Katie niet eens op te merken.

'Het spijt me, het spijt me zo,' zei ze in zijn oor. 'O god, het spijt me zo.'

Ze werd van hem weg getrokken. Mensen schreeuwden tegen haar in het Frans, maar ze wilde hem niet loslaten. Ze kón hem niet loslaten.

Toen blafte een Engelse stem haar toe: 'Hij bloedt dood! Laat hem los! Anders vermoord je hem nog, dame!'

Onmiddellijk liet Katie los en deed een paar stappen naar achteren, maar haar ogen bleven strak op Shaw gericht, die nu door het ziekenhuispersoneel op een brancard werd gelegd en daarna snel werd weggereden.

Frank keek Katie woedend aan en bukte zich, raapte haar telefoon op en gooide die naar haar toe.

'Bedankt voor alle hulp, mevrouw James!' zei hij bitter. 'Waarom neemt u de volgende keer niet gewoon een pistool mee en schiet u hem meteen een kogel door zijn kop? Dat gaat een stuk sneller.' Boos beende hij weg.

Katie stond hem even na te kijken en tuurde toen angstig naar het schermpje van de telefoon. Er stond een kopregel op: MASSAMOORD IN LONDEN. Ze smeet haar Nokia dwars door de gang en terwijl ze op de vloer in elkaar zakte, werden haar wangen opnieuw nat van de tranen.

47

Langzaam trok Shaw zijn ruimvallende overhemd aan, waarbij hij de mouw heel voorzichtig over het dikke verband om zijn linkerarm trok. De wond was zo diep en breed geweest dat de chirurg die had moeten hechten. Er was ook een plastisch chirurg bijgehaald, en die had het beste gedaan wat ze op dat moment maar kon doen. Er zouden littekens blijven, had ze gezegd, maar dat kon Shaw helemaal niets schelen.

'We kunnen naderhand nog een operatie verrichten, nadat de hechtingen eruit zijn, en het dan grondiger aanpakken,' had de vrouw gezegd.

'Nee,' had Shaw zonder aarzelen geantwoord. Hij kon nog steeds een vuurwapen gebruiken, en dat was het enige wat nu voor hem van belang was.

Gelukkig had het zaagblad zijn pezen en spieren gemist, en waren er ook geen zenuwen beschadigd geraakt. Maar zoals de arts had gezegd: 'Als die wond een centimeter verder naar rechts of links had gezeten, zouden we hier misschien niet met elkaar hebben zitten praten.'

Het zou nog een tijdje duren voordat Shaw al zijn kracht weer terug had, maar de artsen hadden hem verzekerd dat hij weer helemaal de oude zou worden.

'Vandaag wil ik naar Londen,' zei hij tegen Frank terwijl hij zijn koffer pakte.

Frank liet zich humeurig in een stoel zakken. 'Laat me eens raden waarom.'

'Hoe snel kan ik er komen?'

'Met de trein door de kanaaltunnel gaat het tegenwoordig sneller dan met het vliegtuig. Tegen de tijd dat je op De Gaulle door de douane heen bent, kun je al in Londen zijn.'

'En een privévliegtuig?'

'Sorry, maar op het moment heb ik geen vliegtuig beschikbaar.'

'Reserveer dan een plaats voor me in de trein. Voor het begin van de middag.'

'Weet je zeker dat je dit wilt?'

'Reserveer een plaats voor me, Frank.'

'Goed, en verder?'

'Waar is Katie James?' Er verscheen een verraste uitdrukking op Franks gezicht.

'Hoezo?'

'Ik wil met haar praten.'

'Ben je nou helemaal stapelgek geworden. Na wat dat mens gedaan heeft?'

'Ze is de halve wereld rondgevlogen om te zien of het goed met me ging. Waar is ze?'

'Weet ik veel? Ik ben haar oppas niet. Ik heb mijn handen al vol aan jou.'

'Zeg op! Waar is ze!' drong Shaw aan.

'Vroeger gaf ik de opdrachten en was jij degene die ze uitvoerde. Wanneer is dat veranderd?' zei Frank nijdig.

'Dat hield op toen Anna stierf, want nu kan het me allemaal geen bal meer schelen. Waar is Katie?'

'Ik heb al gezegd dat ik...'

'Jij laat nooit iemand zomaar gaan,' blafte Shaw. 'Nou, waar is ze?'

Frank keek snel even uit het raam. 'Ze logeert in het appartement van een of andere vriend van haar die het land uit is, vlak bij de Rue de Rivoli.'

'Dan moet ik het adres hebben. Kun jij een auto voor me regelen?'

'Kun je dan rijden met die lamme arm?'

'Zolang het maar een automaat is.'

Frank hielp hem in zijn jasje en met de hand van zijn goede arm tilde Shaw zijn koffer op.

'Hoor eens, het spijt me voor je van Anna, Shaw,' zei Frank. 'Het spijt me echt. En geloof het of niet, maar als je met haar was getrouwd, had ik je laten gaan. Je kunt zo lang vrij nemen als je maar nodig hebt.'

Shaws gezicht betrok. 'Waarom kom je daar nu mee? En trouwens, gewoon voor de goede orde, waarom geef je me ook maar enige ruimte?'

Frank ging voor het raam staan en draaide zich toen om. 'Ik ben gewoon op zoek naar skinheads,' zei hij met een glimlach.

'Waarom, Frank? Jij had mij en ik had jou. Het was geen geweldige basis voor samenwerking, maar de grondregels waren in ieder geval duidelijk.'

Frank liet zich weer op zijn stoel ploffen en tuurde naar de wand. 'Hoe denk je dat ik bij deze prachtige organisatie ben gekomen?'

'Vertel jij het maar.'

Hij keek Shaw strak aan. 'Ik ben voor dezelfde keus gesteld als jij. En ze hebben me nog steeds in hun macht.'

Shaw stond hem even aan te gapen. 'Dus jou hebben ze ook geronseld! En toen heb je dat als het ware aan mij doorgegeven!'

'Ja! Nou en? En voor de goede orde: ik mag je nog steeds niet.'

'Dankjewel, Frank. En ik maar denken dat het in mijn leven gewoon niet beter kon.'

Frank tuurde naar zijn vlezige handen. 'Ze moet werkelijk van je gehouden hebben. Zo iemand heb ik nooit gehad.'

'Nou, ik heb haar nu ook niet meer.' Bij de deur bleef Shaw nog even staan. 'Ligt Anna nog steeds in het mortuarium?'

Frank knikte langzaam. 'Ze hebben nog geen van de stoffelijke overschotten vrijgegeven.' En zonder dat dat werkelijk nodig was, voegde hij daar na een korte stilte aan toe: 'Het onderzoek loopt nog.'

'Ze zou in Duitsland begraven willen worden. Ik weet zeker dat haar ouders dat al aan het regelen zijn.' Een deel van Shaw kon op geen enkele manier bevatten dat hij zo kalm, zo rationeel over Anna's komende begrafenis stond te praten. Plotseling had hij het gevoel dat als hij niet snel wat frisse lucht kreeg, zijn huid in brand zou vliegen.

Frank liep achter hem aan de kamer uit. 'Ga je nu die Katie James opzoeken?'

'Ja.'

'Wil je dat ik meega?'

'Nee.' Plotseling bleef Shaw staan en greep naar zijn gewonde arm. Hij leed duidelijk pijn.

Frank sloeg een arm om zijn schouder. 'Sorry dat het zo is misgelopen met die nazifreaks,' zei hij en hij leek het te menen. 'De rechterhand weet niet waar de linkerhand mee bezig is en al die flauwekul. Het zal niet nog een keer gebeuren.'

'Ja, dat zal wel.'

Terwijl ze het ziekenhuis uit liepen, belde Frank even, en toen ze de straat bereikten, stond er een auto voor Shaw gereed. Frank krabbelde iets op een papiertje en gaf het aan hem. 'Het adres van Katie James.'

'Dankjewel.'

Shaw ging achter het stuur zitten en stak toen zijn hoofd uit het zijraampje. 'Bel even als je weet hoe laat de trein gaat.'

Frank knikte mismoedig. 'Je gaat toch alleen maar naar Anna kijken, hè? En niet op de plaats delict?'

'Ik spreek je nog wel.'

'Verdomme, Shaw, zorg dat je je niet in de buurt van de Phoenix Group waagt. Heb je dat begrepen?'

'Ik ga een deal met je sluiten, Frank. Een deal die zo goed is dat je niet kunt weigeren. Wil je het horen?'

Frank keek hem vol argwaan aan. 'Dat weet ik nog niet.'

'Jij laat me rustig rondneuzen bij de Phoenix Group.'

'Shaw,' begon Frank, maar Shaw praatte gewoon door.

'En in ruil daarvoor werk ik samen met die vent van MI-5 aan dat gedoe in Rusland.'

'Volgens mij is dat niet...'

'En om de deal nog wat aantrekkelijker te maken...' viel Shaw hem in de rede. 'Als je daarmee akkoord gaat, blijf ik voor je werken totdat ik erbij neerval.'

Frank zweeg even en zei toen langzaam: 'Maar je wilde toch met dit werk stoppen?'

Shaw wierp hem een blik toe die op de een of andere manier zowel hulpeloos als dreigend was. 'Welke reden zou ik nu nog hebben om met dit werk te willen stoppen, Frank? Hebben we een deal?'

Frank aarzelde. 'Ja, best.'

Frank wilde nog iets zeggen, maar Shaw reed met piepende banden weg.

Frank draaide zich om en liep de straat uit om ergens een café te zoeken en een borrel te drinken.

•48•

Een straaltje zonlicht slaagde erin zich door de jaloezieën heen te wurmen, kroop over de vloer en bleef toen even op een blote kuit rusten die onder het laken uitstak. Een tijdje later trok het in een volmaakt rechte lijn over het bed en gleed op de vloer, waar het weerspiegeld werd in de lege blauwe fles die daar lag, zodat talloze druppels weerspiegeld licht als een caleidoscoop over het plafond schoven.

De demonen hadden Katie James eindelijk in hun greep gekregen. De afgelopen paar dagen waren volkomen weggevaagd in een aanhoudende zuippartij van zulke gigantische proporties dat het enige wat haar daar nu nog van bijstond een gevoel van diepe schaamte was. En ze had nu de ergste kater die ze ooit had gehad.

Worstelend met een hevige nachtmerrie schopte ze het laken van zich af en lag daar maar, terwijl het zweet haar aan alle kanten zo hevig uitbrak dat de stof van haar T-shirt met lange mouwen en ruimvallende sportbroekje er helemaal klam van werd.

Haar ademhaling kwam langzaam weer tot rust en na een tijdje kwam ze eindelijk tot bedaren, zodat alleen de roze teint van haar huid en haar licht op en neer gaande borstkas erop wezen dat ze nog in leven was.

De deurbel hoorde ze niet en het begeleidende klopje al evenmin. Toen er een tijdje later hard op de deur werd gebonsd en haar naam werd geroepen, ging dat volkomen aan haar voorbij. Ze merkte niet dat de voordeur openging, en ook de voetstappen in de kleine woonkamer en de slaapkamerdeur die wijdopen werd gesmeten, hadden geen enkele uitwerking op haar. Ze was zich geen moment bewust van de aanwezigheid van iemand anders in het vertrek, en ze voelde niets toen de indringer het laken van de vloer tilde en het over haar heen legde.

Het zacht piepende geluid van de spiraalbodem toen de bezoeker op bed ging zitten, maakte haar al evenmin wakker. Dat hij zachtjes haar naam riep, ging volkomen aan haar voorbij. En dat hij haar bij de schouders pakte en voorzichtig heen en weer schudde? Ze reageerde er niet op.

Het glas water dat recht in haar gezicht werd gegooid dan? Ja, dat maakte haar wel wakker.

Sputterend ging ze rechtop zitten en wreef over haar neus en ogen.

'Wel ver...' begon ze boos, maar toen zag ze dat Shaw tegenover haar zat, met het lege glas in de hand, en dat hij haar strak aankeek.

Ze moest nog even hoesten om de rest van het water uit haar luchtpijp te krijgen. 'Hoe ben jij hier binnengekomen?'

'Ik heb gebeld, ik heb aangeklopt, ik heb je naam geroepen. En toen ik binnenkwam, heb ik dat allemaal nog een keer gedaan. Maar je liet niets van je horen. Ik had niet in de gaten dat er iemand thuis was totdat ik, nou... totdat ik jou hier op bed zag liggen.'

Ze wreef over haar kloppende slapen. 'Ik... ik slaap altijd nogal diep.'

Shaw raapte een lege ginfles op. 'Volgens mij heb je eerder te diep in het glaasje gekeken.' Hij pakte een tweede lege fles op, en toen een derde, en een vierde. 'Drink jij gin, bourbon en scotch door elkaar?'

'Ach, je weet wel. Als je in Schotland bent, doe dan als de Schotten.'

'We zitten hier in Frankrijk,' zei hij, en zijn gezicht betrok.

Ze woelde met haar hand door haar verwarde blonde haar en geeuwde. 'O ja, dat was ook zo. Parijs,' zei ze verstrooid. Toen leek er iets door de alcoholische nevelen heen te dringen. 'O, mijn god, je hebt gelijk.' Haastig stond ze op. 'O, Shaw, neem me niet kwalijk. Ik voel me hier zo rot over. Over alles, dat stomme mobieltje, dat ik tegen je gelogen heb.' Ze liet een korte stilte vallen. 'En ik vind het zo afschuwelijk voor je van Anna.' Ze tuurde hulpeloos naar haar blote voeten toen ze die naam uitsprak.

Shaw nam rustig de tijd om de lege flessen op het bureau te zetten.

'Eigenlijk wilde ik je bedanken omdat je me bent komen opzoeken om te zien hoe het met me ging.'

'Dat was gisteren, toch?'

'Nee, dat was vijf dagen geleden.'

Ze keek verbijsterd. 'Vijf dagen! Dat is toch zeker een geintje?'

'Voelt jouw hoofd aan alsof ik een geintje maak?'

Ze keek hem strak aan, keek toen even naar de flessen en ging weer op bed zitten. 'Ik heb in geen zes maanden ook maar een druppel aangeraakt. Geloof je dat?'

'Nee,' zei hij met een snelle blik op de lange rij flessen.

Ze kreunde. 'Nou, het is waar. Ik... Ik kan gewoon niet geloven dat ik dit gedaan heb, dat ik me zo heb laten gaan.'

'Je laten gaan is niet helemaal de juiste uitdrukking. Dit lijkt meer op een snoekduik in een vat pure alcohol. Ik ga wel even in de kamer hiernaast zitten. Neem een douche en kleed je aan. Dan trakteer ik op ontbijt.'

'Wacht eens even, hoe komt het dat je al uit het ziekenhuis bent?'

'Ik ben er weer helemaal bovenop.'

'Denk je dat echt?' zei ze aarzelend, terwijl ze naar de bolle plek onder de linkermouw van zijn jasje keek.

'Vanmiddag ga ik met de trein door de kanaaltunnel naar Londen. Maar eerst wilde ik even met je praten over Anna.'

'Wat wil je weten?'

'Waarom iemand haar zou hebben willen vermoorden.'

Katie keek hem aan met een gezicht waarop geen enkele uitdrukking te bespeuren viel. 'Maar daar weet ik helemaal niets van.'

'Je denkt misschien dat je daar helemaal niets van weet. Maar misschien heb je toen je bij haar op bezoek ging toch iets gezien of gehoord waar ik iets aan zou kunnen hebben.'

'Shaw, denk je echt dat je voldoende hersteld bent om dit op je te nemen?'

Hij draaide zich om en keek haar strak aan, met ogen die zo blauw waren, en zo'n kracht uitstraalden, dat Katie merkte dat ze haar adem inhield en van pure zenuwen zo hard in haar hand kneep dat haar vingernagels diep in haar handpalmen drongen, alsof ze een schoolmeisje was dat zich diep in de nesten had gewerkt.

'Mijn leven is voorbij, Katie,' zei hij zachtjes. 'Maar degene die Anna dit heeft aangedaan, wie het ook mag zijn, gaat sterven en wel op heel korte termijn.'

Alle haartjes in Katies nek gingen recht overeind staan, en voor het eerst in jaren kreeg ze letterlijk kippenvel. Ze had een kloppende hoofdpijn, en plotseling maakte haar maag een ontmoedigende schuiver.

'Kleed je nu aan. Alsjeblieft.'

Zodra hij de kamer uit was, rende ze naar de badkamer en braakte vijf dagen vloeibare hel uit.

·49·

Ze aten buiten, in een kleine brasserie aan de Quai des Gesvres, met uitzicht op de Seine. Als Katie zich een beetje uitrekte, kon ze nog net een glimp opvangen van de torenspitsen van de Notre Dame op het eilandje midden in die roemruchte rivier. Het Louvre lag nog geen kilometer naar het oosten, en de Bastille iets meer dan dat naar het westen.

De koffie was sterk, het geroosterde brood was warm en de eenvoudige omelet was zo lekker als alleen de Fransen ze schijnen te kunnen maken.

'Je hebt haar voor het eerst ontmoet in Londen,' zei Shaw. 'Bij haar op kantoor, in haar flat?'

'We hebben elkaar voor het eerst ontmoet in een café, en toen zijn we naar haar kantoor gegaan.'

'Is je iets ongewoons opgevallen toen je daar was?'

Katie haalde haar schouders op en terwijl haar maag zo nu en dan nog steeds een rare buiteling maakte, bracht ze voorzichtig een hapje omelet naar haar mond. 'Ik vond het tegelijkertijd heel gewoon en heel bijzonder. Een prachtig oud herenhuis, in een stille straat in het hart van Londen, vol met een stel geleerden die dingen schrijven die niemand ooit leest. Dat laatste was zoals Anna het beschreef.'

Ze keek hem snel even aan. 'Ben je er ooit geweest?'

Shaw knikte. 'En gewoon uit nieuwsgierigheid ben ik ongeveer een jaar geleden eens naar het kadaster gegaan om te zien hoeveel dat gebouw waard was. Wil je raden?' Katie schudde haar hoofd, en terwijl ze hem nieuwsgierig aanstaarde, nam ze een hapje van haar geroosterde boterham.

'Zestien miljoen pond.'

Het brood viel bijna uit haar mond. 'Dat is meer dan dertig miljoen dollar.'

'Precies, en dat was nog maar de aankoopprijs van tien jaar geleden. Tegenwoordig is het uiteraard nog veel meer waard.'

'Hoe lang heeft Anna daar gewerkt?'

'Vijf jaar. Ze was senior analist, een van de beste die ze hadden.'

'Dat neem ik zonder meer aan. Ze heeft me in grote lijnen geschetst wat ze daar ongeveer deden. Wie is eigenaar van de Phoenix Group?'

'Dat heeft ze me ooit eens verteld. Een of andere rijke Amerikaanse kluizenaar uit Arizona, vandaar ook die naam. Want Phoenix is de hoofdstad van Arizona. Al heeft ze me trouwens verteld dat die naam volgens haar ontleend was aan die van de mythische vogel Phoenix of Feniks.'

'De vogel die nooit sterft,' zei Katie, en haar gezicht werd rood van schaamte toen ze merkte dat Shaw haar strak aankeek.

'Die naam is niet erg toepasselijk gebleken, hè?' merkte hij op.

'Er moet meer achter die Phoenix Group gezeten hebben dan algemeen bekend was,' zei Katie vlug. 'Dus we moeten erachter zien te komen wie of wat de Phoenix Group is.'

'Nee, ík moet daarachter zien te komen.'

'Ik dacht dat wij daar samen aan zouden werken?'

'Dat had je dan mis.'

'Ik wil er ook achter zien te komen wat er met Anna is gebeurd.'

Shaw schudde alleen maar zijn hoofd. 'Wat kun je me verder nog vertellen?'

'Waarom zou ik je in dat geval ook nog maar iets vertellen?'

'Omdat ik het je beleefd vraag.'

Opnieuw keken ze elkaar recht in de ogen en Katie merkte dat ze onder die felle blik over haar hele lijf begon te trillen.

'Nou, net toen ik weg wilde gaan, viel het me op dat ze zoveel onderzoeksmateriaal op haar bureau had liggen.'

'Haar bureau lag altijd vol. Dat was haar werk.'

'Nee, het ging allemaal over één onderwerp, het zogenaamde Rode Gevaar.'

Shaw boog zich over de tafel heen. 'Heb je haar daarnaar gevraagd? Werkte ze daaraan in opdracht van de Phoenix Group?'

Katie schudde haar hoofd. 'Anna zei dat ze gewoon nieuwsgierig was. Dat het iets was waar ze voor zichzelf aan werkte. In haar vrije tijd neem ik aan.'

'Toen we in Dublin waren, was ze erg geïnteresseerd in die RIC-organisatie. Ze is zelfs online gegaan om er onderzoek naar te doen, maar ze wist niet veel te vinden.'

'Nou, kennelijk was ze nog steeds heel nieuwsgierig.' Peinzend keek ze even voor zich uit. 'Je denkt toch niet dat haar werkgever daar iets mee te maken had? Ik bedoel, dat de Phoenix Group probeerde te weten te komen wie er achter die mediacampagne over het Rode Gevaar zit? Misschien is ze dat wel gelukt, en vormt dat de reden voor die schietpartij.'

Shaw viste een visitekaartje uit zijn zak en keek er even naar. EDWARD ROYCE MI-5. De man met wie Frank hem had willen laten samenwerken aan een onderzoek naar het Rode Gevaar. Er stond een adres in Londen op. Shaw geloofde absoluut niet dat de Phoenix Group bezig was geweest met een onderzoek naar het Rode Gevaar en dat dat de reden voor de moordpartij had gevormd. Maar Royce beschikte waarschijnlijk wel over goede connecties, en als Shaw erin toestemde om hem te helpen bij zijn onderzoek naar al dat gedoe rondom het Rode Gevaar, zou Royce wel voor hem kunnen regelen dat hij in het gebouw mocht rondkijken.

'Als Anna daar in opdracht van de Phoenix Group een onderzoek naar had ingesteld, zou ze het me wel verteld hebben.'

Katie likte haar lippen en zei een beetje nerveus: 'Je moet dit niet verkeerd opvatten, hoor...'

Shaw keek op van het visitekaartje. 'Wat?'

'Zou Anna misschien iets voor je verborgen hebben kunnen houden? Ik bedoel over wat ze werkelijk deed?' En toen ze een grimmige uitdrukking op zijn gezicht zag verschijnen, voegde ze daar haastig aan toe: 'Hoor eens, je bent zelf ook niet honderd procent open en eerlijk tegenover haar geweest. Het is maar een suggestie, meer niet.'

'Het is inderdaad maar een suggestie. Ik zal het in gedachten houden. Dankjewel.'

'Wanneer vertrek je?'

'Binnenkort.'

Shaws Blackberry begon te trillen. Het kostte hem enige moeite om het ding uit zijn zak te vissen en Katie hielp hem er even mee. 'Wil je dat ik de tekstberichten op het schermpje breng?' vroeg ze toen ze hem moeizaam met het apparaatje zag worstelen. In wezen had hij op dit moment niet meer dan één hand beschikbaar.

'Ik red me wel,' zei hij, misschien omdat hij Katie ervan verdacht dat ze op een handige manier zijn mail probeerde te lezen. Snel keek hij even op het schermpje. Hij had een eersteklaskaartje voor de Eurostar vanuit het Gare du Nord in Parijs naar Waterloo Station in Londen en er was een kamer voor hem geboekt in het Savoy Hotel. In ieder geval beknibbelde Frank niet op de kosten. Dat vormde een gedeeltelijke compensatie voor het feit dat je in deze baan bijna elke minuut het risico liep om een gewelddadige dood te sterven.

'Wil je dan in ieder geval even bellen om me te laten weten wat je te weten bent gekomen?'

Hij legde wat geld op tafel om af te rekenen en stond op. 'Sorry, maar dat zal helaas niet gaan.'

'Waarom niet?'

'Omdat ik dat niet wil. Is die verklaring voor jou afdoende?'

Het duurde even voordat Katie besefte dat hij nu precies dezelfde woorden gebruikte die ze tegen hém had gebruikt in antwoord op de vraag waarom ze dat litteken op haar arm niet liet weghalen.

'Nee, maar ik heb geen keus, denk ik.'

'Bedankt voor je hulp. Ga nou maar weer terug naar huis en pak je leven weer op.'

'Ja, geweldig,' riep ze vol voorgewende verrukking uit. 'Ik heb net gehoord dat *The New York Times* een nieuwe adjunct-hoofdredacteur nodig heeft. Of misschien kan ik wel presentatrice worden bij CNN. Ik heb altijd al willen overstappen naar de televisie. Dan verdien ik miljoenen. Waarom heb ik dat eigenlijk al niet jaren geleden gedaan?'

'Pas goed op jezelf, Katie. En niet meer drinken.'

Hij liet haar daar aan tafel achter. Vijf minuten lang zat ze volkomen roerloos met een nietsziende blik voor zich uit te staren. Dat was ook het enige wat ze nu nog over had, helemaal niets. Ze schrok op toen haar telefoon begon te piepen. Het was een Amerikaans telefoonnummer dat ze niet herkende.

'Hallo?'

'Katie James?'

'Ja.'

'Je spreekt met Kevin Gallagher, redacteur speciale onderwerpen van *Scribe*. We zijn een tamelijk nieuw dagblad, hier in de Verenigde Staten.'

'Ik heb een paar van jullie artikelen gelezen. Jullie hebben een stel uitstekende journalisten in dienst.'

'Dat is een heel compliment van iemand die twee keer de Pulitzerprijs heeft gekregen. Hoor eens, ik weet zeker dat je het erg druk hebt, maar ik kreeg je telefoonnummer van een vriend van me, bij de *Tribune*. Ik heb begrepen dat je daar weg bent?'

'Inderdaad,' zei Katie. 'Een meningsverschil over het redactionele beleid,' voegde ze daar toen haastig aan toe. 'Waarom bel je?'

'Hé, je hoeft geen raketgeleerde te zijn om erachter te komen dat een verslaggever van jouw niveau niet elke dag beschikbaar komt. Ik zou je graag willen inhuren om het verhaal te coveren voor de krant.'

'Het verhaal?'

Gallagher grinnikte. 'Het enige verhaal waarover de mensen zich op dit moment druk maken.'

'Het Rode Gevaar?'

'Nee,' zei hij. 'We hebben al een team dat zich daarmee bezighoudt. De massamoord in Londen bedoel ik.'

Plotseling ging Katies hart sneller kloppen.

'Katie, ben je daar nog?'

'Ja hoor. Wat had je precies in gedachten?'

'We kunnen je niet betalen wat je bij de *Tribune* gewend bent. Maar we betalen per artikel, volgens het gangbare tarief voor iemand als jij, plus redelijke onkosten. Als je met iets groots komt aanzetten, kan ik altijd nog wat meer regelen. Je mag zelf bepalen hoe je het aanpakt. Lijkt je dat wat?'

'Dat lijkt me precies wat ik zoek. Ik ben op dit moment toch in Europa.'

'Dat is echt een ongelooflijk toeval.'

Nee hoor, dacht Katie.

'Als je wilt, mail ik je een contract, plus alle andere informatie die je nodig hebt.'

Ze praatten nog een paar minuten door en toen verbrak Katie de verbinding. Deze onverwachte wending was zo ongelooflijk dat ze er nauwelijks over uit kon. Ze keek op haar horloge. Ze had nog net tijd om de Eurostar van 13:00 uur naar Londen te halen.

De geel met blauwe Eurostar vertrok precies volgens de dienstregeling en zodra hij de Parijse voorsteden eenmaal achter zich had gelaten, trok hij snel op naar meer dan tweehonderd kilometer per uur. Het tracé was speciaal ontworpen voor hogesnelheidstreinen en het was dan ook een heel rustige rit. De wagon schudde net voldoende om je in slaap te wiegen, als je daar behoefte aan had.

Shaw reisde eersteklas en terwijl hij in een brede, comfortabele stoel zat, werd hem door een steward in een keurig uniform op uiterst professionele wijze een driegangenmaaltijd met wijn voorgezet. Shaw at en dronk echter niets en tuurde alleen maar somber uit het raam.

Hij dacht niet vaak na over wat er achter hem lag. Maar terwijl de trein zachtjes wiegend door het Franse landschap gleed, richtte hij zijn gedachten deze keer wel op het verleden, al was het maar omdat hij geen toekomst meer had om over na te denken. Hij was weer terug op het punt waar hij begonnen was. Alleen achtergelaten in een weeshuis, door een vrouw die zijn natuurlijke moeder was, maar van wie hij zich niets meer kon herinneren, en daarna gedumpt op de vuilnisbelt van een hele reeks pleeggezinnen die hem niets goeds hadden opgeleverd en wel veel kwaad hadden gedaan. Shaw had zijn hele volwassen leven gebouwd op het feit dat hij volkomen alleen was. Voordat hij zich onvrijwillig bij Franks organisatie had aangesloten, was hij telkens weer van het ene land naar het andere getrokken en in ruil voor geld had hij alles gedaan wat anderen hem opdroegen. Hij had zich niet beklaagd om de risico's die hij daarmee liep, en al evenmin om de gevolgen van zijn daden. Hij had mensen verwond en kwaad gedaan, en hij werd door hen niet anders behandeld dan hij hun tegemoet was getreden. Een deel van zijn daden had de wereld tot een veiliger oord gemaakt; maar een ander deel ervan had het leven van de zes miljard andere mensen met wie hij deze wereld deelde er juist gevaarlijker op gemaakt. Alles wat hij had gedaan, was echter officieel goedgekeurd door regeringen of door instanties die door regeringen gemachtigd waren. Dat had zijn bestaan gevormd.

Tot Anna in zijn leven was gekomen.

Voordat hij haar ontmoette, had hij altijd geloofd dat zijn leven ten einde zou komen als een van Franks missies een keer ernstig misliep. En daar had hij vrede mee gehad. Je leeft een tijdje en dan ga je dood. Voordat hij Anna leerde kennen, had Shaw geen enkele reden gehad om zijn bestaan te willen rekken. Hij beschikte natuurlijk wel over een aangeboren drang tot zelfbehoud, maar als je eigenlijk niet meer dan een half leven leidt, kan zelfs dat instinct in de loop der jaren afgestompt raken. Nadat Anna in zijn leven was gekomen, had hij plotseling weer echt een reden gehad om te willen overleven, en van toen af aan was hij zich bij elke klus die hij deed, telkens beter gaan voorbereiden. Dat had hij gedaan omdat hij levend en wel wilde terugkeren. Voor háár.

Toen was hij zijn ontsnapping uit Franks organisatie gaan voorbereiden, en het leven dat hij daarna zou gaan leiden, samen met Anna. Dat doel had zo dichtbij geleken... Zelfs met Frank, van wie je altijd een rotstreek kon verwachten, was het haalbaar geweest, zolang Shaw maar in leven wist te blijven.

Dat was de wrange ironie van het noodlot die hem nu verscheurde. Dat Anna degene zou zijn die een gewelddadige dood zou sterven, was nooit, maar dan ook nooit bij hem opgekomen.

Hij keek uit het raam naar het adembenemend mooie landschap dat hij nu langs zag glijden. Het had voor hem geen enkele betekenis en zou ook nooit iets voor hem gaan betekenen. De enige schoonheid die ooit wel iets voor hem betekend had, lag nu in een koelbox in een Londens lijkenhuis. Haar schoonheid leefde nu alleen nog voort in zijn gedachten. Dat had een troost voor hem kunnen zijn, maar dat was het niet. Het maakte niet uit of hij zijn ogen open of dicht had, hij zag voortdurend alleen háár, de enige die hij van zichzelf ooit had mogen liefhebben. Dat beeld zou hem altijd bijblijven. Dat was zijn boetedoening voor het feit dat hij zelfs maar had durven denken dat zo iemand als hij ooit een normaal leven zou kunnen leiden, dat hij ooit gelukkig zou kunnen zijn.

Hij had nu nog maar één doel in zijn leven. Hij wilde doden. En daarna zou hij aan zijn einde komen zoals hij geleefd had. Alleen.

* * *

Katie zat een wagon achter Shaw, al wist ze dat niet. Terwijl het pittoreske Franse landschap langs haar raam schoof, zat ze aan Shaw te denken, die nu zoveel verdriet had, en aan wat er zou gebeuren als hij in Londen was. Hij zou natuurlijk naar het gebouw van de Phoenix Group gaan, en met zijn connecties zou hij daar waarschijnlijk wel op een of andere manier weten binnen te komen. Hij zou ook naar Anna's flat gaan. Hij moest er wel naartoe gaan, hield ze zich voor. Dat zou hij op geen enkele manier kunnen vermijden.

Ze was zo diep in gedachten verzonken dat ze niet eens in de gaten had dat de trein door Calais kwam en toen de tunnel binnen schoot, schuin naar beneden reed en even later onder de harde rotsbodem onder het Nauw van Calais kwam te rijden. Met miljarden tonnen water boven zich, keek ze uit het raampje naar de goed verlichte tunnel, zonder zich druk te maken over lekken of hele muren van water waaronder de wagon elk ogenblik volkomen verpletterd kon worden. Vijfentwintig minuten later reed de trein het felle zonlicht weer in. Ze waren in Engeland. De hele reis zou ongeveer honderdvijftig uiterst comfortabele minuten in beslag nemen. Katie had stroom voor haar laptop en kon ook nog mobiel bellen. Jammer genoeg had ze niemand om mee te praten en had ze na dat voorval in het ziekenhuis ook geen enkele behoefte om haar mobieltje ooit nog te gebruiken.

Ze dacht na over wat Shaw had gezegd. 'Mijn leven is voorbij. Maar degene die Anna dit heeft aangedaan, wie het ook mag zijn, is ten dode opgeschreven.' Ze twijfelde er niet aan dat hij dat meende. Ze was er volkomen zeker van dat hij zou proberen degenen die hiervoor verantwoordelijk waren met zijn blote handen te vermoorden, of hij nu gewond was of niet.

Maar daarna? Wat zou hij daarna gaan doen? En wat als hij om het leven kwam bij zijn pogingen om Anna te wreken? Iemand die in staat was om bijna dertig mensen uit de weg te laten ruimen, zou zich vast niet zomaar laten vermoorden. En ze had nu een artikel te schrijven. Wat zou Shaw denken als hij erachter kwam dat zij voor een krant over de Londense massamoord schreef, en dus in wezen geld verdiende aan Anna's dood? Maar dat was nou eenmaal wat ze deed voor de kost. Ze was journalist. Maar toch zou hij boos zijn. Heel boos.

Terwijl ze daarover zat te denken, zag ze het flesje rode wijn dat bij de lunch was opgediend op het tafeltje staan. Toen de steward afruimde, had ze dat gehouden. Terwijl de trein verder reed, zat ze er met een strakke blik naar te kijken. Twintig minuten later, toen de Eurostar net de buitenwijken van Londen had bereikt en je overal oude gebouwen met van die typisch Londense schoorstenen zag, zat ze nog steeds naar het flesje te staren. Ze draaide de schroefdop eraf, snoof even aan de fles en nam een slokje. Het smaakte heerlijk, maar die heerlijke smaak werd onmiddellijk gevolgd door een verpletterend schuldgevoel. Toch nam ze nog een slok. Het schuldgevoel werd duizend keer groter. Ze draaide de dop er weer op, liet het flesje op tafel vallen en mompelde: 'Shit.'

De man naast haar hoorde dat, keek snel even naar het flesje en toen naar haar. 'Een slecht jaar?' vroeg hij met een glimlach.

'Een slecht leven!' zei ze met een boze blik.

Haastig richtte hij zijn aandacht weer op zijn krant.

Katie wist maar al te goed dat ze zo haar werk niet kon doen. Als ze ging drinken, zou ze het niet redden. Ze kon niet gaan zwelgen in zelfmedelijden, zelfs al leek dat nu nog zo'n verlokkelijk vooruitzicht. Toen er een steward langskwam, vroeg ze de man of hij het flesje wilde weghalen.

Een paar minuten later reden ze Waterloo Station binnen. Katie stapte uit en liep snel naar de taxistandplaats.

Net als Shaw zou ze logeren aan The Strand, in het West End, maar niet in zo'n luxueus hotel als het Savoy. Londen was nooit echt goedkoop, maar sommige hotelkamers waren voordeliger dan andere en Katie had genoeg gereisd om te weten waar ze die moest zoeken. Als ze lang in Londen bleef, hoopte ze zolang de flat van een vriendin te kunnen gebruiken die net als haar vriendin in Parijs correspondente was voor een krant, en daarom erg vaak van huis was.

Ze vond een goedkoop hotel, zette haar spullen in de kamer en nam een taxi naar het gebouw van de Phoenix Group. Op een gegeven moment zou ze Shaw waarschijnlijk tegen het lijf lopen, maar als het eenmaal zover was, had ze redelijk veel vertrouwen in haar plan van aanpak.

Ik ga er gewoon als een haas vandoor.

·51·

Tijdens de rit naar Anna's vroegere kantoor viste Shaw het visitekaartje dat hij van MI-5-agent Edward Royce had gekregen uit zijn zak en belde het telefoonnummer dat erop vermeld stond. Toen de telefoon voor de tweede keer overging, nam de man op, en Shaw legde hem uit dat hij in Londen was en had besloten om Royce toch te helpen bij zijn onderzoek naar het Rode Gevaar.

Toen Royce vroeg waarom hij van mening was veranderd, zei Shaw: 'Dat is een lang verhaal, en het is niet de moeite waard om daar nu nader op in te gaan, maar ik wil u wel om een gunst vragen. Frank heeft er al toestemming voor gegeven.'

'Hij heeft me gebeld.'

'Werkelijk? En wat heeft hij gezegd?'

'Hij heeft gezegd dat ik alles voor u moest doen wat ik maar kon. Hij heeft me verteld over uw... persoonlijke connectie met de moorden hier in Londen.'

'Kunt u voor me regelen dat ik toegang krijg tot dat gebouw?'

'Nou, we zouden misschien twee vliegen in één klap kunnen slaan. Wat dacht u daarvan?'

'Hoe bedoelt u?' zei Shaw nieuwsgierig.

'Dat ziet u wel als u hier bent.'

'Hier? Waar dan?'

'In het gebouw van de Phoenix Group.'

Shaws mond zakte open. 'Wat doet u daar?'

'Dat bespreken we wel als u hier bent,' zei Royce kortaf.

Shaw schoof zijn telefoontje in zijn zak en terwijl hij achteroverleunde wreef hij over zijn gewonde arm.

Wat is hier verdomme aan de hand?

De twee dagen na het moment waarop hij Katies mobieltje had zien liggen en te weten was gekomen dat Anna dood was, waren erger geweest dan welke missie die hij ooit had meegemaakt, erger dan welke nachtmerrie die zijn onderbewuste maar zou kunnen verzinnen. Hij herinnerde zich nog dat hij onder verdoving was gebracht, en vervolgens nog een keer... nadat hij zijn kamer in het ziekenhuis kort en klein had geslagen en daarbij zelfs iemand hard tegen de muur had gesmeten. Maar die manier om zijn woede en verdriet uit te leven had hem niet geholpen. Die gevoelens waren daardoor alleen maar heviger geworden, totdat hij lichamelijk en geestelijk niet langer in staat was geweest om ze te verdragen. En toen was hij gewoon ingestort. Hij had werkelijk gedacht dat hij al dood was. En een groot deel van hem had ook maar al te graag gewild dat dat werkelijk zo was.

Vierentwintig uur lang had hij zich niet verroerd en alleen maar zwijgend naar de witte ziekenhuismuur liggen turen, en in veel opzichten had hij daarmee niet anders gereageerd dan hij als klein jongetje in het weeshuis had gedaan: hij had zijn uiterste best gedaan om uit de puinhopen van zijn leven een nieuwe werkelijkheid te scheppen. Maar toen hij uiteindelijk opstond, was Anna nog steeds dood geweest. Ze zou altijd dood blijven.

Het enige wat hem nu op de been hield, was zijn behoefte om degenen die dit gedaan hadden, te vinden en te doden. Dat was het enige doel waarmee hij kon voorkomen dat hij instortte. Hij had niet melodramatisch zitten doen toen hij tegen Katie had gezegd dat zijn leven voorbij was. Zijn leven was echt voorbij. Het enige wat hem nu nog te doen stond, was er op een juiste manier een streep onder te zetten... door Anna te wreken.

Hij nam een taxi en reed naar de plek waar ze was gestorven. Maar eigenlijk wilde hij op dat moment liever hard de andere kant uit rennen.

·52·

Royce stond Shaw op te wachten bij de voordeur, waar nog steeds politietape voor gespannen was. In het gebouw zelf was het enorm druk. Overal zwermden politiemensen en forensisch onderzoekers rond. Terwijl Shaw voorzichtig om hun werk heen stapte, zag hij de plassen geronnen bloed en de met wit tape getrokken silhouetten die aangaven waar de slachtoffers waren neergevallen.

Royce keek naar zijn gewonde arm. 'Wat is er in hemelsnaam met u gebeurd?'

'Mijn hond heeft me gebeten. Wat doet u hier terwijl er een onderzoek wordt ingesteld naar een moordzaak?'

'Dat wil ik u graag laten zien.'

Royce liep met Shaw naar een kamer op de benedenverdieping die was ingericht als een geïmproviseerd kantoor voor de recherche. Op een van de tafels stond een computerterminal. Royce ging aan de computer zitten en drukte op een paar toetsen.

'We hebben een video-opname van een bewakingscamera op straat, die daar is neergezet om nummerborden vast te leggen ten behoeve van de forensenbelasting in het kader van het Londense anticongestiebeleid. Dit zijn opnamen op de dag van de moorden.'

Shaw keek mee over Royces schouder terwijl het beeldscherm tot leven kwam. De camera was op een hoge mast geplaatst en daardoor kwam het hele gebouw goed in beeld. Een bestelwagen met een satellietschotel op het dak stopte voor het gebouw. Even later stapten er twee mannen uit.

'Dat is het uniform van de Londense wegwerkers,' legde Royce uit.

De mannen haalden een stel oranje verkeerskegels uit de bestelwagen en zetten daar het einde van de straat mee af. Ze plaatsten de kegels niet alleen op de rijweg, maar ook op de trottoirs. Zodra ze daarmee klaar waren, zag Shaw de satellietschotel bewegen.

'Ze zijn de mobiele telefoons aan het storen,' zei hij.

Royce knikte. 'De gewone telefoonlijnen waren al eerder doorgeknipt.'

Shaw verstijfde toen er een stuk of zes mannen uit de bestelwagen sprongen en het gebouw binnen holden. Het ging allemaal zo snel dat het vrijwel niet mogelijk was hun bewegingen duidelijk te onderscheiden. Zelfs iemand die uit het raam stond te kijken of toevallig langsliep, zou misschien niets bijzonders hebben opgemerkt, alleen maar omdat het allemaal zo snel ging.

'Speel die beelden nog eens iets vertraagd af,' zei Shaw.

Een minuut later werd de scène nog eens afgespeeld, maar nu op halve snelheid, en bovendien werd er ingezoomd. De mannen waren zonder uitzondering lang van stuk en zagen er fit en gezond uit. Hun gezicht ging schuil achter levensechte maskers en als ze al wapens bij zich droegen, hielden ze die verborgen onder hun lange jassen. Shaw bekeek ze stuk voor stuk heel aandachtig om te zien of hij ergens iets opvallends kon vinden, een stukje huid met een litteken of een tatoeage die makkelijk te herkennen viel, maar daarin werd hij teleurgesteld.

Royce, die naar hem had staan kijken, knikte vol medeleven. 'Ik weet het. We hebben deze beelden nu al minstens tien keer bekeken, en wij konden ook niets bijzonders vinden. Het waren heel duidelijk professionals. Ze wisten dat die camera daar stond en daar hebben ze rekening mee gehouden.'

'Ik neem aan dat deze beelden pas achteraf worden bekeken?'

'Helaas wel, ja, want ik kan u verzekeren dat de politie er anders zeer energiek op gereageerd zou hebben. Ook daarvan moeten de daders zich bewust zijn geweest.'

'Waarschijnlijk kan ik u dit soort vragen beter helemaal niet stellen.'

'Het nummerbord en de wagen zelf hebben niets opgeleverd. De bestelwagen is gestolen van een autokerkhof in Surrey, ongeveer een week geleden; de nummerborden zijn afkomstig van een wrak in een garage hier in Londen. De achterdeur van het gebouw was ingetrapt, dus waarschijnlijk is er ook langs die weg een aanvalsteam binnengekomen.'

'Een aanvalsteam, daarmee hebt u waarschijnlijk de spijker op de kop geslagen. Ze zijn het gebouw van twee kanten binnen gevallen en hebben daarna elke verdieping heel zorgvuldig afgewerkt. Waarschijnlijk beschikten ze over een plattegrond en een lijstje van alle werknemers.' Dat laatste zei Shaw meer tegen zichzelf dan tegen Royce. 'Oké, nu de rest van de beelden maar.'

Shaw voelde zich opnieuw verstijven toen de glasscherven op straat neerregenden. Hij zag een hoofd tevoorschijn komen en hij zag dat degene die nu in de vensterbank stond, hard begon te gillen. Hij kon haar niet horen, want geluidsopnamen had de bewakingscamera niet gemaakt, maar dat was ook niet nodig. 'Dat is Anna!'

'Ik had al zo'n vermoeden,' zei Royce.

Shaw keek hem strak aan. 'Wat heeft Frank u allemaal verteld over haar en mij?'

'Niet zo heel veel, maar voldoende om te weten dat u een relatie met haar had. En u bent hier in het kantoor van mevrouw Fischer geweest. Ik heb daar foto's van haar en u gezien. Het spijt me heel erg. Hebt u elkaar lang gekend?'

'Niet lang genoeg.'

'Nogmaals, ik vind het echt heel erg voor u. Ik kan me er zelfs geen voorstelling van maken, hoe u zich nu moet voelen.'

'Wees daar maar blij om,' zei Shaw.

Royce schraapte zijn keel en richtte zijn aandacht weer op het beeldscherm. 'De ramen zijn per ongeluk dicht geschilderd en dus heeft ze het glas stuk moeten slaan.'

'Per ongeluk? Weet u dat zeker?'

'We hebben het schildersbedrijf nagetrokken. Het is een volkomen legitieme firma, die hier in de buurt al tientallen jaren onderhoudswerk doet aan allerlei gebouwen. Alle medewerkers zijn nagetrokken en er is niets bijzonders gevonden. Het schijnt ook helemaal niet zo ongebruikelijk te zijn, slordig werk, bedoel ik. Ik heb drie jaar geleden mijn flat laten schilderen en ik krijg die rottige ramen nog steeds niet open.'

Shaw luisterde niet. Hij stond naar Anna te kijken, die uit het raam hing en duidelijk om hulp riep, hulp die nooit zou komen. Een ogenblik later zag hij haar op de vensterbank klimmen.

'Was ze van plan om te springen?' zei hij op scherpe toon.

'Op het zonnescherm daaronder, vermoeden we.'

'Maar dat heeft ze nooit gedaan,' zei Shaw met doffe stem. 'Waarom niet?'

'Ik moet u waarschuwen dat de volgende beelden... nou, die zijn niet prettig om naar te kijken.' Royce draaide zich om en keek hem aan. 'Weet u zeker dat u hiermee door wilt gaan?'

'Ik moet het zien.'

De volgende scènes werden snel afgespeeld. Anna stond in haar kousenvoeten op de vensterbank en hield zich met beide handen goed vast aan de kozijnen.

In gedachten riep Shaw tegen haar dat ze moest springen, springen voordat het te laat was, zelfs al wist hij dat ze op dat moment al geen kans meer had. Het was voor hem een afschuwelijk moment. Hij kon zich er zelfs geen voorstelling van maken hoe angstaanjagend het voor haar moest zijn geweest. De volgende beelden zorgden er echter voor dat hij zich nog veel afschuwelijker voelde.

Hij zag bloed en longweefsel uit haar borst spatten toen de eerste kogel dwars door haar heen ging. Een fractie van een seconde later spatte er nog een stuk van zijn geliefde de frisse Londense buitenlucht in. Toen ze achterover haar kamer in viel, wendde Shaw eindelijk zijn ogen af.

'We kunnen hier later wel mee doorgaan,' opperde Royce.

'Nee, we gaan gewoon door. Ik red me wel.'

Een paar minuten daarna kwamen de mannen door de voordeur naar buiten gehold, en even later was het busje verdwenen.

'En niemand heeft iets gehoord of gezien?' vroeg Shaw. 'Zelfs een vrouw die uit het raam hing en om hulp riep, is door niemand opgemerkt? Ook niet toen er schoten klonken, ook niet toen het bloed op straat spatte?'

'De gebouwen aan weerszijden van dit gebouw worden binnenkort gerenoveerd en staan daarom leeg. De gebouwen hiertegenover zijn wel in gebruik, maar de huurders hebben bericht gekregen dat de gemeente die dag gevaarlijk onderhoudswerk aan de gasleidingen ging doen, en dat ze voor twaalf uur 's middags het gebouw verlaten moesten hebben op straffe van een zware boete.'

'En niemand heeft de moeite genomen om de gemeente te bellen en te controleren of dat waar was?'

'Er stond een telefoonnummer op het briefje. Verschillende huurders hebben gebeld en toen te horen gekregen dat het klopte.'

'Alleen het telefoonnummer zelf klopte niet.'

'Precies. En de verkeerskegels hebben ervoor gezorgd dat er geen auto's of voetgangers waren. Daar komt bij dat het een doodlopend straatje is. Zoveel auto's rijden hier toch al niet rond.'

'Zodat de Phoenix Group volkomen verlaten was. Het was allemaal heel zorgvuldig gepland,' gaf Shaw met tegenzin toe. 'En nu zou ik Anna's kamer graag willen zien.'

'Ik zou u eerst graag willen voorstellen aan een van de eigenaren van de Phoenix Group.'

'Zijn die hier dan?' zei Shaw scherp.

'Een van hen is hiernaartoe gekomen zodra hij bericht kreeg over de massamoord.'

'Waarvandaan?'

'Wat weet u over de feniks waarnaar dit instituut is genoemd?'

'Een vogel die nooit sterft. Hij rijst op uit zijn eigen as. Van Egyptische oorsprong.'

'Tot op zekere hoogte is dat allemaal volkomen juist. De feniks is een symbool dat bronnen heeft in verschillende culturen. Het oude Egypte, zoals u al zei, maar er zijn ook feniksmythen in de Arabische wereld, Japan en nog minstens één ander land.'

'En dat is?' zei Shaw ongeduldig.

Er verscheen een klein mannetje in de deuropening. Hij ging gekleed in een zwart pak en zijn gelaatsuitdrukking stemde goed overeen met de kleur van zijn kleding. Royce stond op om hem welkom te heten.

'Shaw, dit is meneer Feng Hai, uit China.'

·53·

Terwijl Shaw zich in het gebouw van de Phoenix Group bevond, was Katie daar voor de deur druk in de weer geweest. Ze was er eigenlijk al eerder ter plekke dan Shaw, en toen ze hem had zien aankomen, was ze snel even de hoek om gelopen. Ze had met haar inmiddels niet meer geldige perskaart even naar de politieman gezwaaid die op wacht stond bij de ingang en een snelle reeks vragen afgevuurd, waarop de man in het blauwe uniform geen antwoord gaf.

'Doorlopen,' zei hij met een geërgerde uitdrukking op zijn vlezige gezicht.

'Bent u dan niet voor een vrije en onafhankelijke pers, agent?'

'Waar ík voor ben, is dat jullie ons gewoon ons werk laten doen zonder overal je neus in te steken en je te bemoeien met zaken die jullie niet aangaan.'

'Uw naam zal niet genoemd worden. Ik voer u op als anonieme bron.'

'Reken maar dat mijn naam niet genoemd zal worden, verdomme! En nou doorlopen!'

Langzaam liep Katie een eindje verder terwijl ze ondertussen naar de vensters van het gebouw tuurde. Shaw was daarbinnen en kreeg nu precies te horen wat zich hier had afgespeeld, terwijl zij buiten rondhing en het zelf maar uit moest zoeken.

Kon ik maar gewoon weer... weer aan de top zitten. En nog een Pulitzer winnen. Ze was zo in gedachten verzonken dat ze bijna een sprongetje maakte toen ze iets op haar arm voelde. Ze draaide zich snel om en zag hem staan, met zijn zachte vilten pet in de hand, terwijl hij haar met zijn grote, nerveuze ogen strak aankeek.

'Kan ik iets voor u doen?' zei ze argwanend.

'Mevrouw is journalist?' Hij had een hoog stemmetje en straalde bepaald geen zelfvertrouwen uit. Het viel niet moeilijk te raden dat Engels niet zijn moedertaal was. Hij was kort van stuk en pijnlijk mager. Zijn gele tanden stonden schots en scheef in zijn mond. Zijn kleren waren nauwelijks meer dan lompen.

'En wie mag jij dan wel zijn?' Ze keek over zijn schouder, alsof ze verwachtte daar iemand anders te zien.

Hij keek om naar het gebouw van de Phoenix Group. 'Ik kom kijken hier elke dag. Naar dit gebouw.' Er ging een rilling door zijn lijf.

'Het is inderdaad akelig,' zei ze, nog steeds argwanend.

Hij leek te merken hoe slecht ze zich op haar gemak voelde. 'Mijn naam is Aron Lesnik. Ik kom uit Krakau.' En na een korte stilte voegde hij daaraan toe: 'Dat ligt in Polen.'

'Ik weet waar Krakau ligt,' zei Katie. 'Ik ben er weleens geweest. Wat wilt u van mij?'

'Ik zag mevrouw praten met die agent. Ik mevrouw hoorde zeggen dat mevrouw journaliste is. Is dat waar? Is mevrouw journaliste?'

'Ja, nou én?'

Lesnik keek snel nog eens naar het gebouw. Toen hij zich weer naar haar omdraaide, stonden zijn ogen vol tranen. 'Ik vind het zo erg voor die mensen. Het goede mensen waren en nu ze dood zijn.' Hij veegde zijn ogen droog met zijn mouw en keek haar met treurige ogen aan.

'Het was echt een tragedie, ja. En als u me nu wilt excuseren?' Katie vroeg zich af hoe het toch kwam dat zij altijd de gekken achter zich aan leek te krijgen. Maar wat de man toen zei, zorgde ervoor dat ze die gedachte onmiddellijk vergeten was.

'Ik was in het gebouw. Op die dag.' Hij zei het met schorre stem.

'Wat?' Katie kon dat gewoon niet goed verstaan hebben. 'Wáár was je?'

Lesnik wees naar het gebouw van de Phoenix Group. 'Daar,' zei hij nog eens, maar nu met een gekwelde klank in zijn stem.

'Waar de moorden zijn gebeurd?'

Lesnik knikte. Zijn hoofd ging op en neer als een kind dat iets opbiecht.

'Wat deed je daar dan?'

'Ik zocht werk. Een baan. Mijn Engels niet zo goed is, maar ik wel goed ben met computers. Ik ga daarnaartoe omdat ik heb gehoord dat zij mensen nodig hebben die goed zijn met computers. Ik afspraak heb. Is op die dag. Die... slechte dag.'

'Dus als ik het goed begrijp...' zei Katie, terwijl ze zonder veel succes probeerde haar opwinding verborgen te houden, '... was jij daar in dat gebouw voor een sollicitatiegesprek toen al die mensen werden gedood? Op het moment dat ze werden vermoord?'

Lesnik knikte. 'Ja.' Opnieuw vulden zijn ogen zich met tranen.

'Hoe komt het dan dat je niet dood bent?' vroeg ze argwanend.

'Ik hoorde schoten. Ik weet hoe schoten klinken. Ik was jonge jongen in Krakau toen Sovjets kwamen met geweren. Dus ik verstop mij.'

Katies argwaan was nu grotendeels verdwenen. Tijdens haar werk in het buitenland had ze zich zelf ook weleens schuil moeten houden voor mannen met geweren. 'Waar heb je je dan verstopt? Ik wil het precies weten.'

'Op benedenverdieping staat machine, in kamertje dat zij gebruiken om kopieën te maken. Er is deur aan achterkant van apparaat, met daarachter kleine ruimte om dingen op te bergen. Ruimte leeg en ik niet groot. Ik naar binnen kruip. Ik daar blijf totdat schieten ophoudt. Daarna ik ga naar buiten. Ik denk zij mij ook doodschieten als ze me vinden. Maar zij mij niet vinden. Ik geluk heb gehad.'

Katie stond nu te trillen van opwinding. 'Hoor eens, het is waarschijnlijk niet zo'n goed idee om hier te blijven staan praten. Waarom gaan we niet ergens anders naartoe?'

Lesnik deinsde onmiddellijk terug. 'Nee, ik heb al genoeg gezegd. Ik kom hier elke dag. Ik kom hier omdat ik niet weg kan blijven. Deze mensen, allemaal dood. Allemaal dood behalve ik. Ik zou ook dood moeten zijn.'

'Dat moet je niet zeggen. Het was duidelijk jouw tijd nog niet. Zoals je net al zei, je hebt geluk gehad,' zei ze. 'En bovendien zal het je goed doen om erover te praten.'

'Nee. Nee! Ik kom alleen naar mevrouw toe omdat ik hoor dat mevrouw is journaliste. In Polen wij hebben journalisten die zijn helden, helden in Polen. Zij verzetten zich tegen de Sovjets. Mijn vader, hij is een van hen. Zij doden hem, maar hij is nog steeds held,' voegde hij daar trots aan toe.

'Dat neem ik zonder meer aan. Maar u kunt dit niet zomaar aan een toevallige voorbijganger vertellen. U moet naar de politie gaan.'

Lesnik deed nog een stap naar achteren. 'Nee, geen politie. Ik niet hou van politie.'

Katie keek hem achterdochtig aan. 'Ben je hier illegaal?'

Lesnik gaf geen antwoord. Hij wendde gewoon zijn blik af. 'Geen politie. Ik moet nu gaan.'

Ze greep hem bij zijn arm. 'Wacht even.' Snel dacht ze na. 'Luister, als ik beloof dat ik mijn bron niet zal onthullen, kun je me dan in ieder geval vertellen wat je gezien hebt? Ik beloof je op een hele stapel bijbels dat ik tegen niemand zal zeggen wie het me verteld heeft. Per slot van rekening heb je mij aangesproken. Dus op de een of andere manier zul je me toch wel willen helpen.'

Er verscheen een aarzelende uitdrukking op Lesniks gezicht. 'Ik niet weet waarom ik naar mevrouw toe ben gekomen.' Hij liet een korte stilte vallen. 'Mevrouw... mevrouw kan dat? Niet vertellen?'

'Absoluut.' Ze keek naar zijn gekwelde gezicht, zijn kleine, bijna kinderlijke gedaante en zijn haveloze kleren. Ze kon zich maar al te goed voorstellen hoe hij doodsbang weggekropen zat in een kopieerapparaat, terwijl overal om hem heen schoten klonken. 'Wat denk je ervan als ik op iets te eten trakteer, zodat we rustig even kunnen praten? Alleen praten. Als je je dan nog steeds niet op je gemak voelt, ga je er gewoon vandoor.' Ze stak hem haar hand toe. 'Afgesproken?'

Hij nam haar hand niet aan.

'Ik weet zeker dat je vader zou willen zien dat de waarheid bekend wordt. En dat de moordenaars gestraft worden.'

Langzaam klemde hij zijn vingers om de hare. 'Oké, ik ga met mevrouw mee.'

Terwijl ze samen wegliepen, stelde Katie de vraag die ze al die tijd al had willen stellen. 'Heb je gezien wie het gedaan heeft?' Ze hield haar adem in terwijl ze op het antwoord wachtte.

Hij knikte. 'En ik kon horen hen ook. Ik hen goed verstaan. Ik taal die zij spreken heel goed ken.'

'De taal die ze spraken? Dus het waren buitenlanders?'

Lesnik bleef staan en keek haar strak aan. 'Het waren Russen.'

'Weet je dat zeker? Ben je daar heel zeker van?'

Voor het eerst verscheen er een zelfverzekerde, bijna uitdagende uitdrukking op zijn gezicht. 'Ik ben Pool. Uit Krakau. Als ik hoor Russisch, ik herken dat.'

·54·

'We hebben ons bedrijf genoemd naar de Chinese feniks, de *Feng Huang*,' zei Feng Hai toen ze in een kamer naast de lobby waren gaan zitten. 'In de Chinese mythologie staat de feniks voor deugd, kracht en voorspoed. Er wordt ook wel gezegd dat de vogel symbool staat voor de macht die de keizerin van bovenaf vergund was. Wellicht is u ook bekend dat "Feng" mannelijke feniks betekent.'

'En uw familienaam luidt ook Feng,' merkte Shaw op. Anders dan in het Westen zetten de Chinezen de naam van hun familie altijd vóór hun eigen naam, zodat de termen voor- en achternaam met betrekking tot Chinezen nogal verwarrend waren. In westerse termen gesteld was Hai echter zijn voornaam en Feng zijn achternaam.

Feng knikte. 'Dat heeft me ook op het idee gebracht. Dat is juist.'

'En de connectie tussen de Phoenix Group en China?' vroeg Royce.

'De Phoenix Group is gewoon een Chinees bedrijf dat actief is in Londen, net zoals veel andere bedrijven.'

'Uw werknemers schijnen te denken dat het bedrijf eigendom was van een rijke Amerikaan uit Arizona,' merkte Shaw op.

Feng haalde zijn schouders op. 'Dat waren duidelijk geruchten.'

'Volgens mij waren het niet zomaar geruchten,' zei Shaw. 'Ik vermoed dat u die opzettelijk hebt verspreid. Ze fungeerden als dekmantel.'

Royce zat nu op het puntje van zijn stoel en Feng keek Shaw woedend aan.

'Dus in wezen was de Phoenix Group een onderzoeksinstituut dat zich bezighield met mondiale kwesties en dat door uw partners en u werd gefinancierd? Dat was het businessmodel?'

Feng knikte.

'Waarom hebt u zo'n onderzoeksinstituut opgericht?' vroeg Royce.

'Om oplossingen te vinden voor ingewikkelde vraagstukken,' zei Feng. 'Ook de Chinezen stellen belang in dergelijke problemen en mogelijke oplossingen daarvoor. We zijn niet allemaal harteloze vervuilers en mensen die lood in kinderspeelgoed verwerken, heren,' voegde hij daar met een flauwe glimlach aan toe.

'Heeft de Phoenix Group geld opgeleverd?' vroeg Shaw.

'Het ging ons niet om het geld.'

Shaw keek om zich heen naar de fraai ingerichte kantoorruimte. 'Dit gebouw is anders flink wat geld waard. Hoeveel zal het zijn, dertig miljoen pond?'

'Het is een uitstekende investering gebleken. Maar zoals ik al zei, het gaat ons niet in de eerste plaats om het geld. Wij, mijn partner en ik, zijn goede zaken- lieden. Wij verdienen een heleboel geld met andere zaken. De Phoenix Group was onze manier om eens iets goeds te doen. "Iets teruggeven aan de maat- schappij," luidt de westerse uitdrukking geloof ik.'

'Dus u hebt geen idee waarom iemand dit onderzoeksinstituut zou willen over- vallen en alle werknemers zou willen vermoorden?' vroeg Royce, en de scepti- sche klank in zijn stem was onmiskenbaar.

'Nee, ik heb echt geen idee. Ik was erg van streek toen ik het hoorde. Heel erg van streek. Ik... ik kon niet geloven dat zoiets mogelijk was. De mensen hier waren geleerden, intellectuelen. Ze hielden zich bezig met kwesties als waterge- bruiksrechten, de mondialisering van de wereldeconomie, de opwarming van de aarde door een verhoogde uitstoot van broeikasgassen, het mondiale ener- gieverbruik, internationale financiële hulp aan derdewereldlanden en de dyna- miek van politieke processen. Goedaardige intellectuele onderwerpen, heren.'

'Anna Fischer heeft een boek geschreven over politiestaten,' merkte Shaw op. 'Dat valt toch nauwelijks een goedaardige intellectuele kwestie te noemen.'

'Anna Fischer was bijzonder goed in haar werk.'

'U hebt haar gekend?'

'Ik heb van haar gehoord.'

'Heeft iemand hier u weleens ontmoet?' vroeg Shaw vlug.

'Wij, mijn partners en ik, trekken liever niet al te veel de aandacht. Maar we ontvingen regelmatig rapporten.'

Dat neem ik zonder meer aan, zei Shaw in zichzelf.

'Hebt u iets gevonden wat erop zou kunnen wijzen wie dit gedaan heeft?' vroeg Feng bezorgd.

Royce schudde zijn hoofd. 'Geen vingerafdrukken, geen patroonhulzen, geen enkel spoor, vrees ik.'

'Dit is zeer ontmoedigend.'

'Maar we hebben wel iets belangrijks gevonden, meneer Feng,' zei Royce. 'Wilt u het zien? Het is echt zeer verhelderend.'

·55·

Aron Lesnik werkte gretig zijn sandwich naar binnen en daartussendoor nam hij zo nu en dan een grote, slurpende slok van zijn koffie. Terwijl ze keek hoe het mannetje zat te eten voelde Katie zowel weerzin als medeleven. Hij was doodsbang, dacht ze. Doodsbang, misschien wel illegaal en overduidelijk erg hongerig.

Lesnik veegde zijn mond af en slaakte een lichte zucht. Toen merkte hij hoe ze hem zat aan te gapen en er verscheen een gegeneerde uitdrukking op zijn gezicht. 'Bedankt voor het eten.'

'Graag gedaan. Heb je er bezwaar tegen als ik dit gebruik?' Ze haalde een mini-recorder tevoorschijn.

'Nee, ik dat niet wil. Ik het aan mevrouw vertel, maar ik niet wil dat mensen horen mij.' Hij keek zenuwachtig om zich heen. 'Ik ben bang.'

Ze stopte het recordertje weg. 'Goed, dan schrijf ik het wel op.'

Hij ontspande zich weer en leunde achterover.

'Vertel me nu dan alles wat je hebt gezien en gehoord.'

Het kostte Lesnik maar een paar minuten om zijn verhaal te vertellen. Hij had een sollicitatiegesprek gehad met een zekere Bill Harris, in een kamer op de benedenverdieping. 'Waarom ben jij dan niet vermoord?' vroeg Katie op scherpe toon.

'Ik naar het toilet ging, een eindje verder aan de gang,' legde Lesnik uit. Toen hij terugkwam, had hij schoten en geschreeuw gehoord. Hij was snel een lege kamer binnengestapt, had het kopieerapparaat zien staan en was erin gekropen. Daarna had hij nog meer schoten en nog meer geschreeuw gehoord. Hij had mensen langs horen lopen en gedacht dat ze hem zouden vinden. Hij vertelde Katie dat hij ervan overtuigd was geweest dat hij ging sterven. Terwijl hij zijn verhaal zat te vertellen, moest hij zichzelf een paar keer onderbreken om een slokje water te nemen en weer wat tot bedaren te komen. Katies pen schoot over het papier terwijl ze alles opschreef.

'En wat is er toen gebeurd?'

'Ik denk… ik hoop dat ze nu allemaal verdwenen zijn, de mannen met geweren, ik bedoel. Maar ik heb iets gehoord.'

'Wat heb je dan gehoord?'

'Ik twee mannen horen praten. Zij binnenkomen kamer waar ik me schuil-hield! Zij spreken Russisch. Ik ken Russisch. Ik kan het spreken, ja.'

'Wat zeiden ze dan?'

'Dat ze hebben een lijst met namen, en dat alle namen zijn dood.'

'Dus ze wisten wie er in het gebouw werkten?'

'Volgens mij wel, ja.'

'Wat hebben ze verder nog gezegd?'

'Ze praten over iemand anders die gebouw binnenkomt. Maar ze niet kennen zijn naam. En ze niet denken dat hij dood is.'

Katie had het onmiddellijk door. 'Ze hadden het over jou!'

Lesnik knikte. 'Dat denk ik ook. Ik denk dat zij gebouw nog eens gaan doorzoeken, en mij dan wel vinden. Ik zit in de val. Ik weet dat ik sterven ga.' De tranen liepen over zijn gezicht.

Ze schonk hem nog meer koffie in. 'Hoe komt het dan dat ze je niet gevonden hebben?'

'Een man zei tegen de anderen dat ze nu weg moeten. Er is raam stukgeslagen in een kantoor. Vrouw heeft uit raam gehangen en om hulp geroepen. Ze moeten weg, voordat politie komt.'

'En toen zijn ze weggegaan?'

'Ja, maar terwijl ze weggaan, zij praten blijven. Een man, hij zeggen dat Gorshkov blij zal zijn als hij hoort dat missie geslaagd is.'

Katie ging met haar pen bijna dwars door het papier heen. 'Gorshkov? De Russische president?'

Lesnik knikte. 'Ik hoor zijn naam en ben erg bang. Iedereen weet dat Gorshkov oud-KGB'er is, net als Putin. Hij spuwt op democratie. Iedereen in Polen weet dat.'

'Waarom zou Gorshkov het op een onderzoeksinstituut in Londen gemunt hebben?' zei Katie verward.

'Dat ik niet weet.'

'Hoe ben je weggekomen?'

'Ik wacht tot mannen weggaan. Ik wacht nog even om zeker te zijn, en daarna ik door achterdeur naar buiten ga. Dat ook manier waarop ik binnengekomen ben.'

'Waarom niet door de voordeur?'

'De man die ik gesproken heb, meneer Harris, hij zei dat ik op die manier moet binnenkomen. Toen ik vertelde waar ik vandaan kwam, hij zei dat dat makkelijker voor mij.' Zijn gezicht betrok. 'En ik niet voordeur uit gaan omdat... omdat daar twee lijken liggen. Een oude man, een jonge vrouw, kogel in hun gezicht.' Hij wees op zijn rechteroog. 'Hier. Ik niet langs hen heen kan lopen. Ik door achterdeur naar buiten ga en ik hollen. De hele weg naar waar ik logeer.'

'En je hebt niemand anders hierover verteld?' Lesnik schudde zijn hoofd. 'Als ik vertel, dan mensen komen mij vermoorden. Ik daar alleen maar naartoe ga voor baan. Ik niet sterven wil.'

'Oké, oké,' zei Katie en ze legde haar hand kalmerend op zijn magere schouder. 'Dit was een grote eerste stap.'

'Mevrouw gaat verhaal schrijven? Mevrouw mijn naam niet gebruiken?' vroeg hij bezorgd.

'Ik heb beloofd dat ik je naam niet zou gebruiken. Maar waar kan ik je bereiken, als ik nog vragen heb?'

'Ik logeer in pension bij rivier.' Hij krabbelde het adres op een servetje. 'Dat is alles waar ik geld voor heb.'

Opnieuw liet Katie haar blik over zijn oude, vaak opgelapte kleren en uitgemergelde lijf gaan. Ze voelde in haar zak en stopte hem een paar bankbiljetten toe. 'Het is niet veel, maar ik zal proberen nog wat meer voor je te bemachtigen.'

'*Dziekuje*. Dat is Pools woord. Dat is dank u wel in Pools.'

'Graag gedaan.'

Lesnik stond op.

'Heb je een telefoonnummer waarop je te bereiken bent?'

'Ik niet heb telefoon,' zei hij met een vermoeide glimlach. 'Ik woon in pension. *Powodzenia!*'

'Dat betekent toch "veel geluk" in het Pools?'

Heel even klaarde zijn gezicht op. 'Hoe weet mevrouw dat?'

'Ik gokte gewoon maar.'

Toen hij wegliep, liet Katie zich onderuit in haar stoel zakken. Wat moet ik nu beginnen? Eigenlijk kon ze gewoon niet geloven dat ook maar iets hiervan waar was. Een Poolse man die redelijk Engels sprak en die haar zomaar op straat aansprak. Háár! En die haar vervolgens het verhaal begon te vertellen waar iedereen ter wereld op dit moment zo benieuwd naar was. Een verhaal dat haar zojuist was toegewezen door een krant. Niemand had zoveel mazzel, en zeker zij niet.

En toch, als ze de haar bekende feiten eens op een rijtje zette? Lesniks verhaal was aannemelijk. Hij beschikte over details over de binnenkant van dat gebouw, details die Katie nog zou moeten natrekken. Hij leek oprecht bang en als hij de waarheid sprak, had hij ook reden om bang te zijn. En waarom zou hij haar iets voorliegen? Omdat hij een gek was die om aandacht schreeuwde? Maar het mannetje wilde niet dat zijn naam werd gebruikt. Hij was niet uit op roem. Hij was duidelijk bang. Wat als hij de waarheid vertelde?

Katie sprong op en liep haastig terug naar het gebouw van de Phoenix Group. Er was één man die haar kon helpen om dit verhaal na te trekken. En dat was Shaw. Ze keek bepaald niet reikhalzend uit naar de komende ontmoeting, maar al haar journalistieke instincten stonden op scherp en dreven haar voort in haar jacht op de moeilijkste prooi van allemaal: de waarheid.

·56·

Alles lag keurig uitgestald op tafel. Daarnaast stond een computerterminal. Royce had Feng en Shaw zojuist een paar dingen laten zien op het beeldscherm. Feng hing nu met een verbijsterd gezicht in een stoel terwijl Shaw langzaam een deel van het geschreven materiaal doorkeek.

'Dus u wilt beweren dat u zich hiervan totaal niet bewust was?' zei Royce, en het ongeloof in zijn stem weerkaatste als een afgedwaalde kogel heen en weer tussen de muren van het vertrek.

Feng knikte. 'Dat is correct,' zei hij vastberaden. 'Ik wist hier niets van.'

'Meneer Feng, ik zal er geen doekjes om winden. Overal in het gebouw liggen documenten waaruit heel duidelijk blijkt dat de Phoenix Group betrokken was bij een propagandacampagne tegen Rusland, en al die documenten zijn bezaaid met vingerafdrukken van uw werknemers. Op de harde schijven van de computers staan duizenden bestanden waarin het verloop van de campagne goed te volgen is, van de creatie van de zogenaamde *Tablet of tragedies* tot gedetailleerde gegevens over die Konstantin en allerlei teksten die gebruikt zijn in de propagandacampagne waar ik het net over had. Er staan meer dan dertigduizend Russische namen op uw harde schijven, dezelfde namen en achtergronden die via het internet zijn verspreid, in combinatie met beweringen dat het hier om slachtoffers ging van het Russische Rode Gevaar.'

'Ik heb geen idee hoe die hier gekomen zijn,' stamelde Feng. 'Geen idee!'

'Houdt u dan geen toezicht op het werk dat hier wordt verricht, meneer Feng?'

'We laten onze mensen hun eigen intellectuele belangstelling volgen,' zei Feng verontwaardigd. 'We zijn daar slechts heel zijdelings bij betrokken. Ik ben nooit eerder in dit gebouw geweest.'

'Nou, zo te zien is de "intellectuele belangstelling" van die werknemers van u nogal uit de hand gelopen. Begrijpt u de ernst van de situatie waarmee we ons hier geconfronteerd zien?'

Feng keek Royce vragend aan. 'Ik begrijp niet wat u bedoelt.'

'Hebt u banden met de Chinese overheid?'

'Ik begrijp niet wat dat ermee...'

Shaw viel hem in de rede. 'Gorshkov heeft gezworen dat degene die verantwoordelijk is voor deze propagandacampagne, beschouwd zal worden als agressor, als iemand die een oorlog is begonnen tegen Rusland. Als u banden hebt met de Chinese overheid, zouden uw activiteiten weleens tot een oorlog tussen de Volksrepubliek China en de Russische Federatie kunnen leiden.'

Feng sprong op. 'Dit is absurd!'

'De rest van de wereld zal het heel wat minder absurd vinden, meneer Feng.'

Nu nam Shaw het over: 'Hebt u banden met de Chinese overheid? Want als dat zo is, kunt u daar beter nu meteen mee voor de dag komen.'

Plotseling verscheen er een onzekere uitdrukking op Fengs gezicht en hij ging weer zitten. 'Het zou zo uitgelegd kunnen worden, dat wil zeggen, sommige mensen zouden...'

Shaw bukte zich, en hield zijn gezicht heel dicht voor dat van Feng. 'Ik weet zeker dat u wel begrijpt dat u nu geen andere keus hebt dan ons de waarheid te vertellen.'

Feng likte zijn lippen af en friemelde aan een ring om zijn vinger. 'Een deel van ons geld is afkomstig van de Chinese overheid.' En in hoog tempo voegde hij daaraan toe: 'Mijn partners en ik hebben regelmatig samengewerkt met de communistische partij. Het ging daarbij om het stimuleren van economische ontwikkelingen, zowel in China als in het buitenland. We hebben de Phoenix Group opgericht met als enige doel om een beter begrip te krijgen van diverse mondiale kwesties en daarmee ons land in staat te stellen om een grotere rol te spelen op het wereldtoneel. Het lijdt geen twijfel dat onze economie op een gegeven moment de grootste ter wereld zal zijn, en dat brengt verantwoordelijkheden met zich mee, verantwoordelijkheden die wij uiterst serieus nemen. Daarom was het ons streven om beter op de hoogte te raken van allerlei belangrijke kwesties die overal ter wereld actueel zijn. Het leek ons heel verstandig om daarvoor een denktank in het leven te roepen en die te bemannen met enkele van de beste geesten ter wereld.'

'En toch hebt u uw banden met de Chinese overheid opzettelijk verborgen gehouden,' snauwde Shaw. 'U hebt allerlei verhaaltjes verspreid over een miljonair uit Arizona.'

'In veel delen van de wereld worden wij verkeerd begrepen.' Feng keek snel even naar Royce. 'En dat geldt ook voor uw land, meneer Royce. We wilden niet dat het belangrijke werk van de Phoenix Group belemmerd zou worden door hardnekkige twijfels en misvattingen.'

'Waren de mensen die hier werkzaam waren zich bewust van uw banden met de Chinese overheid?' vroeg Royce.

Het antwoord op die vraag kende Shaw al. Als dat zo was, zou Anna het hem wel verteld hebben.

'Nee,' zei Feng. 'Het leek ons niet van belang voor hun werk. Wat maakte het nou uit voor wie ze werkten als het werk zelf een goed doel had?'

'Bent u lid van de communistische partij?' vroeg Royce.

'Ik begrijp niet wat...'

'Geeft u alstublieft antwoord op mijn vraag.'

'U dient te begrijpen…'

'Bent u lid van de communistische partij?' blafte Royce.

'Ja, daar ben ik lid van,' zei Feng in de verdediging gedrongen. 'Net zoals een groot deel van mijn medeburgers.'

De MI-5-agent hief wanhopig zijn handen ten hemel. 'Dit is een complete puinhoop.'

'Nee, heren, dit is belachelijk,' zei de inmiddels bleek geworden Feng. 'De Phoenix Group is op geen enkele wijze betrokken geweest bij dit gedoe rond het Rode Gevaar. Alleen al de suggestie is absurd.'

'Omdat u zelf hebt gezegd dat u hier nooit eerder geweest bent, verkeert u toch nauwelijks in een positie om dat te weten,' zei Royce nijdig. 'Of wel soms?'

'Waarom zouden we zoiets doen?' zei Feng. Hij klonk bijna jammerend.

'Hoeveel andere partners hebt u?'

'Vier.'

'Volgens mij kan iemand hun maar beter eens gaan vragen of zij hier weet van hebben,' zei Royce. En met een blik op Shaw voegde hij daaraan toe: 'Voorlopig blijft dit onder ons. Als ook maar iets hiervan uitlekt, kunnen de gevolgen voor uw land zo ernstig zijn, meneer Feng, dat ik het me nauwelijks nog erger kan voorstellen.'

'U kunt niet serieus menen dat Rusland ons zou aanvallen.'

'Gorshkov heeft zijn reputatie ingezet op het feit dat hij zoiets wel degelijk zal doen. En als u dat van mij niet wilt aannemen, gaat u dan maar eens navraag doen in Afghanistan.'

'Wie weet het verder nog?' vroeg Shaw aan Royce.

'Een paar leden van het gerechtelijk onderzoeksteam. Ze hadden zoiets beslist niet verwacht toen we met dit onderzoek begonnen. Toen ze eenmaal in de gaten kregen waarmee ze zich hier geconfronteerd zagen, hebben ze niemand anders toestemming gegeven om het materiaal te bekijken en mij erbij geroepen.'

'Het verbaast me dat u mij hier dan wel hebt toegelaten,' zei Shaw zonder eromheen te draaien.

'Frank heeft me verteld dat u absoluut de beste bent die hij maar heeft. Dus ik dacht dat ik wel op uw discretie zou kunnen vertrouwen. En ik heb echt dringend hulp nodig.'

'U kunt op allebei rekenen.'

'Uw paspoort alstublieft,' zei Royce tegen Feng.

Fengs gezicht betrok. 'Dat kunt u niet menen.'

'Uw paspoort alstublieft.' Royce hield zijn hand op.

'Ik heb geen misdrijf begaan.'

'Dat valt nog te bezien.'

'Bent u bereid om dit op een internationaal incident te laten uitlopen?'

'Ach, een internationaal incident meer of minder,' zei Royce, 'wat maakt dat nou nog uit?'

'Ik wil naar de Chinese ambassade. En wel onmiddellijk.'

'Als u me uw paspoort geeft, zal ik wel kijken of ik een lift voor u kan regelen,' zei Royce en hij was zo vriendelijk om dat aanbod te bekronen met een glimlach.

Heel langzaam gaf Feng zijn paspoort af. 'Dit is absoluut schandalig.'

'Absoluut,' zei Royce instemmend. 'Maar dat geldt voor alles wat we hier tot nu toe ontdekt hebben.'

Toen Feng en Royce de kamer uit wilden lopen, zei Shaw: 'Ik ga naar Anna's kantoor.'

'Shaw, we hebben haar lichaam daar nog maar net weggehaald. Verder is er nog niets aangeraakt. Het is bepaald geen...'

'Dat weet ik.'

57

Shaw liep met twee treden tegelijk de trap op en holde over de met vast tapijt beklede vloer naar het eind van de gang. De deur links stond open. Hij kneep zijn ogen dicht en dwong zich om zijn aandacht op het werk te richten waar hij nu mee bezig was. Hij moest iets zien te vinden, het maakte niet uit wat, als het hem maar hielp om degenen te achterhalen die Anna hadden vermoord.

Hij liep de kamer binnen en terwijl hij de kleine ruimte rondkeek, kreeg hij het plotseling ijskoud. Hij liet zijn blik over de boeken gaan, over de oude schrijftafel en de stoel waar hij altijd in had gezeten als hij hier op bezoek kwam. Hij zag het kleine Perzische tapijtje in het midden van de kamer, Anna's kamerplanten en de trui die nog steeds over de rug van haar stoel hing. Hij voelde er even aan en toen hij Anna's lichaamsgeur opsnoof, die op de een of andere manier nog steeds in de stof was blijven hangen, ondanks de stank van neergeslagen kruitdamp en de walm van de antiseptische middelen die het forensisch onderzoeksteam had gebruikt, merkte hij dat de muren van professionalisme die hij om zich heen had opgetrokken, begonnen af te brokkelen.

Zijn professionele instelling brokkelde nog wat verder af toen hij zijn blik op de boekenplank achter het bureau richtte, waar verschillende foto's van Anna en hemzelf stonden. De vrolijke gezichten waarmee Anna en hij op al die foto's in de lens keken, leken over hem heen te vallen als een lading graankorrels die in een silo wordt gestort, en dreigde hem bijna levend te bedelven.

Toen Shaw snel naar de vloer keek en zag dat er bloed in het hout was gedrongen, moest hij even gaan zitten. In die donkere vlekken zag hij zijn eigen heden en verleden, en zelfs zijn troosteloze en eenzame toekomst, in één verpletterend visioen samengevat. Als je iemand je hart schonk, was je nooit meer vrij. Dan kon je maar beter voorbereid zijn op zoiets als dit. Alleen kon je daar natuurlijk nooit écht op voorbereid zijn.

Het kapotgeslagen raam was met een vel plastic dichtgeplakt, maar toch liep hij ernaartoe en stond er vol aandacht een tijdje naar te kijken, terwijl hij zich voorhield dat nu instorten niet zou helpen om Anna te wreken. Hij zag waar ze in haar wanhoop haar vingernagels diep in de houten kozijnen had geduwd. Ze moest echt op het punt hebben gestaan om naar buiten te springen. Snel keek hij even achterom naar de deur en de twee kogelgaten daarin, en met zijn geoefende blik berekende hij de baan die de kogels moesten hebben afgelegd. Die zouden haar inderdaad ter hoogte van haar borst getroffen hebben, zoals op de videobeelden te zien was geweest. Maar met de deur dicht kon de schutter niet geweten hebben dat Anna uit het raam probeerde te springen.

Een toevalstreffer, besloot hij met een scheut van verdriet.

Ze was achterover de kamer in gevallen. Hij liet zich op zijn knieën zakken en keek naar de bloedvlekken en het met tape aangegeven silhouet. Buiten hoorde hij het normale stadsgedruis, maar hierbinnen heerste de stilte van de dood. En toch konden de doden soms luider spreken dan wat dan ook.

Zeg iets tegen me, Anna. Vertel me wat er gebeurd is.

Hij keek nog aandachtiger en meende een voetafdruk in het bloed op te merken. De afdruk was niet groot genoeg om nuttig te zijn voor het onderzoek, en dat was waarschijnlijk ook de reden waarom Royce er niets over had gezegd. Hij liep naar het bureau en ging in haar stoel zitten. Anna's computer was weggehaald voor nader onderzoek, maar haar bureau zelf lag nog steeds vol met allerlei documenten waar ze aan gewerkt had. Alleen was alles nu in plastic verpakt, zodat het later als bewijsmateriaal zou kunnen dienen.

Shaw raapte zo'n zakje op. Door het plastic heen zag hij Anna's keurige handschrift in de kantlijn van de getypte velletjes staan. Hij had er weleens een grapje over gemaakt dat zij altijd opmerkingen en annotaties in de kantlijn krabbelde, en dat ze nooit eens een stukje tekst tegenkwam waar ze geen commentaar op moest leveren. Hij legde het zakje neer en pakte een andere in plastic verpakte stapel papier op.

Deze documenten leken erop te wijzen dat Anna bezig was geweest met het op elkaar afstemmen van verschillende elementen van de Rode Gevaar-campagne. Hoewel haar vingerafdrukken op alle documenten waren aangetroffen, wist Shaw dat het onzinnig was om te denken dat Anna aan deze propagandacampagne had meegewerkt. En als hij daar ook maar even aan getwijfeld had, dan werden die twijfels onmiddellijk verdreven door het feit dat deze getypte vellen volledig onbeschreven waren. Nergens had ze ook maar één aantekening gemaakt. Iedereen die haar goed kende, zou dat onmiddellijk opgemerkt hebben, maar Shaw was zich er maar al te goed van bewust dat dit in de ogen van de rest van de wereld geen overtuigend bewijs zou vormen.

Waarschijnlijk hebben ze de vingers van de slachtoffers tegen de vellen papier gedrukt nadat ze al dood waren. Wie hier ook achter hadden gezeten, het moest wel een stel kille, harteloze klootzakken zijn, en hij zou er veel genoegen in scheppen om ze stuk voor stuk naar de andere wereld te helpen.

Hij vermoedde ook dat elke computer hier vol zou zitten met belastende bestanden die daar door de invallers op gezet waren. Een grondig onderzoek zou misschien uitwijzen dat die bestanden pas op de dag van de moordpartij waren gedownload, maar als de daders werkelijk hadden geweten waar ze mee bezig waren, viel zelfs dat misschien nooit te bewijzen.

Hij zou Royce niet op de hoogte brengen van zijn twijfels over het bewijsmateriaal omdat hij niet zeker wist hoe dit allemaal verder zou gaan. Hoewel hij zeer nadrukkelijk had aangegeven dat hij met de man wilde samenwerken, besefte hij maar al te goed dat hun belangen op een gegeven moment uiteen zouden lopen. Royce wilde de daders alleen maar oppakken, en hij wilde ze executeren. Feng had toegegeven dat de Chinese regering banden onderhield met de Phoenix Group. Wilde dat zeggen dat iemand de indruk probeerde te wekken dat de Chinezen achter het Rode Gevaar zaten? Maar wie zou zoiets doen, en waarom? Een oorlog tussen Rusland en China? Welke maniak zou een dergelijk scenario nou in gang willen zetten?

En Anna had er pal tussen gezeten. Maar waarom hadden ze nou uitgerekend de Phoenix Group als doelwit gekozen? Was het alleen maar stom toeval dat die organisatie banden had met de Chinese regering? Nee, dat kon niet. Dat kon gewoon niet.

De moordenaars waren duidelijk op de hoogte geweest van die connectie, en dat moest ze heel wat werk hebben gekost. Maar toch... Er moesten over de hele wereld tienduizenden organisaties zijn die banden hadden met China. Waarom uitgerekend hier? Waarom Anna?

Shaw liep naar de boekenplank en pakte een van de foto's. Die was genomen op de avond waarop hij haar ten huwelijk had gevraagd. Anna had de ober gevraagd om een foto van hen samen te maken, en daarbij vooral de nieuwe verlovingsring om haar vinger goed in beeld te brengen. Haar glimlach, zo vervuld van de stralende toekomst die ze samen voor de boeg hadden, liet hem de pijn in zijn arm onmiddellijk vergeten, maar alleen omdat de intense pijn die hij nu in zijn hart voelde zoveel heviger was.

Plotseling drong het tot hem door dat hij hier geen seconde langer kon blijven. Hij rende de trap af en smeet de voordeur open. Hij had het gevoel dat hij geen lucht meer kreeg, zijn longen leken wel zo hard als steen. Het beeld van Anna die dood achterover de kamer binnen viel, het idee dat de moordenaar over haar heen gebogen had gestaan, terwijl hij zelf zo ver weg was geweest en daar niets tegen had kunnen doen, grifte zich schroeiend in zijn hersenen.

Hij rende langs de politieman die naast de deur op wacht stond, en toen was hij op straat, waar hij een fractie van een seconde later zo hard tegen iemand aan liep dat ze tegen het trottoir smakte.

Hij bukte zich om haar overeind te helpen, en er lag al een verontschuldiging op zijn lippen, een verontschuldiging die hij nooit zou uitspreken. In plaats daarvan zakte zijn mond open.

Katie krabbelde langzaam overeind. 'We moeten praten. En wel nu.'

58

Zelfs voor zijn doen had Nicolas Creel een drukke dag voor de boeg. Hij was met zijn privévliegtuig van Italië naar New York gereisd, en daarna doorgegaan naar Houston, waar hij zijn *executive sales team* had opgehaald. Tijdens de lange vlucht waren ze druk in de weer geweest met de laatste details van de verkooppresentatie die ze op hoog niveau in Beijing zouden gaan houden.

Nu bevond Creel zich in zijn hut en keek naar een foto die hem zojuist was toegestuurd. Het was een foto van een man, en uit het begeleidende commentaar bleek dat hij Shaw heette en betrokken was bij het onderzoek naar de massamoord in het gebouw van de Phoenix Group. Hij was verbonden aan een schimmige internationale wetshandhavingsorganisatie, die zich om resultaten te bereiken echter geregeld van onwettige methoden bediende. Shaw was een van hun beste agenten en het scheen dat hij een persoonlijke reden had om dit misdrijf op te lossen. Dat was verontrustend. Maar nog verontrustender was het mailtje dat hij zojuist van Caesar had ontvangen. Caesar liet het gebouw van de Phoenix Group natuurlijk in de gaten houden, en er was hem zojuist gemeld dat Shaw en Katie James samen de straat uit waren gelopen. Creel had Caesar opdracht gegeven om die twee te laten volgen. Hij wilde niet dat Shaw de journaliste zou hinderen bij het vervullen van haar rol.

Hij liep terug naar de vergaderkamer, waar zijn managers druk in de weer waren met de laatste details van een verkooppraatje waarvan ze hoopten dat het hun de grootste defensieopdracht zou opleveren die China ooit aan een particulier bedrijf had gegund.

In werkelijkheid, zo besefte Creel als enige, was dit niet meer dan een eerste salvo. Als de wereld meer te horen had gekregen over de gebeurtenissen in Londen, zouden de Chinezen doordrongen raken van de precaire positie waarin ze zich bevonden. De Aziatische draak zou het belangrijkste mikpunt worden van de Russische beer. En de communisten zouden hun bestelling verdriedubbelen, al was het maar om zich die gek van een Gorshkov van het lijf te kunnen houden. Met een beetje mazzel zouden ze de komende twintig jaar vaste klant blijven van de Ares Corporation.

Voor de meeste zakenmensen zou dat meer dan genoeg zijn geweest. Maar niet voor Nicolas Creel. Dit kunststukje in Beijing was nog maar de helft van de operatie.

Na China zou Creel verder naar het westen vliegen en Moskou aandoen. Hij verwachtte daar veel weerstand van de voormalige Sovjets, die op dit moment

nog geen grote behoefte voelden aan de allernieuwste snufjes op militair gebied. Net als de rest van de wereld hadden de Russen zich neergelegd bij de
overheersing van de Amerikanen, die gewoon veel meer geld aan wapens
besteedden dan wie dan ook. Maar Creel was een van de weinigen, misschien
wel de enige, die duidelijk besefte dat dat niet altijd zo zou blijven. Wereldmachten kwamen en gingen. De Amerikanen hadden lang de overhand gehad
– lang naar de maatstaven van de recente geschiedenis in ieder geval – maar nu
waren zij aan de beurt om overtroefd te worden. Door de Russen, door de Chinezen of door beide, dat kon Creel eigenlijk niet veel schelen. Hij wilde alleen
maar degene zijn die de volgende supermacht van wapens zou voorzien. In het
verkooppraatje dat hij eerst zou afsteken tegenover de Chinese minister van
Defensie en daarna tegenover de Russische, zou hij niet lang blijven stilstaan bij
de rivaliteit tussen Rusland en China, en de oplopende spanningen tussen die
twee landen. In plaats daarvan zou hij een positievere invalshoek kiezen. Dit is
het moment, zou hij tegen de buitenlandse ministers zeggen. Dit is jullie eeuw.
Grijp die kans, anders gaat iemand anders ermee vandoor! En daarna zou hij
het aan de verbeeldingskracht van de beide heren overlaten om uit te maken
wie die iemand anders dan wel mocht zijn.

De cijfers en de lastige details zou hij aan zijn ondergeschikten overlaten. Hij
ging mee om hun presentaties te bekronen met een afsluitend praatje, waarin
hij goed duidelijk zou maken wat er voor beide landen op het spel stond. Voor
de Ares Corporation zelf ging het om duizenden miljarden dollars. Want zodra
Rusland en China eenmaal met een serieuze herbewapening begonnen, zou
iedereen ter wereld die geld te besteden had en zijn eigendunk op peil moest
houden, met hen meegaan. Dat gold ook voor Amerika, dat dan natuurlijk
maar al te goed zou begrijpen dat zijn positie als wereldleider gevaar liep. En
wat stelde nog een paar duizend miljard dollar aan schulden erbij nou helemaal
voor? Het reusachtige bedrag dat Amerika aan het buitenland schuldig was, zou
het land toch nooit kunnen terugbetalen.

Snel liet Creel in gedachten de cijfers de revue passeren. Een nationale schuld
van ongeveer tienduizend miljard dollar, nog afgezien van het belachelijke
gedoe met de Social Security, het Amerikaanse stelsel van overheidspensioenen
voor bejaarden. Alleen al de rente op de Amerikaanse nationale schuld bedroeg
meer dan driehonderd miljard dollar per jaar. Samen met nog eens zevenhonderd miljard dollar aan defensie-uitgaven, was dat samen maar liefst duizend
miljard dollar, ofwel een derde van de totale overheidsbegroting. De Social
Security, plus Medicare en Medicaid, twee ziektekostenverzekeringen van de
Amerikaanse overheid voor respectievelijk bejaarden en mensen met lage inko-
mens, kostten samen ook iets van duizend miljard. Aan bijstand en werkloos-
heidsuitkeringen werd ongeveer vierhonderd miljard uitgegeven, zodat er niet

meer dan een paar honderd miljard dollar overbleef voor de rest. In het grote geheel was dat niet meer dan een handje kleingeld. En elke dag weer gingen de Amerikanen met de hoed in de hand naar landen als China, Japan en Saudi-Arabië om daar om geld te bedelen waarmee ze hun uitgaven konden financieren. Creel had al lang geleden voorzien hoe dat zou eindigen. Hij moest wel, want voor zijn bedrijf was het van groot belang om dergelijke ontwikkelingen te signaleren. Hoewel de Amerikanen terecht bekendstonden om hun vindingrijkheid en uithoudingsvermogen, besefte de ervaren zakenman dat geld nooit loog.

Tenzij het land snel een radicale koerswijziging doorvoerde, hadden de Amerikanen binnen dertig jaar afgedaan. Daarom kocht Creel euro's en yens, en probeerde hij zijn klantenkring uit te breiden tot ver buiten 'het land van de vrijheid, en het huis van de moedigen', zoals het in het Amerikaanse volkslied heette. Niemand met zo veel schulden was werkelijk vrij, en het huis zat zwaar onder de hypotheken. De Amerikanen zouden er nog wel even van kunnen genieten; het zou ze nog enkele tientallen jaren lukken om op de pof te blijven leven, maar de komende generaties zouden ze al die schulden moeten afbetalen en zodra de rekening werd gepresenteerd, zou de hel losbarsten.

Het was duidelijk dat verschillende andere grote wapenfabrikanten ook voordeel zouden hebben bij de komende bewapeningswedloop, maar Creels bedrijf bevond zich wel in een buitengewoon goede uitgangspositie om het grootste deel van al die nieuwe bestellingen in de wacht te slepen. Het zou de kroon op zijn levenswerk worden. Zijn bedrijf zou gered zijn, zijn nalatenschap veiliggesteld. En wat nog belangrijker was, het natuurlijke machtsevenwicht in de wereld zou weer hersteld zijn.

Het was alles wat hij maar had kunnen hopen, en hij had zijn doel inmiddels bijna bereikt. Maar toch keek hij nu telkens weer naar de foto die hem door Caesar was toegestuurd. Zijn felle blik brandde in de ogen van de man op de foto. Die ogen bevielen Creel niet. Hij had fortuinen verdiend door de gelaatsuitdrukkingen van zijn tegenspelers te doorgronden, zelfs al hielden die hun gezicht nog zo zorgvuldig in de plooi, en de blik in de ogen van deze man beviel hem helemaal niet. Die blik kwam hem heel bekend voor, en toen hij even in de spiegel aan de wand tegenover hem keek, drong het plotseling tot hem door aan wie die ogen hem deden denken.

Aan hemzelf.

Creel leunde achterover en luisterde naar de dreinende stemmen van zijn verkoopteam terwijl ze met een snelheid van bijna negenhonderd kilometer per uur op weg waren om de zoveelste tevreden klant vrijheid en veiligheid te verkopen van het soort dat met een tank te bereiken viel.

Maar hij merkte dat hij telkens weer aan die ogen moest denken. En aan die man. Toegegeven, het was maar één man, maar soms had je niet meer dan één man nodig om alles in elkaar te laten storten.

Zover zou Creel het niet laten komen. Er was niet veel waar hij bang voor was, maar één ding wat hem werkelijk doodsbenauwd maakte, was onzekerheid. Dat was de reden waarom hij Pender had ingehuurd, die de hele wereld wijs kon maken wat Creel haar wilde laten geloven. Dat was de reden waarom alle belangrijke landen ter wereld beschikten over mensen als Pender, die precies hetzelfde deden. Vaak was het een uitputtingsslag. Je bedacht je eigen waarheid, en vervolgens bedolf je de echte waarheid onder zo'n enorme lading afval dat de mensen het zat werden om door al die troep te moeten spitten en in plaats daarvan genoegen namen met wat jij hun bood. Dat was de weg van de minste weerstand, en mensen waren er van nature op ingesteld om die zo veel mogelijk te volgen. Per slot van rekening moesten ze elke maand weer allerlei rekeningen zien te betalen, en er waren ook boodschappen te doen, kinderen groot te brengen en sportwedstrijden te kijken, dus wie had er nou nog tijd voor iets anders? Inderdaad, je moest je op alle manieren zien in te dekken, maar soms kwam er iets of iemand tussenbeide, die ervoor zorgde dat al je inspanningen tevergeefs waren.

Maar niet deze keer.

Nee, niet deze keer.

59

'Breng me naar die man toe,' zei Shaw terwijl hij samen met Katie in zijn kamer in het Savoy Hotel zat. Ze had hem net verteld over haar ontmoeting met het Poolse mannetje.

'Dat kan ik niet doen,' antwoordde Katie. 'Ik heb het hem beloofd.'

'Het kan me niet schelen wat je hem hebt beloofd. Hij is een belangrijke getuige in een moordzaak.'

Katie keek naar buiten, en zag daar de Big Ben, de torens van het Engelse parlementsgebouw en het bekende London Eye, een van de grootste reuzenraden ter wereld, met op de voorgrond de smalle Theems.

'Denk je dat ik dat soms niet weet ?'

'Best. Vertel me maar hoe hij heet.'

'Ja, jij bent een mooie! Wil je ook meteen een foto van hem hebben, en zijn postadres?'

'Dit is geen geintje! Er zijn mensen vermoord.'

Ze draaide zich met een ruk om. 'Daar hoef je bij mij niet mee aan komen. Ik ben journalist van beroep, weet je nog wel? Heb je de uitdrukking "bronnenbescherming" weleens gehoord? Daar beroepen journalisten zich elke dag weer op. Sommigen draaien zelfs de gevangenis in om hun bronnen te beschermen, en dat is mij in het verleden toevallig ook overkomen. Dus probeer iemand anders maar met dat soort schuldgevoelens op te zadelen.'

Shaw tuurde naar de vloer en Katie besefte dat ze te ver was gegaan. Ze ging tegenover hem zitten en zei zachtjes: 'Luister eens, er is op de hele wereld niemand die Anna's moordenaar zo graag wil vinden als jij. Ik wil dat ook. Maar ik heb ook mijn werk. Ik heb opdracht gekregen om over dit onderwerp te schrijven, en dat moet ik professioneel aanpakken.'

'Je vertelt mij wat die vent jou heeft verteld en dan verwacht je van mij dat ik het daarbij laat? Waarom heb je me het eigenlijk verteld als je me niet naar hem toe wilt brengen?'

Katie leunde achterover en duwde haar gebalde vuisten hard in haar dijen. 'Had ik daar maar een goed antwoord op, maar dat heb ik niet. Ik wilde gewoon dat je het zou weten. Ik denk dat ik wilde dat jij zou bevestigen dat hij de waarheid sprak.'

'Geloof jij hem?'

'De details waarover ik heb verteld, het kopieerapparaat, de lijken bij de voordeur en een man die Bill Harris heette? Jij bent degene die in het gebouw is geweest. Kun jij bevestigen dat die details kloppen?'

'Het kopieerapparaat op de benedenverdieping en de lijken vlak bij de voordeur, ja, dat klopt allemaal. Ik zal nakijken of de opslagruimte in het kopieerapparaat genoeg ruimte bood voor een mens. Ik heb geen lijstje met de namen van de slachtoffers gezien, dus ik kan niet bevestigen dat er iemand bij zat die Bill Harris heette, maar het zal niet moeilijk zijn om dat na te trekken. Je zei dat hij via de achterdeur is binnengekomen en ook via de achterdeur weer is weggegaan?' Katie knikte. 'Dat is dan de reden waarom we hem niet hebben gezien op de videobanden. Er stond alleen een camera bij de voordeur.'

'Dus het ziet ernaar uit dat hij bonafide is,' zei ze hoopvol.

'Als hij bij de moordpartij betrokken was, zou hij al die dingen ook weten.'

'Daar heb ik ook aan gedacht, maar hij lijkt me er het type niet voor. Het is in wezen niet meer dan een mager Pools jongetje, en hij is doodsbang.'

'En dat jongetje heeft uitgerekend jou op straat aangesproken, vlak voor het gebouw waarin de moorden hebben plaatsgevonden? Dat is wel heel toevallig, vind je niet?'

'Dat zou inderdaad heel toevallig zijn, maar hij heeft gehoord hoe ik met een politieman stond te praten, en daarom dacht hij dat ik journalist was. En het is niet ongebruikelijk voor een overlevende om terug te gaan naar de plaats waar het misdrijf is gepleegd. Schuldgevoelens en zo.'

'Dat klinkt alsof je heel erg je best doet om jezelf te overtuigen.'

'Neem maar van mij aan dat ik de achtergrond van die man op elke mogelijke manier ga natrekken.'

'Wat wil je dan van mij?' vroeg Shaw.

Katie zuchtte. 'Je hebt min of meer bevestigd dat hij daarbinnen is geweest. Ik denk, tja… dat ik maar gewoon doorga met mijn artikel.'

Shaw stond op en keek op haar neer. 'Waar heb je het over, verdomme? Welk artikel?'

Ze keek hem al even ongelovig aan. 'Een ooggetuige van de Londense massamoord? Denk je niet dat dat groot nieuws is?'

'Katie, hij zei dat de moordenaars Russisch spraken.'

'Ja, nou en?'

Er verscheen een gekwelde uitdrukking op Shaws gezicht en ze keek hem vol argwaan aan.

'Heb je soms iets voor me achtergehouden?' vroeg ze.

'Dat vertel ik je alleen als je me belooft dit artikel niet te schrijven.'

'Dat kan ik niet doen, Shaw. Dat kan ik niet. Dat doe ik niet! Dit is nieuws.'

'Zelfs als het tot een wereldoorlog zou kunnen leiden?'

'Wat voor wereldoorlog!' riep ze uit.

'Als ik je dat vertel, mag je het nooit doorvertellen, niet aan wie dan ook of waar dan ook, en je mag het ook niet publiceren. Dat zijn mijn voorwaarden. En daar valt niet over te onderhandelen.'

Katie aarzelde even en knikte toen. 'Afgesproken.'

'Er is bewijsmateriaal in het gebouw gevonden dat erop wijst dat de Phoenix Group achter de Rode Gevaar-campagne zat.'

Katie sprong op. 'Wat? Ben je daar zeker van?'

'Dat dat bewijsmateriaal daar is aangetroffen? Ja. Wat het werkelijk betekent, weet ik nog niet.'

'Mijn ooggetuige heeft gehoord dat de moordenaars Russisch spraken. En dat uit hun gesprek bleek dat ze handelden in opdracht van Gorshkov.'

'Verdomme, waarom heb je me niet verteld dat ze Gorshkovs naam hebben genoemd?'

'Dat moet jij nodig zeggen. Wie houdt hier nou dingen achter? Net zoals jij laat ik me niet graag in de kaart kijken, maar als de Phoenix Group betrokken was bij het opzetten van de campagne rond het Rode Gevaar, dan zou dat wel verklaren waarom de Russen in opdracht van Gorshkov dat kantoor zijn binnengevallen.'

'Maar het is niet waar. De documenten die betrekking hadden op het Rode Gevaar zijn daar na de moorden neergelegd.'

'Hoe kun je daar nou zo zeker van zijn? Ik heb in Anna's kamer wel degelijk materiaal over het Rode Gevaar zien liggen. Misschien deed ze er geen onderzoek naar, maar was ze dat materiaal zelf aan het verspreiden.'

'En dan liet ze dat daar zomaar rondslingeren, zodat jij het kon zien, terwijl de hele wereld maar al te graag wilde weten wie er achter die campagne zit?' zei hij vol ongeloof.

Nu verscheen er een onzekere uitdrukking op Katies gezicht. 'Dat zou inderdaad nogal raar zijn, volgens mij, maar wat heeft dat met een wereldoorlog te maken? Dat snap ik even niet.'

'Gorshkov heeft gezworen dat iedereen die achter deze lastercampagne zit zichzelf blootstelt aan een aanval.'

'De Phoenix Group is aangevallen, maar de Phoenix Group is geen land.'

Shaw haalde eens diep adem en zei: 'De Phoenix Group is eigendom van de Chinezen, of heeft in ieder geval nauwe banden met China.'

'De Chinezen!' riep Katie uit. 'Weet je dat zeker?'

'Ja, ik heb een van de eigenaren gesproken en die heeft dat bevestigd.'

'Maar denk je nou werkelijk dat Rusland China zal aanvallen?'

'Wie weet? Maar als er één ding is wat we niet zeker hoeven te weten, is het wel of het antwoord op die vraag ja zou luiden.'

'Maar als de Russische regering die moordenaars op de Phoenix Group heeft afgestuurd, en ze weten ook dat de Phoenix Group in Chinese handen is, dan lijkt dit me een oorlogshandeling. Het verbaast me dat Gorshkov dat inmiddels niet overal heeft rondgebazuind.'

'Dat kan hij niet maken. Het grootste deel van de slachtoffers bestond uit Britse burgers. Een stel Taliban opblazen in de Afghaanse bergen is één ding, maar je kunt niet zomaar ergens in Londen een gebouw binnenstormen, bijna dertig Engelsen naar de andere wereld helpen en daar dan ook nog openlijk over opscheppen. Dat kunnen zelfs de Russen zich niet veroorloven. De Britten hebben ook kernwapens, en de Verenigde Staten zijn hun naaste bondgenoten. Zelfs Gorshkov heeft geen zin om het tegen zo'n reusachtige overmacht op te nemen. En we weten niet eens zeker of de Russen zich wel bewust zijn van het feit dat de Chinezen hierbij betrokken zijn.'

'Maar niets wat je me tot nu toe hebt verteld, is een reden om niet te publiceren. Een ooggetuige verklaart dat de moorden zijn gepleegd door een aantal Russen die door Gorshkov betaald werden. Er komt niets in te staan over het Rode Gevaar of de Chinese betrokkenheid bij de Phoenix Group, want ik heb je beloofd dat ik dat er niet in zou zetten. Maar het feit dat de Russen dat gebouw hebben aangevallen, had ik al ontleend aan mijn eigen bron, en dat is iets wat de wereld weten moet.'

'Kom op, wie kan er nou niet tussen de regels door lezen! En wat gebeurt er als de Chinezen denken dat de Russen een van hun kantoren zijn binnengevallen? Misschien voeren zij wel een vergeldingsaanval uit op Moskou.'

'Maar je zei net nog dat al die documenten over het Rode Gevaar nep waren, en daar na de moorden zijn neergelegd. De Chinezen hebben daar helemaal niets mee te maken.'

Shaw zwaaide boos met zijn handen. 'Precies, Katie! Snap je dat dan niet? De Russen zouden dat materiaal daar nooit neergelegd hebben, en al helemaal niet als ze wisten dat de Chinezen hierbij betrokken waren. Wat zou dat nou voor zin hebben gehad? De Russen gaan heus niet hun best doen om het met China aan de stok te krijgen. Daarvoor zijn die twee landen in militair opzicht veel te goed tegen elkaar opgewassen. Als ze zo'n stunt wilden uithalen, hadden ze wel een land gekozen dat ze heel wat makkelijker aankunnen. Jezus, ze beginnen bij de A en voeren een aanval uit op Albanië. Daarmee zijn ze binnen vierentwintig uur klaar. Maar China? De Chinezen hebben drie infanteristen voor elke Russische soldaat. En zij hebben ook kernwapens.'

Er verscheen een verwarde uitdrukking op Katies gezicht. 'Wat wil je daar nou precies mee zeggen?'

'Dat de Russen het niet hebben gedaan. Dat de Phoenix Group niet achter het Rode Gevaar zit, en de Chinezen al evenmin.'

'Goed,' zei ze aarzelend. 'Maar wie zit hier dan wel achter?'

'Er is een derde partij bij betrokken. Een derde partij die iets in zijn schild voert wat ik niet helemaal begrijp. Maar ik weet wel dat het er op de een of andere manier op gericht is om Rusland en China tegen elkaar op te zetten.'

'Dus jij beweert dat mijn bron liegt over de Russische betrokkenheid?'

'Als hij heeft beweerd dat die mensen Russisch met elkaar spraken en dat hij hen heeft horen zeggen dat ze voor Gorshkov werkten, ja, dan denk ik dat hij weleens zou kunnen liegen, want ik geloof niet dat de moordenaars in opdracht van Rusland hebben gehandeld. Of anders, en dat is echt vergezocht, hebben de daders op een of andere manier geweten dat hij zich in het gebouw bevond, en hem in leven gelaten zodat hij kon doorvertellen wat hij had gehoord, of wat zij hem wilden laten horen.'

Ze knipte met haar vingers. 'Hij heeft wel gezegd dat hij de Russen, of volgens jouw theorie de nep-Russen, tegen elkaar heeft horen zeggen dat zich nog iemand anders in het gebouw bevond. Als ze de achterkant van het gebouw in de gaten hebben gehouden, moeten ze hem naar binnen hebben zien gaan. Maar ze hebben het gebouw niet nog een keer uitgekamd, want er was een ruit ingeslagen en er hing een vrouw schreeuwend uit het raam, en ze waren bang dat het niet lang zou duren voordat de politie kwam.'

Shaws gezicht betrok. 'Is dat echt gebeurd?' vroeg Katie.

Shaw knikte langzaam. 'Die vrouw was Anna. Ze heeft een ruit in haar kamer stukgeslagen en geprobeerd op die manier het gebouw uit te vluchten, maar voordat ze weg kon komen, is ze neergeschoten.'

'Hoe weet je dat?'

'De camera op straat heeft er een opname van gemaakt.'

'Mijn god, heb je dat zien gebeuren?' Ze legde haar hand op de zijne. 'Shaw, ik weet niet wat ik moet zeggen.'

'Zeg maar dat je dat artikel niet gaat schrijven.'

'Dat kan ik niet doen. De wereld heeft er recht op om dit te horen.'

'Echt? Zelfs als het alleen maar leugens zijn? Of denkt Katie James soms dat zij het recht heeft om weer aan de top te komen, op welke manier dan ook? Zelfs als ze daarmee het einde zou inluiden van de wereld zoals wij die kennen?'

Katie liep rood aan en ze trok snel haar hand weg. 'Dat is niet de reden waarom ik dit doe!'

'Waarom doe je het dan wel?'

'Ik ben journalist. Ik heb een primeur. De primeur van het decennium! Die kan ik niet zomaar voor me houden omdat het volgens jouw theorie allemaal weleens heel anders in elkaar zou kunnen zitten, of omdat jij beweert dat de wereld misschien ten onder zou gaan als ik dit publiceer.'

'En wat als ik gelijk heb? Zou je daarmee kunnen leven?'

'Ja,' zei ze, maar haar stem trilde een beetje.

'Dan hebben we elkaar verder niets meer te zeggen.'

Hij stond op en hield de deur open.

'Shaw, doe dit alsjeblieft niet.'

'Verder hebben we elkaar niets meer te zeggen,' zei hij strenger.

Ze liep langzaam langs hem heen en de deur werd met een klap achter haar dichtgeslagen.

60

Nicolas Creels reis naar China en Rusland was succesvol geweest. Er waren geen concrete overeenkomsten gesloten, maar hij had nu wel de voorwaarden geschapen om op korte termijn vrijwel zeker een deal te kunnen sluiten. Als de 'echte' waarheid over de Phoenix Group bekend werd gemaakt – en Creel verwachtte dat Katie James die nu elk ogenblik kon publiceren – zou de dynamiek tussen China en Rusland snel uitgroeien van wedijver tussen twee regionale grootmachten tot uitgesproken vijandschap. En de dollars zouden zijn kant uit gaan stromen.

Maar hoewel hij zojuist een enorme triomf had behaald, zat hij nog steeds met een probleem.

Ook nu stond hij weer op het bovenste dek van de prachtige *Shiloh*, een van de mooiste en grootste jachten ter wereld, terwijl zijn wonderlijke echtgenote uitgestrekt en poedelnaakt op een pluchen chaise longue op het voordek lag. Uiteindelijk had Creel er genoeg van gekregen en op hoge toon geëist dat ze in ieder geval iets aantrok. Ze had dat echter domweg geweigerd, want zelfs een string zou haar egale bruine huidskleur al bederven.

'Mijn lijf is perfect,' had ze pruilend tegen hem gezegd. 'Nergens een streep of een vlek. Nergens een streep, Nicky! Ik laat me niet dwingen.'

Hoe kon je nou reageren op zulke ijzeren logica, op zulke volkomen oprechte, narcistische uitspraken? Creel was bijna in lachen uitgebarsten, zoals hij gedaan zou hebben als een kind iets doms deed. Nee, dit huwelijk zou duidelijk niet lang meer duren. Zijn scheepstelefoon rinkelde. Het was de gezagvoerder. Mevrouw Creel was eindelijk in slaap gevallen.

'Leg dan een deken over haar heen, van haar nek tot aan haar tenen,' beval Creel, en hij legde de hoorn neer.

De vrouw die hij in LA had ontmoet, tijdens die prijsuitreiking voor zijn liefdadige activiteiten, was curator in het Metropolitan Museum of Art in New York. Ze had aan Yale verschillende universitaire diploma's gehaald, was verbijsterend intelligent, had de hele wereld gezien, was heel aantrekkelijk en hij betwijfelde ten sterkste dat ze zich ook maar een seconde druk zou maken om onregelmatig gebruinde billen. Hij had een fascinerende avond met haar gehad, zonder ook maar enig lichaamscontact, en toen hij 's avonds thuiskwam, had hij zijn advocaat opdracht gegeven om een scheidingsvoorstel op papier te zetten.

Maar die dreigende verandering in zijn huiselijke omstandigheden was niet wat Nicolas Creel op dit moment zo dwarszat.

Hij tuurde naar de foto van de man naast Katie James. Katie James had Shaws hotel in tranen verlaten, had Creel te horen gekregen. Zou die man roet in het eten gaan gooien? Shaw wilde wraak, en hij was uiterst goed opgeleid en getraind. Ja, Shaw vormde een potentieel probleem, en dus waren zijn dagen waarschijnlijk geteld. Maar wat maakte een dag meer of minder dan nog uit? Peinzend liet Creel zijn blik over de kalme Middellandse Zee gaan, waar een hete zon langzaam wegzonk, de luie schittering van het blauwe water tegemoet. Hoewel Creel het beste militaire materieel ter wereld verkocht, was hij een vreedzaam mens. Hij had nog nooit iemand uit woede een klap gegeven. Toegegeven, hij had zo nu en dan wel opdracht gegeven om mensen ter dood te laten brengen, maar daar had hij nooit genoegen aan beleefd.

Vanaf de eerste stok waarmee iemand in een vlaag van woede een klap had uitgedeeld tot een atoombom die binnen enkele seconden honderdduizenden mensen het leven had gekost, hadden gewapende conflicten altijd een wezenlijk onderdeel van het menselijk leven gevormd. En dat besefte Creel maar al te goed, net zoals hij ook besefte dat oorlog veel positieve kanten had. De belangrijkste daarvan was dat oorlog ervoor zorgde dat de mensen zich over allerlei onbenullige meningsverschillen heen zetten en samenwerkten bij het nastreven van een hoger doel.

De Tweede Wereldoorlog was het meest imposante – en moreel hoogstaande – voorbeeld daarvan. De mensen die die strijd hadden uitgevochten, werden in Amerika wel *the greatest generation* genoemd, en daar was maar één reden voor: ze hadden het grootste militaire conflict uit de wereldgeschiedenis overleefd. Ze hadden harder gewerkt en meer opgeofferd dan welke andere groep mensen ooit. Daarbij vergeleken hadden de daaropvolgende generaties nauwelijks iets te betekenen, vond Creel.

Hij voelde zich ook beslist schuldig om wat hij had gedaan. Hij had zelfs al tien miljoen dollar geschonken aan een fonds voor de nabestaanden van de slachtoffers van de Londense massamoord. Dat was wel het minste wat hij kon doen, vond hij. En terwijl de mensen in Engeland probeerden het schijnbaar onbegrijpelijke te begrijpen, was hij in zijn vliegtuig van 175 miljoen dollar op zijn knieën gaan zitten en had zijn God – die zich nu toch niet ver boven hem kon bevinden – gesmeekt hem te vergeven. En toen Creel weer was opgestaan van de met zuiver scheerwol beklede vloer, weer in zijn luxeueze bed was gaan liggen en het licht, dat afkomstig was uit een designerlamp van tienduizend dollar, had uitgedaan, was hij er redelijk zeker van geweest dat zijn God hem ter wille was geweest.

Terwijl Pender druk in de weer was om weer iets in elkaar te flansen dat hij de rest van de wereld als de waarheid zou kunnen aansmeren, besefte Creel heel goed wat de 'echte' waarheid was.

De wereld was een heel stuk veiliger als de machtigen hun macht gebruikten, en heel wat minder veilig als ze daarvan afzagen.

De Verenigde Staten zouden er binnen enkele dagen voor kunnen zorgen dat alle problemen in het Midden-Oosten voorgoed de wereld uit waren. Goed, er zouden ook een hoop onschuldigen de wereld uit geholpen worden. Maar wat maakte het uit of miljoenen mensen aan hun einde kwamen binnen een periode van tien minuten of binnen een periode van tien jaar? Ze zouden er heus niet minder dood om zijn en waarschijnlijk zou hun een heel decennium vol onzekerheid en ellende bespaard zijn gebleven. Creel zou met groot genoegen alle wapens leveren die nodig waren om dat stelletje wilden uit te roeien. Wij en zij, daar kwam het uiteindelijk allemaal op neer, en alleen de sterken wisten zich te handhaven. 'De zwakken zullen roemloos ten onder gaan,' zei hij tegen de ondergaande zon terwijl die het water en het Italiaanse landschap een nobele donkerrode kleur verleende. De zwakken legden het altijd af. Zo zat de wereld nou eenmaal in elkaar.

Als Creel zijn zin kreeg, zouden de grote jongens het heft weer in handen krijgen. *Mutual Assured Destruction*, 'wederzijds verzekerde vernietiging', afgekort tot MAD, ofwel 'krankzinnig', was een term uit de Koude Oorlog die altijd veel angst had opgeroepen, angst die volkomen misplaatst was. MAD was in werkelijkheid de grootste stabiliserende kracht in de geschiedenis gebleken, zelfs al zouden een heleboel mensen die er geen idee van hadden hoe de wereld werkelijk in elkaar stak, door zo'n uitspraak met ontzetting vervuld zijn. MAD zorgde voor zekerheid, voorspelbaarheid, en als die op den duur misschien ook tot de uitroeiing van een deel van de mensheid zou leiden, dan diende dat toch een hoger doel.

Hij liep naar de reling om het bovenste dek en keek neer op zijn slapende echtgenote. Ze was stompzinnig, zoals de meeste mensen. Blind voor alles behalve zichzelf. Geen visie. Dom, zwak en lui. Hij keek nog eens naar de foto van Shaw. Die zag er niet dom, zwak of lui uit, en dat was hij vast ook niet.

Het was zonde om zo'n man uit de weg te ruimen. Maar als het nodig was zou Creel daar toch opdracht toe geven.

Hij nam de scheepstelefoon van de haak. De gezagvoerder van de *Shiloh*, een man met dertig jaar ervaring op zee, in dienst van een breed scala aan rijke meesters, nam op met een bruuske maar opgewekte stem.

'Zorg dat alle kinderen hier morgen naartoe worden gebracht,' zei Creel. 'Laat ze maar ophalen in de dertig-voetssloep. En breng de moeder-overste ook mee. Ik wil haar een cheque geven.'

'Uitstekend, meneer Creel. Wilt u opnieuw gebruikmaken van de onderzeeboot? De kinderen hebben er de vorige keer echt van genoten.'

'Goed idee. Zorg dat die in gereedheid is gebracht. En laat de helikopter warmdraaien om mevrouw Creel naar het kleine straalvliegtuig te brengen. Morgenochtend gaat ze naar Zuid-Frankrijk. En zeg tegen haar dienstmeisje dat ze wat passende kleding klaarlegt. Hoe meer hoe beter.'

'Dat zal ik doen, meneer.'

Creel hing op. De goede kapitein zou misschien heel wat minder vriendelijk geklonken hebben als hij had geweten wat Creel op zijn geweten had. De kapitein was een Engelsman, geboren en getogen in Londen.

Maar morgen zouden de kindertjes komen. Creels leven bestond inmiddels uit een hele reeks evenwichtsoefeningen. Elke slechte daad compenseerde hij met een goede. Ja, hij keek verlangend uit naar de komst van de kindertjes.

En hij keek er al even verlangend naar uit om een prachtig nieuw huis voor ze te bouwen waarin ze weesjes konden zijn.

61

Het stalen bed werd naar buiten gerold met een ratelend geluid dat dwars door zijn hele lijf heen leek te gaan. Het rook hier naar chemicaliën, urine en andere dingen waar hij niet eens aan wilde denken.

Frank stond naast hem.

'Hoor eens, Shaw, je hoeft dit niet te doen. Eigenlijk heb ik het gevoel dat jij dit zelfs beter niet kunt doen. Waarom zou je je haar op deze manier herinneren? Hier, op deze plek?' Met een zwaai van zijn hand gebaarde hij naar de antiseptische ruimte waarin ze zich nu bevonden.

'Je hebt gelijk,' zei Shaw. 'Maar toch moeten we het doen.'

Frank zuchtte en knikte naar de medewerker van het mortuarium.

Toen de man het laken vastpakte, voelde Shaw een ogenblik de aandrang om ervandoor te gaan en het daglicht in te lopen voordat het te laat was. Maar in plaats daarvan bleef hij gewoon staan terwijl het laken werd opgetild en hij neerkeek op Anna. Of op wat er nog van haar over was.

Hij probeerde geen aandacht te besteden aan de wond midden in haar voorhoofd, noch aan de twee kogelgaten in haar borst en al evenmin aan de V-vormige hechtingen op de plek waar de patholoog-anatoom haar open had gesneden om aanwijzingen te vinden voor de doodsoorzaak. Maar toch was dat het enige waar hij naar kon kijken: de ondergang van de mooiste vrouw die hij ooit had gezien. Zelfs de zachtmoedige koestering van haar groene ogen was hem niet vergund, want die waren nu voor altijd gesloten.

Hij knikte naar de medewerker en draaide zich om. Het bed werd weggereden, de deur sloeg met een klap dicht en ondersteund door Frank liep Shaw op trillende benen dit huis van de dood uit.

'Kom mee,' zei Frank. 'We gaan ons bezatten.'

Shaw schudde zijn hoofd. 'Ik moet nu naar Anna's flat.'

'Wat, ben jij soms een soort masochist? Eerst ga je haar lijk bekijken, en nu wil je jezelf nog meer verdriet doen. Waar is dat goed voor? Ze komt toch niet terug.'

'Ik vraag je niet om mee te gaan. Maar ik moet ernaartoe.'

Frank riep een taxi aan. 'Goed, maar ik ga wel met je mee.'

Ze stapten in de taxi en Shaw gaf de chauffeur het adres. Daarna draaide hij het zijraampje open en stak zijn hoofd naar buiten in een poging de golven van misselijkheid die nu in hem opkwamen de baas te worden.

Hij had niet naar het mortuarium moeten gaan. Hij had haar niet op zo'n manier moeten zien. Niet Anna.

Dat had hij niet moeten doen, maar het kon niet anders.

Een paar minuten later deed hij de deur van haar flatje open, liep naar binnen en ging op de vloer zitten terwijl Frank niet ver van hem vandaan naar hem stond te kijken. Terwijl Shaw om zich heen keek en de vertrouwde omgeving in zich opnam, kwam hij langzaam weer een beetje tot rust. Dat op afschuwelijke wijze vermoorde stuk vlees dat hij zojuist op een stuk roestvrij staal had zien liggen, was Anna niet geweest, maar hier in deze kamer zag hij de levende, ademende Anna terug. Hier was Anna niet dood, niet vermoord.

Hij stond op en pakte een foto van de schoorsteenmantel. Het was een foto van Anna en hem, vorig jaar in Zwitserland. Ze waren aan het skiën en hij was daar heel wat minder goed in dan zij. Maar wat een plezier hadden ze gehad! Er stond ook een foto van hen beiden in Australië, en een derde foto waarop ze samen op een olifant zaten, die ze het koosnaampje Balzac had gegeven, omdat het dier zo van koffie hield dat hij die met zijn slurf zo uit het kopje slurpte. Overal om zich heen zag hij haar bezittingen, de dingen waarvan ze gehouden had, haar passies.

Anna.

Hij ging weer zitten. Een paar seconden werd hij overspoeld door talloze smartelijke gedachten en gevoelens van iemand die zojuist zijn geliefde heeft verloren.

De pijn die hij had gevoeld toen Adolphs zaag door zijn arm sneed, viel daarbij vrijwel in het niet. Een bloedige wond versus de ervaring dat je hele geest, lichaam en ziel langzaam onder een loden last verpletterd werden. Voor zoiets waren er geen pijnstillers.

Frank moest zijn veranderde gezichtsuitdrukking opgemerkt hebben. 'Kom mee, Shaw, laten we die borrel gaan halen.'

Nu drong het eindelijk tot Shaw door dat hij hier ook niet kon blijven. In sommige opzichten was de levende Anna voor hem veel erger dan de dode Anna op die metalen tafel. In deze flat werd hij te duidelijk geconfronteerd met alle herinneringen aan wat hij verloren had, aan wat zij allebei verloren hadden.

Moeizaam kwam hij overeind. Frank bracht zijn hand naar de deurkruk, maar voordat hij die vast kon pakken, ging die al omlaag en werd de deur geopend.

Een ogenblik later stonden Shaw en Frank recht tegenover Anna's ouders.

Wolfgangs gezicht liep rood aan. Hij wilde Shaw grijpen, maar die deed een stap naar achteren, zodat de man misgreep.

'Nee, Wolfgang, nee!' schreeuwde zijn vrouw.

'Dit monster, dit monster!' Wolfgang was duidelijk buiten zichzelf van woede. Zijn ogen schoten vuur, hij sputterde, en de weinige woorden die hij nog kon uitbrengen werden half ingeslikt. Shaw bleef staan waar hij stond en wist even niet wat hij moest doen.

231

'Kalm aan,' zei Frank. 'Hij heeft ook verdriet.'

'Wat doet u hier?' vroeg Natascha op hoge toon, terwijl ze zich aan de arm van haar man vastklampte en probeerde hem tegen te houden.

'Praat niet met dat stuk vuil,' brulde Wolfgang. 'Hij heeft onze dochter vermoord. Hij heeft Anna vermoord.'

Nu deed Shaw een stap naar voren, en er lag zo'n schittering in zijn lichte ogen dat ze wel gevuld leken met blauwzuur. 'Wat is dat nou voor flauwekul? Ik had niets te maken met Anna's dood.'

'Shaw, laat dit aan mij over,' zei Frank.

Wolfgang priemde met een dikke vinger recht in Shaws gezicht. 'Als jij er niet was geweest, had Anna nu nog geleefd. Jij hebt haar vermoord.'

'Wacht even!' riep Frank. 'Dat is onzin!'

Shaw wilde langs hem heen lopen, maar toen stormde Wolfgang op hem af, en greep hem bij de keel. De man was zo zwaar dat ze allebei hard tegen de muur smakten. Natascha gilde en probeerde haar man weg te trekken. 'Nee! Nee! Wolfgang, nee!'

Frank probeerde Wolfgang van Shaw af te trekken maar de man was te zwaar voor hem.

Wolfgangs dikke schouder sloeg tegen Shaws gewonde arm, zodat hij gromde van de pijn, maar door een knie in Wolfgangs maag te wrikken, wist hij de dikke Duitser van zich af te krijgen. Toen Wolfgang opnieuw op hem af gestormd kwam, deed Shaw snel een stap opzij, zodat de veel tragere Duitser, die nu zo zwaar ademde en zo'n rood gezicht had dat Shaw dacht dat hij elk ogenblik een hartaanval kon krijgen, langs hem heen schoot en met een harde klap tegen de muur sloeg. Voordat de man zich kon omdraaien en hem opnieuw kon aanvallen, gebruikte Shaw zijn goede hand om de man in een zenuw vlak naast zijn speknek te knijpen. Wolfgang zakte in elkaar en schreeuwde het uit van de pijn.

Een ogenblik later sloeg Natascha's zware tasje hem recht in zijn gezicht, zodat zijn wang werd opengehaald. Hij voelde het bloed over zijn huid druipen. Frank rukte de vrouw het tasje uit de hand en smeet het door de kamer. Natascha liet zich naast haar man op haar knieën zakken en sloeg haar armen beschermend om hem heen.

Zwaar ademend keek Shaw op hen neer. Hij proefde bloed. 'Gaat het goed met hem?'

'Eruit! Eruit jij!' schreeuwde Natascha hem toe. 'Laat ons met rust. Je hebt al genoeg gedaan. Genoeg!'

'Ik had er niets mee...' Shaw hield op. Wat had dit ook voor zin?

Frank trok hem naar de deur. 'Laten we hier weggaan, voordat er echt gewonden vallen.'

Shaw veegde het bloed van zijn gezicht, draaide zich om en liep de flat uit. Hij trok de deur achter zich dicht.

Toen ze de trap af liepen, zei Frank: 'Ze hebben niet te horen gekregen dat je een monster was, Shaw. We hebben gewoon...'

Plotseling bleef Shaw staan. Hij ging op de trap zitten en snikte zo luid dat het klonk alsof er een kanonschot tussen de muren heen en weer galmde. Het bloed op zijn gezicht werd weggespoeld door de tranen die nu over zijn wangen stroomden. Tien minuten lang zat hij onbedaarlijk te huilen, terwijl zijn bovenlijf met ongecontroleerde bewegingen heen en weer schudde.

Frank stond op hem neer te kijken. Hij had zijn vuisten gebald, en zijn ogen glommen.

Toen hield Shaw even plotseling op met huilen als hij was begonnen. Hij stond op en veegde zijn tranen weg.

'Shaw?' zei Frank, terwijl hij hem behoedzaam opnam. 'Gaat het met je?'

'Prima,' antwoordde hij met emotieloze stem. Toen liep hij de trap af, terwijl Frank hem met open mond stond na te kijken.

Toen Shaw de straat had bereikt, begon hij te rennen. Hij rende met een doel. Hij was klaar met rouwen. Wat had het voor zin om te proberen hier overheen te komen door het normale rouwproces zijn loop te laten nemen? Hij zou zich nooit over Anna's dood heen kunnen zetten. Dus nu moest hij zijn aandacht weer richten op iets wat echt belangrijk was: wraak. Dat doel zou hij niet opnieuw uit het oog verliezen. Hij zou niet rusten voordat hij wraak genomen had.

En hij wist precies waar hij moest beginnen.

Katie James.

Met nee zou hij deze keer geen genoegen nemen.

62

'Ik heb dat verhaal van je nagetrokken,' zei Katie. 'Over Krakau en over je vader!' Ze zat in Aron Lesniks piepkleine kamertje in het logement niet ver van de Theems, in een heel wat minder stijlvol deel van Londen dan waar de Phoenix Group gevestigd was geweest. Ze had iets te eten voor hem meegenomen, en een beker koffie, en terwijl ze dat zei, werkte hij het eten hongerig naar binnen.

'Hebt u dat nagetrokken?' zei hij tussen twee happen van zijn knapperige sandwich door.

'Natuurlijk heb ik dat nagetrokken. Journalisten moeten er gewoon van uitgaan dat iedereen probeert hen voor te liegen.'

'Ik niet tegen u liegen!' riep Lesnik uit, en hij nam een grote slok koffie.

Ze keek in haar aantekeningen. 'Je vader heette Elisaz Lesnik, en hij was redacteur bij een dagblad in Krakau. In 1989 is hij vermoord.'

'De Sovjets hem hebben vermoord. Polen toen voor zijn vrijheid vechten. We hadden Lech Walesa, die voor ons streed. Maar mijn vader de waarheid schreef en dat de Sovjets niet bevallen. Toen ik nog klein jongetje was. Ik op een avond thuiskomen en hij dood.'

'Dat is nooit bewezen,' merkte ze op.

'Ik geen bewijs nodig hebben. Ik weten!' Met zijn gebalde vuist gaf Lesnik een harde klap tegen de muur.

'Dus je koestert grote wrok tegen de Russen?'

Hij keek haar met open mond aan. 'U mij niet geloven? U denken dat ik dit verzinnen omdat ik Russen haten? Ik zie dode mensen. Ik zie overal bloed. U vragen mij dingen. Ik u de waarheid vertellen.' Hij keek haar uitdagend aan en nam venijnig een hap van zijn sandwich.

'Je hebt geen antwoord gegeven op een eerdere vraag van me. Ben je hier illegaal?'

'Ik heb een verblijfsvergunning.' Hij haalde het document tevoorschijn en liet het haar zien.

'Waarom ben je dan bang om naar de politie te stappen?'

'Ik gaan en dan denken politiemensen dat ik ermee te maken heb. Voor hen is Pool niet anders dan Rus, en dan vertellen ze het iedereen en moordenaars komen achter mij aan. Ik zien wat zij mijn vader aangedaan hebben. Ik niet zo willen sterven.'

'Je beweert dat je goed met computers overweg kunt. Mag ik je een paar vragen stellen?'

'Vraag maar.'

Ze stelde hem een paar uiterst technische vragen waarvan ze zelf niets snapte, maar die ze, samen met de antwoorden, van een technologisch goed onderlegd vriendje van haar had gekregen. Lesnik gaf telkens het goede antwoord.

'Als jij nog niet overtuigd zijn, jij hebben computer die ik kan maken?' zei hij een beetje geërgerd.

'Je kan me toch niet kwalijk nemen dat ik het een en ander controleer,' zei ze poeslief. 'En wat die Harris betreft? Vertel me daar eens iets meer over.' Ze had een signalement van Harris gekregen, en wilde zien of dat overeenstemde met wat Lesnik te vertellen had.

'Het is aardige man. Oud. Wit haar, ruiken naar sigaar. We praten over baan. Hij mij wel aardig vinden, denk ik. Hij zeggen dit is goede plek om te werken, dit Phoenix-kantoor. Ik drinken wat water, en dan ga ik naar het toilet verderop aan de gang. Als ik terugkom, ik schoten hoor beneden. Ik me verstoppen. Zoals ik mevrouw al heb verteld.'

Katie zat het allemaal snel op te schrijven. 'Oké, vertel me dan nu over...'

Ze maakte haar woorden niet af, want plotseling sloeg de deur met een klap open en stond Shaw in de deuropening.

'Shaw! Hoe wist je...?' Ze keek hem woedend aan. 'Je bent me gevolgd!'

Hij nam niet de moeite om daarop te reageren. Hij had alleen maar aandacht voor Lesnik, die met een ruk was opgestaan en nu in de hoek van het kamertje stond. Zijn koffie was omgevallen en lag nu op de vloer, een half opgegeten sandwich lag vergeten op tafel.

Met lange passen beende Shaw naar het mannetje toe, dat nog verder terugdeinsde totdat hij letterlijk met zijn rug tegen de muur stond.

'Hij mij niet pijn doen,' riep Lesnik uit. 'Laat hij mij niet pijn doen. Alsjeblieft!'

'Shaw, je maakt hem bang.'

Shaw greep Lesniks overhemd met zijn goede hand beet. 'Hij heeft alle reden om bang te zijn.'

'Jij zeggen niemand anders weten!' gilde Lesnik en hij keek Katie angstig aan.

'Shaw, laat hem los.'

'Jij gaat me alles vertellen wat je die dag hebt gezien en gehoord. En je kunt maar beter helemaal niets weglaten! Ik heb gehoord dat je naar de wc ging en je verstopt had, en nu ga je verder waar je gebleven bent.'

Lesnik zag eruit alsof hij elk ogenblik kon flauwvallen. Zijn knieën knikten.

'Shaw!'

Katie greep hem bij zijn goede schouder en probeerde hem weg te trekken, maar dat was net zoiets als een mug die een olifant lastigvalt.

'Loop me nou niet voor de voeten, Katie,' zei Shaw dreigend terwijl hij haar snel aankeek. Lesnik maakte echter van dit moment van afleiding gebruik om al zijn moed te verzamelen en Shaw een harde klap op zijn gewonde arm te geven.

'Verdomme!' Shaw klapte dubbel van de pijn.

De Pool dook langs hem heen, duwde Katie opzij en rende het kamertje uit. Met zijn hand om zijn arm geklemd rende Shaw achter hem aan, op de voet gevolgd door Katie. Met een dreunend geluid stormden ze de trap af. Shaw liep zo snel als hij met zijn gewonde arm maar kon, maar de veel kleinere Lesnik leek wel van straalaandrijving voorzien te zijn. Hij smeet de buitendeur open en rende al over straat terwijl Shaw en Katie nog op de eerste verdieping waren. Shaw duwde de deur open en bleef even op straat staan om te kijken waar het mannetje naartoe gelopen was. Katie botste tegen hem aan en greep hem bij zijn jasje.

'Ben je nou helemaal gek geworden!' gilde ze.

Plotseling zag hij Lesnik aan de overkant van de straat, aan de Theems-zijde. Hij rende dwars de rijbaan over. Overal klonk autogetoeter, en taxi's maakten grote schuivers om hem te ontwijken terwijl Katie in zijn kielzog achter hem aan rende, en gilde dat hij moest blijven staan voordat dit zijn dood werd.

Shaw riep naar Lesnik, die nu zo snel hij maar kon over het trottoir holde. De Pool keek heel even om en zijn gezicht was vertrokken van angst.

De kogel trof hem recht tussen zijn ogen. Heel even bleef hij gewoon staan, zo te zien nog zonder dat hij in de gaten had dat zijn leven zojuist ten einde was gekomen. Toen viel hij languit achterover en klapte over het hekje langs de rivier. Een paar seconden later kwam zijn lichaam plat op het water neer. En een paar seconden daarna verdween Lesnik onder het doffe oppervlak van de Theems, terwijl het water even een modderig rode kleur aannam.

Toen het schot klonk, was Shaw onmiddellijk in elkaar gedoken op de grond gaan zitten. Toen Katie luid naar Lesnik roepend langs hem heen holde, greep hij met zijn goede arm haar been vast, zodat ze viel, en trok haar toen snel achter een geparkeerde auto.

'Blijf liggen!' zei Shaw dringend. 'Dat was een langeafstandskogel.' Voorzichtig keek hij even om de bumper van de auto heen om te zien of hij ergens een rood lichtje zag, van het vizier van een scherpschuttersgeweer, maar nergens was iets dergelijks te bekennen.

Hij keek om naar Katie, en de uitdrukking op zijn gezicht werd wat zachter. Ze trilde over haar hele lijf.

'Het is goed, Katie.' Hij sloeg een arm om haar heen.

'Nee, het is niet goed,' snauwde ze, en ze rukte zich los. 'Jij moest hier zo nodig naartoe komen. Je moest je er zo nodig mee bemoeien. Nu is er een onschuldige dood, en dat is jouw schuld!'

'Geen van ons weet hoe onschuldig hij werkelijk is,' zei Shaw rustig. 'Maar nu moeten we maken dat we hier wegkomen. De politie...'

'Ga jij er maar vandoor. Ik wil de politie juist spreken. Dat zal goed achter-grondmateriaal opleveren voor mijn artikel.'

'Ga je dat dan nog steeds schrijven?' zei hij ongelovig.

'Reken maar. En wil je iets grappigs horen? Totdat jij je hiermee ging bemoeien, had ik besloten het te laten liggen, in ieder geval voorlopig. Maar nu?' Ze keek naar de plek waar Lesnik onder water was verdwenen. 'Nu ben ik van gedach-ten veranderd.'

'Katie, luister...'

Ze viel hem opnieuw in de rede. 'Nee, luister jij nou maar eens naar mij. Ik weet dat de vrouw van wie je hield vermoord is. Ik weet dat je verdriet hebt. Ik weet dat je het nog beroerder hebt dan ik op dit moment, maar daarnet heb je echt een grens overschreden. Sterker nog, je hebt die grens letterlijk van de kaart geveegd. Ik zal je nooit meer vertrouwen.'

In de verte klonk een sirene. Shaw wendde zijn blik even af en keek haar toen weer aan.

'Je kunt maar beter gaan. De politie zal zich nu niet opstellen als je beste vriend.'

'Katie, ik denk niet dat je weet waar je aan begint.'

'Waar ík aan begin, klootzak die je bent, is het vinden van de waarheid. En maak nu dat je wegkomt.'

Shaws ogen waren op haar gericht, maar zijn indringende blik leek geen effect meer op haar te hebben.

'Nu!' schreeuwde ze.

Toen hij opstond, zei ze: 'Maak je geen zorgen. Ik zal je niet noemen in het arti-kel. Beschouw dat maar als een afscheidscadeau.'

63

Katie belde Kevin Gallagher en bracht hem op de hoogte van alles wat er was gebeurd. Toen hij eindelijk was gekalmeerd had hij maar één vraag. 'Wanneer kun je het artikel leveren?'

'Ik heb het al geschreven. Ik kan het je nu meteen mailen. Dan kunnen jullie het aan alle kanten natrekken, en daarna publiceren.'

'Je contactpersoon is dood?'

'Ja. De politie stelt een onderzoek in.'

'Heb je ze gesproken?'

'Ik heb ze niet meer dan de kale feiten gegeven, en niets verteld over wat ik van hem te horen had gekregen. Dit is iets voor de voorpagina, denk je ook niet, Kevin?'

'Voorpagina! Voorpagina! Dit worden koppen van tien centimeter, Katie. Net zoals we doen als een land de oorlog wordt verklaard. Stuur je artikel meteen hiernaartoe, dan bel ik je wel zodra ik het gelezen heb.'

Ze legde de telefoon neer, aarzelde even en drukte toen op 'verzenden', zodat het mailtje naar de man toe zeilde. Net zoals we doen als een land de oorlog wordt verklaard. Ze dacht aan wat Shaw zojuist gezegd had en voelde de koude rillingen over haar rug lopen.

Twintig minuten later belde Gallagher terug. Hoewel hij aan de andere kant van de oceaan zat, hoorde ze hem gewoon kwijlen van verrukking.

'We zetten het in de ochtendeditie,' beloofde hij. 'Daar hebben we nog tijd voor.' En ongerust voegde hij eraan toe: 'Er is toch geen kans dat iemand anders met de primeur aan de haal gaat?'

'Lesnik praat met niemand meer, als je dat soms bedoelt. Maar hoor eens, Kevin. Ik kan niet echt bewijzen dat mijn contactpersoon die dag werkelijk in het gebouw is geweest. Het is allemaal indirect bewijs. En ik heb geen tweede bron die de verklaring van mijn contactpersoon kan bevestigen. Over het algemeen werk ik niet zo.'

'Verdomme, hij had nooit over al die details kunnen beschikken als hij daar niet zelf geweest was, Katie. De Londense politie heeft daar niets over vrijgegeven, en neem maar van mij aan dat we daar wel navraag naar hebben gedaan. En het feit dat hij door iemand is vermoord? Dat lijkt me bewijs genoeg. Ik heb weleens voorpagina-artikelen gehad met minder bewijs, net zoals elke andere krant ter wereld. Ik bedoel, kijk eens naar die fiasco's rond die verkrachtingszaak met het Lacrosse-team van Duke University, of dat gedoe met Richard

238

Jewell, die beveiligingsmedewerker die ten onrechte werd beschuldigd van betrokkenheid bij de bomaanslag die hij juist had verijdeld.'

'Dat waren allebei inderdaad fiasco's, Kevin.' Plotseling voelde Katie zich heel wat minder zeker van haar zaak.

'Maak je maar geen zorgen. Alvast gefeliciteerd met je derde Pulitzer, Katie. Ga maar een borrel van me drinken.'

Katie kromp in elkaar. 'Eigenlijk heb ik wat dat betreft een probleempje. Ik dacht dat je daar wel van gehoord zou hebben.'

'Daar heb ik ook wel van gehoord, maar wat dan nog? Word maar eens dronken. Na zo'n artikel heb je dat wel verdiend.'

Het was Katie niet helemaal duidelijk of het nou kwam door die misselijke opmerking of door iets wat diep in haar eigen ziel verborgen zat, maar ze voelde iets knappen in haar hersenen.

'Wacht even, Kevin!'

'Wat?'

'Je kunt dat verhaal niet gebruiken, nog niet.'

'Dat meen je toch niet?'

'Je moet wachten totdat ik bel en je toestemming geef. Ik moet eerst nog wat natrekken.'

'Katie! Al mijn journalistieke instinct zegt...'

'Kop dicht en luisteren,' brulde ze in de telefoon. 'Jij hebt helemaal geen journalistiek instinct. Ik heb overal ter wereld mijn leven gewaagd terwijl mensen zoals jij lekker achter hun behaaglijke en veilige bureau zaten, weet je nog wel? Het enige wat jou ook maar iets kan schelen, is kranten verkopen. Jij houdt dat verhaal tegen totdat je van mij te horen krijgt dat je het kunt publiceren. En als je me naait, kom ik in eigen persoon naar je huis toe om je te grazen te nemen. En nu ga ik die borrel halen die je me zo beleefd en vriendelijk heb aangeboden, klootzak dat je bent!'

Vol weerzin smeet ze de hoorn op de haak, haalde eens diep adem en probeerde haar trillende lijf weer in bedwang te krijgen. Een paar minuten later zat ze met een whisky-soda in de bar van het hotel om zichzelf moed in te drinken voor wat ze straks ging doen. Daarna nam ze nog een tweede. Er zou ook een derde gekomen zijn, maar toen ze de man naast haar met zijn hoofd in zijn eigen kwijl aan de bar in slaap had zien sukkelen, wist ze zich op de een of andere manier van de barkruk los te wrikken.

Ze ging naar buiten en liep de straat uit, waarbij ze langs het huis van Charles Dickens kwam, of liever gezegd, langs een van de vele huizen in Londen waar de beroemde auteur ooit had gewoond. Ze vroeg zich af of zelfs Dickens met zijn onuitputtelijke fantasie ooit de afschuwelijke nachtmerrie had kunnen verzinnen waarin ze nu verzeild was geraakt. Waarschijnlijk zou ze Kafka erop na moeten slaan om iets te vinden wat dit zelfs maar benaderde.

Ze had een parkje bereikt en ging op een bank zitten, haalde haar mobieltje tevoorschijn en toetste Shaws nummer in. Bij de tweede pieptoon werd er opgenomen.

'Ja?'

'Kunnen we praten?'

'Volgens mij heb je je positie maar al te duidelijk gemaakt.'

'Ik wil je spreken.'

'Waarom?'

'Alsjeblieft, Shaw. Het is belangrijk.'

Het café bevond zich niet ver van King's Cross Station. Ze ging op het terras zitten om op hem te wachten, en keek naar de 'bendybussen', zoals ze door de inwoners van Londen werden genoemd. Deze bussen hadden de plaats ingenomen van de oude dubbeldekkers en bestonden in wezen uit twee bussen die met een flexibele verbinding aan elkaar waren gemaakt. De meeste Londenaren waren er niet dol op, omdat ze op de smalle kruispunten van de stad vaak voor grote opstoppingen zorgden als ze een bocht maakten.

Dat is net mijn leven, dacht Katie. In elke mogelijke richting die ik zou kunnen nemen, staan wel een stuk of tien bendybussen die me de weg versperren.

Ze zag hem voordat hij haar zag. Zelfs met zijn gewonde arm liep hij zonder enige inspanning. Het leek wel alsof hij over het trottoir zeilde, zoals een reiger over het water, alert en gereed om elk ogenblik toe te slaan. Ze stond op en wuifde naar hem.

Ze bestelde iets te eten. Shaw stelde zich tevreden met koffie en een koekje.

'Heb je met de politie gepraat?' vroeg hij.

'Heel kort maar. Ik heb ze niet meer verteld dan ik gezien heb. Ik heb er niet bij gezegd dat ik een interview met hem had gehouden. Het leek me verstandig om daar maar niet op in te gaan. Voor zover zij wisten, was ik gewoon een toevallige voorbijganger.'

'Zodra het artikel wordt gepubliceerd, weten ze dat je tegen hen hebt gelogen. Wanneer verschijnt het trouwens? Ik weet zeker dat je het al geschreven hebt.'

'Inderdaad. Daarom wilde ik je spreken.'

Hij leunde achterover en keek haar afwachtend aan. 'Zeg het maar.'

'Ik heb geen zin om een derde wereldoorlog te beginnen.'

Shaw nam een slokje van zijn koffie en Katie plukte wat aan haar salade. Een minuut lang waren ze allebei stil.

'Wat wil je van me horen?' zei hij. 'Dat je dat artikel beter niet kunt publiceren? Dat heb ik je al gezegd.'

'Denk je echt dat de waarheid, als die bekend wordt, meer kwaad dan goed zal doen?'

'Ja, dat denk ik echt. Maar laten we eerst eens een stapje terug doen. We weten niet of wat er in dat artikel van jou staat, echt waar is.'

Dat streek haar tegen de haren in. 'Hoe weet je dat nou, je hebt mijn artikel nog niet eens gelezen!'

'Omdat je het me niet hebt laten zien,' zei hij scherp. En toen voegde hij daar op mildere toon aan toe: 'Hoor eens, Katie, het spijt me wat er met Lesnik is gebeurd. Ik heb geen idee of hij iets met de slechteriken te maken had of niet.'

'Dat iemand hem op straat heeft neergeschoten, lijkt er toch op te wijzen dat hij niet met hen samenwerkte. Hij kende de waarheid, en dus hebben ze hem opgespoord en neergeschoten.'

'Die theorie heeft wel een paar gaten. Hoe hebben ze hem dan weten op te sporen? En waarom hebben ze hem nou eigenlijk neergeschoten? Omdat hij iets over de Russen zou kunnen zeggen?'

'Volgens mij hebben we dit gesprek al eens eerder gevoerd.'

'Ja, inderdaad.' Hij leunde achterover en ontweek haar blik.

'Waarom kwam je zo plotseling de kamer binnenstormen?'

'Laten we het er maar op houden dat ik een slechte dag had.'

Ze keek hem nieuwsgierig aan.

Hij zag haar kijken. 'Ik ben naar het mortuarium geweest, om Anna te zien.'

'Waarom heb je dat gedaan?' zei ze vol ongeloof.

'Ik weet het niet. Ik had het gevoel dat ik dat moest doen. Daarna ben ik naar haar flat gegaan, en daar werd het bepaald niet beter.'

'Al die herinneringen.'

'We liepen haar ouders tegen het lijf, en haar vader viel me aan.'

'Goeie god!'

'Maar dat was nog niet het ergste. Het ergste was dat hij mij de schuld gaf van wat Anna is overkomen.'

Katie leunde achterover en keek hem verbijsterd aan. 'Waarom zou hij dat nou doen?'

'Als je het vanuit zijn perspectief bekijkt, klopt het op een bepaalde manier wel. Hij komt erachter dat ik de hele wereld rondreis en ruzie zoek met mannen die over vuurwapens beschikken. En dan krijgt hij ook nog te horen dat ik in wezen een crimineel ben. Als Anna dan wordt neergeschoten, heb ik het natuurlijk gedaan.' Het bleef een paar seconden stil.

'Hoor eens, ik laat dat verhaal voorlopig niet publiceren,' zei Katie. 'In ieder geval niet totdat ik meer weet.'

'Dat lijkt me heel verstandig, Katie.' En na een korte stilte voegde hij daaraan toe. 'En ik stel het zeer op prijs.'

'Wat ga je nu doen?'

'Nu ga ik Anna's moordenaar opsporen.'

·64·

Nicolas Creel begon ongeduldig te worden. Hij had verwacht dat Katie James haar artikel inmiddels al gepubliceerd zou hebben. Lesnik was dood, en hij had haar alles verteld. Ze beschikte over de primeur van de eeuw. Precies wat ze nodig had om de top te bereiken. Dus wat was er mis?

Hij liet zijn mensen discreet een paar telefoongesprekken voeren met verschillende bronnen, waaronder de *Scribe*, Katies nieuwe krant. Creel was een passieve investeerder in dat dagblad, en hij was degene die achter de schermen had geregeld dat Katie deze opdracht kreeg. Er scheen iets te wringen, kreeg hij niet veel later te horen. Had ze het artikel al ingeleverd, vroeg Creel zich af. Hielden ze het om de een of andere reden tegen? Nou, daar zou hij dan snel een eind aan maken. Hij belde met Pender, en legde zijn 'waarheidsmanager' zoals Creel hem graag noemde, uit wat er aan de hand was.

'Ik wil niet de indruk wekken dat ik het beleid van de krant probeer te beïnvloeden, dus probeer het artikel van ze los te weken, Dick, op welke manier dan ook.'

'Geen zorgen, meneer Creel. Ik weet precies hoe ik dat moet aanpakken.'

Pender verbrak de verbinding. Er was één feilloze methode om een krant die een artikel achterhield zover te krijgen dat ze dat snel publiceerden. Je moest de redacteuren laten denken dat een andere krant hen de loef zou afsteken. En in het internettijdperk was niets eenvoudiger dan dat.

Aan het begin van de avond had Pender op verschillende, uiterst zichtbare plekken op internet een artikeltje geplaatst dat aangaf dat er een verbazingwekkende onthulling over de massamoord in Londen op komst was.

'Opmerkelijke onthullingen,' schreeuwde een namaakblog. 'Binnenkort wordt het verslag van een insider onthuld.'

In een ander blog stond te lezen dat 'de moorden in Engeland, en het ware verhaal daarachter, wereldwijde consequenties kunnen hebben'. De blog vervolgde dat deze moorden verband hielden met een andere recente moord in Londen, dat alles nu elk ogenblik onthuld kon worden, en dat die onthullingen werkelijk verbijsterend zouden zijn.

Pender liet die tekstjes op verschillende websites plaatsen waarvan hij wist dat de meeste kranten, waaronder ook de *Scribe*, ze elk uur lieten afspeuren op nieuw materiaal.

Hij leunde achterover en wachtte totdat ze de trekker zouden overhalen. Hij hoefde niet lang te wachten.

* * *

Nog geen uur nadat die artikeltjes op het web waren gezet, had Kevin Gallagher ze al gelezen. Net zoals de andere kranten had hij een aantal medewerkers die alles wat ook maar van enig belang leek, onmiddellijk van internet plukten. Nou, wat die mensen nu op zijn bureau legden, was niet zomaar belangwekkend, maar vrat langzaam maar zeker zijn maagvlies weg. Toen zijn superieuren bij de krant erachter kwamen dat ze elk ogenblik de primeur konden kwijtraken van een van de belangrijkste gebeurtenissen die wie dan ook van hen zich maar kon herinneren, kreeg Gallagher heel duidelijk te horen dat als de *Scribe* deze primeur kwijtraakte, dat het laatste zou zijn wat hij ooit als werknemer van de krant zou meemaken. En dat als Katie James geen toestemming gaf om het artikel te publiceren, Gallagher maar beter een manier kon vinden om het toch op de voorpagina te zetten.

Terwijl gedachten over zijn carrière en een Pulitzerprijs voor de krant door hem heen gingen, deed Gallagher wat hij meende te moeten doen, en daarna belde hij Katie.

'Ik moet het artikel publiceren, Katie,' zei hij. 'Anders raken we de primeur kwijt.'

'Dat kan niet. Niemand anders weet hiervan.'

'Ik heb hier artikelen voor me op tafel liggen uit vier verschillende webbronnen die beweren er wel meer over te weten.'

'Kevin, dat artikel wordt niet gepubliceerd.'

'Waarom niet?'

'Omdat dat niet juist zou zijn.' En ik heb Shaw mijn woord gegeven, dacht ze.

'Het spijt me, Katie.'

'Hoezo spijt het je?' zei ze op scherpe toon, en het leek alsof haar hart een tel oversloeg.

'Ik bel niet om toestemming te vragen.'

'Kevin!'

'Het komt in de ochtendeditie.'

'Ik vermoord je!' krijste ze in de telefoon.

'Anders word ik ontslagen, en dan ben ik nog liever dood. Nogmaals, Katie, het spijt me, maar ik weet zeker dat het allemaal goed uitpakt.'

Hij verbrak de verbinding en liet Katie achter terwijl ze naar de muur van haar flatje in Londen zat te staren. God, wat was zij hard aan een borrel toe!

Maar toen waren alle gedachten aan drank ineens als sneeuw voor de zon verdwenen. Shaw!

Ze belde. Ze hoopte half en half dat hij niet zou opnemen, maar dat deed hij wel.

'Ik heb slecht nieuws,' begon ze zonder veel overtuiging.

Toen ze klaar was, zei hij niets. 'Shaw?' zei ze. 'Shaw, ben je daar nog?'

Toen werd de verbinding verbroken. Dat beschouwde ze niet als een goed teken.

* * *

De dag daarop kwam de wereld te weten dat volgens bronnen die over vertrouwelijke informatie beschikten, de daders van de massamoord in Londen Russen waren die daar naar verluidt door de Russische president Gorshkov naartoe waren gestuurd. Hun motieven waren nog niet bekend. Dat dit nieuws de wereld raakte als een stroom gesmolten lava of een tsunami zou een ongelooflijk understatement zijn geweest.

De families van de slachtoffers spanden bij de Britse rechtbanken onmiddellijk tientallen rechtszaken aan tegen de Russische regering, zelfs al hadden die geen rechtsbevoegdheid in Rusland zelf. Er ontplofte een bommetje voor de Russische ambassade. De beveiliging werd opgevoerd terwijl talloze demonstranten voor het gebouw heen en weer liepen en de ambassadeur zelf met een grimmig gezicht met Gorshkov zat te bellen totdat de lijnen roodgloeiend stonden. In de straten van Londen liepen duizenden demonstranten met vlaggen waarop GORSHKOV MOORDENAAR te lezen stond en die op discrete wijze geleverd waren door mensen in dienst van Pender.

Familieleden van slachtoffers verschenen op de BBC, de belangrijkste Amerikaanse zenders en ook in verschillende andere landen. Zonder uitzondering stelden ze deze Russische gruweldaad aan de kaak, en met hun betraande gezichten en verslagen manier van doen zorgden ze ervoor dat de verbijsterde wereld werd opgezweept tot een woede die in de geschiedenis zijn weerga nauwelijks kende.

Wat het vuurtje nog hoger opstookte, was de onthulling dat de bron van dit verhaal, Aron Lesnik, in Londen op klaarlichte dag was neergeschoten. Hij bleek zelfs gestorven te zijn onder de ogen van Katie James, die met deze exclusieve wereldprimeur in één klap weer de top van haar professie had bereikt.

Ook deze keer werd alles door de Russen op grimmige wijze ontkend. En ook nu weer hadden die ontkenningen geen enkele invloed op de wereldopinie. Het gerucht ging dat Gorshkov inmiddels zo over zijn toeren was, dat hij met een pistool rondliep en zo nu en dan dreigde zichzelf of iemand anders een kogel voor zijn kop te schieten.

Iedereen was nu op zoek naar Katie James. Dat gold ook voor de Londense politie, zodra die in de gaten had gekregen dat de onverschrokken journaliste niet de hele waarheid had gesproken. Maar de vrouw was spoorloos verdwenen.

Er gingen geruchten dat Gorshkov haar uit de weg had laten ruimen.

Zou ze al dood zijn? Een paar miljard mensen vroegen het zich af.

Zodra Shaw de verbinding had verbroken, had Katie haar tas gepakt en was ze ervandoor gegaan. Ze had een kamer gehuurd in een vervallen pension, dat contant geld aannam en waar geen persoonlijke vragen werden gesteld. Daar nam ze haar intrek, of liever gezegd, daar dook ze onder. Als ze hier ooit levend uitkwam, zo nam ze zichzelf stellig voor, zou ze meteen naar de Verenigde Staten gaan om de knieën van Kevin Gallagher met een honkbalknuppel te bewerken.

65

Een maatschappij die eigendom was van Creel beschikte over de eigendomsrechten op een landgoed van vierhonderd hectare in Virginia, op korte afstand van Thomas Jeffersons geliefde Universiteit van Virginia. Het was nog steeds in bedrijf als boerderij, en beschikte over paardenstallen met volbloed renpaarden, die zo nu en dan als dekhengst werden verhuurd. Er waren ook een paar koeien, wat akkers, en een landhuis dat zo groot was dat het bekende landhuis op Monticello, het oorspronkelijke landgoed van Thomas Jefferson, er makkelijk in zou passen. Creel was hier vandaag naartoe komen vliegen, en daarna was Dick Pender met de helikopter opgehaald om het volgende stadium van het plan te bespreken en uit te voeren.

De twee mannen zaten aan een kleine vergadertafel in een kamer die volkomen geluidwerend was, en waarop afluisterapparatuur geen vat kon krijgen. 'Is uw vrouw meegekomen van overzee?' vroeg Pender.

'Nee, die relatie is verleden tijd.'

Miss Hottie bevond zich nog in Zuid-Frankrijk, en zou zo ongeveer op dit moment de scheidingsdocumenten bezorgd krijgen, rekende Creel zwijgend uit. De kans was groot dat ze volkomen naakt zou zijn als dat zich voordeed. Heel even vroeg hij zich af hoe ze zich zou weten te redden met het 'stipendium' van vijf miljoen per jaar waar ze volgens de huwelijkse voorwaarden de komende tien jaar recht op zou hebben. Nou, als ze zo graag naakt rondliep, scheelde dat in ieder geval weer kleedgeld. Daarna verdween Miss Hottie volkomen uit zijn gedachten.

'Juist.' Nu zag Pender de architectonische schetsen op tafel liggen. 'Laat u nog ergens een paleis bouwen?'

'Nee, een weeshuis in Italië.'

'Uw brede belangstelling blijft me verbazen, meneer Creel.'

'Dat doet me genoegen,' zei de miljardair kil.

'Dat artikel van Katie James heeft al onze verwachtingen nu al overtroffen,' zei Pender. 'Ik heb nog nooit zo'n enorme media-activiteit gezien als nu. Maar dan ook werkelijk nooit.'

'Wacht maar totdat we het verhaal voor haar afronden.'

'Laat me eens kijken: dat is dus inclusief de onthulling dat de Phoenix Group in Chinese handen is,' zei Pender na een korte blik in zijn documenten. 'En er worden bestanden ontdekt waaruit blijkt dat de Phoenix Group verantwoordelijk was voor de organisatie van de anti-Russische Rode Gevaar-campagne. Er wordt ook bekend dat de Britse politie die documenten heeft achtergehouden om een internationale crisis te voorkomen.' De man las de verschillende onderdelen van het plan op alsof het om een boodschappenlijstje ging en keek toen glimlachend op. 'Dat is echt een fantastische uitsmijter. Grotere hoogten dan nu hebt u nog niet eerder bereikt en als ik denk aan alles wat u in het verleden al gedaan hebt, zeg ik dat niet lichtvaardig.'

'De situatie vereist ook niets minder, Dick,' zei Creel scherp. 'Hoe lang gaat het duren voordat je dit allemaal in gang kunt zetten?'

'U hoeft het maar te zeggen en het staat overal op internet. Vijf minuten later heeft elke grote krant en televisiezender ter wereld het in zijn gretige klauwtjes.'

'En je weet zeker dat ze het nieuws niet onder zich zullen houden? Dat ze niet zullen proberen het na te trekken?'

Pender lachte. 'Verifiëren? In deze tijd? Wie kan het nou wat schelen of iets waar is of niet? Als het maar snel gaat. Degene die het eerst publiceert, bepaalt wat waar is. Dat weet u beter dan wie dan ook.'

'Doe het dan. Nu.'

Pender tikte één woord in op zijn Blackberry: 'Lanceren.' En terwijl zijn vingers over het toetsenbordje schoten, sprak hij het woord ook hardop uit. 'Voor iemand die actief is in de wapenindustrie leek me dat wel toepasselijk,' zei hij tegen Creel.

'Heel inspirerend,' zei Creel ongeïnteresseerd.

De twee mannen waren zo nog een paar uur aan het werk en toen pakte Pender zijn spullen weer in.

'Wat gaat er nu gebeuren?' vroeg hij aan de miljardair.

'Nog eens een gewelddadige actie,' zei Creel. 'Prettige vlucht terug naar Washington. O, en Dick, als we de officiële deal sluiten met Rusland en China, zit er een flinke bonus voor jou aan vast.'

Pender wist zijn plezier niet verborgen te houden. 'Ik doe gewoon mijn werk.'

'O, wil dat zeggen dat je geen behoefte hebt aan een bonus?'

Beide mannen lachten, maar Pender klonk nerveus.

'Dank u wel, meneer Creel.'

Toen Pender weg was, ging er een deur open en even later nam Caesar plaats tegenover zijn meester.

'Je weet nog waar James is,' zei Creel. Het was geen vraag.

De man knikte. 'Ze is ondergedoken in Londen, maar nadat we met Lesnik hadden afgerekend, hebben we haar voortdurend goed in de gaten gehouden.'

'Aron Lesnik. Ik stel nooit vertrouwen in mensen die handelen uit altruïsme. Je weet maar nooit wanneer ze weer eens een aanvechting krijgen om te doen wat juist is, en zich dan tegen je keren.'

'Hij was echt kwaad omdat zijn ouweheer door de Sovjets naar de andere we-

reld is geholpen, dat was wel duidelijk. Dus nu wilt u die Shaw laten elimine-
ren?'

'Nee. Voorlopig nog niet. Als ik een gokker zou zijn, wat ik zo nu en dan trouwens ook ben, zou ik echter zeggen dat er nog wel een moment komt waarop
het antwoord op die vraag ja zal luiden.'

'En Katie James?'

'Ze heeft haar rol gespeeld en ik zie geen reden om haar stand-by te houden
voor een vervolgoptreden. Ze heeft in haar artikel onthuld dat de Russen hierbij betrokken waren, dus de oplossing ligt voor de hand.' Hij keek Caesar aan
op een manier die duidelijk liet blijken dat er nu een suggestie werd verwacht.

'Geen Polonium-210, hoor!' zei Caesar. 'Het is hartstikke lastig om veilig met
dat spul om te gaan, en het gaat ook wel even duren voordat ik het weet te bemachtigen.'

'Het zou nogal dom zijn om iets zo voor de hand liggends te doen.' Creel boog
zich voorover en keek Caesar recht in de ogen. 'Maar er was ooit een Bulgaarse
dissident, Grigori Markov, die in Londen is vermoord met behulp van een
paraplu. Dat verhaal ken je toch wel?'

'Reken maar!' zei Caesar met een boosaardige grijns.

'Doe het maar op die manier.'

Creel maakte een handgebaar en Caesar verdween even snel als hij gekomen
was.

66

Shaw keek zwijgend toe hoe Royces manschappen het gebouw waarin de massamoord had plaatsgevonden, grondig uitkamden op sporen die maar niet gevonden werden. De MI-5-agent was even naar buiten gegaan om daar iemand op te wachten, zodat Shaw alleen was achtergebleven en zich somber stond af te vragen of de toestand nog beroerder kon worden. Royce was woedend geweest over het artikel dat Katie James had geschreven, maar dat kon hij Shaw moeilijk kwalijk nemen, want hij had de man niet verteld dat hij Katie James en wijlen Aron Lesnik ooit had ontmoet.

Lesnik was uit de Theems gevist met de kogel die een einde aan zijn leven had gemaakt, nog in zijn achterhoofd. Die zou nergens meer antwoord op geven. Zou Katie inmiddels ook dood zijn?

Frank kwam door de gang naar hem toe gelopen. 'Je hebt me eigenlijk nooit verteld waar je zo hard naartoe holde nadat we weg waren gegaan uit Anna's flat.'

'Daar heb je gelijk in. Dat heb ik je nooit verteld.'

'Had het iets te maken met Katie James of die exclusieve primeur van haar?'

'In mijn vrije tijd ga ik niet met dat mens om, Frank.'

'Juist. Hoe is ze dan in vredesnaam aan dat artikel over die Poolse vent gekomen? En wie heeft hem vermoord?'

'Geen flauw idee,' zei Shaw met doffe stem terwijl Frank hem boos aankeek.

Een technicus van het gerechtelijk laboratorium die Shaw nooit eerder had gezien, kwam naar hen toe lopen en tegelijkertijd hoorde Shaw op de benedenverdieping de voordeur dichtslaan. 'Neem me niet kwalijk. Ik moet even naar het toilet,' zei de technicus.

Shaw keek over zijn schouder en het drong tot hem door dat hij recht voor de deur van het toilet stond. Hij stapte opzij en de man maakte aanstalten om de deur open te maken, of probeerde dat in ieder geval.

Voetstappen denderden de trap op. Shaw hoorde Royce schreeuwen. De MI-5-agent was duidelijk boos over iets, en voor zover Shaw kon horen, was hij degene op wie die woede gericht was.

Net toen de technicus aan de deurkruk stond te rammelen, kwam er een geüniformeerde brigadier langs, die hier vanaf de eerste dag dienst had gehad.

'Jij bent zeker nieuw hier. Je moet de wc in de kelder gebruiken, jongen,' zei de wachtmeester. 'Deze hier is defect.'

Shaw kon Royce nu heel duidelijk verstaan.

'Shaw? Verdomme, Shaw!'

De MI-5-agent verscheen nu boven aan de trap. Hij was buiten adem en zijn gezicht was rood aangelopen. Terwijl hij recht op Shaw af kwam rennen, zwaaide hij met een velletje papier.

'Wat weet jij hiervan, verdomme?' vroeg hij woedend.

Shaw las wat er op het papier stond. Het was een uitdraai van een artikel op een online nieuwssite. Het artikel was kort maar ter zake. De Chinese overheid was eigenaar van of onderhield banden met de Phoenix Group. Er werd ook onthuld dat er materiaal in het gebouw was aangetroffen waarvan werd beweerd dat het bewijs vormde voor betrokkenheid van de Phoenix Group bij de Rode Gevaar-campagne. Dat wees er natuurlijk op dat de Chinezen achter die campagne zaten, en volgens de anonieme bron van de nieuwsdienst was dat dan ook de reden waarom Gorshkovs manschappen het kantoor waren binnengevallen. Het was een heel eenvoudige manier om een aantal losse puntjes met elkaar te verbinden, en overal ter wereld zou die verklaring zonder veel moeite aanvaard worden.

'Het staat overal op internet,' brulde Royce terwijl hij beschuldigend naar Shaw wees. 'Nu weet de hele wereld het.'

Frank had over Shaws schouder meegelezen. 'Waarom is dat zijn probleem?'

'Ik ben de bron niet,' zei Shaw rustig. 'Ik heb niemand iets verteld over wat zich hier heeft afgespeeld.'

Het was Royce duidelijk aan te zien dat hij dat niet geloofde. 'Zelfs je vriendinnetje niet, die Katie James? Is dit misschien haar volgende primeur?'

'Ik weet niet waar u het over hebt!' zei Shaw verhit.

'Wil je soms beweren dat je dat mens niet kent?'

Shaw aarzelde.

'Ik weet al hoe het antwoord op die vraag luidt, dus ga nou niet staan liegen, verdomme.'

'Hoe weet u dat?' zei Shaw heel rustig, terwijl hij nieuwsgierig naar de geüniformeerde brigadier keek.

'Ik werk bij de inlichtingendienst, verdomme. Het is mijn werk om zulke dingen te weten te komen.'

'Ik heb haar al een tijdje niet gezien. En ik heb geen idee waar ze...'

Shaw verstarde toen de technicus om het groepje heen stapte en de trap af liep.

Frank nam Royce even apart. 'Als u problemen hebt met lekken, waarom gaat u dan niet eens met uw eigen mensen praten?' zei hij. 'Want het is godsonmogelijk dat Shaw de bron van dit verhaal vormt.'

'Ik kan niet geloven dat mijn jongens hier iets mee te maken zouden hebben,' zei de MI-5-man verontwaardigd.

Terwijl Frank en Royce stonden te ruziën, legde Shaw zijn hand op de arm van de brigadier die de technicus net had gewaarschuwd dat het toilet niet gebruikt kon worden. 'Hoe lang is dat toilet al kapot?' vroeg hij met zachte stem.

'Het was al kapot toen we hier voor het eerst binnenkwamen, meneer,' zei de man met een vermoeide glimlach. 'Heel lastig. Het was afgesloten. Voor zover ik kon zien toen ik de deur eindelijk open kreeg, was de afvoerpijp kapot. Het is per slot van rekening een oud gebouw. En die arme donders hier hebben waarschijnlijk gewoon de tijd niet meer gehad om het te laten repareren. Ik heb het toilet weer op slot gedaan en dus moeten de heren naar de kelder als ze willen plassen, want het enige andere toilet is het damestoilet op de begane grond. Al maken sommige jongens daar zo nu en dan ook gebruik van. Het maakt nu toch niet veel meer uit, hè?'

'Waar is het damestoilet op de begane grond?'

'Aan het eind van de gang, de deur het verst van de trap, aan de achterkant van het gebouw.'

Shaw liep de gang door en zag het naambordje op de deur. WILLIAM HARRIS. Hij keek naar de kamer met het kopieerapparaat. De afstand tussen het kantoor van Harris en het afgesloten herentoilet was net zo groot als de afstand tussen het toilet en de ruimte met het kopieerapparaat.

Royce stormde op hem af door de gang, en Frank kwam haastig achter hem aan gelopen. 'Shaw?' zei Royce. 'En nu de waarheid, verdomme!'

Shaw keek naar de trap. Een hele reeks beelden kwam bij hem op. Zelfs als Lesnik zich had versproken en hij in de kelder naar het toilet was geweest of het damestoilet op de begane grond had gebruikt in plaats van het afgesloten toilet hier op deze verdieping, hadden de gebeurtenissen die hij had beschreven, nooit zo kunnen plaatsvinden. Volgens Katie had Lesnik schoten gehoord toen hij het toilet *uit* kwam. De gewapende mannen hadden zich toen al op de begane grond bevonden, zowel aan de voorkant als aan de achterkant van het gebouw.

Als Lesnik in de kelder of op de eerste verdieping het toilet uit was gekomen, zou hij de invallers recht tegen het lijf zijn gelopen, en dan was hij dood geweest. Hij had zich nooit in het kopieerapparaat verborgen gehouden. Hij was waarschijnlijk zelfs nooit in het gebouw geweest.

En het kwam er allemaal op neer waar je ging plassen. Of niet ging plassen.

Terwijl Royce boos naar hem stond te schreeuwen, rende hij zo snel hij maar kon de trap af. De vloeken die nu op hem neer regenden, hoorde hij niet eens. Hij toetste het nummer in dat Katie voor hem had achtergelaten.

'Schiet op, neem nou toch op, verdomme.' De telefoon ging drie, vier, vijf keer. Shaw was er zeker van dat hij zo dadelijk zou worden doorgeschakeld naar het meldtekstje van de voicemail. Verdomme!

'Hallo?'

Er ging een golf van opluchting door hem heen toen hij haar echte stem hoorde. 'Lesnik heeft gelogen,' zei hij.

'Wat?'

'Op de dag van de moorden was het toilet op de eerste verdieping verstopt, en de deur was op slot gedaan. Dus had hij dan het toilet in de kelder moeten gebruiken, of het toilet op de begane grond, vlak bij de achteringang. En dan zou hij de moordenaars tegen het lijf zijn gelopen. Dan was hij dood geweest. Hij heeft gelogen, Katie. Het was allemaal doorgestoken kaart.'

Het bleef stil aan de andere kant van de lijn. Hij vroeg zich af of ze de verbinding had verbroken.

'Weet je dat zeker?' zei ze met onvaste stem.

'Verder was hij heel goed voorbereid. Maar ze hadden duidelijk niet de moeite genomen om te controleren of het toilet wel in gebruik was. Als ze die fout niet hadden gemaakt, en ik niet een beetje geluk had gehad, was ik er nooit achter gekomen.'

'Mijn artikel. Dat was gebaseerd op een leugen?' zei ze naar adem happend.

'Waar zit je?'

'Dat kan ik niet geloven. Dat kan niet. Ik heb die idioot van een Gallagher nog zo gezegd dat mijn informatie afkomstig was van een enkele bron en dat ik die niet heb kunnen verifiëren.'

'Katie, waar zit je nu?'

'Waarom wil je dat weten?'

'Je artikel is gepubliceerd. Ze hebben je niet meer nodig.'

'Ik ben veilig.'

'Nee, dat ben je niet! Waarschijnlijk weten ze precies waar je zit. Vertel op.'

Ze gaf hem het adres.

'Als er iemand aan de deur komt, doe dan niet open, wie het ook is. En zorg dat je klaar bent om ervandoor te gaan.'

Hij rende de straat op en bleef midden op de rijweg staan, zodat een taxi met piepende remmen tot stilstand kwam. Hij rukte het portier open, sleurde de verbouwereerde passagier eruit, liet zich op de achterbank ploffen en zei tegen de met stomheid geslagen taxichauffeur waar hij naartoe moest. De niet al te forsgebouwde man wierp één blik op Shaws enorme afmetingen en zijn woedende gezicht, en toen reed de taxi met brullende motor weg.

•67•

Slechts twintig minuten nadat Shaw had gebeld ging de bel bij de beneden-
deur. Katie rende naar de deur van haar flatje en sprak in de intercom.
'Shaw?'
'Yep.'
Ze drukte op de knop, en verstarde toen. Was dat Shaws stem wel geweest? In
haar opwinding was ze ervan uitgegaan...
Een eindje onder zich hoorde ze afgemeten voetstappen de trap op lopen. Dat
klonk niet als...
Ze deed de deur op slot, rukte haar haastig gepakte reistas van het bed en keek
panisch om zich heen naar een andere mogelijkheid om hier weg te komen. Er
was er maar één: het raam dat uitkeek over het steegje aan de achterkant. Ze
trok het open en keek omlaag. Ze zat hier op de tweede verdieping. In de film
zou er een handige brandladder zijn geweest, of een stapel zachte vuilniszakken
recht onder het raam, maar in het echte leven had je dat soort meevallers nooit.
En ze had geen tijd om een stel lakens aan elkaar te knopen. Maar ze zag wel
een man in het steegje. Een lange en stevig gebouwde man in een spijkerbroek
en een trui, die in het licht van de ondergaande zon in een gehavende tuinstoel
de krant zat te lezen.
'Honderd pond als je me vangt,' riep ze.
'Pardon?' zei hij terwijl hij verbaasd naar haar opkeek.
Ze klauterde op de vensterbank, met haar tas op haar rug. 'Ik spring en jij vangt
me op. Begrepen?'
De man liet zijn krant vallen, stond op en keek om zich heen, misschien om te
zien of hij soms in de maling werd genomen.
'U gaat springen, zegt u?'
'Laat me niet vallen, hoor!'
'O mijn god,' was het enige wat hij kon uitbrengen.
Er stond nu iemand recht voor de deur. Ze hoorde iets tegen het hout duwen.
Een afschuwelijk lang durend ogenblik was er maar één ding wat ze voor zich
kon zien, Anna Fischer, die net zo in de vensterbank had gestaan als zij terwijl
de kogels dwars door haar heen gingen. Als ze maar iets eerder was gesprongen!
'Ik kom!' riep ze naar de man onder zich, die nu druk heen en weer stapte en
met zijn dikke armen zwaaide om zo goed mogelijk uit te rekenen waar ze neer
zou komen. 'Niet missen hoor!' voegde ze er streng aan toe.
Een seconde later rolden de man en zij in een kluwen van armen en benen over

de grond. Katie krabbelde overeind. Alles leek nog intact te zijn, op een gekneusde arm en een snee in haar scheenbeen na. Ze drukte de man vijf biljetten van twintig pond in de hand, gaf hem een kus en ging er als een haas vandoor.

Ze sloeg de hoek om en rende zo snel mogelijk weg van het flatgebouw. Ze keek niet achterom en zag niet hoe een man van richting veranderde en haar kant uit liep. Ze zag niet hoe de voordeur van haar flat open vloog terwijl een andere man de straat op rende en de achtervolging inzette. Maar ze kon hun aanwezigheid wel voelen en begon nog harder te lopen. Moest ze het nu op een gillen zetten? Er waren voldoende mensen in de buurt. Maar wat als haar achtervolgers gewapend waren? Ze hadden die arme Lesnik neergeschoten terwijl er wel een miljoen mensen omheen stonden. Ze keek wanhopig om zich heen, maar nergens was een politieman te bekennen.

De derde man had ze al evenmin gezien, want die bevond zich een eindje vóór haar en kwam haar nu tegemoet. Hij was de back-up, voor het geval het eerste team haar niet te pakken zou krijgen, en zo te zien was dit zijn kans. Hij liet de injectiespuit uit zijn mouw glijden, trok het dopje van de naald en versnelde zijn pas.

·68·

De taxi draaide de hoek om en Shaw speurde de straat af. Hij zag Katie en bleef zijn blik strak op haar gericht houden. De doodsangst in haar ogen was duidelijk te zien. Ze holde over het trottoir. Hij zag een man achter haar aan rennen. Maar het moest er meer dan één zijn.

En toen gebeurde het. Shaw zag hoe het zonlicht weerkaatst werd in het voorwerp dat de man in zijn hand hield. Hij dook de rijdende taxi uit, liet zich een paar keer om en om rollen, en rende eropaf.

Katie en de man waren nog maar een paar centimeter van elkaar verwijderd. De man bracht de hand met de injectiespuit naar achteren en stootte die toen naar voren, naar haar maag toe.

Katie hapte naar adem toen de man vóór haar opzij werd geduwd door een veel grotere man. Ze voelde iets over haar arm glijden, keek omlaag en zag hoe de naald net niet haar huid binnendrong. Het had maar een centimeter gescheeld. Toen zag ze hoe Shaw de hand vastgreep en naar voren boog, zodat de naald volledig in de borst van de man verdween en de zuiger helemaal werd ingedrukt. De man tuurde vol afgrijzen naar het ding dat nu uit zijn borst stak, duwde Shaw weg, krabbelde overeind en rende de straat in. Zijn lippen werden al gevoelloos terwijl het gif aan zijn dodelijke reis door zijn lichaam begon. Caesar had niet gekozen voor ricine, het gif dat met een injectienaald in een paraplu in het been van Grigori Markov was gespoten, maar voor een zware dosis tetrodoxotine, een substantie tienduizend keer zo dodelijk als cyanide, waarvoor geen tegengif bekend was.

Hij zou binnen twintig minuten dood zijn.

Shaw greep Katie bij de arm en ze renden Euston Station binnen, stapten snel in de metro, stapten weer uit op King's Cross, renden het daglicht in en sprongen snel in een taxi. Shaw gaf de man opdracht om gewoon een eindje te rijden en richtte zijn aandacht toen op Katie.

Ze had al die tijd geen woord tegen hem gezegd. Niet terwijl ze over straat renden en niet in de metro. Er kwam een verschrikkelijke gedachte bij hem op. 'Die injectiespuit, die heeft je toch niet…'

Ze legde een trillende hand op zijn arm. 'Nee. Dankzij jou. Hoe wist je dat?' 'Meer geluk dan wijsheid.' Hij liet zich onderuitzakken op de achterbank. 'Dat was de derde partij, hè?'

Hij knikte. 'Dat was de derde partij die hierbij betrokken is.'

Terwijl de taxi moeizaam zijn weg zocht door het drukke Londense verkeer, keek ze snel even uit het raam. Het werd nu snel donker. 'Waar gaan we heen?'

Hij zei niets.

'Shaw?'

'Ik heb je wel gehoord. Maar ik weet het gewoon niet.'

'Het spijt me dat ik niet naar je heb geluisterd met die Lesnik.'

'Mij ook.'

'Ik had dat artikel niet moeten schrijven.'

'Inderdaad.'

'Nu zitten we diep in de shit, hè?'

'Daar ziet het wel naar uit. Ik had je toch gezegd dat je moest blijven waar je was.'

'Ze waren in het gebouw. Ik moest daar weg.'

'Hoe ben je naar buiten gekomen?'

'Ik…' Katie hield abrupt op. Ze wilde hem niet vertellen dat ze uit een raam was gesprongen en het had overleefd. In tegenstelling tot Anna. 'Door de achterdeur. Heb jij een plan?'

'Ik heb een doel. In leven blijven. Het plan moet nog komen.'

'Het is nu wel duidelijk dat Lesnik voor die geheimzinnige derde partij werkte. Ze hebben hem vermoord, en nu hebben ze ook geprobeerd mij te vermoorden. Voor zover ik weet, hebben ze de *Scribe* op de een of andere manier overgehaald om mij in te huren en toen die Lesnik op me af gestuurd. Ik wist het wel; het was gewoon te mooi om waar te zijn, verdomme!' Met haar vlakke hand gaf Katie een harde klap op de zitting van de bank.

'Heeft Lesnik iets gezegd wat ons een aanknopingspunt zou kunnen bieden?'

Ze schudde haar hoofd. 'Niets. Ik heb zijn achtergrond nagetrokken. Die klopte. Hij leek me oprecht. Zijn vader is inderdaad vermoord door de Sovjets. Waarschijnlijk koesterde hij daar grote wrok over, en daar hebben deze mensen gebruik van gemaakt.'

'Maar dat brengt ons niet dichter bij de waarheid.'

'Als we echt een kans willen hebben om erachter te komen wat hier aan de hand is, moeten we ondergronds gaan.' Ze keek hem aan. 'Ken jij iemand die ons daarbij kan helpen?'

Shaw had zijn mobieltje al in de hand. 'Misschien wel.'

•69•

Dit had een van de gelukkigste dagen in Nicolas Creels carrière moeten zijn. Na jaren werk en een niet lang geleden zorgvuldig geënsceneerde internationale crisis van enorme afmetingen, stonden zowel de Russische als de Chinese regering klaar om bindende overeenkomsten af te sluiten met de Ares Corporation en haar dochterondernemingen. In totaal ging het om een bedrag van vijfhonderd miljard dollar, en daar zouden vrijwel zeker nog een heleboel vervolgopdrachten bij komen. Het was een teken van de enorme centralisatie van de moderne wapenindustrie dat landen die elkaar vijandig gezind waren, de wapens waarmee ze elkaar straks misschien te gronde zouden richten, bestelden bij wat in wezen hetzelfde bedrijf was. Maar Ares koos geen partij. Ares leverde zonder op welke wijze dan ook te discrimineren, massavernietigingswapens aan iedereen die ze maar geleverd wilde hebben, en zou dat ook altijd blijven doen. De laatste katalysator voor deze deal was gevormd door een in stevige termen vervatte eis tot publiekelijke verontschuldiging die Gorshkov aan Beijing had gestuurd. En de Russische premier had ook nog geld geëist, miljarden zelfs, als vergoeding voor de enorme schade aan Ruslands internationale reputatie. Zoals te verwachten viel, was Beijing daar niet op ingegaan. De Chinezen hadden een in al even stevige termen vervat antwoord gestuurd, waarin ze nadrukkelijk verklaarden dat ze niets te maken hadden met een propagandacampagne tegen Rusland, en daarom de Russen ook niets schuldig waren. Zoals te verwachten viel, waren de betrekkingen tussen de twee wereldmachten daarna in opmerkelijk hoog tempo bergafwaarts gegaan.

Andere landen hadden geprobeerd tussenbeide te komen en door te bemiddelen deze afschuwelijke situatie nog tot een goed einde te brengen. Natuurlijk hadden de Verenigde Staten daarbij de hoofdrol gespeeld, maar omdat de Chinese overheid door haar investeringen in de Amerikaanse staatsschuld in wezen de Amerikaanse consumptie financierde, hadden de mensen in Washington er weinig tegen kunnen inbrengen toen ze van Beijing te horen kregen dat ze zich hier niet mee moesten bemoeien. En om diezelfde redenen werden de Amerikanen er door de Russen van beschuldigd dat ze het schoothondje van de Chinezen waren. Toen de Amerikaanse ambassadeur in Rusland de Russen bezwoer om geen drastische dingen te doen, werd hem te verstaan gegeven dat hij zijn koffers kon pakken als hij zijn mond niet hield.

Daarna probeerde Frankrijk in te grijpen, maar Gorshkov nam niet eens de moeite om de Franse president terug te bellen. De Duitsers bemoeiden zich er niet mee, want Berlijn had duidelijk geen zin om achter een nieuw IJzeren Gordijn te verdwijnen, of in een titanium doodskist te belanden. Groot-Brittannië bevond zich in een uiterst netelige situatie. De mogelijkheid bestond dat Rusland wél achter de moorden had gezeten en dat China inderdaad vanuit Londen de Rode Gevaar-campagne had opgezet, en de arme Britten wisten niet hoe ze daarop moesten reageren. Nadat via diplomatieke kanalen op uiterst behoedzame wijze contact met de Chinezen was opgenomen over deze kwestie, hadden de communisten hun betrokkenheid al even stellig ontkend als ze dat tegenover de Russen hadden gedaan, en de Britten daarna gewaarschuwd dat ze zich hier buiten moesten houden.

De hele wereld was zich nu aan het bewapenen voor een derde wereldoorlog. Het bedrag aan nieuwe contracten dat dat zou opleveren, zou in de hele wereldgeschiedenis zijn weerga niet kennen, mailde de vicevoorzitter van het dagelijks bestuur van de Ares Corporation aan Creel, en aan elk woord van de tekst was duidelijk te merken hoe verrukt de man daarover was. 'Wat een mazzel, dat gedoe met het Rode Gevaar,' voegde hij er nog aan toe.

Creel las het berichtje één keer door en wiste het toen. Wat een mazzel, ja. Hij nam zich voor om zo snel mogelijk een vervanger te zoeken voor deze idioot.

De Koude Oorlog was weer terug en heviger dan ooit. Met een reeks opmerkelijk goed voorbereide, uiterst behendige zetten had hij de structuur van de wereldmacht weer de juiste vorm weten te geven. Die lamzakken in het Midden-Oosten hadden onmiddellijk geprobeerd om de wereld weer bij hun eigen problemen te betrekken, met een reeks 'Hé, wij zijn er ook nog'-manoeuvres, waaronder een aanslag in Bagdad die van een grote moskee niets anders had overgelaten dan een diepe krater, en een zelfmoordactie op een markt in Anbar waarbij tachtig burgers en twee Amerikaanse infanteristen om het leven waren gekomen. De collectieve reactie van de rest van de wereld was onmiskenbaar geweest. 'Nu even niet, jongens. Nu zitten we écht in de problemen, en dat kan miljoenen mensen het leven kosten!'

Wrang genoeg had Creel de wereld een stuk beschaafder gemaakt door terug te schakelen naar een 'echte' oorlogstoestand. En dat was altijd al zijn doel geweest. Geen schot gelost.

Het geld kwam binnenstromen.

Barbaren zonder enig geweten werd nu weer hun plaats gewezen.

Dit was de hattrick. Dank u zeer.

Het was hem nooit echt om het geld gegaan. Het ging hem om de wereld. En die had Nicolas Creel zojuist gered.

Maar toch was er iets niet in orde.

Hij stond nu op het vasteland van het pittoreske Italië, en keek uit over de prachtige kust van de Middellandse Zee. Naast hem stond de moeder-overste in haar prachtige, witte gewaad. Ze straalde terwijl ze naar de eerste tekeningen van het nieuwe weeshuis keek dat als vervanging zou gaan dienen voor het weeshuis dat vlak na de Tweede Wereldoorlog was opgetrokken, toen er veel weeskinderen waren geweest.

In het Italiaans zei de moeder-overste: 'Het is prachtig. En het is geweldig van u dat u dit hebt gedaan, meneer Creel.'

'Tot uw dienst, moeder-overste. Het was wel het minste wat ik kon doen. En ik kan u verzekeren dat ik hier op het spirituele vlak evenveel baat bij zal hebben als de kinderen bij hun nieuwe onderkomen.' Het kwam er allemaal uit in vloeiend Italiaans.

Creel sprak een groot aantal talen. Die had hij alleen maar geleerd om zijn concurrenten een slag voor te zijn. Een paar van zijn grootste deals had hij weten af te sluiten omdat hij in staat was om 'alstublieft' en 'dank u wel' te zeggen in de taal van de klant.

Ja, terwijl hij hier rondliep over de plek waar het nieuwe weeshuis zou verrijzen, had dit een moment van triomf voor hem moeten zijn. Maar dat was het niet. En daar was maar één reden voor.

Caesar was overgekomen uit Londen en met een motorboot naar de *Shiloh* gevaren. Katie James was hem ontglipt, een van Creels eigen mensen was door die verdomde injectienaald geraakt, en Shaw, de man die net zo'n blik in zijn ogen had als hijzelf, was daarbij betrokken geweest. Katie James en hij zwierven nu samen door Londen en god mocht weten wat ze nu aan het doen waren.

Volgens Creels bronnen was Shaw twintig minuten voordat hij bij de flat van Katie James was opgedoken, plotseling, alsof de duivel hem op de hielen zat, het gebouw van de Phoenix Group uit gerend. En wat nog het ergste was, Creel had geen idee waarom.

Voor het eerst in lange tijd voelde de op dertien na rijkste man ter wereld een vlaag van echte angst. Nicolas Creel was niet iemand die onverantwoorde risico's nam, of zichzelf als onfeilbaar beschouwde. Hij was zo briljant dat hij ook besefte dat hij niet alles wist. Hij was iemand die al improviserend zijn plannen kon veranderen om nieuwe informatie zo effectief mogelijk te benutten. Hij wist maar al te goed dat plannen die volkomen vaststonden, gedoemd waren om te mislukken.

Terwijl hij daarover stond te denken, sloeg de moeder-overste haar armen om hem heen, en haar angelieke tranen lieten vochtige plekken achter op zijn blazer. 'God zal u dit lonen,' fluisterde ze hem in zijn oor.

Maar Creel was vooral iemand die zich altijd tegen alles indekte.

'Moeder-overste, kan ik u om een gunst vragen?'

'Vraag en het zal geschieden, mijn zoon.'

'Wilt u voor me bidden?'

70

Shaw en Katie hielden zich schuil in een klein rijtjeshuis een eindje buiten Londen, niet ver van Richmond, dat Shaw een tijdje geleden als onderduikadres had ingericht. De avond daarna hadden ze bezoek gekregen van een Italiaan met een Nederlands accent. Het was dezelfde man die Shaws favoriete restaurant in Amsterdam dreef. Hij groette Katie beleefd en knikte toen naar Shaw, die hem aandachtig opnam.

'Hoe ben je hier gekomen?' vroeg hij.

'Met de trein,' antwoordde de man. 'Qua veiligheid leek dat me beter.'

Shaw knikte begrijpend en Katie keek de man nieuwsgierig aan.

'Heb je het bij je?'

De man haalde een pakje uit zijn zak en gaf het aan Shaw. Die probeerde hem een rol eurobiljetten toe te stoppen, maar die wilde de man niet aannemen.

'In ieder geval voor de onkosten,' zei Shaw.

'Kom me maar opzoeken in Amsterdam, als dit allemaal achter de rug is. Dan kun je dat geld mooi uitgeven aan goed eten en slechte wijn.'

De twee mannen gaven elkaar een hand en daarna was de Nederlands sprekende Italiaan weer vertrokken.

Shaw liet het pakje in zijn jaszak glijden en keek even naar Katie, die hem vol verwachting zat aan te staren.

'Wil je me soms vertellen wat erin zit?' vroeg ze.

'Nee.'

Daarna belde Shaw met Frank en bracht hem op de hoogte. Aan het eind van Shaws uitgebreide relaas was Franks commentaar kort maar ter zake.

'Wel verdomme!'

'Ik had een wat behulpzamere reactie verwacht.'

'Wat moet ik hier nou mee? Je hebt geen echt bewijs, en je weet nog steeds niet wie die derde partij is.'

'Zorg dat ik in Dublin kom, dan regel ik het daar verder zelf wel.'

'Waarom Dublin?'

'Ik wil een paar mensen opzoeken.'

'Wie dan? Leona Bartaroma in Malahide Castle? Ik weet dat je haar bent gaan opzoeken.'

'Het is maar dat je het weet: ik heb Katie James hier bij me.'

'Heb jij even mazzel!'

'Kun je vervoer naar Dublin voor me regelen?'

'Hoor eens, het heeft me al moeite genoeg gekost om de hoge heren zover te krijgen dat ze het een goed idee vonden om je een tijdje te laten freelancen voor MI-5. Als ze erachter komen dat je ervandoor bent gegaan, kan ik niets meer garanderen.'

'Zorg nou maar dat ik in Dublin kom.'

'Dat valt te regelen, maar je moet me wel beloven dat je niet bij Leona langs zult gaan.'

'Dat beloof ik je.'

De volgende dag werden Shaw en Katie in een oude bus van Londen naar Wales gereden. Daarna staken ze in het kille en klamme vooronder van een aftandse oude sleepboot de Ierse Zee over. Het waaide en er stonden hoge golven, zodat Katie een uur lang kokhalzend boven een emmer hing, terwijl het bootje wild heen en weer gesmeten werd. Zo nu en dan gaf Shaw haar een vochtige handdoek aan om haar gezicht schoon te vegen.

Toen Katie eindelijk rechtop ging zitten, was haar maag zo leeg dat er niets meer te braken viel.

'Jij hebt echte zeebenen,' zei ze. 'Ik ben meer een landrot.'

'De veerboot was geen optie, want iedereen zoekt je.'

'Iedereen wil beroemd worden, maar als ze het eenmaal zijn, komen ze er al heel snel achter dat het helemaal niet leuk is.'

'Het duurt niet lang meer.'

'Goed om te weten,' zei Katie met een hand op haar maag, die nog steeds niet echt tot rust was gekomen. 'En als we er eenmaal zijn, wat doen we dan?'

'Dan gaan we iemand opzoeken die ons kan helpen om diep onder te duiken. Vermommingen, nieuwe papieren.'

'En dan?'

'Dan gaan we bedenken wat onze volgende stap wordt.'

Een tijdje later liep Shaw naar een patrijspoort en keek naar buiten. De sleepboot had vaart geminderd en de golven waren tot bedaren gekomen. Ze waren langs de golfbreker gevaren en de haven binnen gelopen.

'Kom mee.'

Katie stond behoedzaam op en probeerde of haar benen haar gewicht nog wel konden dragen. Ze hees haar tas over haar schouder. 'Shaw, we gaan dood, hè?'

'Waarschijnlijk wel, ja. Hoezo?'

'Ik wilde het gewoon even bevestigd krijgen.'

71

Ze namen een taxi en reden vanuit de haven door een reeks kleine dorpjes naar Dublin. Er viel een kille regen, en zelfs de pubs waar ze langs reden, waren voor het grootste deel leeg en verlaten. Toen Katie door het raam van zo'n bar keek, en daar een opgewekt vuur in de open haard zag, en een man die een pint bier stond te tappen, voelde ze niet de geringste aandrang om mee te doen. Zo te zien was ze genezen van haar alcoholisme, en het enige wat daarvoor nodig was geweest, was het einde van de wereld.

Voordat ze Engeland hadden verlaten, had Katie Gallagher gebeld, en hem uitgelegd dat haar bron waarschijnlijk tegen haar gelogen had.

'Heb je absoluut bewijs dat hij gelogen heeft?' had de redacteur op hoge toon gevraagd.

'Nee, geen absoluut bewijs.'

'Heb je absoluut bewijs dat de feiten waarop je artikel gebaseerd was, onjuist zijn?'

'Nee, dat kan ik niet met absolute zekerheid bewijzen.'

'Dan blijven we voet bij stuk houden.'

'Zelfs als ik er niet meer achter sta?'

'Dit is de belangrijkste primeur van mijn hele leven, Katie, en dus ga ik doen alsof dit gesprek nooit heeft plaatsgevonden, en ik zou willen voorstellen dat jij dat ook doet.' Daarna had Gallagher onmiddellijk opgehangen.

'Klootzak!' had Katie gegild. 'Ik háát redacteuren.'

De taxi zette hen af op het opgegeven adres en ze liepen een eindje door de regen. Katie keek om zich heen.

'Dat is toch de universiteit?'

Shaw knikte. 'Kom mee.' Ze liepen een zijstraat in.

Hij klopte op een deur met een uithangbord ernaast.

'Maggie's Bookshop?' zei Katie.

De deur ging open en een lange, gezette vrouw liet hen binnen.

De vrouw deed de deur achter hen dicht en Katie liet haar blik over de vier wanden vol boeken gaan. Ze moesten vluchten voor hun leven, Shaw had haar gedwongen om al brakend de hele Ierse Zee over te steken… en dat allemaal om haar mee te nemen naar een boekwinkel in het saaie Dublin?

De vrouw stelde zich niet voor en Katie nam niet zelf het initiatief. Ze ging er maar van uit dat dit Maggie was.

'Ik vind het heel erg dat Anna dood is,' zei de vrouw tegen Shaw.

Ze gebaarde dat ze de trap op moesten lopen, naar een kamertje met een spiegel en een kaptafel.

'Ga hier maar even zitten.' De vrouw gebaarde naar een draaistoel voor de hoge spiegel. Toen Katie was gaan zitten, pakte de vrouw een schaar en tilde een handvol van Katies haar op.

Katie sprong op. 'Wat doet u nou?'

'Heb je het haar niet verteld?'

'Wat had je moeten vertellen?' zei Katie terwijl ze Shaw strak aankeek.

'Dat je je haar moet laten knippen,' zei Shaw. Hij knikte naar de vrouw. 'Knip het maar goed kort, en verf het ook. Daarna mag je mij scalperen.'

Een uur later was Katie James een brunette met piekerig haar. Haar ogen waren bruin in plaats van blauw, haar huid was iets donkerder van kleur, haar ogen wat ronder en haar lippen wat dunner. Ze droeg ruimvallende kleren waardoor ze een kilo of tien zwaarder leek.

Shaw kon zichzelf niet korter maken, maar twintig minuten later was het grootste deel van zijn haar verdwenen en had de vrouw zijn gezicht flink onder handen genomen. Ze had hem voorzien van een snor en sikje, een flink wat dikkere neus en een paar contactlenzen die zijn opvallend blauwe ogen een gedempt bruine kleur gaven. Katie zou er geen eed op durven doen dat het Shaw was die ze nu voor zich zag.

De vrouw ging hen voor naar een andere kamer, die was ingericht als een fotostudio.

'Voor een boekhandelaar heeft ze wel een heleboel bijbaantjes,' zei Katie tegen Shaw.

De foto's werden genomen en twee uur later beschikten Shaw en Katie over gloednieuwe paspoorten, rijbewijzen en andere officiële documenten die aangaven dat ze een getrouwd stel waren, uit een voorstad van Londen.

Shaw bedankte de vrouw en rekende met haar af.

'Veel geluk,' zei ze.

'O, we zullen heel wat meer nodig hebben dan alleen geluk, schat. Waarom bid je niet om een wonder?' zei Katie nijdig terwijl ze de deur met een klap achter zich dichtsloeg.

Toen ze het zijstraatje uit liepen, zei ze: 'En waar gaan we nu naartoe?'

'Nu gaan we slapen en morgenochtend heb ik een afspraak met de dokter.'

'Een afspraak met de dokter?' zei ze vol scepsis.

'Om misverstanden te voorkomen: ik ga jou niet op de hoogte houden van al mijn doen en laten.'

'Prima. Zolang je maar weet dat dat dan ook voor mij geldt.'

'Over de basisregels zijn we het dan in ieder geval eens.' Hij versnelde zijn pas en ze moest haar best doen om hem bij te houden.

72

Ze hadden als getrouwd stel hun intrek genomen in het hotel en dus maar één kamer gekregen. Shaw had Katie gezegd dat hij niet wilde dat ze 's nachts alleen op een kamer lag. 'Ze hebben je al een keer bijna te grazen genomen en ze zullen het ongetwijfeld nog eens proberen.'

Ze bestelden iets te eten, maar Katies maag was nog steeds zo gevoelig dat ze zich beperkte tot een beetje thee en een stukje brood. Daarna gingen ze tegenover elkaar aan een tafeltje zitten om de stand van zaken te bespreken.

'Wat ik nog steeds niet begrijp,' zei Shaw, 'is waarom ze de Phoenix Group als doelwit hebben gekozen.'

'Die was in Chinese handen,' zei Katie terwijl ze haar beide handen om het theekopje hield en door het raam naar de stromende regen keek.

'Er zijn hier in Londen zo veel organisaties en bedrijven in Chinese handen. En waarom uitgerekend Londen?'

'Maar een onderzoeksinstituut dat in Chinese handen is?'

'Goed, maar waarom moest het speciaal een onderzoeksinstituut zijn?'

'Volgens jou hebben de invallers die documenten over het Rode Gevaar daar zelf neergelegd. Een stel hoogintelligente mensen die werkzaam zijn bij een geheim onderzoeksinstituut en die samen het brein achter een wereldomvattende lastercampagne vormen... dat klinkt heel aannemelijk. Het zou heel wat minder geloofwaardig zijn geweest als ze een plaatselijke snackbar waren binnengevallen, een stel tieners hadden afgemaakt en de belastende documenten daar hadden achtergelaten.'

'En dus zijn ze toevallig op de Phoenix Group gestuit, toevallig te weten gekomen dat die iets met China te maken had, en hebben ze er toen een aanvalsteam op afgestuurd?'

'Er moet een katalysator zijn geweest,' zei Katie. 'Iets wat ertoe heeft geleid dat ze de Phoenix Group hebben uitgekozen. Misschien was het iemand die ze toevallig tegen het lijf zijn gelopen. Of een of ander project waar ze mee bezig waren. Het is duidelijk dat ze het gebouw van de Phoenix Group al een tijdje in de gaten hebben gehouden. Toen ik daar was, heb ik een heleboel mensen in en uit zien lopen, dus we zouden moeten natrekken of...'

Ze hield abrupt op met praten toen er een verschrikkelijke, werkelijk absoluut afgrijselijke gedachte bij haar opkwam. Snel keek ze even naar Shaw. Te oordelen naar de uitdrukking op zijn gezicht was hij zojuist tot dezelfde conclusie gekomen.

'Ze zouden jou daar gezien kunnen hebben,' zei Shaw, en er lag een scherpe klank in zijn stem.

'Inderdaad,' zei Katie bijna fluisterend. 'En omdat ze toch al gebruik van mij maakten, heb ik met mijn bezoek aan Anna misschien hun aandacht op de Phoenix Group gevestigd. En toen hebben ze de Chinese betrokkenheid ontdekt.'

'Dat is maar een van de mogelijke redenen,' zei hij, al was aan zijn stem duidelijk te horen dat hij daar zelf niet in geloofde.

'Ja,' zei Katie zwakjes. 'Dat zal wel.'

Ze zette haar kopje neer en keek snel even naar het bed. 'Eh, ik ben echt heel moe, Shaw. Neem jij het bed maar, dan ga ik wel op de vloer liggen.'

'Nee, ik ga wel op de vloer liggen.'

'Shaw!'

'Ga jij nou maar in bed liggen, Katie. We hebben een lange dag achter de rug en we zijn allebei doodop.'

Katie kleedde zich uit in de badkamer, kwam de kamer weer binnen en kroop onder het dekbed. Shaw lag al op de vloer met een tweede dekbed over zich heen. Katie deed het licht uit.

Een paar minuten later, terwijl de regen nog steeds neergutste, zei ze zachtjes, en met trillende stem: 'Het spijt me, Shaw.'

Ze kreeg geen antwoord.

73

Toen het buiten licht werd, ging Shaw rechtop zitten, leunde tegen het bed en keek op naar Katie, die hem met grote, ronde ogen lag aan te kijken.

'Ik moet je iets vertellen,' zei ze, terwijl ze het dekbed nog wat dichter om zich heen trok.

'Katie, dit hoef je niet...'

Ze legde een hand op zijn schouder. 'Alsjeblieft, laat me het nou maar opbiechten voordat het een gat in mijn maag brandt.'

Hij keek haar afwachtend aan.

'In werkelijkheid heb ik dit allemaal gedaan voor het artikel dat ik erover zou kunnen schrijven. Zelfs toen je in Parijs in het ziekenhuis lag en ik naar je toe kwam vliegen, had ik in mijn achterhoofd dat ik dit mooi zou kunnen gebruiken om mijn carrière weer op de rails te krijgen. Daarna kreeg ik deze nieuwe opdracht en ben ik naar Londen gegaan. Ik vóélde gewoon dat ik weer op weg was naar de top.' Ze tuurde naar de matras en greep het dekbed vast. Haar wangen trilden. 'Volgens mij heb ik nauwelijks menselijke gevoelens meer. Die heb ik vroeger wel gehad. Ik weet niet wanneer die precies verdwenen zijn, maar het is in ieder geval al een hele tijd geleden... Het spijt me.'

'Katie, je bent journaliste. Dat zit je in het bloed.'

'Dat maakt het nog niet goed. Ik ben echt een rotwijf, dat moet je nooit vergeten.'

'Oké, je bent een rotwijf. Maar als we samenwerken, moeten we elkaar wel kunnen vertrouwen.'

'Ik vertrouw jou. Volgens mij is het probleem dat jij mij niet vertrouwt. En dat kan ik je niet kwalijk nemen.'

'Mensen vertrouwen, daar heb ik niet veel ervaring mee.' En na een korte stilte voegde hij daaraan toe: 'Maar daar zal ik in moeten oefenen. Ik heb je hulp nodig. Soms zie jij dingen die ik niet opmerk, en ik ben in mijn leven niet veel mensen tegengekomen die dat konden.' Hij slaagde erin om haar een flauwe glimlach toe te werpen.

Ze glimlachte terug. Na deze lichte dooi in hun relatie voelde ze zich onmiddellijk een stuk beter. 'Ik ga douchen. Ga jij maar even in bed liggen. Je zult nu wel zo stijf als een plank zijn.'

Shaw stond nogal moeizaam op, strekte zich voorzichtig uit op het bed en luisterde naar de douche die aan werd gezet. Het bed was nog warm en hij deed even zijn ogen dicht. Toen hij ze weer opendeed, rook hij koffie en eieren met gebakken spek.

Hij ging rechtop zitten en keek om zich heen. Katie was al aangekleed en zat aan een roomservicetafeltje. Ze schonk een kop koffie in en gaf die aan hem.

'Hoe laat is het?' vroeg hij.

'Halfnegen.'

Hij nam een slok koffie.

'Heb je honger?'

Hij knikte, stond op en ging tegenover haar zitten. 'Je had me moeten wekken toen je onder de douche vandaan kwam,' zei hij knorrig.

'Zo was het allemaal een stuk gemakkelijker,' zei ze. 'Omdat jij diep in slaap was, hoefde ik me niet aan te kleden in dat benauwde badkamertje, maar kon ik het rustig hier doen. Ons bestaan als getrouwd stel gaat best onhandig worden,' zei ze, en van over de rand van haar kopje nam ze hem indringend op.

Voorzichtig strekte hij zijn gewonde arm.

'Gaan we naar de dokter voor die arm van je?'

'Ja, maar het ligt anders dan jij waarschijnlijk denkt.'

'Wat een verrassing!'

Ze namen een taxi naar het adres van Leona Bartaroma, een uit natuursteen opgetrokken landarbeidershuisje aan een grindweg. Het lag drie kilometer van kasteel Malahide waar Leona als rondleidster werkte. Toen ze uitstapten en om zich heen keken, zei Katie: 'Een merkwaardige plek voor een arts.'

'Ze is arts in ruste.'

'O, dan klopt het wel.'

Leona vroeg hen om binnen te komen, ze begroette Katie en liep met hen naar de ruime keuken met uitzicht over de achtertuin. Ze zei niets over Shaws veranderde uiterlijk, maar nam Katie aandachtig op. 'Kan ik vrijuit spreken als zij erbij is?'

'Anders had ik haar hier niet mee naartoe genomen.'

'Frank heeft al gebeld.'

'Natuurlijk.'

'Zijn manschappen hebben het huis omsingeld.'

'Dat weet ik.'

'Hoe dan?'

'Ik heb ze geroken.'

'Dus je weet dat ik niet kan doen wat jij wilt dat ik doe.'

'Hoe weet je nou wat ik van je wil? Dat heb ik je nog niet eens gevraagd.'

Terwijl Leona hem nieuwsgierig opnam, gingen Katies ogen nu snel heen en weer, van de een naar de ander.

'Vertel me dan wat je wilt.'

Hij stroopte zijn mouw op en liet de pas gehechte wond in zijn arm zien.

'Mijn god, hoe kom je daaraan?'

'Dat is Frank zeker vergeten te vertellen.'

Ze nam de wond aandachtig op.

'Zo te zien is die al aardig aan het helen. De chirurg die dat gedaan heeft, heeft goed werk geleverd.'

'Bedankt voor je deskundige mening. Maar dat is niet de reden waarom ik hier ben.'

'Waarom ben je hier dan wel?'

Hij haalde een kleine, metalen cilinder uit zijn zak. 'Ik wil dat je dit in mijn arm aanbrengt,' zei hij, en hij wees naar de wond in zijn arm.

'Dat méén je niet.'

'Shaw!' riep Katie uit.

'Ik ben bloedserieus.'

'Wat is het?' zei Leona langzaam.

'Dat hoef je niet te weten,' zei Shaw. 'Het is van roestvrij staal, als je daar iets aan hebt.'

'Dat maakt niet uit. De wond kan altijd geïnfecteerd raken…' begon Leona.

'Dan wikkel je er maar een steriel verbandje omheen. Maar ik moet dit ding in mijn arm hebben. Kun je dat voor me doen?'

'Natuurlijk kan ik dat. Maar waarom zou ik?'

'Omdat ik het je vraag. Beleefd en vriendelijk.'

'Hoe diep wil je het laten inbrengen?' zei ze nerveus.

'Niet diep. Want misschien zal ik het er heel haastig uit moeten halen.'

'Dit is belachelijk,' snauwde Katie.

'Niet te diep, Leona,' zei Shaw nogmaals. 'Je staat nog bij me in het krijt.'

'Zo zie ik dat niet.'

Hij trok zijn overhemd uit zijn broek en tilde de voorkant zo hoog op dat het gehechte litteken in zijn rechterzij te zien was. 'Maar ik wel.'

Katie keek naar het litteken, toen naar Leona en haar gezicht betrok. 'Heb jij hem dat aangedaan?'

Leona likte nerveus aan haar lippen. 'Ik heb hier geen operatiekamer, Shaw. Geen instrumenten.'

'Dublin is een grote stad. Ik weet zeker dat je daar wel kunt vinden wat je nodig hebt.'

'Het gaat tijd kosten.'

'Vanmiddag nog,' zei hij met een lichte dreiging in zijn stem.

'Dat gaat niet. Ik moet naar Malahide.'

'Vanmiddag nog.'

'Goed. Ik bel je wel.'

Shaw stond op en Katie volgde haastig zijn voorbeeld.

'Ik beschik niet over de middelen om je volledig onder narcose te brengen,' zei

Leona. 'Meer dan een plaatselijke verdoving kan ik niet voor je regelen. Het gaat pijn doen.'

Hij stopte zijn overhemd weer in zijn broek. 'Pijn is er altijd, Leona.'

Toen ze buiten waren zei Katie: 'Oké, wie was dat in vredesnaam? De vrouw van dokter Frankenstein? En wat is hier allemaal aan de hand?'

'Het is maar beter dat je dat niet weet, Katie. Neem dat maar van mij aan.'

'Moet ik dat maar van je aannemen? Wat dacht je ervan om mij gewoon te vertrouwen? Daar hebben we het vanochtend nog over gehad, weet je wel?'

'Ik zei dat ik mijn best zou doen om je te vertrouwen. Ik heb niet gezegd dat ik al zover was.'

74

Het regende niet meer en het was een prachtige dag. Vogels dartelden van boom tot boom; kleurige bloemen in keurige bloembedden wiegden heen en weer in de lichte wind; mensen liepen gezellig pratend over straat of zaten koffie te drinken op de terrassen; auto's reden in rustig tempo door de brede straten.

In het antiseptische kamertje klemde Shaw zijn tanden op elkaar en duwde de armleuning van de stoel waar hij in zat bijna kapot. Leona, met rubberhandschoenen aan, een chirurgisch maskertje voor haar gezicht en een operatieschort voor, had een deel van de metalen hechtingen verwijderd die Shaws kapotgezaagde huid bij elkaar hadden gehouden, terwijl Katie met gehandschoende handen zijn andere arm stevig vasthield.

'Dat was het makkelijke deel,' zei Leona vriendelijk toen ze de laatste van de drie hechtingen die ze had verwijderd in een bakje liet vallen. Er waren er nog vier over.

'Fijn om te horen,' mompelde Shaw.

'Wil je hier nog steeds mee doorgaan? Het zal het genezingsproces een heel stuk vertragen.'

'Doe het nou maar gewoon, Leona.'

Met behulp van een instrument dat nog het meeste weg had van een piepklein breekijzer wrikte ze de wond open, zodat er bloed uit kwam opwellen. Er verschenen grote zweetdruppels op Shaws voorhoofd en Katie klemde haar handen nog steviger om zijn arm. Leona had de omgeving van de wond plaatselijk verdoofd, maar had nogmaals gewaarschuwd dat het pijn zou gaan doen. En daar had ze zich niet in vergist.

Ze had het metalen voorwerp in een laagje gesteriliseerd verband gewikkeld. 'Je kunt het niet lang in je arm laten zitten,' zei ze. 'Ik heb het gesteriliseerd, maar na verloop van tijd zal de wond toch geïnfecteerd raken. Dat valt niet te vermijden.'

'Merkwaardig, dat heb je de vorige keer niet gezegd.'

'De vorige keer was anders.'

'Voor mij niet, hoor.' Hij voelde aan zijn zij. 'Je hebt nooit tegen me gezegd dat dit ding hier op de lange termijn voor problemen zou gaan zorgen.'

'Appels en peren,' snauwde ze. 'Dat apparaatje is net zoiets als een pacemaker. Het is er speciaal op ontworpen om lange tijd in je lichaam te blijven. Maar dit ding niet. Dus als arts geef ik je hierbij een waarschuwing. De wond gaat geïnfecteerd raken.'

'Oké, ik heb de waarschuwing gehoord,' gromde Shaw. 'Breng het dan nu maar in.'

Voorzichtig duwde Leona het voorwerp in de wond. Haar behendige, gehand-schoende vingers vonden een kleine holte waar het mooi in paste.

De pijn was zo hevig dat Shaw over zijn hele lijf begon te trillen.

'Pak mijn hand, Shaw, en knijp erin,' bood Katie aan.

'Nee,' bromde hij.

'Waarom niet?'

'Omdat ik dan al je botten breek, verdomme.'

Een paar seconden later schoot de armleuning los. De schroeven waarmee die aan de stoel bevestigd was, waren afgeknapt.

Leona trok haar vingers weg van de wond en keek met voldoening neer op haar werk.

'Ik kan nieuwe hechtingen aanbrengen of de wond dichtbranden.'

'Nee.'

'Waarom niet?'

'Omdat ik dan dat verdomde ding er niet snel uit kan krijgen, Leona. En daar gaat het nou juist allemaal om,' snauwde Shaw. 'Gebruik nou maar gewoon wat ouderwets hechtgaren.'

Ze haalde haar schouders op, maakte de wond zo goed schoon als ze maar kon, naaide hem dicht, wikkelde er gaas om en leunde achterover.

'Ik ben klaar.'

Katie liet Shaws arm los en slaakte een zucht van verlichting. Shaw ging lang-zaam rechtop zitten en bewoog voorzichtig zijn arm heen en weer.

'Dankjewel,' zei hij nogal chagrijnig.

'Voor jou, Shaw, doe ik alles,' zei ze sarcastisch. 'Zoals je al zei, stond ik duidelijk bij je in de schuld.'

'Ja, nu staan we quitte.'

'Op z'n minst,' verbeterde ze hem. 'Misschien dat de balans nu wel naar mijn kant is doorgeslagen.'

'Dat weet ik niet. Dat ik heb gezegd dat we quitte stonden, was al heel royaal van me.' Hij trok zijn overhemd weer aan. Terwijl hij dat dichtknoopte, keek ze snel even naar het litteken in zijn rechterzij. 'Hoe werkt het trouwens?'

'Dat moet je maar aan Frank vragen. Ik weet zeker dat hij het heerlijk vindt om je daar in geuren en kleuren over te vertellen.' Hij stak zijn arm uit, pakte het in-strumentje dat ze had gebruikt om het metalen voorwerp in zijn arm in te bren-gen en liet het in zijn zak glijden. 'Als aandenken,' zei hij toen ze daar bezwaar te-gen leek te willen maken.

Toen ze wegingen, hield Leona hem in de deuropening nog even staande. 'Dat ding in je arm, is dat wat ik denk?'

'Je weet maar nooit, Leona. Je weet echt maar nooit.'

75

'Shaw, ga je me nog vertellen wat er aan de hand is? Wat is dat ding in je arm? Waar ken jij die Leona van? Hoe ben je aan dat litteken in je zij gekomen?' Terwijl ze zaten te eten in het Shelbourne Hotel in de binnenstad van Dublin, recht tegenover St. Stephen's Green, bestookte Katie hem met vragen. Het was al zo laat op de avond dat het niet druk meer was en ze achterin een tafeltje hadden kunnen vinden waar ze rustig met elkaar konden praten. Shaw bleek echter niet bepaald in een spraakzame stemming, want ze stelde hem diezelfde vragen nu al urenlang zonder dat hij er antwoord op gaf.

Stoïcijns werkte hij zijn eten weg. Hij vond Dublin nu een vreselijke stad. Hier had hij Anna gevraagd met hem te trouwen, in een pub aan de noordzijde van de Liffey. Hij had zich voor haar op één knie laten zakken, met die verdomde ring, en zij had in negen talen ja gezegd. En nu was ze dood. Ze zouden nooit trouwen, geen vier of vijf kinderen krijgen, niet samen oud worden. Overal zag hij dingen die hem aan haar herinnerden: een plek, een hoekje of gaatje, een geur, een geluid, regendruppels, zelfs het claxonneren van een Ierse auto. Hij kon hier bijna geen adem meer krijgen. Hij kon hier bijna niet meer functioneren. Hij vond het hier afschuwelijk. En dat was nog niet alles.

Anna was nu op weg naar Duitsland, om daar begraven te worden, en haar ouders gaven hem de schuld van haar dood. Ze gaven hém de schuld van de dood van een vrouw voor wie hij graag zijn leven zou hebben gegeven! Voor Anna, die dagenlang op een kil metalen bed in een Londens mortuarium had gelegen, met een groot gat in haar hoofd. Anna die nu werd overgebracht naar Durlach, en daar voor de eeuwigheid zou blijven liggen… niet in zijn warme armen maar in een kil en eenzaam graf.

Katie verstoorde zijn gedachtegang. 'We moeten uitzoeken wie er echt achter het Rode Gevaar zit.'

'De hele wereld is al een hele tijd op zoek en toch schijnt niemand daar tot nu toe achter gekomen te zijn.'

'Ik weet niet zeker of de wereld nou echt zo zijn best heeft gedaan om de mensen te vinden die hier verantwoordelijk voor zijn. Iedereen heeft alles gewoon voor zoete koek geslikt. Er kwam telkens iets nieuws, zodat iedereen weer opschrok, en na een tijdje hield niemand zich meer bezig met de vraag wie daar nou eigenlijk achter zat, en ging het er alleen nog maar om wat we in hemelsnaam met die kwaadaardige Russen moesten beginnen. Volgens mij zijn ze erin geslaagd de hele wereld te overdonderen.'

Shaw keek haar aan met nieuw respect. 'Dat is min of meer wat Anna ook dacht.'
'Dat beschouw ik als een groot compliment.'
'Wat kunnen we volgens jou nu het beste doen?' vroeg hij.
Katie trok haar stoel wat dichter naar de tafel toe en zei met veel zachtere stem: 'Daar heb ik eigenlijk al over zitten denken.' Ze zocht even in haar tasje en viste er toen een nogal gekreukt notitieblokje uit. 'Toen ik die dag bij Anna op kantoor was, moest ze even de deur uit om met iemand te overleggen, en toen heb ik een beetje rondgekeken.'
'Je bedoelt dat je in haar spullen hebt zitten neuzen,' zei Shaw een beetje nijdig, terwijl hij instinctief op de bres sprong voor Anna's privacy.
'Wil je nou horen wat ik te weten ben gekomen of niet?'
'Sorry. Ga je gang.'
'Ik heb een paar van die documenten over het Rode Gevaar doorgebladerd die ze op haar bureau had liggen, en ook even wat aantekeningen van haar doorgelezen. Er zat een lijstje met websites en mailadressen bij. Misschien heeft ze daar contact mee opgenomen. In ieder geval trok de naam van een van die sites mijn aandacht, en daarom heb ik die opgeschreven.'
'Wat vond je daar dan zo bijzonder aan?'
'Het was een rare naam. *Barney's Rubble-land.* Kun je je de Flintstones nog herinneren? Als kind was dat een van mijn favoriete tekenfilmseries. Maar goed. Het ging hier om een blog. Ik heb er destijds verder geen aandacht aan besteed, maar terwijl je onder de douche stond in het hotel, nadat de vrouw van dokter Frankenstein je onder handen had genomen, heb ik die site eens bekeken op mijn laptop.'
'Wat ben je te weten gekomen?'
'Deze blogger, die kennelijk Barney heet, had een paar vragen over het Rode Gevaar. Te oordelen naar wat hij op de blog heeft gezet, dacht hij niet dat het Rode Gevaar authentiek was.'
'Wat schieten we daarmee op?'
'Nou, eerlijk gezegd kreeg ik niet de indruk dat die blog zelf wél authentiek was.'
'Hoe bedoel je?'
'Volgens mij is die Barney niet echt. Ik heb een heleboel vrienden die bloggen. Mensen met een eigen blog raken daar over het algemeen door geobsedeerd. Ze zetten er voortdurend nieuwe dingen op. Blogs zijn wat dat betreft echt een zootje ongeregeld. Mensen zetten er alles op wat maar in ze opkomt, op elk moment van de dag. En over het algemeen is er op een blog ook een hoekje gereserveerd voor mensen die over dingen willen chatten. Ik bedoel, dat is een van de belangrijkste redenen waarom mensen een blog beginnen. Toch?'
'Precies.'
'Nou, die blog had helemaal geen eigen chatruimte. Ik heb de data van de

273

postings eens bekeken, en die verschijnen om de andere dag, en altijd op dezelfde tijd. Dat vind ik helemaal niet passen bij iemand die zijn blog Barney's Rubble-land noemt. Het lijkt me meer een van tevoren opgesteld schema, waarbij
om de andere dag iets op een blog wordt gezet.'

'Waarom zou iemand zo'n systeem opzetten?' vroeg Shaw zich hardop af.

'Zoiets zou iemand kunnen doen als het niet zijn bedoeling was om een echte
blog op te zetten, maar om zijn voelhoorns uit te steken.'

'Zijn voelhoorns uit te steken?'

'Ja, mensen uit de entertainment- en de reclamewereld doen dat heel geregeld.
Een paar jaar geleden heb ik er zelfs een artikel over geschreven. Je zet een product in de markt en dan wil je peilen hoe mensen daarop reageren. Dan kun je
focusgroepjes instellen, of een speciaal telefoonnummer, zodat de mensen hun
mening kunnen inbellen. Je kunt ook internetfora opzetten. Maar sommige
bedrijven gaan nog een stapje verder.'

'En omdat Barneys blog zich erg kritisch en argwanend opstelde…'

'Misschien gebruikten ze die blog als een soort lokvogeltje voor mensen die er
net zo over dachten. Maar je zei toch dat er geen ruimte was voor mensen om
hun eigen mening te geven?'

'Als je naar de site mailt, en dat heeft Anna gedaan…'

Shaw maakte de zin af: '… dan hebben ze je e-mailadres. En Anna's e-mailadres
luidde: afischer@thephoenixgroup.com.' Hij wierp Katie een scherpe blik toe.
'Dat zou weleens de manier geweest kunnen zijn waarop hun aandacht op de
Phoenix Group gevestigd is geraakt. Dan is het niet door jou gekomen.'

'Dat is waarschijnlijk iets waar we nooit zekerheid over zullen krijgen.'

Het bleef een tijdje stil, terwijl ze allebei de laatste restjes eten over hun bord
heen en weer schoven.

'Katie, ik…'

'Laten we het er maar niet over hebben, Shaw. Dit is allemaal heel ingewikkeld
en we hebben allebei fouten gemaakt. En als we straks bezig zijn zullen we er
waarschijnlijk nog wel meer maken.'

'Laten we dan maar hopen dat die fouten ons niet fataal worden.'

'Zou die website op een of andere manier te traceren zijn? Ik ben niet zo goed
in zulke technische dingen.'

Shaw knikte en belde even met Frank. Nadat hij zijn telefoon had dichtgeklapt,
dronk hij zijn wijnglas leeg. 'En nou maar afwachten waar hij mee komt aanzetten.'

'Dus we blijven hier in Dublin?' vroeg ze.

'Nee, morgen nemen we het vliegtuig.'

'Waarheen?'

'Naar Duitsland. Naar een plaatsje dat Durlach heet.'

•76•

Geen enkele dag is een mooie dag voor een begrafenis. Zelfs als de zon schijnt en de lucht warm aanvoelt, is er niets positiefs aan het in de kille grond achterlaten van een ontzield lichaam, en al helemaal niet als de levensverwachting van de dode door drie kogels abrupt met een jaar of veertig bekort is. En in Durlach was er geen zon en geen warmte. Terwijl Shaw en Katie in een kleine auto voor de begraafplaats zaten, goot het van de regen.

Die ochtend waren ze in Frankfurt geland en hiernaartoe gereden. Toen Shaw op de luchthaven door het detectiepoortje liep, was het alarmsignaal gegaan. De handdetector waarmee de beveiligingsmedewerker over zijn lijf had gestreken, had een luid gepiep laten horen bij zijn linkerarm.

'Wilt u uw mouw even opstropen, alstublieft?' had de beveiligingsmedewerker gezegd, met een onvriendelijke klank in zijn stem.

Toen hij de lange rij metalen hechtingen zag die onder het verband tevoorschijn kwam, kromp hij in elkaar.

'Godallemachtig, doet het pijn?'

'Alleen als ik mijn mouw opstroop,' had Shaw gezegd.

De berg verse aarde naast de een meter tachtig diepe grafkuil was inmiddels veranderd in een hoop modder. Anna's kist en de mensen die haar de laatste eer kwamen bewijzen, gingen schuil onder een grote tent naast de grafkuil, die hen redelijk drooghield.

Shaw had besloten de plechtigheid zelf niet bij te wonen. Hij had Wolfgang Fischers logge gedaante opgemerkt. Zijn vrouw Natascha liep naast hem. Zoals ze daar liepen, gebukt, beroofd van alle energie en hoop voor de toekomst, leken ze kleiner geworden. Shaw was wijselijk maar in de auto blijven zitten en had van daaruit toegekeken hoe de kist langzaam in het open graf verdween. Wolfgang zakte bijna in elkaar van verdriet. Er waren verschillende mannen nodig om hem terug te helpen naar de auto.

Katie voelde hoe de tranen over haar wangen liepen terwijl ze zat te kijken. Godzijdank hoef ik hier geen artikel over te schrijven, dacht ze.

Ze keek naar Shaw. Zijn gezicht was een ondoorgrondelijk masker, zijn ogen waren droog. 'Het is zo treurig,' zei ze.

Shaw gaf geen antwoord. Hij bleef maar kijken.

Een halfuur later was de laatste rouwende vertrokken en al regende het dan nog zo hard, de grafdelvers gingen aan de slag om Anna voorgoed te rusten te leggen in de Durlachse aarde.

Shaw stapte uit. 'Weet je nog wat je te doen staat?'

Ze knikte. 'Wees voorzichtig.'

'Jij ook.'

Hij sloeg het portier dicht, keek snel om zich heen en liep toen naar het gat in de grond terwijl hij zijn uiterste best moest doen om niet volkomen weg te zinken in het veel grotere gat in zijn hart.

Hij viste een paar eurobiljetten uit zijn jaszak en vroeg de grafdelvers in het Duits of ze hem even een tijdje alleen wilden laten. De mannen, die ongetwijfeld opgelucht waren dat ze even van hun natte plicht ontheven waren, pakten het geld aan en gingen er snel vandoor.

Shaw ging naast het graf staan en keek neer op de kist. Hij wilde zich niet voorstellen dat Anna daarin lag. Zij hoorde hier niet thuis. Met zachte stem sprak hij haar toe, en zei dingen tegen haar die hij had moeten zeggen toen ze leefde. Er was veel in zijn leven waar hij spijt van had, maar het meest verwoestende daarvan was dat hij niet bij Anna was geweest toen ze hem het hardste nodig had gehad.

'Het spijt me, Anna. Het spijt me. Je verdiende iemand die heel wat beter was dan ik.'

Hij pakte een schep en het daaropvolgende halfuur was hij druk in de weer om haar graf dicht te gooien. Hij had het gevoel dat dit iets was wat door hem zelf gedaan moest worden, en niet door iemand anders. Tegen de tijd dat hij klaar was, was hij volkomen doorweekt, maar dat leek hij niet op te merken.

Hij tuurde naar de grafsteen. Anna's volledige naam stond erop: ANASTASIA BRIGITTA SABINA FISCHER, plus haar geboorte- en sterfdatum. En daaronder in het Duits: RUST IN VREDE.

'Rust in vrede,' zei Shaw. 'Rust in vrede voor ons beiden, Anna. Want ik denk niet dat ik ooit nog vrede zal kennen.'

Hij knielde in de modder en boog zijn hoofd.

Twee mannen stapten tussen de bomen vandaan, elk met een pistool in de hand.

Onmiddellijk werd de stilte op het kerkhof verbroken door het blèren van een claxon, en toen liet Katie zich snel van haar autostoel zakken.

De mannen schrokken en renden naar Shaw toe.

Een fractie van een seconde later werd de achterruit van de auto waar Katie in zat door een kogel verbrijzeld.

Shaw sprong zo snel naar voren dat hij zich in een waas leek te bewegen. Als een volleerde Amerikaanse footballspeler liep hij de twee mannen tegen de grond. Een ogenblik later kreeg een van de mannen Shaws pistool bijna in zijn keel geduwd, terwijl de andere bewusteloos naast hem op de grond lag.

Toen kwamen de mannen in het zwart in actie.

Katie ging weer rechtop in de auto zitten en sloeg de glasscherven van zich af. Ze keek ongerust naar Shaw. Toen hij overeind kwam met zijn arm om de nek van een van de mannen die daarnet met een pistool naar hem toe waren komen rennen, slaakte ze een zucht van verlichting en stapte uit.

Een meter of zes achter de auto stond Frank over de dode gebogen die zojuist had geprobeerd Katie neer te schieten. Ze liep naar hem toe.

'Sorry dat het maar zo weinig gescheeld heeft. Die klootzak opende het vuur voordat we hem buiten gevecht konden stellen. Alles goed?'

Een tijdje later zaten ze in een lege boerenschuur een eindje buiten Durlach. De twee *would be*-moordenaars zaten rug aan rug met handboeien aan elkaar gekluisterd op de met stro bedekte vloer.

Frank, Katie en Shaw stonden bij elkaar voor een informeel overleg.

'Bedankt dat je me wilde helpen,' zei Shaw tegen Frank.

'Hé, als ik niet druk bezig ben om te zorgen dat de wereld veilig is, heb ik een hoop tijd over.'

Ze hadden de vingerafdrukken van de twee mannen al door de gebruikelijke databanken gehaald, maar niets gevonden. En tot nu toe hadden al hun pogingen om de twee te verhoren niet meer opgeleverd dan een stortvloed smerige vloeken van de man die net even op de loop van Shaws pistool had mogen bijten. Zijn maat daarentegen, een stevig gebouwde man met een stoïcijnse uitdrukking op zijn gezicht, had geen woord gezegd. Hij zag eruit alsof hij niet eens Engels sprak. Ze hadden het met verschillende andere talen geprobeerd, maar hij bleef duidelijk een aanhanger van het gezegde dat spreken dan misschien zilver mag zijn, maar zwijgen goud. De twee mannen hadden niets bij zich waarmee hun identiteit te achterhalen viel. Twee pistolen en een jachtmes waren het enige van belang dat op hun lichamen was aangetroffen. De dode was op soortgelijke wijze gesteriliseerd.

'Niet eens een mobieltje,' zei Frank.

'Nadat ze Shaw en mij hadden gedood,' zei Katie, 'zouden ze waarschijnlijk iemand anders ontmoet hebben, waarschijnlijk niet ver hiervandaan.'

'Wat nu?' vroeg Frank aan Shaw.

'Blijf net zo lang op deze twee in beuken totdat ze doorslaan. Je hoort nog van ons.'

Frank legde een hand op Shaws schouder. 'Hoor eens, Shaw, kijk altijd goed achter je. Ik heb zo'n gevoel dat hier iets helemaal niet in de haak is.'

'Hoezo?' vroeg Katie.

'Omdat ze ons telkens weer een stap voor lijken te zijn.'

Terwijl ze wegreden, zei Shaw somber: 'Ik was er behoorlijk zeker van dat ze Anna's begrafenis in de gaten zouden houden voor het geval wij kwamen opdagen. Daarom heb ik Frank om assistentie gevraagd. Maar het heeft ons niets opgeleverd.'

'Misschien beginnen die twee mannen nog wel te praten.'

'Ik denk niet dat ze veel weten, behalve dan dat ze betaald werden om jou en mij uit de weg te ruimen. Tot nu toe zijn deze mensen echt heel goed geweest in het uitwissen van hun sporen.'

'Ze maken heus wel een vergissing. Dat doen ze altijd,' zei Katie vol zelfvertrouwen.

'O, denk je?'

'Dat weet ik.'

Hij zette de wagen langs de kant. 'Hoe komt het dat jij ineens zo zeker van je zaak bent?'

Katie wist haar opwinding nauwelijks te bedwingen. 'Omdat ik zojuist een briljante manier heb bedacht om ze uit hun tent te lokken.'

•78•

Inmiddels was de hele wereld ervan overtuigd dat China achter de Rode Gevaar-campagne zat en dat Rusland de Phoenix Group had uitgemoord als een vergeldingsmaatregel, al was over de redenen waarom de Chinezen zoiets zouden doen nog steeds niets bekend. En hoeveel ontkennende verklaringen er in Beijing en Moskou ook werden uitgegeven, die overtuiging bleef grotendeels overeind.

Zowel in digitale vorm als met behulp van echte inkt werden overal ingewik-kelde theorieën verspreid om te verklaren waarom China zoiets gedaan zou hebben. Die verklaringen liepen onderling zeer sterk uiteen: volgens sommigen wilden de Chinezen de wereld ophitsen tegen het enige land in Azië dat zowel economisch als militair werkelijk een rivaal vormde voor hun gestage opklim-men naar de hoogste plek in de mondiale pikorde, terwijl anderen aanvoerden dat in Beijing de angst leefde dat Ruslands terugkeer naar een autocratische bestuursvorm een reële bedreiging vormde voor de stabiliteit van de regio. In dat laatste geval bleef het onduidelijk hoe de dreiging zou afnemen als Rusland nog bozer en gevaarlijker werd gemaakt dan het al verondersteld werd te zijn, maar als mensen iets graag wilden geloven, lieten ze zich daar heus niet van weerhouden door zoiets triviaals als feiten en logica.

Wat de reden ook mocht zijn, het was inderdaad zo dat beide naties nu aan het mobiliseren waren. In het oosten van Mongolië deelden de twee landen een enorme grens. Russische legereenheden werden samen met pantserbrigades en eenheden die voor luchtsteun moesten zorgen naar de grens gedirigeerd. Er gingen ook geruchten dat Gorshkov overwoog om tijdens zijn geplande invasie van China rechtstreeks door Mongolië te trekken, zodat hij, ondanks enkele politieke en topografische problemen die dat met zich mee bracht, over een veel kortere marsroute naar Beijing zou beschikken. De Chinezen waren zich van die dreiging maar al te zeer bewust en hadden op verschillende punten langs de grens enorme hoeveelheden manschappen en materieel gestationeerd. Toch leek de oorlogsdreiging op dit moment niet groot. Het was duidelijk dat beide landen maar al te zeer beseften dat ze in kracht en macht zo goed tegen elkaar opgewassen waren dat ze bij een gewapend conflict allebei aan het kort-ste eind zouden trekken. Er werd echter ook geloofd, al was daarover nog geen enkele verklaring uitgegeven, dat zowel Rusland als China enorme orders had-den geplaatst bij tot nu toe onbekend gebleven wapenfabrikanten. Als ze over enkele jaren dan toch met elkaar in oorlog raakten, zouden ze elkaar in ieder geval op zeer indrukwekkende wijze van de kaart kunnen vegen.

In reactie op deze ontwikkelingen troffen veel westerse landen, waaronder de Verenigde Staten, eveneens maatregelen om hun bewapening flink op te voeren. Het Pentagon, dat nooit bang was om zijn voornemens openbaar te maken, kondigde aan dat een aantal grote wapenfabrikanten, waarvan de Ares Corporation de belangrijkste was, zonder openbare aanbesteding een reeks contracten was gegund voor de wederopbouw van de Amerikaanse tank- en artilleriedivisies, het uitbreiden van de elektronische infrastructuur van de inlichtingendiensten, het vernieuwen van de raketverdedigingssystemen, het renoveren van verschillende vliegkampschepen, destroyers en onderzeeboten met kernkoppen aan boord, het online brengen van enkele duizenden zwaar gepantserde troepenvervoerwagens, en het upgraden van de fonkelnieuwe maar kennelijk nu al verouderde Raptor-straaljagers. Alleen het Amerikaanse bedrijf Ares, de oorspronkelijke fabrikant van een groot deel van dit wapentuig, zo verklaarde het Pentagon, beschikte over de talloze expertisegebieden en wereldomvattende managementcapaciteit die nodig waren om deze reusachtige taak te kunnen uitvoeren conform de hoge maatstaven van het Amerikaanse militaire complex.

Een bron binnen het Pentagon verklaarde dat: '... dit verzekert dat de Amerikaanse strijdkrachten nog tientallen jaren hun leidende positie zullen weten te behouden.'

Het Congres had snel een wet goedgekeurd waarin de financiering van dit alles werd geregeld, en de president had die wet al even haastig ondertekend.

In verschillende kranten verklaarde een bron die anoniem wilde blijven omdat hij niet gemachtigd was om te zeggen wat hij te zeggen had, dat de contracten die met de Ares Corporation waren gesloten, een loopduur hadden van acht jaar, en dat er in totaal bijna duizend miljard dollar aan belastinggeld mee gemoeid was. Dat hield in dat de begroting van de Amerikaanse strijdkrachten de komende tijd meer dan achthonderd miljard per jaar zou omvatten. Daarmee waren de strijdkrachten in één klap de grootste post op de Amerikaanse overheidsbegroting geworden, die zelfs de jaarlijkse kosten van het nationale oudedagspensioen veruit overtroffen. Gelukkig zouden het enorme begrotingstekort en de al even reusachtige nationale schuld technisch gezien niet groter worden, want een stel sluwe ambtenaren was er met steun van een stel al even doortrapte Congresleden in geslaagd de additionele defensiebestedingen goedgekeurd te krijgen als deel van een aanvullende financieringswet die technisch gezien geen deel uitmaakte van de officiële overheidsbegroting. En in Washington D.C. waren technische kwesties de enige kwesties die werkelijk telden.

'Dus laat de volgende generatie zich dan maar om de werkelijkheid bekommeren,' merkte een politieke insider op, die echter anoniem wilde blijven en als reden daarvoor opgaf dat hij graag insider wilde blijven.

Nadat de nieuwe wet op de defensie-uitgaven tijdens een fraaie ceremonie in het Witte Huis was ondertekend, belegde de aan alle zijden in het nauw gedreven president, wiens herverkiezing nog steeds groot gevaar liep omdat hij was afgeschilderd als iemand die geen vuist wist te maken tegen Rusland, een persconferentie waarop hij in niet mis te verstane termen verklaarde dat 'van nu af aan iedereen die erop uit is de belangen van de Verenigde Staten van Amerika te schaden, zal merken dat wij er uitstekend op voorbereid zijn om alles te doen wat nodig is om onszelf tot het uiterste te verdedigen. Moge God zijn zegen blijven geven aan de Verenigde Staten van Amerika.' Onmiddellijk schoot hij in de eerstvolgende opiniepeiling met elf procentpunten omhoog. Als het erom ging kiezers te winnen, ging er niets boven wapengekletter.

De Ares Corporation ging van start met een nieuwe reclamecampagne die maandenlang zorgvuldig was voorbereid en bijgevijld. Er werd niet opzichtig gepronkt met het nieuwe contract of de enorme bedragen die dat zou opleveren. Dat had het zeer gerenommeerde reclamebureau uit New York dat de campagne had opgezet, een beetje te plat gevonden. De commentator zei niet meer dan: 'De Verenigde Staten van Amerika en de Ares Corporation: samen zijn we niet te kloppen.' Dat was een behoorlijk zware uitspraak, en de onderliggende boodschap liet niets aan duidelijkheid te wensen over: de Ares Corporation had zich zojuist op gelijke voet geplaatst met de enige nog resterende supermacht ter wereld. Dit eenvoudige verhaaltje werd gevolgd door een paar in ouderwets zwart-wit uitgevoerde videobeelden van vliegende vliegtuigen, rijdende tanks en varende schepen, met daar tussendoor beelden van infanteristen die met grimmige gezichten door de modder kropen om hun land te verdedigen. Dat alles werd begeleid door een algemeen geliefd popdeuntje.

Er werd beweerd dat de leden van de focusgroepen die waren opgericht om de emotionele uitwerking van deze commercial te beoordelen, na afloop van het filmpje huilend in de zaal hadden gezeten. In sommige reclamekringen werd gefluisterd dat dit de best bestede vijftig miljoen dollar was die Nicolas Creel ooit had uitgegeven.

Alles verliep precies zoals Creel en Pender het gepland hadden.

Alles, behalve één onverwachte hobbel in de weg, waardoor alles plotseling juist nog veel beter leek te worden.

Om twaalf uur 's nachts, Mongoolse tijd, ontving een Russische generaal te velde een door atmosferische storingen nogal verminkt radiobericht, waaruit hij opmaakte dat hij zojuist toestemming had gekregen voor een verkennende aanval op Chinees grondgebied. Omdat hij een enthousiast commandant was, die nog nooit eerder een echte oorlog had meegemaakt en die een grote persoonlijke haat koesterde tegenover alles wat Chinees was, gaf hij onmiddellijk opdracht tot een aanval, zonder de moeite te nemen zijn superieuren om verduidelijking te vragen. Zijn artillerie opende het vuur met een zware barrage op van tevoren bepaalde doelwitten terwijl hoog daarboven MiG's met officiële goedkeuring het Chinese luchtruim binnen drongen en daar onmiddellijk op Chinese gevechtsvliegtuigen stuitten, die wrang genoeg door de Chinezen onder Russische licentie waren gebouwd, aan de hand van een ontwerp dat was afgeleid van de MiG. In wezen vlogen de piloten van beide zijden dan ook in toestellen van hetzelfde type. Zoals het bij een dergelijke gelijkheid van wapens betaamde, liepen de daaropvolgende luchtgevechten uit in een gelijkspel waarbij beide partijen twee toestellen verloren.

De Chinezen, die op zijn zachtst gezegd nogal nijdig waren over deze Russische stomp in hun gezicht, zetten onmiddellijk een tegenaanval in en de daaropvolgende zes uur bestookten de twee legers elkaar met alles wat ze maar hadden.

Toen het voorbij was, had de 'verkennende aanval' niet alleen tot het verlies van een aantal vliegtuigen geleid, maar was er ook een Chinees plaatsje van de aardbodem weggevaagd, waarbij tweeduizend inwoners om het leven waren gekomen. Bovendien waren er tien tanks, twintig gepantserde troepenvervoerwagens, veertig stuks artillerie verloren gegaan en negenhonderd Chinese infanteristen omgekomen, terwijl duizenden en duizenden stuks Russische ammunitie op hen neer regenden, zelfs al had het overgrote deel daarvan zijn doel gemist.

Aan Russische zijde viel het verlies van zeshonderd burgers te betreuren, die helaas klem waren komen te zitten tussen de twee legers. De meesten van hen hadden nog in bed gelegen toen de granaten hun huizen troffen. Naast deze bijkomende schade waren er ook acht tanks opgeblazen, zes helikopters neergehaald, twaalf gepantserde troepenvervoerwagens platgeslagen en ruim vierhonderd militairen om het leven gekomen, terwijl er ook nog eens een hele artilleriebatterij in rook was opgegaan door een raketaanval waarbij een nabijgelegen brandstofopslag was getroffen. Een interessante kanttekening hierbij was dat deze gewapende confrontatie ook het leven had gekost aan de Russische commandant die de aanleiding was van de hele ellende vanwege een bevel dat, toen het naderhand nog eens werd doorgelezen, juist bleek in te houden dat hij een dergelijke aanval uitsluitend en alleen mocht inzetten als hij zelf als eerste werd aangevallen.

Het ging uiteindelijk toch altijd weer om de details, zo leek het althans.

De naar adem happende, zwaar getraumatiseerde legers trokken zich terug op hun thuisbases om hun wonden te likken en tot zich te laten doordringen wat er zojuist gebeurd was.

Als dit het begin van een derde wereldoorlog moest voorstellen, dan was het niet veelbelovend.

·79·

Onder luid gejuich van de toegestroomde Italiaanse pers en de vele toeschouwers stak Nicolas Creel samen met de moeder-overste de eerste schep in de grond voor het nieuwe weeshuis. Toen dat eenmaal achter de rug was, had hij de dankbare weesjes even over hun bolletje geaaid, snel een persverklaring voorgelezen, de burgemeester en andere notabelen een hand gegeven en zich daarna teruggetrokken op de *Shiloh* om genietend tot zich te laten doordringen hoe gesmeerd het allemaal verliep.

De Russen hadden China aangevallen en de Chinezen hadden die aanval beantwoord met een tegenaanval. Toen Creel het web afzocht op artikelen over deze recente gebeurtenissen, zag hij tot zijn grote genoegen dat er al duizenden geplaatst waren, en dat er elke minuut meer het web op stroomden. Dit zou zijn contracten met deze twee landen alleen maar verstevigen en voor andere landen die nog aarzelden of ze wel zulke enorme bedragen aan bewapening moesten spenderen, een aanmoediging vormen om te kiezen voor een solide landsverdediging. Bij het verwezenlijken van die doelstelling zou hij ze met alle genoegen van dienst zijn.

De Amerikanen, Britten en Fransen hadden weliswaar de leiding genomen over diplomatieke inspanningen om een staakt-het-vuren te bereiken en de twee landen zich weer met elkaar te laten verzoenen, maar Creel besefte dat die initiatieven niet alleen te laat kwamen, maar ook te weinig om het lijf hadden. Deze week zou er een topconferentie worden gehouden in Londen, maar de twee oorlogvoerende naties hadden nog niet eens toegezegd dat ze die zouden bijwonen. En zelfs als ze kwamen opdagen, wat na dit meest recente voorval niet waarschijnlijk leek, zou dat niets uitmaken.

Toen werd hij gebeld, en terwijl hij zat te luisteren, was zijn glimlach plotseling verdwenen. Het was Caesar. De aanslag op het kerkhof in Durlach was niet geheel volgens plan verlopen, of liever gezegd: die was zo anders verlopen als het maar kon.

'Eén man dood en twee gearresteerd,' zei Creel terwijl hij Caesars verslag herhaalde. 'Ik neem aan dat de manschappen die we ingehuurd hadden niets van belang wisten?'

'Niets,' zei Caesar vol overtuiging. 'Ik weet dat dit een tegenvaller is, maar we krijgen ze wel te pakken, meneer Creel. Dat garandeer ik. We zijn er nu dichtbij, echt heel dichtbij.'

'Dat dacht ik een tijdje geleden ook al, Caesar. En moet je nou eens zien.'

Hij verbrak de verbinding, haalde diep adem, en voordat hij het nummer van Pender intoetste, keek hij door de patrijspoort even naar de plek waar het nieuwe weeshuis zou worden gebouwd. 'Zorg dat je het er nu heel dik bovenop legt, Dick,' zei hij tegen Pender. 'Ik wil zien hoe de media helemaal volstromen met venijnige oorlogspropaganda.'

'Zonder dat er werkelijk een oorlog uitbreekt,' zei Pender behoedzaam.

'Een koude oorlog, Dick,' zei Creel ongeduldig. 'Ik verdien het meest als er geen schoten worden gelost.'

'Maar er zijn al schoten gelost.'

'Dat was een stupide, volkomen zinloze verkenningsaanval, die volgens mijn bronnen beide zijden alleen maar flink de stuipen op het lijf heeft gejaagd. En als iedereen weer tot rust is gekomen, kunnen we beginnen aan een prettige, zeer langdurige herbewapening.'

'Maar wat als er wél een oorlog uitbreekt?'

'Dick, doe nou maar gewoon je werk en laat eventuele zorgen over de consequenties daarvan maar aan mij over. Dat was de afspraak, weet je nog wel? Als er tussen die twee landen echt oorlog uitbreekt, nou, dan is dat heus het einde van de wereld niet, hoor. Ze zullen toch wapens nodig hebben om mee te vechten, en alles wat ze opgebruiken, zullen ze moeten vervangen. En als ze elkaar helemaal kapotmaken, wat dan nog? Wie kan dat nou wat schelen?'

'Maar hoe zit het dan met de kernwapens? Ze hebben kernwapens.'

'MAD, Dick. Wederzijds verzekerde vernietiging. Noch Moskou, noch Beijing wil van de aardbodem worden weggevaagd. Daarom zou ik deze stunt ook nooit met moslims kunnen uithalen. Die lijkt het niet uit te maken of ze allemaal uitgemoord worden, als de rest van de wereld ook maar dood is. Zo zie je maar, Dick, zelfs in oorlogstijd heb je een beschaafde instelling nodig om er echt iets van te maken. En leg het er dan nu maar heel dik bovenop!'

Creel verbrak de verbinding en Pender gaf zijn team onmiddellijk opdracht om alles uit de kast te halen. Deze missie was voor Pender een hele uitdaging geweest, maar werken in dienst van Creel vormde altijd een uitdaging. Pender sloeg zijn boek met strategieën en tactieken erop na en bracht alles in het spel wat hij maar kon bedenken. Hij zou Creel eens laten zien wat het betekende om het er heel dik bovenop te leggen. Geen krant of televisiejournaal ter wereld zou door zijn mensen over het hoofd worden gezien. Over de hele wereldbol zouden nog meer leugens dan ooit tevoren weergalmen. Hij was de beste perceptiemanagementdeskundige ter wereld, en dit zou zijn grootste triomf worden.

Nu ze de campagne bijna met succes hadden afgerond, begon Pender zich af te vragen hoe groot de bonus zou zijn die zijn firma zou opstrijken, of liever gezegd die hij zelf zou opstrijken. Creel hield zich niet bezig met kleine bedragen. Zou het vijftig miljoen zijn? Honderd miljoen? Er waren twee dingen die Pender altijd meer dan wat dan ook had willen hebben. Zijn eigen jacht en zijn eigen vliegtuig. Natuurlijk niet iets van dezelfde orde als het jacht en het vliegtuig van Nicolas Creel, dat zou altijd ver boven zijn macht blijven liggen. Maar met een Gulfstream V en een fraai, zesendertig meter lang dubbeldeks jacht van Italiaanse makelij zou hij volkomen tevreden zijn. Tegenwoordig had je zulke dingen echt nodig om te kunnen zeggen dat je bij de grote jongens hoorde. En dat wilde Pender vol overtuiging kunnen zeggen.

Hij zat nog een paar minuten te dagdromen over al die aantrekkelijke mogelijkheden voordat zijn dromen overgingen in een nachtmerrie.

Er verscheen een bericht op het beeldscherm van zijn persoonlijke assistent. 'Barney's Rubble Blog update' luidde het. Er was een mailtje op de blogsite binnengekomen dat Pender volgens zijn assistent onmiddellijk moest zien.

Pender opende het mailtje en terwijl hij intussen druk in de weer was met zijn agenda begon hij te lezen. Zodra hij de eerste zin had gelezen, was het echter abrupt gedaan met het multitasken.

'Ik weet wie je bent en wat je gedaan hebt. Ik wil je persoonlijk spreken, anders trek ik mijn artikel in en publiceer ik de echte waarheid. K.J. PS Leuk geprobeerd met die Lesnik. De volgende keer dat je een nepblog opzet, gebruik dan iemand die weet wat hij doet.'

Alle gedachten aan een vliegtuig en een jacht waren op slag verdwenen. In zijn boek met scenario's was voor zoiets als dit geen tegenmaatregel te vinden.

De geweldige perceptiemanager was zojuist oog in oog komen te staan met zijn grootste angst.

De waarheid.

Shaw stond over Katies schouder mee te kijken op het beeldscherm. Tien minuten geleden had hij het mailtje verstuurd. Ze hadden gehoopt nu al antwoord gehad te hebben.

'Zal ik het nog eens versturen?' vroeg Katie.

'Nee.' Maar Shaw zag er nu zelf ook wat nerveus uit.

Gelukkig hoefden ze niet veel langer te wachten.

Het bericht was kort. *Wat wil je?*

Katie en Shaw keken elkaar even aan. 'Antwoord maar,' zei Shaw.

'Een persoonlijk gesprek,' typte Katie.

Onmogelijk, luidde het antwoord.

'Dan schrijf ik gewoon een nieuw artikel.'

Niemand zal je geloven.

'Ik kan heel overtuigend zijn. En ik beschik over feiten die mijn beweringen ondersteunen. Daarmee kan ik al je plannen volkomen verijdelen.'

Welke feiten?

'Dat vertel ik je wel tijdens ons persoonlijke gesprek.'

Daar begin ik niet aan. Dit zou een valstrik kunnen zijn.

Shaw en Katie keken elkaar aan. Natuurlijk was het een valstrik.

'Een telefoongesprek dan.'

Het antwoord liet even op zich wachten. *Waar wil je het over hebben?*

'Geld,' typte Katie en ze zette er maar liefst drie uitroeptekens achter. 'Geld voor mijn zwijgen.'

Dat valt ook te regelen via de mail.

'Ik wil je horen zweten.' Katie moest glimlachen om die opzettelijk foute beeldspraak.

Meer dan een minuut zaten ze bezorgd naar het beeldscherm te turen.

Wanneer?

Katie klapte in haar handen. 'Vanavond. Om twaalf uur East Coast Time.' Ze typte een mobiel telefoonnummer in dat niet te traceren viel. Dat had ze van Shaw gekregen.

'Hij zal wel vermoeden dat we proberen hem te traceren zodra hij belt,' zei ze.

'Hij zal een gesteriliseerd mobieltje gebruiken en ervan uitgaan dat zelfs als we het signaal weten te peilen en zijn positie ten opzichte van drie steunzenders weten te bepalen, hem dat nog steeds een hoop ruimte overlaat.'

'Nou, dat is toch ook zo?' zei Katie.

'De wereld is lang niet zo groot als de mensen denken. Eigenlijk is die zelfs behoorlijk klein. Als het ons lukt dit signaal te traceren, kunnen we op ongeveer een huizenblok nauwkeurig zijn positie bepalen. Zodra we dat eenmaal weten, kan Frank zijn mensen er heel snel opaf sturen. Met zijn connecties valt zoiets voor hem bijna overal ter wereld te regelen.'

'Een huizenblok is nog steeds behoorlijk groot, Shaw.'

'Inderdaad, maar het is beter dan niets. En we zouden geluk kunnen hebben.'

Na zijn digitale onderhoud met Katie James liet Pender zich vermoeid achteroverzakken in zijn stoel. Katie James, die verdomde journaliste, die moest het wel zijn.

Die initialen K.J. aan het eind van het mailtje. Het dreigement dat ze haar artikel zou terugtrekken.

Hij had onmiddellijk Nicolas Creel moeten bellen, maar daar kon hij zich niet toe zetten. Hij had duidelijk een blunder gemaakt met die gefingeerde blogsite, want dat rotwijf had die onmiddellijk doorzien. En dat kon hij Creel niet laten weten. Hij was er nooit in eigen persoon getuige van geweest hoe Creel tekortschietende ondergeschikten afstrafte, maar hij had voldoende geruchten gehoord. Hij zou dit in eigen persoon afhandelen. Het was maar een telefoongesprek en hij zou alle noodzakelijke voorzorgsmaatregelen nemen om te voorkomen dat hij getraceerd werd. Er was geen enkele manier waarop ze hem zouden kunnen vinden.

Als ze alleen geld wilde, viel dat te regelen. Katie James zou ongetwijfeld niet onredelijk worden. Als het een paar miljoen ging kosten, zou hij dat gewoon kunnen betalen van zijn bonus. Per slot van rekening hoefde hij niet per se én een jacht én een privévliegtuig te hebben. Maar wat als ze daarna nog meer geld ging vragen? Nou, dan zou hij daar iets aan moeten doen. Haar uit de weg laten ruimen misschien?

Pender haalde eens diep adem. Overal langs zijn ruggengraat voelde hij plotseling pijnlijke spanningsknopen. Zoiets als dit was hem nooit eerder overkomen. Hij was gewend om achter de schermen actief te zijn en niet in de loopgraven zelf. Maar hij zou hier wel doorheen komen. In dit spel was hij een meester. Uiteindelijk zou hij winnen.

En wat nog het beste van alles was, Nicolas Creel hoefde hier niets over te horen te krijgen.

Hij smeekte God dat de man dit nooit te weten zou komen.

Naast het tafeltje waar Katie aan zou gaan zitten als ze straks ging bellen, had Shaw een grote klok met een led-schermpje neergezet, waarop ook de seconden werden aangegeven. Hij hield een videocamera op Katie en de klok gericht en had bovendien een koptelefoon op. 'Blijf hem zo lang mogelijk aan de praat houden. Zodra de drie gsm-zenders zijn gevonden waar hij het dichtste bij in de buurt is, valt zijn locatie nauwkeuriger te bepalen en kunnen we er een arrestatieteam op af sturen.'

Precies om twaalf uur 's nachts ging de telefoon. Terwijl Katie opnam, drukte Shaw op de opnameknop.

'Precies op tijd,' zei ze.

'Hoeveel weet je?' zei een stem kortaf.

'Meer dan je lief is.'

'Hoeveel wil je?'

Shaw gebaarde naar Katie. 'Hou hem aan de praat,' zei hij onhoorbaar maar met nadrukkelijke mondbewegingen, terwijl hij door zijn koptelefoon naar de man aan de andere kant van de lijn luisterde.

'Wil je niet weten hoe ik erachter ben gekomen?' zei ze. 'Ik bedoel, voor het geval je wilt voorkomen dat zoiets nog eens gebeurt.'

'Goed, hoe ben je erachter gekomen?' vroeg de stem.

Katie nam rustig de tijd om uit te leggen hoe het zat met Lesnik, het kapotte herentoilet en de onmogelijkheid dat het werkelijk zo gegaan was als het mannetje had verteld. 'In plaats van hem naderhand een briefing te geven, had je gewoon even samen met hem door het kantoor van de Phoenix Group moeten lopen,' adviseerde ze.

'Waarom heb je dat artikel gepubliceerd als je wist dat het niet waar was?'

'Daar ben ik pas kortgeleden achter gekomen.'

Shaw keek met een ruk op toen Franks stem door de koptelefoon klonk. Hij wees naar Katie. 'Hij zit in een rijdende auto. Nu!'

Onmiddellijk blafte Katie: 'Zet je auto langs de kant!'

Pender werd zo verrast door dat plotselinge commando dat zijn zware Mercedes een schuiver maakte voordat hij weer macht over het stuur kreeg. 'Hoe weet je nou dat ik een auto zit?' siste hij argwanend.

'Het signaal werd steeds zwakker. Ik zit niet in een auto dus moet dat wel aan jou liggen. Bovendien hoor ik verkeer op de achtergrond. Ga van de weg af, zodat ik je duidelijk kan verstaan. We willen geen misverstanden, toch?'

'Wacht even.' Pender klonk nog steeds argwanend. Bij de eerstvolgende afslag reed hij de snelweg af en even later zei hij: 'Oké, hoeveel?'

'Twintig miljoen dollar en dan mag je heel blij zijn dat je er zo goedkoop vanaf komt.'

'Dat is niet goedkoop. Dat is een enorme hoeveelheid geld.'

'Nou, je bent dan ook betrokken bij een enorm groot misdrijf. Als je niet wilt dokken, vind ik het ook best. Dan trek ik mijn artikel in en in plaats daarvan publiceer ik wat er werkelijk is gebeurd.'

'Wat is er dan werkelijk gebeurd?'

'Dat kun je straks op je gemak lezen, net als iedereen. Dan weet de hele wereld dat de Russen niet verantwoordelijk zijn voor de massamoord in Londen en dat de Chinezen niet degenen zijn die de Rode Gevaar-campagne hebben opgezet. Dan kun je al dat oorlogsgedoe wel op je buik schrijven. Want daar is dit per slot van rekening allemaal om begonnen, hè? Een oorlog.'

Pender zat nu echt te zweten. Twintig miljoen dollar.

'Het gaat even duren om zo veel geld bij elkaar te krijgen.'

'Nee, daar komt niets van in. Ik wil het binnen vierentwintig uur hebben. Ik heb een buitenlandse bankrekening. Dat had je niet gedacht, hè? Schrijf het nummer maar even op. Ik weet dat je het zult overboeken op een manier die niet te traceren valt, maar dat maakt niet uit. Ik wil gewoon geld zien.'

'Zo snel kan ik dat niet regelen. Ik heb meer tijd nodig.'

'Hoeveel meer?'

'Een week.'

'Tweeënzeventig uur. En daar mag je heel blij mee zijn. Ik ben echt hard aan vakantie toe.'

'Heb je er genoeg van om verslaggever te zijn?' sneerde Pender.

'Ik wil nu weleens rijk zijn.'

'Vijf dagen,' zei hij.

'De onderhandelingen zijn gesloten! Drie dagen of je kunt dat hele plan van je op je buik schrijven.'

'Ik denk niet dat een artikel van jou zo'n overweldigend mediaoffensief nog kan keren.'

'Prima, dan betaal je niet en dan zien we wel wat er gebeurt. Het beste verder.'

'Wacht, wacht!'

'Ik luister.'

'Goed dan. Drie dagen. Maar ik zal je een goede raad geven, mevrouw James. Als je soms van plan bent iets ongelooflijk stoms te doen, zoals ons bedriegen...'

'Ik weet het, ik weet het. Dan loopt het niet goed met me af. Maak je maar geen zorgen. Ik heb nu wel genoeg Pulitzerprijzen gewonnen. Het gaat me alleen nog maar om de goede dingen van het leven.'

Ze gaf hem het nummer van de bankrekening en keek snel even naar Shaw. Die maakte een snijdend gebaar langs zijn hals.

'Fijn om zaken met u te doen,' merkte Katie op voordat ze de verbinding verbrak.

Ze keek naar Shaw, die nu de videocamera uitzette.

'Nou?' vroeg ze.

'De westelijke voorsteden van Washington D.C., de Dulles tolweg tussen de afslagen naar Reston Parkway en Wiehle Avenue.'

'Hoe kunnen ze dat zo snel weten?'

'Er staan daar twee gsm-zenders. Het was niet moeilijk om het signaal te traceren. In een druk hotel zou hij een stuk veiliger zijn geweest. Daar wordt zo enorm veel gebeld dat het onmogelijk is om één afzonderlijk signaal te onderscheiden.'

'Oké, maar wat dacht je ervan om gewoon het nummer dat hij heeft gebruikt te traceren?'

'Dat hebben we gedaan. Hij probeerde het te blokkeren, daarom verscheen het niet op je schermpje, maar we hebben een interceptor geïnstalleerd op het mobieltje dat je hebt gebruikt. Daarmee konden we de blokkering doorbreken en het nummer toch achterhalen. Zestig seconden later waren we erachter wie de eigenaar van de telefoon was.'

'Wie was het dan?'

'Volgens Frank is het een zesentachtig jaar oude priester in Boston, maar ik ben er redelijk zeker van dat die niet de hele wereld rondreist om oorlogen te beginnen en dat hij geen idee heeft dat iemand zijn telefoonnummer heeft gestolen.'

'Maar wat schieten we er nou mee op om te weten dat deze vent daar op de snelweg reed? Kunnen ze ook zeggen in welke auto hij zat?' Hij schudde zijn hoofd. 'Zover is de techniek nog niet. Net zoals de positie van één persoon nog niet te bepalen valt.'

'Maar hoe kunnen we die vent dan wél traceren, Shaw?' zei ze geërgerd.

Hij klopte op de videocamera. 'Hiermee.'

'Daarmee? Je hebt een opname gemaakt van mij en een klok.'

'Inderdaad.'

'En wat nu?'

'Nu vliegen we naar Washington D.C.'

•82•

Ze slaagden erin een lift naar Amerika te regelen aan boord van een privévlieg-tuig waar Frank de hand op had weten te leggen. Het vliegtuig beschikte over een actieradius die groot genoeg was om zonder bijtanken naar Washington te vliegen en dus installeerden ze zich voor een meer dan zeven uur durende vlucht. Edward Royce van MI-5 ging met hen mee. Shaw en Katie zaten achter in het toestel terwijl Frank en Royce voorin nog een paar details doornamen.

Katie trok een dekentje knus om zich heen, nipte aan een glaasje sodawater en terwijl ze soepel over de Atlantische Oceaan schoten nam ze Shaw aandachtig op.

'Dit is heel wat behaaglijker dan die overtocht over de Ierse Zee aan boord van die kermisattractie, vind je niet?'

Shaw knikte, maar bleef naar de stoel voor hem staren.

'Denk je echt dat we te weten komen wie erachter zit?' vroeg ze.

Hij keek haar snel even aan. 'Als we mazzel hebben misschien. Maar iets te weten komen wil nog niet zeggen dat je er ook iets aan kunt doen.'

'Bewijsmateriaal vinden dat standhoudt voor de rechter, bedoel je?'

Shaw zei niet wat hij bedoelde, maar wendde zijn ogen af.

'Gaat het wel met je?' vroeg ze en ze legde een hand op zijn schouder. Het was de schouder van zijn slechte arm, en dus deed ze het heel voorzichtig.

'Ja, het gaat prima,' zei hij zonder veel overtuiging.

'Als we dit allemaal hebben uitgezocht en de slechteriken achter slot en grendel zitten, ga ik denk ik maar eens bij mijn ouders langs.'

'Waar wonen die?'

'In Vermont, of in ieder geval daar woonden ze de vorige keer dat ik het heb nagekeken. Ze houden ervan om regelmatig van omgeving te veranderen. Vol-gens mij heb ik daar die reislust van me aan te danken.'

'Wat doen ze voor de kost?'

'Mijn vader is universitair docent. Hij geeft les in het schrijven van romans, korte verhalen en gedichten. Daarom is mijn tweede naam Wharton, naar de bekende schrijfster Edith Wharton. Mijn voornaam is ontleend aan een andere schrijfster, Kate Chopin, maar iedereen heeft me altijd Katie genoemd. Mijn vader is opgegroeid in Washington, maar heeft gestudeerd aan Stanford en is daar ook mijn moeder tegengekomen. Na zijn promotie is hij aan Harvard gaan doceren. Mijn moeder heeft daar ook gedoceerd totdat ze kinderen kreeg.'

'Hoeveel?'

'Als je mij meerekent vier. Ik ben de jongste. Ik ben geboren op Harvard Square. Heel letterlijk, bedoel ik. Na drie kinderen dacht mijn moeder volgens mij dat ze wel tot het allerlaatste moment kon wachten voordat ze naar het ziekenhuis ging. Mijn vader en zij holden net naar de auto toen de vliezen braken. Uiteindelijk ben ik geboren in een leeg klaslokaal. En jij?'

'Wat is er met mij?'

'Ik heb net iets onthuld over mijn verbijsterende verleden. Nu is het jouw beurt.'

'Nee, bedankt.'

'O, kom op, Shaw. Ik zal er heus geen artikel over schrijven. Vertel me nou gewoon iets over je familie.'

'Goed dan. Van mijn moeder herinner ik me niets behalve wat ik zelf over haar gefantaseerd heb, want toen ik een jaar of twee was, heeft ze afstand van me gedaan. Of dat is in ieder geval wat ik later te horen heb gekregen. Mijn vader heb ik nooit gekend. Ik heb in een weeshuis gezeten totdat ik er als kind van zes uit werd getrapt. De volgende twaalf jaar heb ik doorgebracht in gezelschap van mensen aan wie ik liever niet terugdenk. Voor zover ik weet, heb ik geen broers of zussen. Nu weet je alles over me.'

Hij keerde haar zijn rug toe.

Katie zat daar maar en tuurde aangeslagen voor zich uit. 'Wat erg voor je.'

'Zo erg was het niet, hoor.'

'Maar het moet toch heel zwaar voor je zijn geweest?'

'Waarschijnlijk is dat het beste geweest wat me ooit overkomen is.'

'Hoe kan je dat nou zeggen?'

'Omdat het me vanaf het allereerste begin heeft geleerd om alleen maar op mezelf te vertrouwen,' zei hij ferm.

Katie trok het dekentje nog wat strakker om zich heen en Shaw tuurde weer naar de rugleuning van de stoel voor hem.

'Wat ga je doen als dit allemaal voorbij is?' vroeg ze.

'Dat hangt ervan af op welke manier dit straks allemaal achter de rug is.'

'Ik bedoel wanneer we hier allebei levend uitkomen.'

'Zo ver heb ik eigenlijk nog niet vooruitgedacht.'

Ze keek snel even naar het voorste deel van het toestel waar Royce en Frank aan een tafeltje zaten en een aantal documenten doornamen.

'Maar je blijft toch zeker niet bij Frank? Je moet hiermee kappen voor het te laat is.'

'Snap je het dan niet? Voor mij is het allang te laat, Katie.'

'Maar Shaw...'

Hij keerde haar de rug toe, klapte zijn rugleuning achterover, deed zijn ogen dicht en viel in slaap.

Katie bleef haar ogen een hele tijd op hem gericht houden voordat ze door het raampje naar buiten keek. De hemel was donker en de uitgestrekte oceaan tien kilometer onder haar was van hieruit niet te zien. Ze had in de loop der jaren al duizenden keren gevlogen en om een of andere reden had ze het tijdens al die vluchten altijd weer koud gehad.

Maar toch had het bloed in haar aderen nog nooit zo ijskoud aangevoeld als nu.

Frank, Royce, Shaw en Katie zaten in een kamer en keken naar de videobeelden op het grote scherm. Nu snapte Katie waar Shaw het over had gehad.

'Langs dit deel van de snelweg staan overal masten met videocamera's erop,' had hij haar uitgelegd. 'Die staan daar niet om iedereen als een soort Big Brother in de gaten te houden, maar om verkeersongelukken en files tijdig te signaleren. Voor onze doeleinden komen ze nu echter wel heel goed van pas.'

Op een ander beeldscherm waren video-opnamen te zien die Shaw had gemaakt van Katie die met Pender zat te praten, terwijl de led-klok ook goed in beeld was.

'Oké,' zei Shaw. 'Start de video-opnamen van de snelweg op hetzelfde moment als de film die ik heb gemaakt.'

De videobeelden begonnen alle twee te bewegen en de seconden tikten voorbij. Om twaalf uur 's nachts was er nog steeds een hoop verkeer op Interstate 66. Zo'n oord was de Amerikaanse hoofdstad nou eenmaal. Maar bumper aan bumper stond het verkeer op dit uur zelfs hier niet meer.

'Hier zien we de startpositie van het signaal.' Frank wees naar een plek op het scherm. 'De twee afslagen bevinden zich op anderhalve kilometer afstand van elkaar.'

'Zo te zien rijden die auto's ongeveer honderd kilometer per uur,' schatte Shaw. 'Dus terwijl hij zit te praten legt hij die afstand in ongeveer één minuut af.' Hij keek naar de videobeelden van Katie en het led-klokje.

'Zodra ik van Frank te horen kreeg dat ze het signaal hadden opgevangen, dat het afkomstig was uit de buurt van de snelweg en dat het doelwit bewoog, heb ik Katie tegen hem laten roepen dat hij langs de kant moest gaan staan. Dat was zes minuten en drie seconden na het begin van het gesprek.'

'Ik meende het geluid van piepende banden te horen toen ik hem dat vroeg,' zei Katie, 'en ook het geluid van een toeterende auto.'

'Dat tijdsegment komt er nu aan,' merkte Shaw op. 'Vijf, vier, drie, twee.'

Hij zweeg en iedereen tuurde aandachtig naar de beelden van de snelweg.

'Dáár!' riep Royce. Hij wees naar de linkerrijbaan, waar een zwarte Mercedes een schuiver maakte, op de middenbaan terechtkwam en bijna tegen een pick-up-truck botste.

Frank zei iets in een headset. 'Zoom in op de zwarte Mercedes die die pick-up-truck bijna plat heeft gereden. En zet het beeld dan stil.'

Een paar seconden later zwol het beeld van de Mercedes op totdat het bijna het hele scherm in beslag nam. Jammer genoeg was de hoek waaronder de opname gemaakt was, niet al te gunstig; de bestuurder was duidelijk een man – maar dat wisten ze al – en hij was niet helemaal zichtbaar.

'Een blanke,' merkte Shaw op. 'Mager, een beetje grijzend, maar zijn gezicht gaat schuil achter de rand van het portier. Zo te zien zit hij te bellen.'

'Dat geldt waarschijnlijk voor negentig procent van de mensen die daar rond-rijden,' zei Katie.

Frank gaf de technicus nieuwe instructies en ze probeerden het vanuit andere invalshoeken, maar zonder veel resultaat.

'Spoel de band maar een stukje door' zei Shaw. 'Nadat Katie hem had gezegd dat hij van de weg af moest gaan, heeft hij een afslag genomen. Misschien krij-gen we dan zijn gezicht of zijn nummerbord wel te zien.'

Helaas bleek dat niet het geval. De Mercedes was inderdaad bij de eerstvolgen-de afslag de snelweg af gereden, maar verdere beelden waren geblokkeerd door het overige verkeer, en nadat hij de snelweg had verlaten, hadden ze geen beel-den meer van de man of zijn nummerbord.

'Het is een zwarte Mercedes S500,' zei Frank. 'Daarmee spitsen we het al wat meer toe. Laten we er maar van uitgaan dat de wagen geregistreerd staat in het District of Columbia, Maryland of Virginia, en dan maar eens in de bestanden van de Dienst voor het Wegverkeer gaan kijken.'

'Dit is een heel welvarend gebied,' zei Katie. 'Volgens mij zul je hier heel wat meer grote Mercedessen aantreffen dan je denkt. En we hebben het nummer-bord niet gezien, dus je kunt er niet zonder meer van uitgaan dat die wagen uit de naaste omgeving afkomstig is. Het zou om honderdduizenden mensen kun-nen gaan.'

'Ze heeft gelijk,' zei Royce.

'Misschien is er een eenvoudiger manier,' zei Shaw. 'Dit is een tolweg.'

Frank knipte met zijn vingers. 'Er staat ongetwijfeld een camera bij de tolhuis-jes om vast te leggen wie er niet betaalt. En als hij niet is gestopt om te betalen, kun je er vergif op innemen dat hij over een elektronisch afrekeningssysteem beschikt. Dus hij heeft altijd sporen achtergelaten.'

'Hoe kun je er zo zeker van zijn dat hij het tolgeld op elektronische wijze be-taalt?' vroeg Royce.

'Een S500 kost meer dan een ton. Als je zoveel geld uitgeeft aan autorijden, ga je heus niet in je zakken voelen of je nog ergens een paar muntjes hebt.'

'Maar zou het niet kunnen dat die auto zo'n schuiver maakte om een ongeluk te voorkomen?' vroeg Royce. 'En dat die hier dus helemaal niets mee te maken heeft?'

'En vervolgens rijdt die auto dan ook nog eens vlak nadat Katie hem gezegd heeft dat hij langs de kant moet gaan staan de snelweg af? Nee, het is hem,' zei

Shaw. 'Je hebt de piepende banden en de claxon gehoord, en de timing van die geluiden paste precies bij die van de filmbeelden.'

'We kunnen navraag doen bij de mensen van de tolweg en de gegevens opvragen van de tolhuisjes om…' Frank keek even op de klok. '… zeven minuten over twaalf.'

'Als we die vent eenmaal hebben,' zei Royce, 'dan zijn we klaar. We pakken hem op, wijzen hem uit naar Londen en daar komt hij samen met zijn medeplichtigen voor de rest van zijn leven achter de tralies te zitten.'

'Precies,' zei Frank instemmend.

Katie keek zenuwachtig naar Shaw. Zijn ogen waren niet op hen gericht en zijn gezicht vormde een masker dat geen enkel gevoel verried.

Ik zie dat anders, dacht hij.

•84•

Hij had aandelen en obligaties van de hand moeten doen, koopsompolissen voortijdig moeten beëindigen en niet alleen de bedrijfsrekeningen maar ook een hele reeks bankkluisjes leeg moeten halen, maar Pender was erin geslaagd twintig miljoen dollar bij elkaar te harken. Op de tweede dag na zijn gesprek met Katie James stond hij vroeg op. Nu zou hij de telegrafische overboeking gaan regelen. Hij hoopte vurig dat de bonus die hij binnenkort van Creel zou krijgen, dichter bij de honderd dan bij de tien miljoen lag, zodat hij deze onvoorziene uitgave weer goed zou kunnen maken. En hij hoopte en smeekte dat hij deze akelige affaire daarna achter zich zou kunnen laten.

Pender was gescheiden, had twee studerende kinderen en een derde kind op een dure particuliere school in Washington. Hij woonde in een herenhuis in MacLean, Virginia, een plaatsje waar veel mensen woonden die in de politiek beroemd waren geworden. Of berucht natuurlijk... maar dat hing voornamelijk af van je eigen gezichtspunt. Hij genoot van zijn vrijheid, ging volkomen op in zijn werk, en zijn seksuele contacten hadden geen vast patroon, al waren er zo nu en dan wel jonge werkneemsters bij betrokken die niet alleen met hard werken hogerop probeerden te komen. Geen verplichtingen, dat vond hij het prettigste. Hij had nooit begrepen waarom iemand als Nicolas Creel, die toch zo'n intelligente man was, telkens weer vrouwen trouwde die ongeveer evenveel hersenen in hun hoofd hadden als in hun borsten.

Hij had nu twintig miljoen dollar, dat was waar, en die zou hij telegrafisch overboeken. Maar wat als Katie James daarna toch zou publiceren? Wat als ze nog meer geld wilde zien? Of erger nog, wat als Creel erachter kwam?

Het zou werken. Dat moest wel.

Hij nam een douche, kleedde zich aan, sloeg snel een glas sinaasappelsap achterover, griste haastig zijn koffertje van tafel en liep de deur uit.

Toen hij zijn garage bereikte, werd Dick Penders wereld plotseling zwart.

Een paar uur later kwam hij weer bij kennis op een hard bed. Het enige licht was afkomstig van een gloeilamp zonder kap. Terwijl hij opstond en langzaam om zich heen keek, voelde hij dat er nog iemand aanwezig was, onzichtbaar achter de brandende lamp. Hij hield zijn hand voor zijn ogen om ze te beschermen tegen het felle licht.

'Wat is hier aan de hand, verdomme?' zei hij zo moedig als hij maar kon, maar het kwam er niet bepaald overtuigend uit, want zijn stem sloeg over, zijn lippen trilden en hij was bijna aan het hyperventileren.

Een grote, boos uitziende man kwam tevoorschijn van achter het licht. Pender kromp ineen en deinsde terug totdat hij met zijn rug tegen de muur stond.

Hij hoorde een stem, maar hij wist niet goed waar die vandaan kwam.

'We hebben je hier alleen maar naartoe gebracht voor je eigen veiligheid.'

De deur ging open, de lichten aan het plafond gingen aan en Pender merkte dat hij met zijn ogen stond te knipperen. Zijn gezicht verbleekte toen hij zag wie zojuist de kamer binnen was gekomen.

'U?' zei Pender.

'Ik,' antwoordde Nicolas Creel terwijl Caesar zwijgend achter hem ging staan.

·85·

Hoewel de overheid haar burgers kennelijk kon bespioneren zonder dat daar een gerechtelijk bevel voor nodig was, was het heel wat lastiger om vast te stellen of een bepaalde auto op een bepaald tijdstip over een bepaalde oprit een tolweg op was gereden. De videocamera in het tolhuisje waar Pender langs was gekomen, bleek niet te werken. Kennelijk waren er zo veel automobilisten gefilmd terwijl ze zonder te betalen de tolweg op reden en die vervolgens hadden geweigerd de opgelegde boete te voldoen, dat de exploitant het maar had opgegeven. Nu hing die camera daar alleen nog maar als afschrikwekkende maatregel, kregen ze te horen. Maar iedereen wist dat het ding niet werkte, want de plaatselijke krant had er een artikel over gepubliceerd, dus zo heel afschrikkend was de werking die daarvan uitging nou ook weer niet.

Vervolgens had Frank navraag gedaan bij het bedrijf dat de elektronische tolbetalingen verzorgde. Ondanks zijn uitstekende geloofsbrieven hadden ze geweigerd hem die informatie te verschaffen. Daarna had Frank de hulp ingeroepen van de staatspolitie van Virginia, en gewapend met de steun van deze officiële instantie nog een poging gedaan om de informatie te bemachtigen. Bij die gelegenheid had hij echter te horen gekregen dat er kennelijk een probleem met de server was geweest, een bug in de software had gezeten of per ongeluk een bestand was gewist... een van die dingen die van tijd tot tijd nou eenmaal gebeuren. Er werd aan gewerkt en het bedrijf zou nog wel contact met ze opnemen.

'Jullie zullen nog wel contact opnemen?' had Frank in de telefoon gebruld toen hij dat te horen kreeg. 'Nog wel contact opnemen? De hele wereld staat verdomme op het punt om in rook op te gaan en jullie zullen nog wel contact met ons opnemen?'

De vrouw aan de andere kant van de lijn zei tegen Frank dat hij niet zo'n toon moest aanslaan, en dat ze hun uiterste best deden, maar dat computers nou eenmaal niet perfect waren.

'Nou, schat,' zei Frank. 'Tegen de tijd dat dit allemaal voorbij is en de wereld ten onder is gegaan, zal heus niemand zich nog druk maken om niet goed werkende computers.'

De vrouw had kennelijk niet naar hem geluisterd en gewoon een script zitten oplezen. Ze zei tegen Frank dat ze hem een prettige dag wenste, en als hij nog andere vragen of klachten had, zouden ze hem met alle genoegen van dienst zijn, want klantenservice had binnen het bedrijf de hoogste prioriteit.

Frank had de hoorn met een klap op de haak gesmeten en als hij niet kaal was geweest, zou hij zich de haren uit zijn hoofd hebben gerukt.

Daarna had hij de anderen even aangekeken. 'Wat nu? Nu moeten we maar gewoon rustig afwachten totdat de eerste kernraket is gelanceerd?'

Royce haalde zijn schouders op. 'Wat is het alternatief?'

Shaw stond op. 'We gaan zelf wat graafwerk doen.'

'Wat voor graafwerk?' vroeg Frank.

'In de aarde,' antwoordde Shaw terwijl hij de deur achter zich dicht trok.

Katie keek de twee mannen aan.

'Wat is er met hem aan de hand?' wilde Royce weten.

'Hij heeft een hoop meegemaakt,' schoot ze hem te hulp.

'We hebben allemaal een hoop meegemaakt,' snauwde Frank.

Katie hoorde dat niet. Ze was al haastig achter Shaw aan gelopen.

Hij beende met lange passen de gang door, en ze holde achter hem aan. 'Shaw?'

Hij bleef staan tot ze hem had ingehaald.

'Wat ga je doen?'

'Wat ik net al zei. Graven.' Hij liep verder.

Hij nam zulke grote passen dat ze zo nu en dan even een huppeltje moest maken om hem bij te houden.

'Maar hoe dan, en waar? Je kunt die vent niet zomaar uit een hoge hoed trekken.'

'Je weet maar nooit.'

'Moet je nou echt zo geheimzinnig doen? Dat is heel frustrerend hoor, neem dat maar van mij aan.' Ze legde een hand op zijn arm. 'En kun je alsjeblieft even blijven staan? Het is al een tijdje geleden sinds ik voor het laatst de marathon heb gelopen.'

Hij keek haar strak aan. 'Ik heb je niet om hulp gevraagd.'

'Dat weet ik,' zei ze wat rustiger. 'Maar ik wil je graag helpen. Ik had echt gedacht dat we die vent te pakken zouden krijgen met dat plan van mij.'

De boze uitdrukking op Shaws gezicht was nu verdwenen. 'Het was een heel goed plan, Katie. En we hebben hem bijna te pakken gekregen.'

'Kan ik je ergens mee helpen? Ik bedoel, ik heb op dit moment toch niets anders te doen. En dan is er ook nog dat hele idee dat "het lot van de wereld" op het spel staat, weet je wel.' Ze probeerde te glimlachen.

'Goed. Heb jij een idee?'

'Het enige wat we hebben, zijn die videobeelden van de auto. En ik denk dat het de moeite waard zou kunnen zijn om daar nog eens goed naar te kijken. Misschien hebben we wel iets over het hoofd gezien.'

Shaw aarzelde even en haalde toen zijn schouders op. 'Ik probeer wel een kopie te bemachtigen. Dan kunnen we die nog eens rustig bekijken.'

'Een kopie? Waarom gaan we niet gewoon terug en bekijken we die samen met Royce en Frank?'

Shaw gaf geen antwoord. Hij liep alweer terug door de gang.

Creel hield een smal recordertje omhoog. Hij zette het aan en Pender hoorde zijn telefoongesprek met Katie James weer helemaal opnieuw. 'U wist het allemaal al?' zei Pender, die nu asgrauw zag.

'Natuurlijk wist ik het, Dick. Ik weet alles. Dat had inmiddels toch wel tot je doorgedrongen moeten zijn.'

Pender begon te sputteren. 'Ik probeerde deze kwestie gewoon af te handelen zonder u lastig te vallen, meneer Creel. Ik heb het geld. Het kan zo worden overgeboekt.'

'Ik stel je inspanningen zeer op prijs, Dick. Echt waar. Al was dat probleem met de blog wel hoogst ongelukkig. Ik heb jou zo veel geld betaald dat ik meende te mogen hopen dat zoiets zich niet zou voordoen. Maar zo is het leven nou eenmaal. Onverwachte dingen gebeuren soms gewoon. Dat weet ik net zo goed als wie dan ook.'

'Maar als we haar eenmaal betaald...'

Creel viel hem in de rede. 'Zo eenvoudig ligt het jammer genoeg niet. Het lijkt me hoogst onwaarschijnlijk dat iemand als Katie James geld ineens zo belangrijk is gaan vinden. Voordat ik besloot haar in te zetten voor dat plannetje van mij heb ik haar achtergrond heel grondig nagetrokken. Jaren geleden had ze een fortuin kunnen verdienen door nieuwspresentatrice te worden bij een van de grote omroepen, maar dat heeft ze geweigerd. Een goed artikel is voor haar veel belangrijker dan een hoop geld. Dus, nee, voor twintig miljoen dollar gaat dat heus niet veranderen.'

'Waarom heeft ze dan contact met me opgenomen?'

'Om jou zover te krijgen dat je haar zou bellen. Van mijn vriend hier heb ik gehoord dat je bijna van de weg bent gereden toen mevrouw James je opdracht gaf om langs de kant te gaan staan.'

Pender keek Caesar strak aan. 'Hij is me gevolgd?'

'Geef nou maar gewoon antwoord op de vraag, Dick.'

'Ja, dat is zo. Het was doodeng. Het was net of ze me kon zien.'

'Je bent inderdaad gezien, Dick. En niet alleen door mij.'

'Waar hebt u het over? Wie heeft mij dan gezien?'

'Overal langs de tolweg staan camera's. Ze heeft die opmerking gemaakt om een reactie van je los te krijgen. En je hébt gereageerd. Nu zitten ze naar de video-opnamen te kijken, timen het gesprek en zien jou dan bijna een botsing veroorzaken, precies op het moment dat Katie James heeft gezegd dat je aan de kant moest gaan staan. Op die manier kunnen ze jouw auto identificeren.'

'En daarna,' voegde Caesar daaraan toe, 'heeft ze opdracht gegeven om van de weg af te gaan. En dat hebt u gedaan. U bent zelfs door het tolpoortje gereden.'

'O mijn god! Ze kunnen nu al bij me voor de deur staan. Het is twee dagen geleden. Ik...'

'Rustig aan, Dick. Als de camera's je goed in beeld hadden gekregen, had je nu al in de cel gezeten. Dus dat is duidelijk niet gelukt.'

'Maar de tol. Ik heb elektronisch betaald. Dat moet ergens zijn vastgelegd.'

'Gelukkig zijn we er net op tijd achtergekomen. Ik heb een paar van mijn beste hackers ingezet tegen het bedrijf dat de elektronische afrekeningen verzorgt. Heel kort nadat jij door dat tolpoortje bent gereden, is het systeem waarmee ze dat bijhouden, volkomen gecrasht.'

Pender slaakte een zucht van opluchting. 'Zoals gebruikelijk hebt u overal aan gedacht.'

'En nu wil ik dat je iets voor me doet.'

'Voor u doe ik álles.'

'We moeten deze hele affaire afsluiten. En wel meteen. Ik wil dat je je werknemers in het commandocentrum opdracht geeft om naar huis te gaan. We gaan de boel daar volkomen leeghalen, zodat er niets meer te vinden is waaruit ook maar enige betrokkenheid bij de Rode Gevaar-campagne blijkt.'

'Dat kunnen mijn mensen ook heel goed zelf, meneer Creel. Ik bel ze nu meteen.'

'Gezien de recente gebeurtenissen geef ik er de voorkeur aan om mijn eigen mensen de schoonmaakoperatie te laten uitvoeren. Ik weet zeker dat je daar wel begrip voor zult hebben.'

'Goed. Als u erop staat.'

'En wat nog het beste van alles is, Dick, je hoeft nu al dat geld niet te betalen.'

'Ik neem aan dat u daar gelijk in hebt. Maar dan publiceert ze het verhaal, het echte verhaal.'

'Laat haar maar begaan. Ik geloof dat het hele proces inmiddels in een stadium verkeert waarin de zaken niet meer teruggedraaid kunnen worden. De contracten zijn getekend en China en Rusland zijn nog maar een paar stappen van een oorlog verwijderd. Daar hebben de recente inspanningen van al die diplomaten niets aan kunnen veranderen. Het enige wat Katie James nu nog kan doen, is afstand nemen van haar oorspronkelijke artikel. Laat haar maar beweren dat ze bedrogen is. Zolang ze niets kan bewijzen, maakt ze zichzelf daarmee alleen maar ongeloofwaardig. Het zou een volslagen incompetente indruk maken.'

'Dan hebben we gewonnen.'

Creel sloeg een arm om Penders schouders. 'Ja, Dick, we hebben gewonnen. En bel dan nu je werknemers maar, zodat we deze hele zaak kunnen afronden.'

Ze zaten op Katies hotelkamer en speelden de videobeelden voor de honderdste keer af. Ze hadden niet de moeite genomen de kamer te verlaten om te eten, en het roomservicetafeltje stond dan ook vol met hoge stapels borden en kopjes. De gordijnen waren dichtgetrokken en het licht was uit, zodat ze de details op het scherm beter konden zien. Ze hadden de beelden vanuit alle mogelijke hoeken bekeken op de laptop, er vervolgens een raster overheen gelegd en ze toen vakje voor vakje zorgvuldig ontleed.

En ze hadden absoluut niets gevonden.

Shaw lag op de vloer en tuurde naar het plafond. Katie zat uitgeput, humeurig en met rode ogen op het onopgemaakte bed naast hem en deed hetzelfde. Ze trok haar pumps uit, liep op kousenvoeten naar het roomservicetafeltje en schonk een kop koffie in.

'Jij ook?' vroeg ze aan Shaw.

Hij schudde zijn hoofd en bleef strak naar het plafond staren.

'Frank heeft de buitenlandse bankrekening gecontroleerd die hij heeft geopend voor de overboeking. Maar nog geen twintig miljoen dollar.'

'Mooi is dat,' zei Katie. 'Dan ben ik niet alleen volkomen het spoor bijster, maar ook nog steeds arm.'

Ze ging op de bureaustoel zitten, nipte aan haar koffie en tuurde naar het scherm.

'Wat is het laatste nieuws over de diplomatieke inspanningen?' vroeg Shaw.

Katie drukte een paar toetsen in, kreeg toegang tot internet en keek het nieuws door. 'Er vinden nog steeds besprekingen plaats in Londen. China en Rusland hebben nog niet eens toegezegd een delegatie te sturen. Maar er is goede hoop op een of andere vreedzame oplossing.'

Ze klikte het internet weg en speelde de beelden van de Mercedes nog eens af, deze keer in slow motion.

Shaw nam haar aandachtig op.

Ze droeg een rok, een panty en een bloesje en tuurde zo vol aandacht naar het beeldscherm dat er rimpels in haar gezicht verschenen.

'Katie, dat hebben we al meer dan honderd keer gedaan en het heeft ons niets opgeleverd. Van die lulhannesen van de tolweg worden we helemaal niets wijzer. En met elke minuut...' Hij hoefde zijn zin niet af te maken.

Katie luisterde niet. Plotseling staarde ze als verstard naar het scherm.

'Shaw! Kijk!'

Hij sprong op en kwam naast haar staan. 'Wat?'

'Daar.' Ze wees naar het onderste deel van het scherm, waar ze een van de vakjes van het rasterwerk had uitvergroot.

'Het is de achterbumper van de Mercedes.'

'En wat dan nog?'

'Het is een zwarte Mercedes.'

'Echt waar? Laat ik nou denken dat hij wit was,' zei Shaw nogal gepikeerd. 'Wat bedoel je nou?'

'Hé, niet zo chagrijnig jij.' Ze tikte even met haar vingernagels op het beeldscherm. 'De auto is zwart, maar dat plekje daar is blauw. En goudkleurig.' Ze wees naar een ander plekje. 'En rood.'

'Dat heb ik al gezien. Dat hebben we allemaal al gezien. Er zit een sticker op de bumper. Maar meer dan dat valt er niet te zien. Geen tekst. Het zou van alles kunnen zijn. De technici hebben het beeld al uitvergroot, maar dat heeft niets opgeleverd.'

'Dat weet ik. Maar wacht nou even.' Katies vingers schoten over de toetsen, zodat het beeld nog verder werd uitvergroot. Nu verscheen er een rode balk in beeld, met een korte goudkleurige streep eronder en een diepblauwe achtergrond. Katie sloeg een andere toets aan en zoomde in op de goudkleurige en rode delen.

'Dat hebben we al gezien, Katie,' zei Shaw, terwijl hij naar de intens geconcentreerde uitdrukking op haar gezicht keek. 'Wat is daar zo bijzonder aan?'

'Toen ik dat voor het eerst zag, had ik al het idee dat dat patroon me bekend voorkwam, maar ik kon me niet voor de geest halen waarvan dan wel, dus ik dacht dat ik me vergiste. Maar nu ik het weer zie, weet ik dat ik het al eerder heb gezien. Ergens. Het zit me echt dwars.' Ze keek even naar Shaws jasje, dat over de rugleuning van de stoel hing, en voelde aan het borstzakje. 'Verdomme, dat is het. Dat ís het!'

Haar vingers dansten over het toetsenbord. Ze ging online en deed een korte zoekopdracht met Google.

Toen het resultaat in beeld verscheen, zakte Shaws mond langzaam open.

Boven aan het beeldscherm stond een wapenschild, met bovenaan een rode balk, en daaronder een blauwe achtergrond met een gouden andreaskruis eroverheen. In het midden van het kruis bevond zich een rode kroon. Het leek een meer gedetailleerde uitvoering van het stukje sticker dat op de autobumper te zien was.

Shaw las de naam boven aan het scherm. 'St. Albans School?'

Ze knikte. 'Ik heb je toch verteld dat mijn vader in Washington is opgegroeid? Nou, hij heeft op St. Albans gezeten. Dat is een exclusieve particuliere jongensschool hier in het District of Columbia.' Ze tilde de mouw van Shaws jasje omhoog. 'Hij heeft nog steeds een jasje met dat wapen erop. Daar herinner ik het me van. Ik durf te wedden dat onze man een zoon heeft die daar ook op zit of heeft gezeten.'

Een seconde later werd Katie hoog de lucht in getild. Shaws kracht was zo enorm dat dat hem met zijn ene goede arm prima lukte.

'Goed werk, Katie,' fluisterde hij haar in haar oor.

Hij zette haar neer en terwijl zij het plotseling erg warm kreeg, richtte hij zijn aandacht weer op het beeldscherm.

'Dus nu bellen we Royce en Frank,' zei Katie. 'We kunnen de archieven van St. Albans doorzoeken en een lijstje met namen aanleggen die we kunnen vergelijken met de gegevens van de dienst Kentekenregistratie. Dat brengt ons dan bij de zwarte Mercedes en de man die we moeten hebben.'

'Denk je dat we er ook achter kunnen komen zonder Royce en Frank te bellen?' Hij keek haar niet aan toen hij dat zei.

Ze gaf wat aarzelend antwoord. 'Ik weet het niet. Ik bedoel, waarschijnlijk heb je een huiszoekingsbevel nodig.'

'Maar je zei dat je vader daar op school heeft gezeten. Dat zou toch wel iets uit kunnen maken.'

'Misschien wel. Maar ik heb geen toegang tot gegevens van de dienst Kentekenregistratie. En waarom wil je geen contact met ze opnemen?' zei Katie, die zich nu duidelijk niet op haar gemak voelde.

Hij draaide zich om, en stond nu zo dicht tegenover haar dat ze onbewust een stapje naar achteren deed.

'Waarom denk je?' zei hij kortaf.

'Ik weet niet wat ik denk.'

'Natuurlijk wel. Je bent een intelligente vrouw.' Hij knikte naar het beeldscherm. 'Intelligent genoeg om iets op te merken wat we allemaal over het hoofd hebben gezien.'

'Ik kan je niet helpen met wat je nu wilt gaan doen, Shaw.' Er klonk een stille wanhoop in haar stem.

'Wat! Ben je nu ineens zo fijngevoelig? Maak je je nu ineens zo druk om de rechten van andere mensen? Is die man onschuldig totdat zijn advocaten de waarheid zo goed onder het tapijt hebben weten te vegen dat niemand die ooit meer terug kan vinden, en iemand die hartstikke schuldig is vrijuit gaat?'

'De mensen die dit gedaan hebben, kunnen me geen bal schelen. Laat ze voor eeuwig rotten in de hel.'

'Maar wat is het probleem dan?'

'Jij bent het probleem. Als je het recht in eigen handen neemt, ga je de gevangenis in. Of erger nog. Daar doe ik niet aan mee. Dat kan ik niet.'

Hij ging in de bureaustoel zitten en tuurde naar de vloerbedekking.

'Shaw, je moet jezelf niet volkomen te gronde richten om dit gedoe.'

Shaw leek niet te luisteren. 'Ik dacht dat ik wist wat echt verdriet was, Katie. Wat het was om zo veel verdriet te hebben als je in je hele leven nog nooit hebt gehad. Maar toen Anna stierf, ontdekte ik pas echt hoe dat voelt.'

Katie deed voorzichtig een stapje naar voren en legde een hand op zijn schouder. 'Dat moet je uiten, Shaw, voordat je eraan onderdoor gaat.'

Hij stond zo snel op dat ze achteruit moest springen. 'Ik bel Frank en ik stuur hem erachteraan.'

'Zomaar?' zei ze stomverbaasd.

'Zomaar. Op die manier gaat het sneller,' voegde hij daar nogal onheilspellend aan toe.

Terwijl hij zat te bellen, tuurde Katie naar het wapenschild van St. Albans, en toen naar Shaw, die Frank nu vertelde wat zij zojuist had ontdekt.

Toen hij de verbinding verbrak, zei hij: 'Trek je schoenen maar aan. We hebben nu lang genoeg hier in deze kamer gezeten. Terwijl zij de databanken uitkammen, gaan wij ergens een hapje eten.'

Katie pakte haar pumps, ging op bed zitten en trok ze aan.

Hij legde een hand op haar arm en leidde haar de kamer uit. Terwijl ze over de gang liep, voelde ze haar hart wild tekeergaan. Ze geloofde Shaw niet. Helemaal niet zelfs.

En ze was bang. Maar niet om zichzelf.

Ze was bang dat hém iets zou overkomen.

•88•

Na een gegevensvergelijking tussen de bestanden van de school en de dienst Kentekenregistratie bleken er acht mensen in de archieven van het St. Albans te staan die over een zwarte Mercedes S500 beschikten. Shaw, Royce, Frank en Katie zaten in een kamer in het FBI-kantoor van noordelijk Virginia en namen de lijst aandachtig door.

'Twee in MacLean, een in Great Falls, drie in Potomac en de rest in het District of Columbia. Vier van hen hebben op dit moment een kind op school,' dreunde een FBI-agent op.

Katie had aandachtig naar het scherm zitten kijken, maar richtte haar ogen nu snel even op Shaw. Hij was met zijn aandacht volledig op het lijstje gericht, zag ze. Terwijl ze naar hem zat te kijken, zag ze hem iets prevelen.

Hij leert de namen en adressen uit zijn hoofd.

'Het lijkt me het handigst,' zei Frank, 'om onze mannen in zes ploegen te verdelen en op al die adressen tegelijk een inval te doen.'

'We kunnen het lijstje trouwens nog wel wat verder toespitsen,' zei de agent. 'Het huis en de auto in Great Falls staan op naam van een vrouw van zesentachtig. De twee huizen in het District of Columbia zijn van twee mannen, Stephen Marshall en Sohan Gupta, maar dat zijn respectievelijk een Afro-Amerikaan en een Indiër, en u zei dat de man die u zoekt een blanke was. We kunnen die mensen later nog wel natrekken, voor het geval iemand anders hun auto kon gebruiken, maar het lijkt me verstandig om prioriteiten te stellen.'

'Dat zijn er dan dus nog vijf,' zei Frank. 'Twee in MacLean, Virginia en drie in Potomac, Maryland.'

'We zullen huiszoekingsbevelen moeten zien te krijgen,' zei de FBI-agent. 'En gezien de wat ongebruikelijke omstandigheden,' voegde hij daar met een snelle blik op Frank aan toe, 'kan dat even duren.'

'Hoe lang?' vroeg Royce.

De agent keek even op zijn horloge. 'We zullen zoveel aandrang uitoefenen als we maar kunnen, maar op zijn vroegst morgen.'

'Doet u dat dan maar.'

'Moeten we surveillanceteams bij die huizen posteren?' vroeg Frank.

'Daarmee waarschuwen we ze misschien juist,' merkte Shaw op. 'En als we niet over een huiszoekingsbevel beschikken...'

'... kunnen ze al het bewijsmateriaal vernietigen zonder dat wij daar ook maar iets tegen kunnen beginnen,' maakte Royce de zin voor hem af.

Frank zuchtte en zei tegen de FBI-agent: 'Probeer die huiszoekingsbevelen zo snel mogelijk los te krijgen.'

Katie keek net op tijd op naar Shaw om te zien hoe er heel even een grimmig glimlachje op zijn gezicht verscheen. 'Als jullie daar binnenvallen, wil ik mee,' zei hij.

Frank knikte. 'Maar de jongens van de FBI gaan voorop.'

'Absoluut.'

Royce knikte instemmend. 'Ik bevind me hier duidelijk buiten mijn ambtsgebied.'

De vergadering werd gesloten. Shaw liep de kamer uit en Katie liep haastig achter hem aan. Toen hij op het parkeerterrein bij zijn auto stond, legde ze een hand op het portier.

'Doe het niet.'

Voorzichtig trok hij haar hand weg. 'Wat moet ik niet doen?'

'Dat weet je best.'

'Ik geef je wel even een lift naar het hotel. Je hebt duidelijk slaap nodig. Je klinkt een beetje aangeslagen.'

Ze greep hem bij zijn mouw. 'Shaw, ik weet wat je daar zat te doen. Je hebt het lijstje uit je hoofd geleerd. Jij wacht helemaal niet op een huiszoeking. Jij gaat vanavond al naar die huizen toe. En...'

'En wat? Denk je dat ik die mensen ga vermoorden?'

'Ik weet niet goed wat ik moet denken.'

'Nou, je bent de enige niet.' Hij trok zijn arm los. 'Wil je een lift?'

'Nee.'

'Zoals je wilt.'

Hij reed weg. Frank en Royce kwamen het gebouw uit en liepen naar haar toe. Frank keek met een strakke blik in zijn ogen naar Shaws auto. 'Heeft je maatje je gedumpt?'

'Nee, ik wilde gewoon...'

'Wil je een lift?'

Toen ze in de auto stapten, draaide Frank zich om en keek haar aan.

'Alles goed?'

'Ja hoor!'

Royce wierp haar een onderzoekende blik toe, keek toen snel even naar Frank en haalde zijn schouders op.

Terug in het hotel kleedde Katie zich uit, nam een warme douche en sponsde zich zo grondig af dat haar huid bijna rauw aanvoelde. Daarna legde ze haar voorhoofd tegen de betegelde muur van de badcel en liet het warme water over zich heen stromen.

Wat moet ik nu doen? Moet ik het Frank en Royce vertellen? Moet ik tegen ze zeggen dat ze Shaw moeten laten volgen? Dat ze moeten zorgen dat hij niemand vermoordt? Dat ze moeten zorgen dat hij zelf niet wordt vermoord?

Dat was wat ze hoorde te doen, besefte Katie. Maar zo eenvoudig lag het niet. Wat als ze het mis had? Wat als Shaw erachter kwam dat zij hem had verraden? En toch had ze niet beloofd het er met niemand over te hebben. Hij had haar nooit gevraagd om haar verdenkingen voor zich te houden.

Ze stapte onder de douche vandaan en trok donkere kleren aan. Ze kon Shaw niet verraden. Maar ze kon ook niet werkeloos toezien hoe hij zichzelf beroofde van het weinige wat hem in het leven nog restte.

Ze belde het nummer van Shaws kamer en toen hij opnam, legde ze neer. Hij was er nog. Twee minuten later zat ze in een stoel met een hoge rugleuning in de lobby te wachten tot hij naar beneden zou komen.

Een uur later zag ze hem verschijnen. Hij liep het hotel uit. En zij ook.

•89•

De eerste twee huizen waar Shaw ging kijken, waren het niet. Op een afstand keek Katie toe hoe hij daar naar binnen ging en een paar minuten later weer naar buiten kwam. Maar bij het derde huis, een stenen herenhuis in MacLean kwam Shaw niet na een paar minuten weer naar buiten. Ze zag hem zelfs helemaal niet meer verschijnen.

Katie keek op haar horloge. Er waren inmiddels tien minuten voorbijgegaan. Dit zou de jackpot wel zijn.

Ze stapte stilletjes uit de auto en sloop op dezelfde manier het huis binnen als Shaw net had gedaan... door de achterdeur. Haar hart ging als een razende tekeer toen ze zich behoedzaam een weg door de gang zocht. Ze struikelde bijna over iets wat op de grond lag en moest haar uiterste best doen om het niet uit te gillen.

Was het een lijk?

Het lijk van Shaw?

Ze tastte zoekend om zich heen en merkte dat het een omgevallen stoel was. Terwijl haar ogen langzaam gewend raakten aan het donker, zag ze ook andere dingen die zich niet bevonden waar ze hoorden, waaronder een kapotgeslagen fotolijstje op de vloer. Ze raapte het op en keek met half dichtgeknepen ogen naar de foto. Een man met een jonge jongen.

Ze legde het lijstje neer en schuifelde met haar rug tegen de muur de gang door. Er lag een doos op de vloer. Ze bukte zich om te zien wat het was. De doos bleek leeg te zijn, maar zag eruit alsof er niet lang geleden nog iets in bewaard was. Was dit Shaws werk? Was hij op zoek naar iets waar zij geen weet van had? Was er nog iemand in huis en was al deze rommel het gevolg van een vechtpartij? Eigenlijk kon ze er nu maar het beste zo snel mogelijk vandoor gaan, maar wat als Shaw gewond was geraakt?

Recht voor haar was een deur. Ze pakte de deurknop vast, haalde een keer diep adem en duwde voorzichtig de deur open.

Het was een slaapkamer. Een grote. De hoofdslaapkamer van dit volkomen standaard uitgevoerde, van iedere individualiteit gespeende herenhuis.

Haar adem stokte toen ze de gedaante in bed zag zitten. Hij werd door een paar kussens rechtop gehouden. Het zwakke maanlicht dat door het raam naar binnen viel, stelde haar in staat om hem te zien. De man zag eruit alsof hij nog steeds zat te schreeuwen. Maar dat kon hij niet meer. Katie had eerder lijken gezien, en dit was er een. Ze draaide zich om en wilde weghollen.

En liept recht tegen een menselijke muur aan.

Shaw legde een hand over haar mond.

Ze keek hem angstig aan en begon over haar hele lijf onbedaarlijk te trillen.

Hij haalde zijn hand weg en gebaarde naar het lijk. 'Hij is dood.'

Katie knikte langzaam, maar haar ogen waren nog steeds groot en rond van angst.

Toen het tot hem doordrong wat er in haar omging, verscheen er een verbaasde blik op Shaws gezicht, die echter vrijwel onmiddellijk plaatsmaakte voor boosheid.

'Voel zelf maar. Het lijk is koud.'

'Nee, het is wel goed.'

Hij duwde haar naar het bed toe.

'Ik geloof je zo ook wel,' zei ze en ze keek naar hem om.

'Nee, je gelooft me duidelijk niet. Dus voel zelf maar.'

Langzaam schuifelde ze naar het bed toe, op de voet gevolgd door Shaw.

'Het lijk is volkomen stijf,' zei hij. 'Dat gebeurt tussen twaalf en vierentwintig uur na het moment van overlijden. Ik ben hier pas een kwartier.'

Voorzichtig legde Katie, die inmiddels eerder nieuwsgierig dan bang was, haar hand op de arm van de man in bed. Die voelde keihard aan. Zijn huid was ijskoud.

'Wat is de doodsoorzaak?'

Hij wees naar het kussen en ze zag geronnen bloed.

'Een schotwond in zijn achterhoofd.'

Ze deed een stap naar achteren en keek om zich heen. Shaw had een zaklantaarn, en scheen daarmee de kamer rond. Ook hier waren alle meubels omver gesmeten, en dat niet alleen: alle laden waren opengetrokken en de inhoud ervan was op de vloer gesmeten.

'Een vechtpartij?' zei ze. 'Hebben ze het huis doorzocht?'

Shaw wees naar de inloopkleerkast. 'Kijk daar maar eens.'

Ze stapten het als inloopkast fungerende zijvertrek binnen. Tegen de achterwand bungelde een portret scheef in zijn scharnieren. In de muur erachter bevond zich een gapend gat.

'Volgens mij heeft daar een kluisje gezeten en hebben de daders het meegenomen.'

'Dus dit is gewoon een uit de hand gelopen inbraak? De dode heeft al zijn kleren nog aan. Misschien is hij thuisgekomen, de inbrekers onverwacht tegen het lijf gelopen en toen doodgeschoten.'

Hij keek haar strak aan. 'Geloof je dat nou echt?'

'Nee.'

'Mooi zo. Want het is allemaal zorgvuldig in scène gezet. Net zoals alles in deze hele ellendige zaak.'

312

'Maar dit is toch wel het goede huis?'

Hij knikte. 'Voordat ik naar binnen ging, heb ik de auto in de garage bekeken. De sticker zit op de bumper en er zitten een paar krassen op de zijkant die me ook op de videobeelden al waren opgevallen. Dit is de juiste auto.'

'En de dode?'

Shaw pakte een fotolijstje van een van de planken aan de muur en scheen erop met zijn zaklantaarn. De man op de foto leek op de man op de videobeelden.

'Het is de huiseigenaar. Richard Pender,' zei Shaw.

'We kunnen maar beter maken dat we hier wegkomen.'

'Nee, eerst wil ik het huis grondig doorzoeken.'

'Shaw, wat als we betrapt worden?'

'Ga dan maar weg.'

'Verdomme, waarom moet jij alles altijd zo ingewikkeld maken?'

'Ik heb je niet gevraagd om me vannacht te volgen.'

'Hoe weet je dat ik je gevolgd ben?'

'Misschien leid ik dat af uit het feit dat je nu hier naast me staat.'

'Ik zou hier ook op eigen initiatief gekomen kunnen zijn. Ik kan ook wel een paar adressen uit mijn hoofd leren, hoor.'

'Ik heb je ook in de lobby van het hotel zien zitten, waar je zat te wachten totdat ik naar buiten zou gaan. Als je het adres uit je hoofd had geleerd, had je wel geweten dat dit het huis van Richard Pender was. En niet te vergeten: ik heb je vanavond een stuk of tien keer gezien terwijl je achter me aan reed.'

'Wacht eens even, als je wist dat ik je volgde, waarom heb je me dan niet tegengehouden? Of geprobeerd me af te schudden?'

Shaw wilde iets zeggen, maar deed toen zijn mond weer dicht. Hij wendde zijn ogen af en zei zachtjes: 'Ik ben geen moordenaar.'

'Fijn dat je dat bent gaan beseffen.'

Er viel een korte stilte. Toen vroeg Shaw: 'Ga je me nou helpen zoeken of niet?'

'Ik help je wel. Maar laten we snel zijn.'

Een halfuur later hadden ze niets gevonden waar ze ook maar iets aan hadden. Richard Pender was de eigenaar van een firma die Pender & Associates heette. Shaw had er nooit van gehoord. Het adres van het bedrijf troffen ze aan op het briefhoofd op een paar velletjes briefpapier.

Katie tuurde naar het briefpapier. 'Ik ken die naam ergens van.' Ze dacht even na en schudde toen haar hoofd. 'Ik kan het me niet meer herinneren.'

Ze verlieten het huis door de achterdeur.

Of liever gezegd, dat probeerden ze.

Shaw was de eerste die weer bij kennis kwam. De krijsende synapsen in zijn hoofd gaven hevige pijnberichten door aan de rest van zijn lijf, maar de zenuw-eindjes daar waren al bijna overbelast. Hij probeerde rechtop te gaan zitten en zo min mogelijk aandacht te besteden aan de golven van misselijkheid die hem nu overvielen. Hij ging ervan uit dat zijn handen en voeten vastgebonden zou-den zijn, maar dat bleek niet het geval.

Hij hoorde gekreun, keek achterom over de rugleuning van de stoel waar hij op zat en zag Katie op de vloer liggen.

'Katie? Hoe gaat het met je?'

Nog een kreun, gevolgd door een zacht gejammer, en toen wat beweging ter-wijl ze langzaam rechtop ging zitten.

Ze wreef over haar hoofd. 'Ja, maar ik heb de moeder van alle bulten op mijn...'

Er klonk een schurend geluid, het geluid van metaal dat over iets heen schraap-te dat al net zo hard was.

'Wat was dat?' zei ze. 'Waar zijn we?'

Ze keek om zich heen. Ze zaten in een auto. Haar auto. De auto waarin ze Shaw was gevolgd.

'Niet bewegen,' siste Shaw.

'Wat?'

Er klonk opnieuw een schurend geluid en Katie had het misselijkmakende gevoel dat de vloer onder haar weg gleed.

'Wat gebeurt er?'

Shaw knikte naar het zijraampje. Katie tuurde naar buiten en zag daar helemaal niets. Het was volkomen donker. Nee, er viel toch wel iets te zien.

Hoge bomen en dicht struikgewas.

'Hebben ze ons achtergelaten in het bos?'

'Ja, maar niet bepaald op effen terrein.'

'Waar heb je het over?'

'Kijk maar eens door de voorruit, maar pas op dat je niet beweegt.'

Langzaam keerde Katie haar gezicht naar de voorruit. Toen ze recht voor zich uit keek, voelde ze haar adem stokken. Ze keek recht omlaag, of zo leek het in ieder geval. Het was net of ze in een karretje op de achtbaan zat, boven aan de hoogste helling. Of nee, ze voelde zich als de piloot van een vliegtuig dat in een dodelijke spiraalvlucht was geraakt, zodat ze de grond nu met misselijkmaken-de snelheid op zich af zag komen.

314

'Waar zijn we?' fluisterde ze.

'In een auto, boven aan een zo te zien heel steile helling van minstens vijftig meter hoog. Onder aan de helling staat een dichte rij bomen. En mochten we erin slagen daar tussendoor te komen, dan rijden we recht de rivier in.'

'De rivier?'

'De Potomac.' Langzaam bracht hij zijn arm omhoog en wees naar een punt voorbij de voorruit. 'Dat is Georgetown daar, denk je ook niet?'

Ze tuurde naar de fonkelende lichtjes aan de overkant van het water. 'Dan zitten we hier niet ver van de George Washington Parkway?'

Hij knikte.

'Kun je de portieren openmaken?'

'Die zitten op slot, en als ik het slot probeer te forceren, beginnen we aan een korte maar veel te snelle rit omlaag.'

'Hoe zijn we hier terechtgekomen? Het laatste wat ik me herinner, is dat we Penders huis uit liepen.'

'Ze hebben ons opgewacht. Wat ongelooflijk stom van me! Ze hebben ons opgewacht op het kerkhof in Duitsland. Waarom zouden ze ons dan niet opwachten bij het huis van Richard Pender? Kennelijk hebben ze in de gaten gehad wat we met dat telefoongesprek hebben gedaan en ervoor gezorgd dat zij als eersten bij Pender waren. Ze hebben eerst met hem afgerekend en zijn daarna blijven wachten totdat wij een kijkje kwamen nemen.'

Katie huiverde. 'Ze hebben ervoor gezorgd dat zijn dood op een uit de hand gelopen inbraak leek, en nu komen wij aan ons einde bij een verkeersongeluk.'

Shaws gezicht vertrok toen er opnieuw een scheut van pijn door zijn zwaar mishandelde hoofd ging. 'Zoals het er straks uitziet, zijn we van de weg geraakt, een eind heuvelafwaarts gerold en toen we tegen de bomen onder aan de helling botsten, is de benzinetank in brand gevlogen. Ik weet zeker dat de wielsporen in de berm van de snelweg heel professioneel zijn uitgevoerd.'

'Waarom staan we dan op de helling?'

'Kennelijk zijn we blijven haken aan een uitstekend rotsblok.'

'Kunnen we nou echt elk ogenblik die helling af rollen of ben ik zonder reden bijna hysterisch aan het worden?'

'Geen van de banden raakt de grond. Het is net alsof je op een wip zit, met dat grote rotsblok als scharnierpunt. Als we ons te veel bewegen, schiet de auto los.'

'En als we niet bewegen, schieten we vroeg of laat toch ook los. Kun je iemand bellen? Frank? Royce? De president van de Verenigde Staten misschien?'

Shaw voelde voorzichtig in zijn zak. 'Ze hebben mijn mobieltje afgepakt. Hoe zit het met jou?'

'Het zat in mijn tasje. Dat lag nog in de auto toen ik naar binnen ging. Zie jij het ergens?'

Shaw keek naar de vloer. 'Ja, maar als ik het pak, schiet de auto los.'

'Kun jij je voorzichtig op de achterbank wurmen? Met jouw gewicht op de achterbank zakken de achterwielen misschien weer op de grond, zodat de auto wat beter vast komt te zitten.'

Shaw probeerde naar achteren te kruipen, maar staakte die poging onmiddellijk toen er een langgerekt gekreun klonk en de auto opnieuw een paar centimeter naar voren schoof. 'Oké, dat lukt dus niet.'

'We kunnen hier niet gewoon blijven zitten totdat we doodgaan!' riep Katie.

Hij verplaatste zijn gewicht een beetje naar links. Onmiddellijk klonk er een schurend geluid, en ze voelden allebei hoe de auto weer een paar centimeter naar voren schoof.

'Oké, dat is duidelijk.'

'Wat?'

'Dat ik me niet nog eens moet bewegen.' Shaw keek de cabine rond. De sleutels zaten nog in het contactslot. Dat kon ook niet anders, dacht hij. Als de politie het uitgebrande wrak vond, moest het er per slot van rekening uitzien als een ongeluk. Heel langzaam bracht hij zijn hand naar voren en draaide de autosleutels voorzichtig met een klikje naar rechts. De motor startte hij daar niet mee, maar het had wel een ander effect. Langzaam bracht hij zijn hand naar het portier en drukte op de knop van het zijraampje. Het raampje ging omlaag en de auto schoof opnieuw een paar centimeter naar voren.

'Oké, het zijraampje is open, maar nu? We kunnen er niet doorheen duiken of zo.'

Shaw liet zijn hand zakken, maakte zijn veiligheidsgordel los en liet die langzaam tussen zijn vingers doorglijden, zodat hij niet met al te hoge snelheid werd ingetrokken. 'Je hebt toch een broeksriem om, hoop ik?'

'Ja.'

'Maak die los en geef hem aan mij. Heel langzaam.'

Katie deed wat haar gezegd was, maar elke keer wanneer ze haar armen zelfs maar even bewoog, leek de auto al vervaarlijk te gaan wiebelen. Uiteindelijk wist ze de riem echter toch los te krijgen en gaf ze hem aan Shaw.

Met uiterst langzame en zorgvuldige bewegingen maakte Shaw een lus in haar riem, en trok zijn eigen riem daar toen doorheen, zodat er een stuk leer van ongeveer een meter twintig overbleef.

'Wat moet dat voorstellen?' vroeg ze.

'Een lasso.'

'En wat wil je daarmee vangen?'

'Die tak, vlak voor het zijraampje.' Hij knikte naar de korte maar stevige tak. 'Als ik mezelf door het zijraampje naar buiten kan trekken, zodat mijn gewicht niet meer op de voorstoel rust, zou de achterkant van de auto vanzelf omlaag moeten zakken, zodat die steviger op het rotsblok komt vast te zitten. Daarna kan ik iets zoeken om onder de voorwielen te leggen, en dan kan ik jou eruit halen.'

'Zou moeten? De auto zóú dan met zijn achterkant omlaag móéten zakken? En wat als hij niet omlaag zakt? Wat als jij eruit kruipt en dit ding met een noodgang omlaag rijdt, naar de bomen toe? Blijf je dan staan zwaaien terwijl ik mijn dood tegemoet schiet?'

Shaw dacht even na. 'Goed. Meer dan één kans krijgen we niet. Eentje maar. Als we eruit weten te komen, gaan we met z'n tweeën. Als we de helling af schieten, nou...'

'Wat er dan gebeurt, is me volkomen duidelijk. Neem dat maar van mij aan. Dus dit is het plan?'

'In wezen komt het neer op een kans van duizend tegen één.'

'Dat klinkt goed,' zei ze sarcastisch.

'Zodra ik de lus over die tak weet te gooien, klamp je je aan mij vast zoals je je nog nooit aan iets of iemand hebt vastgeklampt. Begrepen?'

Katie begon nog sneller te ademen toen de auto nog verder naar voren zakte. 'We beginnen los te raken, hè?'

'Katie, heb je me gehoord?'

'Ja, ja, ik heb je gehoord! Ik klamp me aan je vast en ik laat niet los. Ik snap het.'

'Maar wacht totdat ik de lus om de tak weet te krijgen.'

'En wat ga je allemaal doen in die fractie van een seconde die je krijgt voordat we onze dood tegemoet schieten? Je wilt ons die auto uit trekken met behulp van een riem die ik voor een tientje heb gekocht?'

'Katie, ga nou niet hysterisch doen. Ik weet dat je eerder in de problemen hebt gezeten. Dit is niet anders dan al die vorige keren.'

Ze keek angstig naar buiten, en wendde toen haar ogen af. 'Oké.'

Shaw schoof naar de zijkant van de auto en tuurde aandachtig naar het dak terwijl hij zichzelf ervan probeerde te overtuigen dat het niet noodzakelijkerwijs een wonder zou zijn als wat hij nu ging doen ook echt zou werken. Het zou méér dan een wonder zijn, drong het tot hem door. Om dit plan te laten slagen, zou God eigenhandig moeten ingrijpen, zouden allerlei onbekende kosmische krachten in hun voordeel moeten werken en zouden ze ook nog eens flinke mazzel moeten hebben.

'Ben je zover?' zei hij.

Terwijl ze zich erop voorbereidde om door het zijraampje van een duizend kilo zware auto naar buiten te kruipen, terwijl die auto elk ogenblik met hoge snelheid een steile helling af kon schieten, zat Katie te hijgen als een gewichtheffer die een groot blok ijzer moet optillen. Ze keek naar het zijraampje. Dat leek nog geen tien centimeter breed en hoog te zijn. Dit ging gewoon niet lukken.

'Ik kan het,' mompelde ze tegen zichzelf. 'Ik kan het. O god, geef me moed.'

Shaw gooide de lasso. Mis.

Plotseling schoof de auto een heel eind naar voren.

'O shit!' zei Katie.

'Hou je vast!' riep Shaw.

'Hij schiet los, Shaw. We schieten de helling af. O mijn god!'

De auto begon inderdaad los te raken. Niets scheidde hen nu nog van een honderd ton zware muur van eikenhout.

Vanaf zijn stoel kon Shaw zelfs met zijn riem de tak niet meer bereiken.

'Shaw!' schreeuwde Katie terwijl ze zich met alle macht vastklampte aan de stoel voor zich. De voorkant van de auto wipte omlaag en de achterkant kwam al even snel omhoog als de Titanic die zich gereedmaakte voor zijn duik onder de golven.

Shaw vloekte, maakte over de stoelleuning heen een koprol naar achteren, draaide zich halverwege een slag om en wierp de lasso door het raampje naast Katie naar buiten.

Op een of andere manier slaagde hij erin de lus om de tak te werpen, en onmiddellijk trok hij de riem strak aan.

Kennelijk gebeurden er inderdaad wonderen.

De voorwaartse beweging van de auto had Shaw, die zich met zijn beide handen aan de riem vastklampte, inmiddels half het zijraampje uit getrokken.

'Katie, pak mijn benen vast. Nu!'

Hij voelde hoe ze zich aan zijn benen vastklampte. De auto reed nu de helling af. Die was niet meer tegen te houden.

Shaw schoot het zijraampje uit, maar toen voelde er iets helemaal verkeerd.

'Katie!'

Ze was er niet. Hij sloeg hard tegen de grond en een uitstekende rotspunt werd ruw in zijn maag gestoten. De riem schoot uit zijn hand en hij tuimelde de steile helling af. Voor zich zag hij de auto steeds meer vaart maken. Shaw sloeg een paar keer over de kop en kwam toen met een harde klap op zijn rug terecht. Toen hij even rechtop kwam te zitten, zag hij de auto met een harde klap tegen de bomen onder aan de helling botsen. Een paar seconden later klonk een enorme knal toen de benzinetank ontplofte.

Shaw greep zich vast aan alles wat hij maar te pakken kon krijgen: struiken, takken, losse aarde en keien. Als hij nog een meter of vijf verder zou rollen, was er geen houden meer aan, dan zou hij ook in die vlammenzee onder aan de helling terechtkomen. Toen smakte hij tegen een oude boomstronk en bleef stil liggen.

'Katie!' brulde hij. 'Katie!'

Maar er kwam geen antwoord.

·91·

De telefoon wekte Frank uit een diepe slaap.

Het was de FBI-agent met wie ze samenwerkten.

Frank ging rechtop zitten, en greep haastig naar de kleren die hij over het voeteneinde van het bed had gehangen. 'Wat is er aan de hand?'

'Een van de mensen op het lijstje van het St. Albans, Richard Pender, is zojuist dood aangetroffen in zijn huis. Hij is vermoord.'

Franks voeten raakten de vloer. Met de telefoon tussen zijn oor en zijn schouder geklemd, trok hij zijn broek aan. 'Wel godverdegodver!'

'En dat is nog niet alles.'

'Ja?' zei Frank argwanend.

'Een van de buren heeft de politie gebeld. Zo hebben ze het lijk gevonden.'

'Waarom hebben de buren gebeld? Hebben ze iets gezien? De moordenaar soms?'

'De buurman zei dat hij had gezien hoe er twee keer iets het huis uit werd gedragen en in een auto werd gelegd. Hij wist het niet helemaal zeker, maar hij had het idee dat het om twee mensen ging.'

'Twee mensen! Kon hij ook een signalement geven?'

'Het was donker, dus hij was niet heel zeker van zijn zaak. Maar de ene was een forsgebouwde man. Er waren drie mensen nodig om hem te dragen. En de ander leek hem een vrouw.'

'Heeft hij verder nog iets gezien?'

'Hij heeft het nummerbord van de auto gezien.'

'En?' Frank trok zijn overhemd aan, duwde het in zijn broek en trok toen zijn sokken aan. 'O shit, je gaat me toch niet vertellen dat...'

'We hebben het kenteken getraceerd. Het was Katies huurauto.'

Frank schoof zijn voeten in zijn schoenen en brulde: 'Wat spoken ze daar uit, verdomme? We hadden nog helemaal geen huiszoekingsbevel.'

'Het ziet ernaar uit dat ze op eigen houtje een onderzoek hebben ingesteld.'

'Heeft de politie de auto al gevonden?'

'Nee. Er is een algemeen politiebericht uitgegeven, maar dat heeft nog niets opgeleverd.'

'Heeft iemand geprobeerd Shaw of Katie te bellen?'

'Ja. Er wordt niet opgenomen. We hebben mensen naar hun kamer gestuurd. Niets.'

'Wanneer heeft die buurman gebeld?'

'Een uur of twee geleden.'

'Christus! Dan zijn ze nu waarschijnlijk al dood. Hoe zit het met Pender? Wanneer is die vermoord?'

'Twintig uur geleden of langer, volgens het eerste voorlopig onderzoek.'

'Shit, dus dat spoor is al koud. Wacht eens even, als ze Pender zo lang geleden al vermoord hebben, waarom hielden ze dan in vredesnaam zijn huis in de gaten?'

'Misschien zaten ze te wachten tot er iemand langs zou komen?'

'Je bedoelt dat ze zaten te wachten totdat Shaw en Katie langs zouden komen, net als bij die begrafenis in Durlach. Hoe konden ze nou zo stom zijn om daarnaartoe te gaan?'

'De politiemensen op de plaats delict in Penders huis zeiden dat het eruitzag als een uit de hand gelopen inbraak.'

'Inbraak me reet. Hoe zit het met die Pender? Wie is hij?'

'Hij heeft een eigen bedrijf, Pender & Associates, in het noorden van Virginia. Het beeld is nog niet helemaal helder, maar het lijkt een soort pr-firma te zijn.'

Frank belde Royce, bracht hem op de hoogte en sprak met de MI-5-agent af dat ze elkaar over vijf minuten zouden treffen in de lobby. Hij pakte zijn pistool, rukte de deur open en rende de gang door. Intussen haalde hij zijn telefoon tevoorschijn en toetste al rennend een nummer in.

'Shaw en James zitten zwaar in de problemen. Traceer hem. Nu!'

Frank zag Royce in de lobby staan, en de twee geheim agenten holden naar hun auto.

Terwijl ze wegreden, belde Frank de FBI-agent.

'Ik wil een aanvalsteam een inval laten doen bij Pender & Associates, en wel nú.'

'We hebben de huiszoekingsbevelen nog niet.'

'Iemand op die lijst wordt neergeschoten, Shaw en James worden ontvoerd uit het huis van het slachtoffer... hoe groot schat je de kans dat dat niets te maken heeft met deze rottige samenzwering?'

'Ongeveer een miljard tegen een,' gaf de FBI-agent toe.

'Dus *fuck* dat huiszoekingsbevel. Doe een inval bij dat bedrijf. En doe het nu!'

Maar diep in zijn hart besefte Frank dat het al te laat was. Voor Pender & Associates.

En voor Shaw en Katie.

·92·

Langzaam krabbelde Shaw op uit de modder en terwijl hij steun zocht bij een schuin hangende dennenboom met ondiepe wortels tuurde hij neer op het autowrak, waar de benzine nu bijna opgebrand was en de vlammen kleiner werden. Hij riep Katies naam niet meer, daar was hij inmiddels te schor voor. Zich vastgrijpend aan alles wat maar enig houvast bood, liep hij moeizaam de heuvel af. Toen hij de brandende auto naderde, durfde hij zelfs niet te denken aan wat hij daarin zou aantreffen: de verkoolde resten van Katie James.

Het lichte gekreun kwam zo onverwacht dat hij bijna voorover viel. Hij draaide zich razendsnel om en tuurde in het donker links van hem.

'Katie?' Hij durfde die naam bijna niet uit te spreken uit angst dat hij geen antwoord zou krijgen.

Nu hoorde hij duidelijk iets bewegen, en het was te groot om een konijn of eekhoorn te zijn. Hij rende ernaartoe, struikelde, viel plat op zijn gezicht, krabbelde op en rende verder.

Katie lag op haar buik naast een eikenboom, maar deed verwoed haar best om overeind te komen. Shaw knielde naast haar neer en draaide haar voorzichtig op haar rug.

'Verdomme, ik dacht dat ik dood was.'

Haar gezicht zat onder het bloed en haar arm lag in een vreemde hoek. Ze keek met een flauwe glimlach naar hem op, maar toen vertrok haar gezicht van de pijn.

'Ben ik niet dood?'

Hij schudde zijn hoofd. 'Tenzij ik dat ook ben. En ik heb te veel pijn om niet in leven te zijn. Kun je lopen?'

Met zijn hulp slaagde Katie erin om te gaan staan. Met haar linkerhand hield ze haar rechteronderarm vast. 'Het zou kunnen dat ik mijn arm heb gebroken.'

Hij keek ernaar. Een deel van het bot stak door de huid naar buiten.

'Shit!' riep hij uit. 'We moeten je naar het ziekenhuis zien te krijgen.' Hij trok zijn jasje uit en maakte daar een geïmproviseerd draagverband van om het gebroken bot zo goed mogelijk te fixeren.

'Kun je lopen?'

Ze knikte. 'Als jij me helpt.'

Hij schoof zijn grote hand onder haar oksel, sloeg zijn andere arm om haar middel, en zo liepen ze langzaam de heuvel op.

'Wat is er gebeurd? Je hield me vast en toen was je ineens verdwenen.'

'Het lukte me niet om je te blijven vasthouden en toen bleef ik haken aan het hendeltje in het portier.'

'Hoe ben je de auto uit gekomen?'

'Pure mazzel. Op weg naar beneden raakte de auto iets, waarschijnlijk nog zo'n rotsblok. Het portier schoot open en ik viel naar buiten.' Ze keek achterom naar de zwartgeblakerde massa metaal. 'Dat was op het nippertje,' zei ze.

'Zeg dat wel, ja.'

'Shaw, volgens mij word ik misselijk.'

'Het is goed. Ik hou je vast.' Hij hield haar vast terwijl ze haar maag leegde.

'Sorry,' zei ze toen ze klaar was. Er lag een beschaamde uitdrukking op haar gezicht.

'Van meervoudige breuken moet ik ook altijd overgeven,' zei hij met een moeizame glimlach.

Toen ze bijna de top van de heuvel hadden bereikt, hoorden ze auto's met piepende banden tot stilstand komen langs de weg boven hen. En toen voetstappen die hun kant uit kwamen.

'Liggen, Katie!'

'Shaw! Shaw! Ben jij daar?'

Het was Frank.

'We zijn hier allebei,' riep hij terug. 'En we hebben hulp nodig. Katie heeft haar arm gebroken.'

Vijf minuten later werden ze weggereden in een suv. Frank en Royce zaten bij hen in de auto.

'Pender is dood, maar dat wisten jullie al, want jullie zijn vannacht naar zijn huis gegaan,' zei Frank beschuldigend.

'Kun je niet even tot morgen wachten voordat je me gaat uitkafferen, Frank?' zei Shaw.

'Waarom? Morgen wordt het er heus niet beter op. Alleen maar erger.'

'Weet je door wie jullie zijn ontvoerd?' zei Royce.

'Ik heb ze niet te zien gekregen. Wie het ook waren, ze hebben snel en hard toegeslagen.' Hij keek eens naar Katie. 'Ze moet naar een ziekenhuis.'

'We zijn al onderweg,' zei Frank. 'Ik heb het ziekenhuis al gebeld.'

'Hoe wist je waar Shaw en Katie waren?' vroeg Royce.

Frank keek snel even naar Shaw voordat hij antwoord gaf. 'Ik heb gewoon gegokt.'

Voordat Shaw iets kon zeggen, begon Franks telefoon te zoemen. Hij luisterde een paar minuten zonder iets te zeggen, en liet alleen zo nu en dan een stevige vloek horen. Toen verbrak hij de verbinding en smeet zijn mobieltje op de vloer.

'Ik neem aan dat het geen goed nieuws is,' zei Royce.

'Ze hebben een inval gedaan bij Pender & Associates.'

'En?' zei Shaw.

'Dat heeft niets opgeleverd. Het hele kantoor was leeggehaald.'

'Er zijn vast wel werknemers met wie ze kunnen praten.'

'Jazeker, maar na wat Pender is overkomen, denk ik niet dat die nou staan te springen om ons over hun werk te vertellen.'

'Dan moeten ze die lui gewoon stevig aanpakken,' zei Royce.

'Dat doen ze ook wel, maar verwacht er niet te veel van.'

'Ik denk niet dat afgezien van Pender nog iemand anders de naam van deze derde partij kent,' zei Shaw.

'Waarom denk je dat?' zei Royce.

'Omdat Pender dood is,' zei Shaw kortaf. 'Wat ben je over Pender & Associates te weten gekomen?'

'De FBI heeft het bedrijf snel even nagetrokken,' zei Frank. 'Het is een soort gespecialiseerde pr-firma.'

'Nee, ze zijn heel wat meer dan dat. Het is een pm-firma!' riep Katie plotseling uit. 'Daar ken ik die naam van.'

Alle ogen waren nu op haar gericht.

'Een pm-firma, wat is dat nou, verdomme?' zei Frank.

'Pm is de afkorting die we in Engeland voor onze premier gebruiken,' zei Royce behulpzaam.

'Maar deze afkorting staat voor perceptiemanagement,' zei Katie. 'Perceptiemanagement is een manier om op grote schaal een kunstmatige waarheid te scheppen. Het ministerie van Defensie heeft in een of ander handboek wel een nauwkeurige definitie staan. Na de oorlog in Vietnam hebben de strijdkrachten zich helemaal op het perceptiemanagement gestort; er zijn over de hele wereld gespecialiseerde bedrijven die zich uitsluitend daarmee bezighouden. Een paar jaar geleden heb ik er een artikel over geschreven. Of liever gezegd, dat heb ik geprobeerd. Een paar mensen speculeerden dat pm-firma's verantwoordelijk waren voor een deel van de gebeurtenissen in de Eerste en Tweede Golfoorlog. Massavernietigingswapens, journalisten die "embedded" waren bij de strijdkrachten en die zich voor honderd procent vereenzelvigden met het officiële standpunt daarvan... van die dingen. Ze hebben allerlei methoden en strategieën om hun doelen te bereiken. De beste pm-firma's hebben hun werk tot een kunstvorm verheven.'

'Als ze zich in dergelijke strategieën specialiseren,' snauwde Frank, 'waarom heeft niemand dan vermoed dat zij achter die verdomde Rode Gevaar-campagne zaten?'

'De meeste mensen, onder wie een heleboel regeringsleiders, hebben geen idee dat die pm-firma's zelfs maar bestaan. En zoals ik al zei: ik heb geprobeerd een artikel over ze te schrijven, maar ik schoot geen millimeter op. Er is niet veel informatie over die bedrijven beschikbaar. Ze houden zich gedeisd en leggen in het openbaar geen verklaringen af over hun werkzaamheden. De firma's waarover ik wel iets wist te vinden, waaronder Pender & Associates, wilden me niet te woord staan. Alles was streng geheim.'

'En bovendien vormen de Russen een makkelijk doelwit voor een demoniseringscampagne,' merkte Shaw op. 'Het is net als met Noord-Korea. Wat je ook beweert, het wordt bijna altijd geloofd, en over het algemeen blijkt dat achteraf ook zonder meer terecht te zijn geweest.'

'Dat is ongetwijfeld de reden waarom de Russen tot doelwit van de campagne zijn gekozen,' voegde Royce daaraan toe.

'Dus Pender & Associates,' zei Katie langzaam, 'zou ook ingehuurd kunnen zijn om de indruk te wekken dat de Chinezen de Rode Gevaar-campagne hebben opgezet.'

'Dat zou dan betekenen dat ze achtentwintig mensen in Londen hebben vermoord en de schuld daarvan aan de Russen hebben gegeven,' voegde Shaw daar woedend aan toe.

'Maar dat is krankzinnig,' zei Frank. 'Waarom zou iemand zoiets doen?'

'Rusland en China staan op het punt met elkaar in oorlog te raken, en de rest van de wereld is zijn bewapening weer flink aan het opvoeren,' zei Katie.

'Oké, maar wie zou daar belang bij hebben?'

'Een heleboel landen geven op dit moment honderden miljarden uit aan wapens,' zei Shaw. 'Dat geld gaat ergens naartoe.'

Frank keek hem boos aan. 'Wat! Wil je beweren dat dit hele gedoe in scène is gezet door een stel wapenfabrikanten? Het lijkt me sterk dat Northrop Grumman, Ares Corporation of Lockheed zich met zoiets zouden inlaten. Die bedrijven hebben raden van bestuur, aandeelhouders en zo. Zoiets zouden ze nooit geheim kunnen houden. En voor zover ik kan beoordelen, verdienden ze toch al geld als water.'

'Ik kan je verzekeren, Shaw, dat British Aerospace ook heel goed boert zonder de mensen aan te zetten tot een oorlog die weleens tot de ondergang van de hele wereld zou kunnen leiden,' voegde Royce daaraan toe.

'Misschien gaat het niet om het geld,' zei Shaw.

'Waar gaat het grote bedrijven nou anders om?' wilde Frank weten.

Shaw leunde achterover en sloot zijn ogen.

'Shaw? Shaw, als je iets weet, zeg het dan!'

Maar ondanks Franks woedende tirades, bleef Shaw verder de hele rit zwijgend voor zich uit staren.

In het ziekenhuis werd Katies gebroken arm gespalkt en kreeg ze een gipsverband aangelegd. Terug in het hotel ging ze met Shaw mee naar zijn kamer, waar ze op bed ging zitten, met een kussen onder haar gewonde arm, terwijl Shaw uit de inhoud van de minibar een geïmproviseerde maaltijd samenstelde.

Terwijl ze een hap organische chips wegwerkte en een slok van een of ander light-frisdrankje nam, zei Katie: 'Oké, Frank is er niet. Weet jij waarom Pender Rusland en China tegen elkaar zou willen opzetten, als hij er niet op uit is om een stel steenrijke wapenfabrikanten nog wat rijker te maken?'

Shaw ging in een stoel zitten en werkte eerst druk kauwend een handje noten weg. 'Denk eens na over wat er nu werkelijk speelt.'

Ze keek hem boos aan. 'Dood, vernietiging, oorlog? De pest? Of heb ik iets over het hoofd gezien?'

'Anna heeft iets tegen me gezegd toen ze voor het eerst onderzoek begon te doen naar het Rode Gevaar.'

'Wat heeft ze dan gezegd?'

'Ze zei dat dit hele gedoe haar deed denken aan een poging om een nieuwe wereldorde te vestigen, of liever gezegd: een oude nieuwe wereldorde, als dat tenminste niet al te onzinnig klinkt. De Russen helpen een groot deel van de Taliban in één klap naar de andere wereld en geven de andere Arabische landen te verstaan dat ze zich er niet mee moeten bemoeien omdat ze anders letterlijk van de kaart worden geveegd. Het hele Midden-Oosten gaat naar de verdommenis en niemand maakt zich er druk om, omdat iedereen veel te druk bezig is met Rusland en China die elkaar elk ogenblik te lijf kunnen gaan. De grootmachten zijn hun bewapening weer aan het opvoeren en bereiden zich voor op een langdurige patstelling.' Hij keek naar haar op. 'Dat komt me heel bekend voor.'

'Dus jij wilt beweren dat degene die hierachter zit, terug wil naar de Koude Oorlog?'

'Volgens alle berichten hebben Rusland en China elkaar enorm de stuipen op het lijf gejaagd. Die gaan elkaar heus niet aanvallen. Ze gaan allebei alleen wel hun bewapening enorm opvoeren, net als alle andere grootmachten. Het is een impasse, een patstelling. En nu Rusland kruisraketten heeft ingezet tegen Afghanistan zonder daarvoor op de vingers getikt te zijn, zouden andere landen die tactiek misschien ook weleens kunnen uitproberen, denk je niet? Bijvoorbeeld op een ander land dat zich niet wil gedragen, of het nou islamitisch is of niet.'

'Je bedoelt dat de grote jongens hun spierballen weer gaan laten zien? Zoals Rusland en de Verenigde Staten dat vroeger deden?'

'Zoiets. Misschien heeft iemand er schoon genoeg van dat een stel terroristen overal ter wereld de agenda bepaalt. Diegene wil weer terug naar de goeie ouwe tijd.'

'Ja, die goeie ouwe tijd waarin de hele wereld voortdurend op de rand van een allesvernietigende kernoorlog balanceerde.'

'De Koude Oorlog heeft ook tot de grootste bewapeningswedloop in de hele geschiedenis geleid. En afgezien van het conflict tussen Israël en de Palestijnen kon het niemand ook maar een donder schelen wat er in het Midden-Oosten allemaal gebeurde, zolang de olietoevoer maar niet in gevaar kwam. Het was een overzichtelijk conflict tussen goed en kwaad, zonder godsdiensttwisten en zonder lastige morele vragen. De mensen hoefden er niet over na te denken; het was gewoon wat het op het eerste gezicht leek. Misschien zijn er mensen die daar de voorkeur aan geven, zelfs als de wereld op die manier elk ogenblik ten onder kan gaan. Godallemachtig, misschien zijn er wel een heleboel mensen die dat een stuk prettiger zouden vinden.'

Katie werkte haar laatste chips weg. 'Weet je, die lul van een Pender heeft me mijn twintig miljoen dollar nooit betaald.'

'Dus?'

'Ik heb gedreigd dat als hij niet over de brug kwam, ik de hele wereld de waarheid zou vertellen.'

Aan Shaws gezicht was duidelijk te zien hoe het langzaam tot hem doordrong wat ze zojuist had gezegd. 'Katie, je weet dat je jezelf daarmee tot doelwit maakt.'

'Dat ben ik toch al.'

'Maar hiermee wordt je een nog groter doelwit.'

Met moeite schoof ze naar de rand van het bed en zette haar voeten op de vloer. 'Shaw, ik ben mijn hele volwassen leven op zoek geweest naar de waarheid, en daar ga ik nu niet mee ophouden. Als ze achter me aan komen, is dat waarschijnlijk de enige manier waarop we ooit in staat zullen zijn de waarheid te achterhalen.' Ze boog zich naar hem toe en legde haar hand op zijn arm. 'En bovendien heb ik jou om me te beschermen.'

Shaw pakte haar hand. 'En ik zál je beschermen, maar als we dit gaan doen, doen we het op mijn manier. Het wordt heel riskant, maar je zult me moeten vertrouwen.'

'Ik vertrouw je. Eigenlijk heb ik je altijd al vertrouwd.'

·93·

Om exact 0.00 uur UT verscheen Katie James in een video die werd verspreid via dezelfde website als de video van Konstantin, en dat was geen toeval.

De opnamen waren door Shaw gemaakt op hun hotelkamer. Ze sprak helder en duidelijk, zonder aantekeningen te gebruiken. 'Mijn naam is Katie James, en alles wat ik in mijn eerdere artikel heb geschreven, was onjuist. Ik heb de krant opdracht gegeven om niet te publiceren, maar dat hebben ze toch gedaan, zonder mijn goedkeuring. Maar nu kan ik de waarheid vertellen. De Chinezen zitten niet achter het Rode Gevaar en de Russen zijn niet verant-woordelijk voor de massamoord in Londen. Mijn bron, Aron Lesnik, heeft gelogen.' Ze hield haar gewonde arm omhoog. 'Ik ben bijna vermoord door de werkelijk verantwoordelijken.' Ze liet een korte stilte vallen. 'En wie mogen dat dan wel zijn? Een zekere Richard Pender was een van hen. Hij had de leiding over Pender & Associates, een bedrijf dat kantoor houdt in Virginia. Hij is, of liever gezegd wás, perceptiemanager. Nu is hij dood, vermoord door zijn opdrachtgever, wie dat dan ook mag zijn. Een opdrachtgever die hem in dienst had genomen om uit leugens een nieuwe waarheid te scheppen en de wereld daarin te laten geloven. Konstantin was een leugen. De tienduizenden mensen van wie we dachten dat ze door de Russische overheid waren vermoord, waren ook een leugen. Het *Tablet of Tragedies* was een leugen.

Dat alles had maar één bedoeling: ze wilden Rusland en China tot op de rand van een oorlog brengen. Waarom? Om ervoor te zorgen dat de wereld een nieu-we bewapeningswedloop zou beginnen. Wie zou zoiets willen? Wie zou daar nou in hemelsnaam iets mee opschieten? Nou, vanwege de gebeurtenissen die in gang zijn gezet door de Rode Gevaar-campagne hebben een stuk of tien landen, waaronder Rusland, China, de Verenigde Staten, Engeland, Frankrijk en Japan, kortgeleden voor tientallen miljarden aan bestellingen geplaatst bij verschillen-de wapenfabrikanten. Iemand probeert een nieuwe Koude Oorlog te beginnen, zodat we allemaal weer voortdurend bang zullen zijn dat de hele wereld vergaat. Maar dat gaat niet gebeuren, want zoiets zullen we niet toelaten. En voor dege-ne die hierachter zit, heb ik een persoonlijk bericht.' Ze liet een korte stilte val-len. 'De echte waarheid komt uit. En neem maar van mij aan dat u daar straks niet blij mee zult zijn.'

Naast Katies video's op internet werd er naar alle belangrijke kranten, tijd-schriften en tv-programma's gelekt over het feit dat Pender betrokken was geweest bij de Rode Gevaar-campagne en daarna was vermoord. De daarbij vermelde details waren zodanig uitgekozen dat Katies vakgenoten alles zouden doen wat ze maar konden om de waarheid te achterhalen. Een hele lijst met wapenfabrikanten die profijt hadden van deze nieuwe bewapeningswedloop werd op internet gezet. Een stuk of twintig belangrijke blogspots kregen details toegespeeld over de wijze waarop was ontdekt dat Lesnik had gelogen en over de manier waarop de man aan zijn einde was gekomen.

Nergens ter wereld liet de reactie lang op zich wachten. Er werd naderhand wel gezegd dat de atmosfeer overal ter wereld nogal rokerig was geweest door de enorme hoeveelheden T-shirts met *Denk aan Konstantin* erop die allemaal tegelijk werden verbrand. De mensen van *Scribe* deden hun uiterste best om een positieve draai te geven aan de manier waarop ze met Katies artikel waren omgegaan, kwamen tot de conclusie dat dat eigenlijk niet te doen viel en schopten toen Kevin Gallagher, de verantwoordelijke redacteur, er maar uit. De FBI zette duizenden agenten op de moord op Richard Pender en in Londen ging het met de massamoord in het kantoor van de Phoenix Group en de moordaanslag op Aron Lesnik al niet anders.

Alle belangrijke wapenfabrikanten gaven een persverklaring uit waarin ze beweerden niets met de Rode Gevaar-campagne te maken te hebben. Net zoals de Russen een tijdje geleden was overkomen, merkten ze echter dat bijna niemand ook maar enige waarde hechtte aan hun verwoede ontkenningen.

Ministeries van Defensie in alle grote landen kregen opdracht van de civiele autoriteiten om alle contracten voor nieuwe wapens voorlopig op te schorten. Intussen lieten zowel de Russische als de Chinese regering een deel van de troepen die al die tijd paraat hadden gestaan weer inrukken, zodat de oorlog die bijna tussen de staten was uitgebroken plotseling een stuk minder waarschijnlijk leek. President Gorshkov en zijn Chinese tegenhanger spraken af dat ze elkaar op een neutrale plek zouden ontmoeten voor besprekingen over de toekomstige betrekkingen tussen beide landen.

Maar de wereld wilde méér. Veel meer. De mensen wilden weten wie hen zo had voorgelogen. Ze wilden degene of degenen die hier werkelijk achter zaten te pakken krijgen, en liever vandaag dan morgen.

•94•

Nicolas Creel zat helemaal alleen in zijn uitzonderlijk luxueus ingerichte vergaderkamer aan boord van de *Shiloh*. Hij had inmiddels bericht ontvangen van zijn managementteams bij Ares, en alles wat die te melden hadden, was slecht nieuws. De nieuwe contracten waren allemaal afgezegd, tot op de allerlaatste toe. Het ging om duizenden miljarden dollars en daar konden ze nu naar fluiten. Dat idiote wijf had ervoor gezorgd dat de wereld zou blijven vastzitten in een hels moeras waarin de zwakken en de door maniakale aandriften gedrevenen, de machtigen en de beschaafden naar hun pijpen lieten dansen. En zij werd gezalfd als een verlosser? Was hij, Nicolas Creel, dan de enige die in staat was de waarheid te zien? Als zijn visioen werkelijkheid was geworden, zou de wereld heel wat veiliger zijn geweest, en nu lag alles in duigen. En ze had hem zijn pm-maestro gekost. Pender viel te vervangen, maar Creel besefte terdege dat hij nooit meer iemand zou vinden die zo goed was als Dick.

Door toedoen van Katie James zou een heel legioen onderzoekers nu uitgebreid gaan spitten naar alle details van de oorsprong van het Rode Gevaar. En ondanks alle moeite die Creel zich had getroost om zijn betrokkenheid hierbij geheim te houden, zou iemand misschien geluk hebben en het spoor tot aan zijn huisdeur weten te volgen. Hij zou natuurlijk nooit de gevangenis in draaien. Dat overkwam de rijken en machtigen van deze wereld bijna nooit, welke misdrijven ze ook gepleegd mochten hebben. Daar waren zijn advocaten te kundig en ervaren voor, zijn zakken te diep en zijn reputatie te goed. Bovendien had hij als onderdeel van zijn exitstrategie allerlei ingewikkelde veiligheidsmaatregelen in de plannen opgenomen. Zijn mannen hadden zelfs het kleinste stukje bewijsmateriaal uit Penders bedrijfspand weggehaald. Nergens was ook maar iets belastends te vinden. Nergens had hij vingerafdrukken achtergelaten. Pender was dood en niemand anders had weet van zijn betrokkenheid, met uitzondering van een heel klein groepje mensen, die allemaal net zoveel te verliezen hadden als hij.

Nee, angst voor rechtsvervolging was niet het gevoel dat nu zo'n verpletterende uitwerking op hem had. Het was het besef dat hem een verschrikkelijk onrecht was aangedaan. Hij had een triomf verwacht, een wereld die weer zijn natuurlijke evenwicht had hervonden, maar in plaats daarvan was één naam overal ter wereld op ieders lippen: Katie James. Katie James had de wereld gered, werd er gezegd. Katie James had een groot onrecht ongedaan gemaakt. Katie James was een echte heldin!

Maar het enige wat Katie James werkelijk had gedaan, was hem dwarszitten, besloot Creel, en niet alleen hem: het deel van de wereld dat werkelijk telde, was door haar toedoen van zijn kracht en mannelijkheid beroofd en daar zou ze voor boeten. Hij was geen haatdragend mens, of in ieder geval niet iemand die zijn haat lang bleef koesteren. Daar was hij veel te ongeduldig voor. Met iemand die hem voor het hoofd had gestoten, moest snel worden afgerekend. Wraak was naar zijn mening geen gerecht dat het beste koud gegeten werd. Wraak kon het beste dampend van haat worden opgediend.

Hij pakte zijn telefoon. Zijn geliefde Koude Oorlog kreeg hij er niet mee terug, maar toch zouden er nog meer slachtoffers vallen. Te beginnen met één zeer bepaald persoon.

'Al moet je een hele stad met de grond gelijk maken met een vuile bom,' zei hij in de telefoon. 'Je zorgt dat die vrouw binnen achtenveertig uur hier voor me staat of onze afspraak is voor altijd verleden tijd. En jij ook.'

Nicolas Creel verliet zijn geliefde *Shiloh* en ging aan boord van een motorboot die hem naar de kust voer. De daaropvolgende paar uur ging hij bij verschillende Italiaanse ambtenaren langs om besprekingen te voeren over de bouw van het nieuwe weeshuis. Daarna zat hij samen met de moeder-overste een tijdje te bidden in de kapel, en die avond at hij in een plaatselijk restaurant, waar hij een fles chianti deelde met de burgemeester en diens echtgenote. Op die manier probeerde hij te vergeten, al was het dan maar voor een paar uur, hoe zijn grootse plannen volkomen in duigen waren gevallen.

Voordat hij terugkeerde naar zijn jacht bracht Creel een bezoek aan de bouwplaats en stond daar een tijdje in de enorme kuil te kijken die een paar dagen eerder in de harde rotsbodem was uitgehakt. Zeer binnenkort zou hier de fundering worden gelegd. Honderdduizenden kubieke meters beton zouden dit gat in de aardbodem binnen stromen. Het weeshuis zou minstens een eeuw blijven staan en vele ouderloze kinderen een waardig onderdak bieden.

Maar het beton voor de fundering zou pas worden gestort als Creel daar opdracht toe gaf. En daar zou hij nog even mee wachten. Hij had iets heel speciaals waarmee hij dit oord wilde zegenen: een geschenk dat hier voor alle eeuwigheid zou blijven liggen.

Met de motorboot voer hij terug naar de *Shiloh*.

En intussen telde hij de minuten af die hem nog scheidden van het ogenblik waarop Katie James zou sterven.

Natuurlijk zou dat niet alles goedmaken. Maar voorlopig zou hij zich daarmee tevreden moeten stellen.

95

Frank en Royce stormden de kamer binnen waarin Katie door twee FBI-vetera-nen goed in de gaten werd gehouden. 'We hebben zojuist weer een geloofwaar-dige bommelding ontvangen,' zei Frank. 'Ze moeten erachter zijn gekomen waar je zit. Er staat een auto gereed.'
Haastig holden ze de trap af. Royce duwde Katie in de SUV en riep toen naar Frank: 'Dit is al de derde keer, verdomme. We kunnen haar maar beter het land uit smokkelen, Frank.'
'Wordt aan gewerkt.'
'Waar zal ik haar deze keer naartoe brengen?'
'Locatie vier. Ik zie je daar over twintig minuten.'
Royce knikte vermoeid en ging naast Katie zitten.
'Daar gaan we weer,' zei hij vriendelijk. 'Sorry, Katie.'
De chauffeur reed met hoge snelheid weg en de lange en zwaargebouwde man die naast hem zat, draaide zich met een groot pistool in zijn hand naar haar toe. Caesar glimlachte en zei: 'Aangenaam kennis te maken, mevrouw James.'
Katie keek verschrikt op, maar toen voelde ze iets in haar arm prikken. Ze keek omlaag en zag dat er een injectienaald in haar arm was gestoken en dat Royce de zuiger nu helemaal naar beneden duwde. Toen het verdovende middel in haar bloedsomloop terechtkwam, zakte ze voorover.
Royce trok de naald uit haar arm en knikte naar Caesar.
'Afluisterapparaatjes?' zei Caesar.
Royce fouilleerde Katie en schudde zijn hoofd.
Caesar overhandigde Royce een elektrisch aangedreven zaagje, dat hij gebruikte om het gips van Katies arm te zagen. Nadat hij haar arm zorgvuldig had gecon-troleerd, schudde Royce opnieuw zijn hoofd.
De zware wagen kwam langzaam tot stilstand, Royce sprong eruit, smeet het stukgezaagde gipsverband in een langsrijdende vuilniswagen en stapte daarna snel weer in. 'Als het gipsverband voorzien was van een afluisterapparaatje, laten we ze nu een fraaie omweg maken. Kom op, rijden!'
De bestuurder gaf plankgas en de auto schoot naar voren, maakte een scherpe bocht naar links en was verdwenen.
Acht uur later landde het privévliegtuig op een afgelegen vliegveldje in Italië. Een zware bestelwagen kwam naast het toestel tot stilstand en er werd een kist overgeladen uit het vliegtuig. Nadat verschillende mannen in de truck waren gaan zitten, zette die zich weer in beweging en een uur later bereikten ze de Ita-

liaanse kust, waar de Middellandse Zee in het licht van de ondergaande zon een melancholieke aanblik bood. Met een motorboot werden de kist, Caesar, Royce en verschillende andere mannen naar de *Shiloh* gevaren.

De bemanning had een avondje vrijaf gekregen. Alleen de gezagvoerder was aan boord gebleven, en hij zat helemaal in zijn eentje op de hoogste commandobrug. Speciaal bezoek, en het lag allemaal heel gevoelig... meer had de man niet te horen gekregen en vragen had hij niet gesteld.

Nicolas Creel zat in de scheepsbibliotheek, omgeven door de vele waardevolle eerste edities die hij in de loop van de jaren had aangeschaft, en die hij anders dan sommige andere verzamelaars ook werkelijk gelezen had. Toen de deur openging, en de kist naar binnen werd gedragen, glimlachte hij niet. Hij voelde zich alsof hij nooit meer zou kunnen glimlachen.

Hij knikte Royce toe. 'Mooi werk. Ik heb er nooit aan getwijfeld dat uw medewerking lonend zou zijn.'

'Het genoegen is geheel aan mijn kant, meneer Creel. MI-5 heeft mijn potentieel nooit echt willen erkennen, of me daar in ieder geval nooit behoorlijk voor willen betalen.'

Creel keek even naar Caesar. 'Wil je me voorstellen aan de illustere mevrouw James?'

De lange en forsgebouwde man maakte de kist open en tilde Katie eruit. Ze kwam net weer een beetje bij kennis. Caesar legde haar op tafel. De mannen bleven om haar heen staan totdat ze rechtop ging zitten en om zich heen keek.

'Welkom, Katie,' zei Creel. 'Ik mag je toch wel Katie noemen? Ik heb het gevoel dat ik je inmiddels heel goed ken, zelfs al hebben we elkaar nooit ontmoet.'

Katie liet zich van de tafel glijden en zakte in een stoel. Ze wreef over haar hoofd, trok een pijnlijk gezicht en greep naar haar arm. 'Waar is het gipsverband gebleven, verdomme?'

'Het leek ons het beste om dat maar weg te halen,' zei Royce. 'Het is niet moeilijk om een gps-zendertje in zo'n ding te verstoppen.'

'Het was alleen maar een gipsverband, stomme idioot.' Katie hield haar armen omhoog, zodat duidelijk te zien was waar het bot door haar huid was gegaan. 'Dat zeg jij.'

Ze richtte haar aandacht weer op Creel. 'Maar ik ken u!' zei ze. 'U bent Nicolas Creel. Elke journalist die maar een knip voor de neus waard is, herkent u meteen.'

'Ik voel me gevleid. Maar toch lijk je niet bijzonder verrast, Katie.'

'Toen ik eenmaal het een en ander doorkreeg, werd het aantal verdachten ineens een stuk kleiner.' Met een snelle blik op Royce voegde ze daaraan toe: 'Maar ik had er niet op gerekend dat hij hierbij betrokken zou zijn.'

Nu glimlachte Creel wel. 'Natuurlijk niet. Maar je moet altijd een veiligheids-klep hebben voor als de druk te hoog oploopt... een bron binnen de organisa-tie van je tegenstanders bijvoorbeeld, en de heer Royce deelt mijn denkbeelden over de ideale wereldorde. De hoop dat we die opnieuw tot stand zouden kun-nen brengen, is door uw toedoen inmiddels echter op wel heel grondige wijze de bodem ingeslagen. U hebt de mensheid werkelijk onvoorstelbaar veel ellen-de berokkend.'

'Ik heb de mensheid ellende berokkend? Door China en Rusland ervan te weer-houden een oorlog met elkaar te beginnen?'

'Het zou nooit zover gekomen zijn, dom wijf!' brulde Creel. 'De Koude Oorlog was de veiligste periode die de mensheid ooit heeft mogen beleven. Mijn plan zou de wereld bevrijd hebben.'

Katie gaapte hem vol ongeloof aan.

'Precies! Ik was een bevrijder!' snauwde hij. 'En nu heb je ervoor gezorgd dat we tot in de eeuwigheid geregeerd zullen worden door barbaren voor wie een men-senleven niets waard is. Het evenwicht is volkomen verstoord, alle diplomatie is voor altijd onmogelijk geworden, een allesvernietigende oorlog is nu dichterbij dan ooit... en dat hebben we aan jou te danken, Katie James.' Hij sprak haar naam uit alsof dat de twee meest weerzinwekkende woorden waren die ooit over zijn lippen waren gekomen.

'Dit is vast heel sneu voor u, dat geloof ik best, maar volgens mij bent u toch vooral zo nijdig omdat u nu al het geld misloopt dat u hieraan had kunnen ver-dienen.'

'Ik heb geld genoeg, neem dat maar van mij aan. Maar Theodore Roosevelt had het bij het rechte eind met zijn motto: "Spreek zachtjes, maar zorg dat je een grote stok bij je hebt." De grootste presidenten van de Verenigde Staten besef-ten allemaal maar al te goed dat militaire macht de sleutel vormt tot alles. Alles!'

'Ja, dat zal wel. Oorlog is geweldig, hè?'

'Jij hebt carrière gemaakt door over oorlog te schrijven, en dan moet je achteraf ook niet gaan zaniken. De roem gaat altijd naar de overwinnaar.'

'Dat ik verslag heb gedaan van die oorlogen was niet uit vrije keuze. En in mijn werk heb ik altijd duidelijk laten zien hoe afschuwelijk oorlog is. Ik heb er nooit iets moois of nobels aan kunnen ontdekken.'

'Dan heb je duidelijk niet goed gekeken. De politieke geschiedenis wordt bepaald door zulke confrontaties.'

'Was er niet een of andere beroemde generaal die heeft gezegd dat het maar goed is dat oorlog zo verschrikkelijk is, omdat we er anders veel te veel op ge-steld zouden raken?'

'Dat was Robert E. Lee, de opperbevelhebber van de zuidelijke staten tijdens de

Amerikaanse Burgeroorlog. En zoals uit de geschiedenis is gebleken, was hij een verliezer. Ik hou me alleen maar bezig met winnaars.'

'Hebt u weleens in het leger gezeten, meneer Creel? Bent u weleens gewond geraakt? Hebt u eigenlijk ooit weleens onder vuur gelegen?'

Creel gaf geen antwoord.

'Nou, ik wel. En neemt u maar van mij aan dat er onder de mensen die die verdomde oorlogen van u moeten uitvechten geen winnaars of verliezers zijn. Als een oorlog eenmaal is afgelopen, zijn er alleen nog maar doden en overlevenden.'

'Ik heb je hier niet naartoe laten brengen om me door jou de les te laten lezen. Ik heb je hiernaartoe laten brengen omdat ik je dood wil hebben. Maar ik wil ook dat je zult sterven in de wetenschap dat je dat alleen maar aan jezelf te wijten hebt.'

Ze kwam iets dichter bij hem staan. 'Mag ik u iets zeggen?'

'Elke ter dood veroordeelde heeft het recht op een paar laatste worden.'

'Je kunt de pot op.'

'Briljant, mevrouw James. Wat bent u toch verbaal begaafd.'

De deur ging open en een van zijn mannen kwam binnen. 'Er is bezoek, meneer Creel.' En daarna voegde hij er met zachtere stem nog het een en ander aan toe.

Nadat hij had geluisterd naar wat de man te zeggen had, zei Creel: 'Zet haar meteen van boord.'

'Meneer,' zei de man, 'ze heeft iets gezegd over een paar computerbestanden die ze in uw kantoor had gezien.'

Daar leek Creel van te schrikken. 'Juist, ik kom wel even naar buiten.'

In de gang stond Creels echtgenote op hoge hakken en met een heel kort rokje aan. Twee van Creels mannen stonden aan weerszijden naast haar.

'Lieve schat, wat een aangename verrassing,' zei Creel.

In reactie daarop gaf ze hem een klap in zijn gezicht. Een van Creels mannen sloeg zijn armen om haar heen om haar in bedwang te houden.

'Denk je nou echt dat je me gewoon als een stuk oud vuil langs de kant van de weg kunt dumpen?' krijste ze. 'Na alles wat ik voor jou gedaan heb? Na alles wat ik mét jou gedaan heb? Klootzak die je bent! Ik ben mevrouw Nicolas Creel en dat blijf ik ook.'

'Ik zie dat je erg van streek bent. Maar aan alle goede dingen komt een einde en je alimentatie is meer dan royaal.'

'Jij gaat niet van me scheiden.' En toen Creel haar met een volstrekt onbewogen gezicht aankeek, ging ze haastig verder: 'Ik weet dingen van jou,' zei ze, en er lag nu een triomfantelijke klank in haar stem. 'Ik weet dat jij denkt dat ik gewoon een dom blondje ben. Maar weet je nog dat ik tegen je zei dat ik het zo prettig vond in jouw studeerkamer? Nou, dat was niet waarom jij denkt. Ik heb het altijd prettig gevonden om iets achter de hand te hebben voor het geval mensen te hoog van de toren gaan blazen, en dus heb ik op je computer gekeken. Weet je, Nick, toen je van je vorige vrouw bent gescheiden, had je er ook maar beter aan kunnen denken om haar naam voortaan niet meer als toegangscode te gebruiken. Want uit wat ik op die computer van jou heb gezien, maak ik op dat je echt heel stout bent geweest.'

'Nou,' begon Creel op vriendelijke toon, 'dat verandert de zaak natuurlijk. Kom maar even mee dan.' Hij keek naar zijn manschappen. 'Stuur de motorboot maar vast terug. Die heeft mevrouw niet meer nodig. Ze blijft hier.'

Miss Hottie liep weg van de twee mannen en wandelde op haar gemak achter haar wettige echtgenoot aan.

Toen ze de kamer binnenkwamen en Creel de deur achter zich dicht had geduwd, keek Miss Hottie langzaam om zich heen naar de mannen in het vertrek. Toen viel haar blik op Katie James. 'Hé, ik ken jou. Jij bent Katie James.'

Met een gemaakt verdrietige blik in zijn ogen keek Creel Miss Hottie aan. 'Ik vrees dat je timing niet slechter had gekund, lieve schat. En trouwens, uit het feit dat je hier helemaal in je eentje naartoe bent gekomen en me vervolgens dan ook nog zo keurig hebt opgebiecht wat je allemaal weet, blijkt wel dat je inderdaad een heel dom blondje bent.' Creel keek Royce snel even aan en gaf een knikje. Royce trok zijn pistool en schoot Miss Hottie een kogel door haar hoofd.

De dode vrouw viel voorover op tafel, gleed eraf en smakte op de vloer.

De telefoon begon te piepen. Het was de kapitein. Er kwam een boot naar het jacht toe gevaren.

'Wie is het?'

'Zo te zien is het de Italiaanse politie, meneer. Een van hun boten vaart rondjes om de *Shiloh*.'

'Breng Katie James onder verdoving,' zei Creel tegen Caesar. 'Er ligt een lijkzak in de machinekamer. Stop haar erin en breng haar en dat ding daar...' Hij wees op zijn dode vrouw. '... Naar de onderzeeboot. En snel een beetje.'

Royce hield de hevig tegenstribbelende Katie tegen de vloer gedrukt terwijl Caesar een injectienaald in haar arm duwde. Even later was ze opnieuw buiten kennis.

Terwijl Katie en de vermoorde vrouw haastig werden weggedragen, trok Creel zijn jasje recht en liep rustig naar boven om zijn bezoek welkom te heten.

96

Nadat hij zijn onderwaterscooter had gedumpt, kwam Shaw boven water en klauterde met behulp van sterke magneten aan zijn handen en voeten aan stuurboordzijde van de *Shiloh* langs de stalen romp omhoog. Vanwege zijn gewonde arm kostte hem dat zelfs met de magneten nog de grootste moeite. Hij had cortisonen in zijn arm laten injecteren omdat hij besefte dat het straks waarschijnlijk tot geweld zou komen, maar toch had hij nog steeds maar weinig kracht in zijn arm. Hij keek naar het zendertje om zijn pols. Katie was aan boord, en bevond zich op dit moment ergens diep in de ingewanden van het reusachtige, vijf verdiepingen hoge schip.

Shaws plan was in gang gezet toen Katie werd ontvoerd. Ze hadden met behulp van satellieten haar positie bijgehouden, waren Creels privéstraalvliegtuig hiernaartoe gevolgd en hadden de motorboot naar het schip zien varen. Frank was op alles voorbereid geweest en had de noodzakelijke uitrustingsstukken laten overvliegen, zodat Shaw in staat zou zijn om bijna overal binnen te dringen. Ze hadden afgesproken dat hij er als eerste op af zou gaan en Frank en zijn manschappen te hulp zou roepen zodra de situatie kritiek werd.

De *Shiloh* beschikte ongetwijfeld over eersterangs elektronische beveiligingssystemen. Dat was ook de reden waarom Shaw een stoorzender om zijn middel droeg; die zou hem onzichtbaar maken voor bijna alles waarmee de mensen aan boord van het schip hem zouden kunnen opmerken.

Vóór alles moest hij nu Katies leven zien te redden. Hoewel ze op weg hierheen op elk ogenblik vermoord had kunnen worden, waren ze van tevoren al tot de conclusie gekomen dat als iemand haar liet ontvoeren, hij waarschijnlijk ook wel een persoonlijk gesprek met haar zou willen hebben. En het was trouwens ook de enige manier waarop ze ooit de schuldige zouden kunnen vinden. Het was ongelooflijk riskant en hoewel ze haar telkens weer de gelegenheid hadden gegeven om zich terug te trekken, had Katie geen moment geaarzeld. Zijn bewondering voor de moed van deze vrouw werd groter en groter. Nu moest hij alleen nog maar zien dat hij hen beiden hier heelhuids weer vandaan kreeg.

Hij zag een deur en liep stilletjes naar binnen.

Een minuut later kwam de politieboot langszij.

Nicolas Creel heette de geüniformeerde Italiaanse politieman welkom aan boord en sprak hem toe in zijn eigen taal. De man leek zich te generen en verontschuldigde zich heel uitvoerig omdat hij de multimiljardair moest lastigvallen. Creel bood hem een glas wijn aan en vroeg waarmee hij hem van dienst kon zijn.

De politieman zei dat ze een melding hadden ontvangen over een heel boze vrouw die aan boord van een motorboot was gegaan en naar het jacht toe was gevaren. 'We hebben een motorboot langs zien komen, maar we zagen dat het mevrouw Creel was, en dus hebben we haar laten passeren. Een tijdje later hebben we echter een signalement van de boze vrouw ontvangen en het lijkt om uw echtgenote te gaan.'

De man keek hem gegeneerd aan en zei wat verlegen: 'Dus we zijn even komen kijken of alles... of alles wel in orde is, meneer.'

Creel lachte en bedankte de man vriendelijk voor zijn goede zorgen. 'Mijn vrouw was inderdaad een beetje aangeschoten, maar ze is in de verste verte niet gevaarlijk. Ik kan u echt zonder enige terughoudendheid verzekeren dat zij nooit iemand kwaad zal doen.'

'Bent u daar zeker van?'

'Ja hoor. Het spijt me zeer dat u voor niets helemaal hiernaartoe hebt moeten komen.'

'Het was geen enkele moeite, meneer Creel.' Toen de man weer aan boord van zijn motorboot ging, salueerde Creel.

Shaw daalde af naar het onderste dek en verbaasde zich erover dat hij onderweg niemand tegenkwam. Het ontbreken van bemanningsleden vormde voor hem geen opluchting, maar maakte hem alleen maar nóg voorzichtiger, omdat hij bang was dat hij in de val werd gelokt. Die behoedzaamheid bleek te lonen, want voordat hij een hoek om liep, aarzelde hij net een fractie van een seconde langer dan hij anders gedaan zou hebben, en net op dat moment kwam er een gewapende man langsgelopen, die een seconde later met een schedelbreuk in elkaar zakte.

Shaw liep door, en hield intussen de gps-tracker om zijn pols goed in de gaten. Hij kwam steeds dichterbij. Maar het zendertje kon hem niet vertellen of Katie nog in leven was. Plotseling voelde hij een loodzwaar schuldgevoel in zich opkomen. Hij had haar dit nooit mogen vragen, zelfs al had ze het zelf wél gewild. Er waren zo veel verschillende manieren waarop dit allemaal vreselijk mis kon gaan.

In zijn haast kwam hij net iets te snel uit zijn dekking tevoorschijn.

Royce richtte zijn pistool op hem. 'Dat was te makkelijk. Ik ben niet onder de indruk, Shaw.'

'Hoe voelt het om een corrupte politieman te zijn, Royce?'

'Ik had al zo'n vermoeden dat jullie me wel door zouden krijgen als ik niet kwam opdagen met James.'

'Nee, ik was er al eerder achter gekomen.'

Royce hield zijn hoofd een beetje scheef en er verscheen een ongemakkelijke uitdrukking op zijn gezicht. 'Hoe dan?'

'Dat maakt voor jou toch niet meer uit.'

'Waarom niet?'

'Jij bent straks dood.'

Royce zwaaide met zijn pistool. Het was duidelijk dat zijn zelfvertrouwen nu snel terugkeerde. 'Je bent echt een idioot, Shaw. Nou, ik weet zeker dat je die kleine Katie van jou wel wilt zien, dus kom mee. Dan rekenen we in één keer met jullie tweeën af. Ze zit in de onderzeeboot,' voegde hij daar opgewekt aan toe. 'Wat dacht je daarvan? Die vent heeft zijn eigen onderzeeboot! Dat is nou echte macht.'

Shaw bracht zijn hand naar zijn broeksriem, drukte op een klein rimpeltje in het leer en zorgde er daarmee voor dat Frank een alarmsignaal ontving.

'Eén ding zal ik je wel vertellen, Royce.'

'En dat is?'

'Heb je weleens de moeite genomen om je horloge te controleren? Want daar hebben we een zendertje in verborgen.'

Snel keek Royce even naar het uurwerkje om zijn pols.

Een ogenblik later greep hij naar zijn borst, waar nu het heft van een mes uitstak, terwijl het bloed uit zijn zwaarbeschadigde hart zijn borstholte binnen gutste. Snel keek hij Shaw weer aan.

'Ben je nu wél onder de indruk?'

Terwijl Royce voorover viel en languit tegen de vloer smakte, stapte Shaw om hem heen en rende naar de onderzeeboot. En naar Katie.

Diep in de *Shiloh* bevond zich een reeks reusachtige hangars, en in één daarvan lag de vijfendertig ton zware onderzeeboot in een droogdok. Shaw nam de mannen die daar op wacht stonden aandachtig op. Ze waren met z'n drieën, en een van hen, een man met lang zwart, krullend haar, was nog langer en steviger gebouwd dan hij. Een radio in de hand van de gespierde reus begon te zoemen. Hij luisterde, zei iets wat Shaw niet kon horen, en daarna liep hij samen met de twee andere mannen haastig weg.

Shaw klauterde boven op de onderzeeboot, tilde het luik op en liet zich naar binnen zakken. Zo snel als hij maar kon, doorzocht hij het hele vaartuig. Toen hij ergens achterin de armen en benen van een vrouw onder een bankje uit zag steken, kreeg hij bijna een hartstilstand en toen hij de vrouw tevoorschijn trok en haar blonde haar zag, voelde hij zich als verlamd. Pas toen het tot hem doordrong dat dit Katie niet was, kreeg hij weer lucht. Toen zag hij de lijkzak, en plotseling moest hij het hele proces nog eens doormaken. Met trillende vingers ritste hij de lijkzak open.

Toen hoorde hij een geluid. De mannen kwamen terug.

97

'Haal haar nu maar weg en begraaf haar in dat enorme gat dat we hebben laten graven voor het weeshuis,' zei Creel tegen de twee mannen die de lijkzak tussen zich in hielden. 'Leg haar maar in de kist. Ik regel het wel op de bouwplaats. Ik zeg wel dat het een tijdcapsule is, zo'n ding met documenten erin voor de toekomst.'

Hij keek even om zich heen. 'Waar is Royce?' vroeg hij aan Caesar.

'Die loopt hier ergens rond.'

'Wilt u dat we haar eerst doden, meneer Creel?' zei een van de mannen.

'Nee, als ze bij kennis komt, moet het tot haar doordringen dat ze levend begraven is. Er wordt wel gezegd dat een mens geen grotere angst kent. Ik wil dat ze dat afgrijzen goed zal voelen.'

De lijkzak werd in de motorboot gelegd en de mannen voeren weg.

'Wat nu?' vroeg Caesar.

'Nu ga jij verdwijnen. Tot de volgende keer.'

'Ik denk van niet.'

Langzaam draaiden de twee mannen zich om. Shaw stond aan dek en hield een pistool op hen gericht.

Creel kromp in elkaar toen hij zag wie het was, maar hij herstelde zich snel. 'Jij bent toch Shaw?' Shaw zei niets. 'Ik weet wat jouw connectie met deze kwestie is, dus ik denk niet dat je met geld bent over te halen om gewoon weg te gaan.' Shaw zei nog steeds niets. 'Dan zitten we volgens mij in een impasse,' besloot Creel.

Shaw richtte zijn pistool op Creels hoofd. 'Ik zie dat anders.'

'Meneer Creel?' Op de trap naar het bovenste dek stond de kapitein angstig toe te kijken.

Heel even wendde Shaw zijn ogen van de twee mannen af. Het was maar een ogenblik, maar toch was het te lang.

Het schot dat door Caesar werd gelost, ging rakelings langs zijn hoofd.

Onmiddellijk liet Shaw zich naar links rollen en loste vier schoten, die dicht bij elkaar insloegen.

Creel had al dekking gezocht achter de bar, terwijl Caesar hoger gelegen terrein opzocht, om zijn doelwit vanuit een betere hoek onder vuur te kunnen nemen. Shaw wist die plannen echter te verijdelen door de man een kogel in zijn voet te schieten. Caesar schoot nu zijn hele magazijn leeg op Shaw, maar zonder hem te raken. Shaw bracht zijn pistool omhoog om definitief met de man af te rekenen, maar net op dat moment bleef de kogel klem zitten in de kamer.

Met Shaw op zijn hielen strompelde Caesar moeizaam de trap op. Op het bovenste dek kwamen de twee giganten recht tegenover elkaar te staan. Na een paar plaagstootjes om de verdediging van zijn tegenstander uit te proberen, gaf Caesar een harde stoot op Shaws gewonde, maar gelukkig ook zwaarverdoofde arm en als beloning voor zijn moeite kreeg hij een harde stomp in zijn buik. Daarna probeerde Caesar het met een woeste stormloop, en door zijn grotere gewicht lukte het hem om Shaw omver te lopen. De twee mannen smakten hard tegen het instrumentenbord van de brug. Ze raakten de stuurknuppel, zodat het gigantische jacht een nauwe bocht naar stuurboord maakte en de open zee tegemoet voer, terwijl het zijn anker achter zich aan sleurde. Caesar greep Shaw bij zijn shirt en rukte hem dat bijna van zijn lijf. Shaw probeerde de benen van zijn tegenstander buiten gevecht te stellen, maar Caesar, die voor een man van zijn afmetingen verrassend behendig bleek, sprong weg en ging opnieuw in de aanval.

Hij klemde zijn handen om Shaws nek en kneep uit alle macht. Shaw wist een hand onder Caesars kin te krijgen en probeerde het hoofd van zijn tegenstander achterover te duwen. Maar Caesar wist zijn hoofd los te werken, dook onder Shaws graaiende handen door en slaagde erin zijn arm om de keel van zijn tegenstander te klemmen.

Shaw probeerde Caesars wurggreep te breken, maar al snel drong het tot hem door dat de man zelfs als hij zijn beide armen had kunnen gebruiken, nog te sterk voor hem zou zijn geweest. Zijn ogen puilden nu uit hun kassen en zijn knieën knikten.

Caesar, die duidelijk het gevoel had dat de overwinning hem nu niet meer kon ontgaan, zei: 'Eerst dat vrouwtje van je, en nou jij. Mooi stel zijn jullie. Toen ik een kogel in haar kop schoot, crepeerde zij ook al zo stilletjes.' Hij klemde zijn arm nog wat strakker om Shaws keel. 'Volgens mij ga jij dadelijk ook de pijp uit zonder maar een kik te geven, lul die je bent.'

Toen Shaw dat hoorde, kwam er een blinde razernij in hem op. Met een woedend gebrul rukte hij Caesars arm met zo'n geweld los van zijn keel dat die volkomen uit de kom werd gerukt.

'Jij,' zei Shaw.

Kokhalzend van de pijn zakte Caesar op zijn knieën. Met een van zijn zware schoenen maat achtenveertig gaf Shaw hem een harde schop in zijn gezicht, zodat de man achterover sloeg en languit op zijn rug op het dek kwam te liggen.

'Bent.'

Het mes blonk in Caesars goede hand, maar met een kracht die voortkwam uit razende woede had Shaw het nog geen seconde later al losgerukt.

Hij stootte het mes recht in de maag van zijn tegenstander en terwijl hij het heft stevig vasthield, liep hij langzaam langs Caesars uitgestrekte gestalte en trok het mes met zich mee, zodat het dwars door vlees en botten ging. Pas toen hij Caesars keel had bereikt, hield hij op. De man stond net op het punt het leven te laten toen Shaw zijn pistool trok, de kogel uit de kamer wrikte, een nieuwe kogel in de kamer bracht, mikte en de man een kogel in zijn voorhoofd schoot.

'Dood,' maakte Shaw zijn zin af.

·98·

Een grote helikopter cirkelde rond de *Shiloh*. Er klonk een mannenstem uit een luidspreker. 'FBI, wij enteren dit schip. Dit is de FBI, wij enteren dit schip.'

Honderd meter verderop schoot de Italiaanse politieboot naar het schip toe. Toen de helikopter op het platform landde en de politieboot aan het jacht aanmeerde, stond Nicolas Creel te midden van alle drukte onverstoorbaar toe te kijken.

Frank en de FBI wilden Creel ter plekke arresteren en de Italiaanse politie verklaarde zeer nadrukkelijk dat dat zo niet ging. De daaropvolgende twintig minuten stonden ze met elkaar te bekvechten, zonder dat een van beide partijen ook maar enige vooruitgang boekte.

'Nicolas Creel bevindt zich in Italiaanse wateren.'

'Wat wil de FBI trouwens van mij?' zei Creel onschuldig. 'Het kan niet om belastingontduiking gaan. Ik ben geen Amerikaans staatsburger.'

'Belastingontduiking!' zei Frank boos. 'Wat dacht je van herrieschoppen op wereldschaal? Wat dacht je daarvan, klootzak?'

'Ik heb geen idee waar deze man het over heeft,' zei Creel tegen de Italiaanse politiecommandant. 'Deze mensen hebben mijn jacht geënterd. Er zijn schoten gelost. Enkele mannen van mij zijn gewond geraakt of zelfs gedood, vrees ik. Ik ben degene die een aanklacht hoort in te dienen. U bent hier zojuist nog aan boord geweest, commissaris. Hebt u bij die gelegenheid ergens iets gezien wat niet in de haak was?'

De politiecommandant keek Frank boos aan. 'Helemaal niet, meneer Creel. En nu zal ik deze mannen naar de kust begeleiden.'

'En ik ga met u mee om een aanklacht tegen hen in te dienen.'

'Wij gaan helemaal nergens heen,' zei een FBI-agent. 'We hebben alle gezag van de Verenigde Staten achter ons.'

'Nou, u bent hier niet in de Verenigde Staten,' antwoordde de politiecommandant. 'U bevindt zich hier buiten uw rechtsgebied.'

'U vergist zich.'

Alle ogen waren op Shaw gericht, die over de trap naar de brug naar beneden kwam lopen. Hij keek naar links. 'Volgens mij bevinden we ons buiten de Italiaanse territoriale wateren,' zei hij. 'Volgens mij hebben jullie niet gemerkt dat de boot is gaan varen.'

Ze keken allemaal in de richting van het vasteland. Nergens waren nog flikkerende lichtjes te zien.

'Het maakt niet uit waar we wel of niet zijn,' zei Creel snel. 'U hebt niets waarvan u me kunt beschuldigen.'

'Wat dacht u van de ontvoering van Katie James?' brulde Frank. Hij richtte zich tot de Italianen. 'Ik neem aan dat u toch weleens van Katie James hebt gehoord?'

'Wilt u beweren dat Katie James hier aan boord is?'

'Ze is niet aan boord,' zei Creel zelfvoldaan.

'Echt niet?'

Opnieuw draaide iedereen zich om en deze keer zagen ze Katie aan dek komen. Creel trok wit weg en staarde in stomme verbazing naar het water.

'Nadat Shaw mij eruit had gehaald en haar erin had gelegd, hebben uw mannen de zojuist hier aan boord vermoorde vrouw, die naar ik aanneem uw echtgenote is geweest, meegenomen in de lijkzak,' zei Katie. 'Ze hebben niet de moeite genomen om te kijken of ik er wel echt in zat. We hadden ongeveer dezelfde lengte en hetzelfde gewicht.'

De Italiaanse politieman keek Creel strak aan. 'Uw vrouw is dood?'

'Natuurlijk is ze niet dood. U kunt de boot doorzoeken als u dat wilt. Ze is niet aan boord. Ik heb haar terug laten brengen naar de stad.'

'En hoe is Katie hier dan gekomen?' zei Frank.

'Op dezelfde manier als hij,' zei Creel, en hij wees op Shaw. 'Het is duidelijk dat die twee zonder toestemming aan boord zijn gekomen.'

Katie hield haar gebroken arm omhoog. 'Het zendertje zat niet in het gipsverband, maar in mij.' Ze wees naar de wond in haar arm. 'Ze hebben me opengesneden op dezelfde plek waar het gebroken bot door de huid was gedrongen, en een zendertje ingebracht.' Ze keek naar Shaw. 'Het is een techniek waarvan ik pas kortgeleden gehoord heb.'

'Dat is de manier waarop we haar hiernaartoe zijn gevolgd,' zei de FBI-agent. 'Toen kregen we een alarmsignaal van Shaw en zijn we hier binnengevallen.'

'Dit is heel verwarrend,' zei de Italiaanse politiecommandant. 'Waar gaat dit nou allemaal om?'

'Deze man...' zei Katie maar toen viel Creel haar in de rede.

'Mevrouw James heeft op internet allerlei bizarre beschuldigingen geuit, en ik neem aan dat ze nu gaat verklaren dat ik een of ander crimineel meesterbrein ben, commissaris. Het is volkomen belachelijk.'

'Hij heeft me ontvoerd,' zei Katie.

'En ik zeg dat ik u niet heb ontvoerd. Dus is het uw woord tegen het mijne. Dat lijkt me geen basis voor een succesvolle vervolging.'

'De heer Creel laat bij ons in de stad een weeshuis bouwen,' zei de Italiaan.

'Al liet hij elke straat die je maar hebt, met goud bekleden, dan kon me dat nog niets schelen,' riep Frank uit. 'Wij nemen deze vent mee.'

'Dat dacht ik niet.'

'Commissaris,' zei Creel. 'Ik blijf hier op mijn jacht. Ik bel mijn advocaat en dan handelen we dit op ordentelijke en wettige wijze af.'

'Hij heeft hier ook een onderzeeboot liggen,' merkte Shaw op.

Creel liet zijn ogen rollen. 'O ja, laat me ontsnappen in een onderzeeboot. Dat is toch zo James Bond!' Hij nam Shaw aandachtig op. 'Maar ik vermoed dat de feiten zullen uitwijzen dat er een gewelddadige crimineel aan boord is. Deze man heeft mijn persoonlijke lijfwacht vermoord. Kijk maar eens naar het bloed aan zijn handen en op zijn hemd.'

Shaw zat inderdaad onder Caesars bloed.

'Gaat u maar even op de brug kijken, dan ziet u het zelf,' voegde Creel daaraan toe.

Een van de politiemensen rende de trap op en kwam onmiddellijk weer naar beneden. De man zag nu groen en sloeg een kruis.

'Mijn god, hij is zwaar verminkt.'

De commissaris keek Shaw aan. 'Hebt u die man gedood?'

'Ja.'

'Eindelijk,' zei Creel triomfantelijk. 'Een bekentenis.'

'Ik heb hem gedood uit zelfverdediging. Ik heb heus mezelf niet zo toegetakeld, hoor.' Hij gebaarde naar zijn gehavende gezicht en gescheurde hemd.

'Dat maakt de Italiaanse rechter wel uit. Commissaris, verwijdert u deze moordenaar alstublieft onmiddellijk van mijn schip.'

De politieman trok zijn wapen en zijn mannen volgden zijn voorbeeld, net als Frank en de FBI-agenten.

'Nee,' zei Shaw. 'Ik ga wel met ze mee.'

Hij keek Creel strak aan. 'Dit is nog niet voorbij.'

'Natuurlijk niet. Jij dient die belachelijke aanklacht van je in, mijn advocaten zullen daartegenin gaan, en tegen de tijd dat het allemaal achter de rug is, ben ik nog steeds een vrij man, die over de hele wereld gerespecteerd en gewaardeerd wordt, terwijl jij zit weg te rotten in de gevangenis. Dat noem ik nou rechtvaardigheid.'

Shaw dook op Creel af en slaagde erin zijn armen om de man heen te slaan, maar werd toen van hem weg getrokken.

'Nu kun je ook daadwerkelijke bedreiging en gebruik van lichamelijk geweld toevoegen aan de lijst met aanklachten.'

'Kop op, Shaw,' zei Frank. 'We krijgen dit heus wel rechtgezet. En jij...' zei hij terwijl hij op Creel wees. 'Als jij probeert van deze boot weg te komen, al is het nou met een onderzeeboot, een helikopter of voor mijn part een ruimteschip, dan ben je er geweest.'

'Tot ziens, heren,' zei Creel koeltjes. 'Ik zie er verlangend naar uit om me voor de rechter tegen al deze beschuldigingen te kunnen verweren, en om te zien hoe u allen uw gerechte straf niet zult ontlopen.' Toen keek hij naar Shaw en voegde daar met een brede glimlach aan toe: 'Elke keer wanneer ik op mijn jacht ben, zal ik aan je denken.'

* * *

Nadat de boten waren vertrokken, trok Nicolas Creel zich terug in zijn uiterst luxueus ingerichte hut. Om deze ellendige toestand snel de wereld uit te helpen, moest hij dringend een aantal telefoongesprekken voeren, en het eerste telefoontje was bestemd voor de mannen die op dit moment waarschijnlijk zijn vierde echtgenote aan het begraven waren in Italiaanse grond. Maar hij zou wel zorgen dat dit allemaal netjes werd opgelost. Dat deed hij altijd. Het zou gewoon wat tijd gaan kosten, en wat geld, en een beetje vindingrijkheid vermengd met koelbloedigheid. Meer had hij nog nooit nodig gehad.

Hij pakte een sigaar uit zijn humidor en stak zijn hand in zijn zak om zijn aansteker te zoeken. Zijn hand sloot zich om een metalen voorwerp, maar een aansteker was het niet. Hij haalde het tevoorschijn. Het was smal en glad. Hoe was dat nou in zijn zak beland? Hij keek er aandachtig naar. Was dat een veegje bloed? Hij rook nu ook iets, een lucht die hem vaag bekend voorkwam.

Creel kon niet weten dat Shaw op datzelfde ogenblik een kleine afstandsbediening in zijn geboeide handen geklemd hield. Hij was aan boord van de politieboot, en keek naar Katie, die naast hem stond. En zij keek naar hem, of om wat nauwkeuriger te zijn, naar zijn gescheurde hemd. Alleen zij leek opgemerkt te hebben dat de hechtingen waarmee Leona Bartaroma, de rondleidster annex chirurg in ruste uit Dublin, de wond in Shaws arm had dichtgenaaid, niet langer aanwezig waren.

Toen de FBI-helikopter over hen heen scheerde, keek Shaw uit over de zee, waar de reusachtige stalen massa van de *Shiloh* als een grote, op zijn rug liggende walvis ronddobberde. Toch was hij op dat moment niet met zijn gedachten bij met bloedgeld betaald waterspeelgoed voor miljardairs, en al evenmin bij pm-meesters als Richard Pender. Hij maakte zich er al evenmin erg druk om dat hij in een Italiaanse gevangeniscel zou belanden omdat hij Caesar van het leven had beroofd. Zelfs de waarheid kon hem op dit moment niet veel schelen.

Hij dacht Anna's gezicht te zien, afgetekend tegen de donkere hemel. Ze staarde hem aan, misschien wenkte ze wel naar hem, maar dat laatste wist hij niet zeker. Ze waren gewoon twee mensen die hadden geprobeerd van elkaar te houden in een wereld die zoiets niet altijd toeliet. Ze waren geheel buiten hun schuld in een nachtmerrie verwikkeld geraakt. En Shaw was daar zo woedend om, zo verlamd door een verlies dat hij nooit volledig zou kunnen begrijpen of verwerken, dat het hem nu de grootste moeite kostte gewoon op het knopje te drukken van de afstandsbediening die hij in zijn handen hield. Terwijl hij naar Anna's gezicht tuurde, dat daar voor hem aan de hemel leek te hangen, vond hij uiteindelijk echter toch voldoende kracht. Toen hij klaar was, smeet hij het apparaatje overboord, waar het met een nauwelijks waarneembare rimpeling onder water verdween.

In zijn hut voelde Creel het metalen voorwerp warm worden. Dat was het laatste wat ooit nog vanuit de buitenwereld tot hem zou doordringen.

Toen de kapitein het gekrijs hoorde en de rook opsnoof, rende hij snel de trap af en stormde de hut binnen. Maar tegen die tijd viel er op de plek waar Creel zojuist nog had gezeten, niet meer te zien dan een zwartgeblakerde massa as en botten. Naderhand zou een onderzoek uitwijzen dat het hier om het stoffelijk overschot van de miljardair ging, zelfs al vertoonde dat inmiddels geen enkele gelijkenis meer met een menselijk lichaam. Niemand zou ooit met zekerheid kunnen zeggen wat er nou precies was gebeurd, en waarom Nicolas Creel klaarblijkelijk zelfmoord had gepleegd met een fosforhoudende brandbom.

•99•

Aan de hand van een tip ontdekte de plaatselijke politie de volgende ochtend het lijk van mevrouw Creel in een kortgeleden gedolven graf in de bodem van de uitgraving waarin de fundering van het weeshuis gestort zou worden. Een paar minuten later werd Shaw vrijgelaten uit een Italiaanse gevangenis. Hij liep naar buiten als vrij man, met een nieuw overhemd aan en een arm die keurig gehecht was door de arts die de gevangenis speciaal daarvoor had laten komen.

Het zou veel tijd gaan kosten om uit te zoeken en in kaart te brengen wat zich allemaal had afgespeeld rond de Rode Gevaar-campagne, Nicolas Creel en Pender & Associates, maar wat er ook aan de oppervlakte mocht komen, de heersende machten, waaronder de Verenigde Staten, Rusland en China hadden collectief besloten dat de waarheid nooit openbaar gemaakt zou worden. Elk beetje informatie over Nicolas Creels grote complot dat aan het licht kwam, werd onmiddellijk tot staatsgeheim bestempeld en voor altijd weer begraven. Het zou hier en daar misschien verbazing wekken dat zoiets mogelijk was, maar het was nou eenmaal zo dat zulke geheimhoudingsacties overal ter wereld geregeld plaatsvonden.

Net als alle anderen die op de hoogte waren van de details van deze zaak moesten Katie, Shaw en Frank zweren dat ze die voor eeuwig geheim zouden houden.

Katie had dit bevel niet goed opgenomen. 'Waarom zou dit geheim moeten blijven? Zodat we dezelfde fouten nog eens kunnen maken?' Ze kreeg te horen dat als de mensen te weten kwamen hoezeer de wereld op de rand van de afgrond had gebalanceerd, ze voor altijd alle vertrouwen in hun leiders zouden verliezen.

'Nou, misschien zou dat helemaal niet zo onverstandig zijn,' had Katie nijdig opgemerkt.

Maar toen de president van de Verenigde Staten in eigen persoon nog eens had uiteengezet waarom geheimhouding zo belangrijk was, en bovendien een beroep had gedaan op haar vaderlandslievende gevoelens, had Katie eindelijk toegegeven. Ze had wel een voorbehoud gemaakt.

'Waarom denken jullie de volgende keer niet wat beter na over dit soort dingen voordat jullie een oordeel vellen? Zou dát geen goede strategie zijn?'

Na verloop van tijd zetten de mensen hun herinneringen aan de pas op het allerlaatste ogenblik afgewende catastrofe weer van zich af en gingen gewoon verder met hun leven, zoals ze dat altijd weer leken te doen. De toestand leek misschien wat minder veilig dan tijdens de Koude Oorlog, maar in ieder geval leefde de wereldbevolking nu niet met een vals gevoel van veiligheid dat alleen maar op leugens gebaseerd was.

Shaw, Katie en Frank gingen naar Londen, waar een herdenkingsdienst werd gehouden voor de slachtoffers van de massamoord. Anna's ouders woonden de plechtigheid bij, maar Shaw zorgde ervoor dat hij ze niet tegen het lijf liep. Door Wolfgang Fischer te worden aangevlogen in een grote Londense kathedraal was niet de manier waarop hij Anna wilde gedenken.

Een tijdje later ging hij nog een keer naar Durlach, om daar Anna's graf te bezoeken. Zonder dat hij dat wist, reisden Katie en Frank op de tweede dag van zijn bezoek eveneens naar het plaatsje en klopten aan bij de familie Fischer.

Er werd opengedaan door Wolfgang, die er heel oud en moe uitzag.

'Ik ben Katie James,' zei Katie. 'En dit is Frank Wells.'

Wolfgang keek hen vol argwaan aan. 'Wat komt u doen?'

'Ik wil het een en ander rechtzetten,' zei Frank nerveus. 'Ik wil met u praten over Shaw.'

'Ik heb geen enkele behoefte om wat dan ook recht te zetten tussen mij en die man,' zei Wolfgang, en zijn gezicht liep rood aan.

'Volgens mij moet u dat wél doen,' zei Katie streng.

'En waarom dan?'

'Omdat hij dat verdiend heeft. Hij verdient de waarheid. En u moet dit doen voor Anna.'

'Voor Anna? Wat bedoelt u!'

'Uw dochter was briljant en mooi, en had veel bereikt in haar leven. Bovendien was ze smoorverliefd op die man. U moet begrijpen waarom.'

'Laat ze binnenkomen, Wolfgang.'

Ze keken allemaal naar Natascha, die achter haar man stond.

'Laat ze binnenkomen, dan kunnen we naar hen luisteren. Ze heeft gelijk. Dat zijn we Anna verschuldigd.'

Frank en Katie liepen langs Wolfgang het huis binnen en daarna zaten ze met z'n vieren urenlang te praten over wat er gebeurd was.

'Mijn god!' riep Wolfgang uit toen het voorbij was. 'Ik zou Shaw graag spreken. Ik zou hem willen zeggen... ik zou hem willen zeggen...' Hij keek zijn vrouw hulpeloos aan.

'Ik zou hem willen zeggen hoe wij ons voelen, dat het anders is nu, hoe wij ons voelen,' maakte Natascha de zin voor hem af.

'Ja,' zei Wolfgang. 'Anders.'

'Pakt u uw jassen dan maar,' zei Katie.

Shaw zat op de grond naast Anna's graf. Het was de tijd van het jaar waarin de blaadjes van de bomen beginnen te vallen, en er stond een schrale wind. Het voelde goed om hier te zijn. Het leek wel of Anna nog leefde. Terwijl hij daar zo zat, leek het alsof hij hier altijd zou kunnen blijven.

Lang voordat hij iemand kon zien, hoorde hij hen al naderen. Hij stond op en bleef met een strak gezicht naar het groepje mensen kijken dat nu naar hem toe kwam. Wolfgang liep voorop. Shaw deed langzaam een paar stappen naar achteren, weg van Anna's graf, totdat hij Katie en Frank herkende. Toen bleef hij staan. Hij wist niet goed wat hier aan de hand was of wat hem nu te doen stond.

Wolfgang liep recht naar hem toe. 'Deze mensen hier...' Hij gebaarde naar Katie en Frank, '... hebben ons het een en ander verteld over wat er gebeurd is.'

'Ze hebben ons de waarheid verteld, Shaw,' zei Natascha terwijl ze zijn hand in de hare nam. 'En we vinden het heel erg hoe we tegen je gedaan hebben.'

'Ja, het spijt ons heel erg,' voegde Wolfgang daaraan toe, en toen hij Shaw aankeek, lag er een schuldbewuste blik in zijn ogen.

Shaw wierp Frank en Katie een scherpe blik toe. Frank bleef strak naar de grond turen, maar Katie wierp hem een bemoedigende glimlach toe.

Wolfgang sloeg zijn armen om Shaw heen en trok hem tegen zich aan, terwijl Natascha hen allebei omhelsde. Het duurde niet lang of de wangen van meneer en mevrouw Fischer waren nat van de tranen en terwijl ze daar met hun armen in elkaar gehaakt bij Anna's laatste rustplaats zachtjes met elkaar stonden te praten, begonnen zelfs Shaws ogen te glimmen, en zo nu en dan trilden zijn lippen.

Terwijl ze samen met Frank stond toe te kijken moest Katie telkens opnieuw haar tranen wegvegen.

Een hele tijd later fluisterde Frank: 'Ik kan hier niet meer tegen. Ik kan niet goed overweg met al dat emotionele gedoe, Katie. Ik krijg liever een 9mm Glock in mijn strot geramd dan dat ik naar dit gedoe moet kijken.' Hij draaide zich om en Katie dacht een lichte snik te horen.

Bijna een uur later namen Wolfgang en Natascha afscheid.

Katie liep langzaam naar Shaw, die nog bij het graf stond.

'Bedankt,' zei hij zonder zijn ogen van de opgehoopte aarde af te wenden.

'Hoe gaat het met je?'

'Een deel van mij beseft maar al te goed dat Anna dood is, maar diep vanbinnen... kan ik het gewoon niet aanvaarden.'

'Rouwen is iets heel merkwaardigs. Het schijnt een proces te zijn met duidelijk te onderscheiden fasen. Maar tegelijkertijd lijkt het toch voor iedereen altijd weer zo anders te zijn. En je voelt je zo alleen. Ik snap niet hoe iemand dat anders kan zien dan als een hel die lukraak over de mensen wordt uitgestort maar wel voor iedereen volkomen op maat is gemaakt.'

Hij keek haar aan. 'Ben jij iemand kwijtgeraakt?'

Ze haalde haar schouders op. 'Iedereen die leeft, is weleens iemand verloren.'

'Ik bedoel iemand die veel voor je heeft betekend.'

Katies mond ging open, en vrijwel onmiddellijk daarna weer dicht.

'Is dat de reden waarom je te veel dronk?' zei hij langzaam, terwijl hij naar de roodbruine herfstbladeren aan de bomen keek.

Katie stak haar handen diep in haar zakken en schopte met de neus van haar schoen in de aarde. 'Hij heette Benham. Benham was een klein jongetje dat had moeten opgroeien tot een fijne vent. En het was mijn schuld. Ik heb mijn tweede Pulitzerprijs gewonnen en hij is in een gat in de grond beland, ergens in de omgeving van Kandahar.' Ze haalde eens diep adem. 'En ja, dat is de reden waarom ik te veel dronk.'

'Je zult hem nooit vergeten, hè?'

Ze schudde haar hoofd. 'Nooit. Dat kan ik niet.' Er klonk een gesmoorde snik.

'Ik weet precies hoe je je voelt,' zei hij en hij legde een hand op haar schouder. 'Het beste verder, Katie. Pas goed op jezelf.'

Hij draaide zich om en liep weg. Binnen een paar seconden kon Katie hem niet meer zien.

Ze stond daar maar, alleen tussen de doden. Ze keek snel even naar Anna's graf, bukte zich en schoof de bloemen die Shaw daar had neergelegd wat dichter naar de grafsteen toe. In de weinige in het graniet uitgehouwen woorden zag Katie het leven en de nagedachtenis weerspiegeld van een opmerkelijke vrouw, en van een man die bij leven van haar gehouden had en wiens liefde ook na haar dood duidelijk niet gestorven was.

Een tijdje later stond ze op van de gewijde aarde, draaide zich om en trad langzaam het land der levenden weer binnen.

Toen zette ze het op een lopen.

Achter zich hoorde hij naderende voetstappen. Hij draaide zich om en er verscheen een verbaasde uitdrukking op zijn gezicht toen hij haar zag.

'Wat is er?' vroeg hij. 'Gaat het wel?'

'Het drong ineens tot me door,' zei Katie, 'dat ik geen vervoer heb.'

'Ik kan je wel een lift geven.' Hij keek op zijn horloge. 'We kunnen in anderhalf uur in Frankfurt zijn. Als je daar een vliegtuig naar New York neemt, kun je nog op tijd thuis zijn voor een heel late avondmaaltijd in je favoriete restaurant.'

'Ik wil niet naar New York.'

'Maar daar woon je toch?'

'Ik heb mijn hele volwassen bestaan al uit een koffer geleefd. En ik heb geen baan.'

'Je zou nu waarschijnlijk alsnog presentatrice bij CNN kunnen worden.'

'Dat wil ik niet.'

'Wat wil je dan wel?'

'Een lift van jou.'

'Best, maar waarheen dan?'

'Daar hebben we het onderweg wel over.'

Ze keken elkaar strak aan. Haar ogen glommen en Shaw wendde zijn ogen af. Aarzelend zei hij: 'Katie, ik kan niet...'

Ze hield haar hand voor zijn mond. 'Ik weet dat je dat niet kunt, Shaw. En als je iets anders had gezegd, was ik nu al weggelopen. Daar ben ik niet op uit.'

'Wat wil je dan wel?'

Ze tuurde even in het donker van de Durlachse avond voordat ze hem weer aankeek, en toen ze sprak, leek haar stem bijna te bezwijken onder de zware last van haar woorden.

'Ik ben alcolholist. Ik ben werkloos. Ik heb maar weinig vrienden, of misschien heb ik die eigenlijk helemaal niet. En ik ben bang, Shaw. Ik ben doodsbang dat dit alles is wat er voor mij nog in het verschiet ligt. En als je nu tegen me zegt dat ik naar de hel moet lopen, kan ik daarop antwoorden dat we daar allebei al eens rondgekeken hebben en dat het er net zo akelig is als iedereen zegt.'

Terwijl de wind door de bomen ruiste en de inwoners van Durlach overal om hen heen aanstalten maakten naar bed te gaan, keken Shaw en Katie elkaar zwijgend aan. Het leek wel of geen van beiden over de moed, de energie of de ruimhartigheid beschikte om iets te zeggen.

'Kom,' mompelde Shaw een hele tijd later.

Samen draaiden ze zich om en liepen ze de stille straat uit.

Waarheen precies wisten ze geen van beiden. Dat was zeker.

Noot van de auteur

De term 'perceptiemanagement' is inmiddels stevig verankerd in ons taalgebruik. Het Amerikaanse ministerie van Defensie geeft in een van zijn handboeken zelfs een definitie van perceptiemanagement, waaruit blijkt dat de militairen het uiterst serieus nemen. Veel publicrelationsfirma's hebben tegenwoordig perceptiemanagement of 'pm' in hun dienstenpakket. Het ziet er echter naar uit dat de meeste daar niet bijzonder goed in zijn. Als je uitmuntend wilt zijn in het scheppen van een 'Grote Leugen' moet je je daar ook echt in specialiseren. Perceptiemanagers zijn geen spindoctors omdat ze geen 'spin' aan de feiten geven. Ze schéppen feiten en proberen die vervolgens aan de man te brengen als de waarheid. En dat is – om de eerbiedwaardige Mark Twain te citeren die gehakt gemaakt zou hebben van al die pm'ers – het verschil tussen een lieveheersbeestje en Onze Lieve Heer.

Veel van de in dit verhaal beschreven technieken zijn voor deze mensen standaardprocedures, ook al heb ik er andere termen voor gehanteerd. Met dergelijke methodes kan een grote leugen zo snel en overweldigend over de wereld worden verspreid, dat er bij het grote publiek met geen enkele hoeveelheid graafwerk achteraf, zelfs maar enige twijfel op te wekken valt aan de juistheid ervan.

En dat is nou precies wat perceptiemanagement zo gevaarlijk maakt.

Dankbetuiging

Aan Michelle, je vroege opmerkingen hebben bij dit boek echt heel veel opgeleverd. Zonder jouw commentaar was ik de lezers na het eerste hoofdstuk misschien al kwijtgeraakt.

Aan Mitch Hoffman, goed geredigeerd. Je advies en zachtmoedige aandringen hebben dit boek werkelijk geholpen zijn mogelijkheden waar te maken.

Aan Aaron Priest, Lucy Childs, Lisa Erbach Vance en Nicole Kenealy, omdat ik dankzij jullie al mijn aandacht op de boeken heb kunnen richten.

Aan David Young, Jamie Raab, Emi Battaglia, Tom Maciag, Jennifer Romanello, Martha Otis en alle andere mensen bij Grand Central Publishing, die ervoor zorgen dat mijn carrière steeds meer vaart krijgt.

Aan David North, Maria Rejt en Katie James van Pan Macmillan. David, je bent een echte ziener, maar beter nog, zo'n vent om een biertje mee te drinken. Maria, je op- en aanmerkingen waren al even solide als gebruikelijk. Katie, ik hoop dat ik je naam recht heb gedaan. Jongens, het was gaaf om eindelijk eens een thriller te schrijven die zich afspeelt aan de overkant van de oceaan.

Aan Steven Maat van A.W. Bruna Uitgevers, bedankt voor de geweldige rondleiding en voor je hulp bij de scènes die zich in Nederland afspelen.

Aan Stefan Lubbe, Helmut Pesch en Barbara Fischer van Lubbe. Stefan, bedankt omdat je zo'n boekenliefhebber bent, en een uitgever die zowel de boekenbranche als de schrijvers werkelijk begrijpt. Helmut, bedankt voor je inzicht in de Duitse situatie en je zorgvuldige kritiek. Barbara, een te lang uitgebleven bedankje voor alles wat je in de loop der jaren voor me hebt gedaan, en voor het gebruik van je achternaam voor een fantastisch personage.

Aan Luigi Bernado, voor je hulp bij het stuk dat zich in Italië afspeelt.

Aan de familie Richter, voor het gebruik van jullie namen.

Aan Eliane Benisti, voor het gebruik van je naam. Ik heb je president van Frankrijk gemaakt! Ik hoop dat je die baan wilde.

Aan Leona Jennings, eindelijk – eindelijk – heb jij de dankbetuiging ook gehaald. Er waren maar vijftien boeken voor nodig, maar ik hoop dat dat het wachten waard zal maken.

Aan Bob Castillo en Roland Ottewell, voor hun geweldige persklaarmaakwerk.

Aan Grace McQuade en Lynn Goldberg, omdat jullie me echt in de publiciteit weten te krijgen.

Aan Deborah en Lynette, omdat jullie me op de een of andere manier op het rechte pad weten te houden.

Blijft u graag op de hoogte van de nieuwste spannende boeken?

Kijk dan op

www.awbruna.nl

en geef u op voor de spanningsnieuwsbrief.

Op deze manier krijgt u steeds als eerste alle informatie over nieuwe boeken en kunt u gebruikmaken van aantrekkelijke kortingen en andere lezersacties.

*De mannen die hem vasthielden waren te
sterk voor hem. Terwijl het mes steeds
dichterbij kwam, schreeuwde hij: 'In
godsnaam, niet doen! Schiet me nou maar
gewoon een kogel voor mijn kop.'
'Als je vertelt waar Annabelle zit, ben je er
zo geweest, dat beloof ik je. Maar dat is de
enige deal die ik nu nog met je ga sluiten.'*

ISBN 978 90 229 9341 5

David Baldacci
De verraders

Annabelle Conroy is een jonge, aantrekkelijke vrouw met vele gaven. Ze is
koelbloedig en vindingrijk, weet uitstekend hoe je een groot project moet
leiden en is bovendien een getalenteerd toneelspeelster. Samengevoegd
maken deze eigenschappen haar tot wat zij is: een meesteroplichter.
Maar nu is Annabelle op de vlucht. Ze heeft Jerry Bagger, de moordenaar
van haar moeder, 40 miljoen dollar weten te ontfutselen en zo haar ultieme
wraak gekregen. Maar Baggers mannen krijgen een van Annabelles
handlangers te pakken en de boodschap die zij voor haar achterlaten is luid
en duidelijk: Bagger zal alles op alles zetten om haar te vinden en zijn geld
terug te krijgen.
De enige persoon die Annabelle vertrouwt om haar te helpen, is een man
genaamd Oliver Stone. Maar Stone verkeert zelf in de problemen...

*'Niet voor niets plaatst zijn Nederlandse uitgever hem
naast John Grisham.'* – Algemeen Dagblad

*'Mensen die echt dood willen, kiezen een manier
die in wezen niet mis kan gaan.' Een voor een
telde hij ze op zijn vingers af. 'Een geweer tegen je
hoofd zetten, jezelf verhangen, vergif slikken of je
hoofd in de oven steken en het gas aanzetten. Die
mensen zijn niet op zoek naar hulp, die willen
gewoon dood en meestal lukt het ze ook wel om
hun doel te bereiken. De reden waarom jij niet
gestorven bent, is dat je dat niet echt wilde.'*

ISBN 978 90 229 9316 3

David Baldacci

Geniaal geheim

Op het terrein van de Farm, het ultrageheime trainingscomplex van de CIA,
wordt het lichaam gevonden van Monk Turing. Turing was werkzaam in
het nabijgelegen Babbage Town, een mysterieus complex waar
wetenschappers aan de meest geavanceerde microprocessor ter wereld
werken.

Hoewel de politie vermoedt dat het om zelfmoord gaat, zijn er toch ook
twijfels. Sean King en Michelle Maxwell – voormalige agenten van de
Secret Service – worden door de eigenaren van Babbage Town ingehuurd
om de zaak te onderzoeken. Algauw komen ze erachter dat 's nachts in het
diepste geheim vliegtuigen landen op de Farm. En dat de bewoners van
Babbage Town zich misschien met meer bezighouden dan alleen hun
wetenschappelijk werk.

De sleutel tot alle raadsels lijkt te liggen bij een tienjarig meisje dat
hoogbegaafd is. Maar wie weet haar zover te krijgen dat zij de geheimen van
Babbage Town en de Farm onthult?

*'Niet voor niets plaatst zijn Nederlandse uitgever
hem naast John Grisham.'* – Algemeen Dagblad

Hij glimlachte een beetje en leek trots te zijn op die ene mooie herinnering in een leven vol infantiele stupiditeit. 'Die stunt die we hebben uitgehaald, was een dijk van een stunt.' Ik staarde naar zijn silhouet op het donkere strand en voelde opwinding in me opwellen. 'Vertel het maar, Charlie. Waar kan jij in vredesnaam je hand op leggen?' 'Heb je ooit gehoord,' zei Charlie, 'van een vent die Rembrandt heet?'

ISBN 978 90 229 9268 5

William Lashner
Wie volgt?

Charlie en zijn vrienden waren vastbesloten de achterbuurten van Philadelphia, waar zij woonden, te ontvluchten. Om aan geld te komen, beraamden zij een zeer gewaagde inbraak met als doelwit niemand minder dan kunstverzamelaar William Randolph. De buit – naast goud, zilver en juwelen – is een zelfportret van Rembrandt.

Het was de perfecte misdaad en de politie kwam er nooit achter wie de daders waren. Alleen: geen van de vrienden durft de Rembrandt te verhandelen. Meer dan 28 jaar lang blijft het schilderij verborgen, totdat Charlie wordt benaderd door advocaat Victor Carl. Niet lang daarna wordt een van Charlie's vrienden vermoord. Op zijn lichaam is een briefje achtergelaten met de tekst: 'Wie volgt?'

'In het genre van de legal thriller is Lashner een klasse apart.' – Hans Knegtmans, *Het Parool*

'Lashner [...] maakt zijn verhaal precies gecompliceerd genoeg om ons scherp te houden.' – Entertainment Weekly